絶倫の人

小説 H・G・ウェルズ

デイヴィッド・ロッジ
高儀進＝訳

白水社

絶倫の人　小説H・G・ウェルズ

ジム・クレイスに

彼はわたしが本書の一語も書かないうちに
本書のテーマを当てた。

『絶倫の人』（A Man of Parts）

Parts 複数名詞　1　資質または才能――多才な人（a man of many parts）。2　陰部（private parts）の短縮形。

『コリンズ英語辞典』

「彼はどこでかはわからないが、次のものが自分を待ちながら存在していると想像できた。最も詩的なものから最も肉体的なものに至るまでの感情と感覚の全域に及ぶ完全な理解、完璧な反応、美しい関係。それは非常な変貌力を持っているので、彼女――この完全さは女性であるのは言うを俟《ま》たない――がその光の中で完璧に美しいばかりではなく、さらにまことに信じ難いのだが、彼も完璧に美しく、すっかり寛ぐだろうということである……彼女の前に出ると、自責の念も、蹉跌も、限界もなくなり、幸福と至福の活動しか存在しなくなる……そうした考えに、想像を好む世の半分の人間は、仔鴨が水に馴染むように簡単に屈する。彼らは、喉の渇いた駱駝が間もなく泉に達するということを疑わないように、その真実を疑わない。

そんな考えは愚かである。ちょうど駱駝が、一度その水を飲めば二度と喉が渇かない泉から、いつの日か水を飲むのを期待するのと同じく」

H・G・ウェルズ『ブリトリングズ氏、乗り切る』

「若者の心は緑の野に似ていて様々な可能性に満ちているが、老人の心は思い出がごたごたとある墓地に次第に似てくる」

H・G・ウェルズ、ルーズリーフの日記、一九四二年四月二十八日の項

この物語で起こるほとんどすべてのことは事実にもとづいている。どの登場人物も実在した人間で、彼らの本その他の刊行物、談話《スピーチ》および手紙からの引用は（ごくわずかな例外を除き）、彼ら自身の言葉である。しかし私は、彼らが考え、感じ、互いに言ったことを書く際に小説家の特権を行使した。また、歴史が記録しなかった数多くの状況の細部は想像したものである。

D・L

第一部

1

　一九四四年春。リージェンツ・パークの西の縁《へり》にある、ナッシュ（一八三五年に没した英国の建築家）が設計した立派な一列のタウンハウス、ハノーヴァー・テラスは、目に見えて戦争疲れの様相を呈している。一九三九年以来手入れをしていないクリーム色の化粧漆喰の正面は汚れ、罅《ひび》が入り、剝離している。爆風やプリムローズ・ヒルの高射砲の衝撃波で粉微塵になった多くの窓には、板が張ってある。ハノーヴァー・テラスの端のほうの一軒の家は焼夷弾にやられ、内部が焼かれた、煙の染みのついた殻だ。建物の端から端まで続き、各家の正面玄関の共同ポーチになっている優雅なアーケードは欠け、剝落している。その建物の最も人目を惹くものを支えている堂々たるドーリス式柱も同様だ――その最も人目を惹くものは天辺の三角部分《ペディメント》で、三辺に囲まれて、様々な有益で芸術的な目的を追っている古典的人物の彫像がある。そのうちの二人は頭と片腕がない。かつてはペディメントの頂点に立っていた、宝珠を摑んでいる女神像は、爆弾が炸裂して突然倒れて落ちたら下を通る者にとって危険なので、撤去された。公園の外周道路《アウター・サークル》から側道とその灌木を隔てるのに使われた、黒と金で枠に塗られた鋳鉄の手摺りは、弾丸を作るのにとっくの昔に切断され運び去られた。

　戦時中、ハノーヴァー・テラスでずっと持ち主が住んでいたのは一三番地の家だけで、その家《や》の主《あるじ》はH・G・ウェルズ氏だ。彼は一九四〇年から四一年にかけてのロンドン大空襲すなわちブリッツのあいだ、それは不吉な番号になるかもしれないと何度となくからかわれたが、生涯にわたって迷信を馬鹿にしていたので、そう言われると、正面玄関の横の壁にいっそう大きく「13」とペンキで書いた。彼は田舎に疎開するのを頑として拒み、「ヒトラー（男だけのところでは「あのくそったれのヒトラー」）がわたしを退却させることなんかない」と言い、隣人たちが一人また一人と安全な田舎の避難所にこそこそと逃げ出し、彼らの家が又貸しされたり空き家になったりしても、ハノーヴァー・テラスにとどまった。

　H・Gは体が言うことを聞く限り、自分の番が来ると鉄兜をかぶり、ハノーヴァー・テラスの屋根から空襲の火災監視役を務めた。それは愛国的義務感からでもあり、自宅の居間のオービュソン絨毯を気遣ったからでもある。それはまた、遥か昔の一九〇八年に自分が書いた小説『空の戦争』の予言が当たったのを、いわば特別観覧席から眺めるという、暗い満足感を彼に与えた。その小説の中で彼は、将来の戦争は空軍力によって支配され、無差別爆撃によって都市が破壊され民間人が殺されるだろうと書いた。正直なところ、その戦争は飛行機でではなく、遠洋定期船くらいの大きさの巨大な飛行船でもっぱら行われるだろうと予測したのは彼の間違いだったが、一九〇八年当時の航空工学の状況を考えると、それほど突飛な推測ではなかった。数年後、ドイツのツェッペリンがイギリスの夜空に現われた時には、突飛な推測に思われなかったのは確かだ。ペンギンブックは一九四一年、『空の戦争』は目下の戦争にいまだに十分関連性があると考えて再刊した。それには、彼自身が書いた新しい序文が付いていた。その結びで彼は、次のような碑銘を自分の墓石に彫ってもらいたいと言った。「言ったではないか。この大馬鹿野郎共」

今では彼には火災監視役は務まらないが、火災監視の必要はほとんどない。一九四四年の春にはサイレンは滅多に鳴らない。その年の初めに予期せぬドイツ空軍の夜間空襲が再開されたが、それは、英米空軍によって行われたドイツの諸都市への絨毯爆撃に対する名目だけの報復だということがわかった。そして、間もなくおしまいになった。今では、レーダー遮蔽をくぐり抜けた低く速く飛ぶ数機の戦闘爆撃機が日中時折、一撃離脱《ヒット・アンド・ラン》の空襲をするだけだ。そして、そうした飛行機は滅多にロンドンの中心までは来ない。ナチ・ドイツはもっと重要な軍事上の問題を抱えているのだ。東方から前進してくるロシア軍に断固として抵抗し、占領しているフランスに連合国軍が侵攻してくる(それが間近いのは誰もが知っている)のを撃退する準備をするという問題だ。ロンドンは再び安全になり、ハノーヴァー・テラスの借地人たちは一人また一人と、自分の家にそっと戻ってきている。H・Gはその様子をやや軽蔑して見ている。彼は空襲のあいだずっとそこにとどまり、いつもの通りの生活をし、本を書き、手紙の返事を書き、毎日の散歩に出掛けた——道路を横切り、公園に入り、動物園や薔薇園に行くか、ベーカー街を下ってブルック街のサヴィル・クラブに向かい、途中でスミス書店に立ち寄るかした。

近頃では彼は、そうした遠出を諦めざるを得ない——薔薇園でさえ遠過ぎる。体調が思わしくない。体力がなくなっている。食欲がない。遅く起き、小さな居間か、サンルームか、家の裏側のガラス張りのバルコニーの肘掛椅子に坐る。膝に膝掛けをかけ、本を読んだりまどろんだりし、本が床に滑り落ちる音によって、または妻が死んで以来秘書を務めてくれる義理の娘のマージョリーによって起こされて、びっくりして目を覚ます。マージョリーは返事の必要のある手紙を持ってくる。あるいはただ、彼が快適に過ごしているかどうか確かめに来る。晩には、マージョリーの夫でH・Gの長男のジップか、レベッカ・ウェストが生んだH・Gの私生児アントニー（第一次世界大戦が始まった日に生まれた）がやってくる。彼はその三人が出入りし、心配そうに眉をひそめて自分をしげしげと見るのを意識している。ここしばらく、彼は夜間、看護婦に家に来てもらっている。彼の主治医ホーダー卿は、昼間も看護婦を雇うように勧めた。自分は死ぬのだろうかと、彼は考える。

四月のある晩、アントニー・ウェストは母に電話する。彼女は自宅のイプストーン・ハウスで電話を受ける。それは、ハイ・ウィカムの近くの田舎にある摂政時代の屋敷のまだ残っている翼で、農場が付いている。彼女は夫のヘンリー・アンドルーズと暮らしている。彼は銀行家、経済学者で、今、経済戦争省に勤めている。

「悪い知らせがあるんだ」とアントニーは言う。「ホーダーが言うには、H・Gは肝臓癌なんだ」

「あらまあ！」とレベッカは言う。「どのくらいひどいの？　あの人は知ってるの？」

「まだ知らない」

「あの人に言うつもりじゃないんでしょうね？」

「そう、ジップと話してるんだ。言わなくちゃいけないと僕らは思ってる」

「でも、なんで？」

「H・Gは、事実に直面するのがいいって、いつも考えてる。死を怖がっちゃいない。何度もそう言ったよ」

「でも、言うのは簡単だけど……」

「このことを電話で話し合うべきじゃないと思う、ラック」とアントニーは、彼女がヘンリーと結婚した時に付いた綽名を使って言う。二人は、自分たちをフランスの漫画の二匹の犬にちなんでリックとラックと呼び始めた。「そっちに行ってじかに話せたらいいんだけど」

「怖いから？」

「あんたが怖いだろうと思ったのさ」

「ええ、もちろんそうよ」とレベッカは少しむっとして言う。二人の会話は、仄めかされた、または暗示された非難と反駁の棘のあるものになる傾きがあり、それはしばしば露骨なものになる。

「今はイプストーンには行けない」とアントニーは言う。「極東部じゃ人手不足で、僕はえらく忙しいんだ」。彼は目下、BBCの海外放送の極東部で副編集長として働いている。

アントニーはホーダーの診断を要約する。H・Gの病状はいくらか寛解するかもしれないが、余命はせいぜいわずか一年だろう。二人は彼に言うべきか否かについて再び言い合うが、ついにレベッカは苛立たしげに電話を切る。そして書斎に行き、そのことを日記に記し、こう結ぶ。「わたしが一番心配するのは、アントニーがその知らせであまりにひどい打撃を受けるのではないかということだ。わたしはH・Gと和解した。彼がわたしにした残酷なことを忘れてはいないが、二人の愛情は本物で、今でも生きている」。彼女の日記は、そこから引用するだろう将来の彼女の伝記作者を念頭に置いて書かれている。

アントニーはジーンに電話をする。彼女は見事な胸をした可愛らしい若いブルネットの娘で、BBCの発音相談室で働いている。彼は彼女と激しい情事に耽っている。彼は父についての知らせを伝える。彼女は同情的だが、彼の気持ちにすっかり溶け込むことはできない。なぜなら、H・Gに会ったことはないし、家族のほかの者に紹介してもらうわけにはいかないからだ。なぜならアントニーはキティーと結婚していて、キティーは彼がBBCで働いているあいだ二人の農場を経営し、二人の子供の面倒を見、今のところ、ジーンの存在に気づいていないからだ。一方、アントニーはロンドンで働いているあいだ、ハノーヴァー・テラス一三番地の裏庭の端にある、厩舎を改造したフラットに住んでいる。それは一家には「マンフォード氏の家」として知られている。それは、そこにずっと前に住んでいて、おそらく今は死んでいる前の借家人の名前だ。

「あたしたちのことは奥さんに話したの？」とジーンは、フラットの同居人のフィリスに聞かれないよう声を潜めて言う。二人の情事は、BBCに近くて便利なもっぱらこのフラットで行われる。二人が暇でフィリスが仕事に出掛けている日中の数時間に。

「まださ」

「いつ話すの？」

「潮時を待つんだ」

「潮時なんてないわよ。話さなくちゃ」

「僕らみんながH・Gのこの知らせについてじっくり考えているあいだは駄目さ」

「そうねえ……」

「君を愛してるよ、ジーン」

「あたしもあなたを愛してるわ。でも、こんなこそこそしたことは大嫌い」

「わかってる。けど、辛抱するんだ、ダーリン」


数日後レベッカは、H・Gに会いに来てくれという電話をマージョリーから受ける。「あの人、歓迎してくれるかしら?」とレベッカは尋ねる。十年以上続いた嵐のような情熱的な関係のあと、二人が一九二三年か二四年に(いつ最後になったのかは、二人のどちらにも正確にははっきりしなかった)別れた際の心の傷は癒え、最近は二人は友人関係だったが、彼が致命的な病気に罹っているのを知っているので、訪問はストレスに満ちたものになりそうだ。

「あなたに会いたいって言ったわ」とマージョリーは言う。「なら、行くわ」とレベッカは言う。「あの人は知ってるの、自分の……?」「ええ」とマージョリーは言う。

レベッカはイプストーン・ハウスの農場の卵とバターとチーズの入った籠を持って行く。家政婦はその貴重な贈り物をありがたそうに受け取る。「ウェルズ様はわたしがどうやっても、もう乾燥卵は食べられないんです」と彼女は言う。「素敵な新鮮な卵を半熟にしたら、食べる気になるかもしれません」。H・Gは眠れぬ夜を過ごしたので、レベッカが到着した時には、彼女に会える状態ではあまりなかった。そこで彼女は二階の奥行きの長い客間に通された。彼女はこの家が好きではなかった。宏壮だが寒く、かなり陰気だ。高級ホテルのように、床は黒っぽい磨かれた寄せ木張りで、壁はベージュ色で、家具は趣味がよいが無個性だ。客間にはオービュソンの絨毯が敷かれ、マントルピースには唐朝のテラコッタの馬が載っている。しかし、それは持ち主の富を表わしているのであり、持ち主の個性を表わしているのではない。H・Gは視覚的趣味はあまり持ち合わせていない、と彼女は考える。彼は住宅建築の機能面には取り憑かれているが、室内装飾には無関心だ。配管工事には熱中するが、絵の良し悪しは判断できない。家には女の心遣いが感じられない——彼が一九三五年に賃借権を購入した時の愛人だったムーラ・ブドベルクは、賢明にも、結婚しようとも同棲しようともしなかった。彼女のあとには、どんな愛人もいなかった。レベッカが手洗に行く途中で覗いてみた書斎でさえ——重いピラミッド形の台の付いた緑の笠の電気スタンド、その台に釣り合ったインクスタンドと革張りの吸取り紙綴りの載ったマホガニー製の机がある――銀行の頭取の執務室を想わせる。磨かれた机の面に置かれた、使い込んで皺が寄り、隅の折れた二つのフールスキャップ版の淡黄褐色のフォルダーを除けば。それは吸取り紙綴りの両脇に一冊ずつ置かれていて、計算書よりは原稿が入っているように見える。

彼女は一階のクロークルームで、皺が増えたのではないかと五十歳の顔を鏡でとくと見て、白髪になりかけの髪を梳《くしけず》る。そして口紅を引き直し、鼻に白粉をはたき、指に唾をつけて眉の形を整えるが、そんな虚栄心の発露に少々馬鹿らしくなる――しかし、たとえ病気で死にかけていようと、昔の恋人に会う時は、人は一番いい姿を見てもらいたいと思うものだ。彼女は、便器の隣のキャビネットの天辺にノートと鉛筆が置いてあるのを見ておかしくなる――ある着想が浮かんだ時に、忘れぬうちに書き留められるよう、どんな家に住もうと、ノートをそこら中に置いておくのがH・Gのいつもの習慣だ。彼女はノートの中を覗いて見るが、中は空白だ。

H・Gの用意が出来て彼女が呼ばれた小さな居間は客間よりも居心地がよいが、彼は元気がなく、不安げで気が滅入っていて、粉炭が燻っている暖炉の脇の肘掛椅子にだらしなく坐っている。きちんとスリッパを履いたサイズ5の足が、両脚を覆っている膝掛けから覗いている。アントニーとジップは、癌に罹っていることを彼に告げたが、診断の結果は告げていない。「あとどのくらい生きられるのか知りたいんだが」と彼は哀れっぽく言う。「けど、あの二人は教えてくれないんだ。ホーダーさえ教えてくれない」

「それは、わからないからよ。あと何年も生きられるかもしれない、ジャガー」。ずっと昔、恋人同士だった頃、二人はベッドで、また手紙で、互いを「ジャガー」、「パンサー」と呼び合った。彼女はその名前が彼を喜ばせると思ったのだが、彼の気持ちをいっそう乱すのでうろたえる。一滴の涙が彼の片方の目から流れ落ち、口ひげの生え際に消えて行く。口ひげはいまや灰色でかなりまばらだ。男盛りの頃は、それで彼女の秘所を擽《くすぐ》ったものだ。

「死にたくないんだ、パンサー」と彼は言う。

「誰だってそうよ」

「知ってるさ――けど、僕らは死ぬんだ。もちろん、人は死なねばならぬ。僕は自分が恥ずかしい」。彼は椅子に坐ったまま起き直り、手を伸ばして彼女の手を握る。「会いに来てくれてありがとう」

「農場から卵を持ってきたわ」

「親切だね」と彼は言う。「どんな具合だい？　書いてるのかい？」

「新聞雑誌に書くだけ。戦争が延々と続いていたんでは、もっとちゃんとしたものに集中できない……」

「ブリッツにもめげずに『黒い仔羊と灰色の隼《はやぶさ》』を書き上げたじゃないか」

「書き上げなくちゃならなかったのよ。でも、疲れ切ってしまったわ。あなたはどうなの、ジャガー？」

「ああ、あれやこれや拾い読みしてる。二つばかり書いてるところなんだが、どっちも書き終えるかどうかわからない。とにかく、今では誰も僕に関心を持ってない」

「そんな馬鹿な」とレベッカは礼を失しないように言う。

ヘンリーは元気かとH・Gは尋ねる。「戦後再建計画で、省で大骨折ってるわ」とレベッカは言う。「わたしたちが今現在のことを心配してるっていうのに、あの人が将来を自信たっぷりに見据えているのを見ていると、とても安心する。で、ムーラは元気なの？」

「田舎にいる、ターニャのところにいる」

「ムーラはあなたに会いに来たの、あれ以来……？」

「ホーダーが死刑宣告を下して以来ってことかい？」

「やめてよ、パンサー！」

「ムーラにはまだ事情を話してはいけないってジップに言ってあるんだ。ムーラは最近、自分もあまり具合がよくないのさ。休養して健康を回復しようとターニャのところに行ったんだ。必要もなくあれの気持ちを乱したくないんだ」

「わかったわ」。レベッカはその情報についてじっくり考える。彼女は、不幸に襲われたH・Gを慰めるために愛人を差し置いて自分が呼ばれたのは、己惚れるべきなのか、利用されたと感じるべきなのか、よくわからない――もし、まだムーラが愛人だとすれば。二人の関係が正確にどんなものなのかは、これまで謎だった――ほかの者にとってだけではなく自分にとっても、とH・Gは言っている。

「正直な話」と彼は言う。「あれは、僕が死にかけていると聞けば、ゴーリキーの登場人物よろしくすっかりロシア風になって、ブランデーを飲んでめそめそし、僕を今よりもっと暗い気持ちにするだろうね」

「あなたの言う意味はわかる」とレベッカは、にこりとして言う。ブドベルク男爵夫人のムーラは、まさしくロシアの小説から抜け出したような人物だ。メロドラマ的で、ほとんど信じられないような恋と冒険の話をする――ロシア革命の際、最初の夫と自分たちの子供を救うためロシアとエストニアのあいだの氷原を歩いて横切った。夫が自分の屋敷で殺害されると、エストニアの旅券を手に入れるために男爵と結婚し、お返しに、博打で出来た男爵の借金を払い、そのあとすぐに離婚した。そして英国の諜報員ロバート・ブルースの恋人になり、一九一八年のレーニン暗殺計画に関与したとブルースと共に疑われ、マクシム・ゴーリキーの秘書になって保護してもらった。レベッカがその最後の話が本当なのを知っているのは、H・Gが一九二〇年にロシアに行ったからであるし、ペトログラードのアパートに住んでいたムーラと寝たことを帰国後彼女に告白し、大喧嘩になったからだ。H・Gはレベッカとの関係が終わってから何年か経ち、妻のジェインが死んだあとムーラと再会し、彼女こそ終生の恋人だと思い込み、彼女が英国に定住する手助けをし、結婚してくれと口説いたが無駄だった。アントニーはムーラが好きで、H・Gとの関係を認めていたが、それでも、ほかの何人かと同様、彼女はソヴィエトのスパイだと信じている。レベッカはそれを信じていいのかどうか、よくわからない。ムーラはマタ・ハリだったかもしれないが、落ち着いていて威厳があり、やや野暮ったい女を、今、その役割で見るのは難しい。しかしソヴィエト・ロシアを歯に衣を着せずに批判しているレベッカは、ムーラから用心深く距離を置いている。

そうした考えや思い出は、H・Gと喋りながら話題が軽い、どうということもないものに移っていくにつれ、レベッカの頭から消えて行く。彼女は、彼がほとんど目を閉じているのに気づく。「あなたを疲れさせたくはないわ」と彼女は言う。「もうお暇《いとま》する」。彼女は立ち上がり、屈《かが》んで彼の頬にキスをする。頬はもはや昔ほどには滑らかでも、ふっくらしてもいないが、肌は今でも胡桃の快い匂いがかすかにする。二人が初めて恋人同士になった時のように。かつてサマセット・モームは、H・Gの性的魅力の秘密は何かと、薄ら笑いを浮かべながら彼女に訊いたことがあった。H・Gは彼女の二倍の齢の男で、特別美男子ではなく、背はわずか五フィート五インチで、肥満の傾向がある。彼女は答えた。「あの人は胡桃の匂いがした、そして、素敵な動物のように跳ね回った」

彼女はその文句を思い出して微笑しながら家を出ようとすると、外から帰ってきたジップに玄関ホールでばったり出会う。すると微笑が消える。そして、ジップとアントニーが二人の父に、死にかけていることを話したのを詰《なじ》る。

「しきりに訊くのさ」とジップは言う。「H・Gに嘘はつきたくなかった。彼は僕らを、フランクと僕を、真実を言うようにと育ててくれた。それが優れた科学の基礎さ」。彼はユニヴァーシティー・コレッジ・オヴ・ロンドンの海洋生物学の准教授《リーダー》だ。

二人は互いに嫌悪感を込めて睨み合う。レベッカは彼を見ていると生理的に吐き気を覚える。彼は母親にそっくりなのだ。小柄で、華奢で、控え目なジェインに。ジェインは夫が何度浮気をしても夫にしがみつき、そのことが、妻に対する揺るぎない忠誠心を夫に与えたのだ。レベッカはジェインと離婚するよう懸命にH・Gを説得したが、無駄だった。もちろん、彼がいつも快適に過ごせるように気を配り、彼の友人をもてなし、気の向いた時はいつでもどこかに行って、誰であれ気に入った女と彼が寝ているあいだ彼の原稿をタイプし、家計簿をつける妻がいるのは彼には非常に都合がよかった。しかし、自尊心のある女なら、誰でもそんな状況に我慢できないだろう。レベッカは、もしジェインが二人のどちらかを選んでほしいとH・Gに言ったなら、彼がジェインと離婚し、自分と結婚しただろうということを疑わなかった。自分は彼と知的に対等な人間で、彼にふさわしい連れ合いだったろう。そして、非常に多くの惨めな思いをせずに済んだだろう、殊にアントニーは。

「アントニーはH・Gに告げることに賛成したんだ」とジップは言う。「知ってるわ」とレベッカは言う。「でも、そうしたことを後悔してると思う。電話でアントニーと話した時、ひどく興奮した口ぶりだったわ」

「もちろん、アントニーは動揺してるさ」とジップは言う。「アントニーはH・Gに心服してるからね」

「アントニーはエディプスコンプレックスの反対なのよ」とレベッカは大声で言う。「あの子は自分の父が実際は誰だったかを知って以来、母親を殺して父親と結婚したいと思ってるのよ。わたしがあの子を育てなくちゃいけなかったんだけど、あの子は寄宿学校に入れられ、いじめられ、からかわれ、惨めな思いをしたのを、わたしのせいにした。一方、H・Gはずっと、時々自動車でやって来て、プレゼントをくれ、劇場やレストランに連れてってくれる、神のような伯父さん的人物だった」

「うん、そうだねえ……」とジップは言う。「アントニーにとっては辛かったに違いない」

「わたしにとって辛かったのよ！」とレベッカは叫ぶように言う。

小さな居間に一人残されたH・Gは暖炉の中を見つめ、自分が死んだら世間の人間はなんと言うだろうと考える。もちろん、死亡記事はすでに書かれている。彼の齢と名声を考えれば、自分の死亡記事は新聞社のファイルに何年も前からあり、その時が来たらばすぐに新聞に載せられるように、定期的に書き換えられ、最新のものになっているだろう。

その時は、予期していたよりもかなり早くやってきた。彼は一九三五年、BBC放送の「自分で書く自分の死亡記事」というユーモラスなシリーズに寄稿した。それは『リスナー』に掲載され、世界中の新聞に再録された。「昨日午後、九十七歳でパディントン病院において心臓麻痺で死去したH・G・ウェルズの名は、若い世代にはほとんど馴染みのないものであろう」とその死亡記事は始まっていた。「しかし、成年になってからの思い出が今世紀の初めの数十年にまで遡る者は、彼が書いた本のいくつかの題名を思い出し、彼の作品の一、二冊を、古い屋根裏部屋で見つけるかもしれない。実際、彼は当時の最も多作な三文文士の一人だった……」。彼は、一九六〇年代初頭の自分の姿を描いた。「背が曲がり、みすぼらしく、だらしなく、最近やや肥満した人物」で、ステッキの助けを借りてリージェンツ・パークの庭園をよろよろ歩き、独りごつ。「『いつの日か』と彼は言う、『私は一冊の本を書くだろう、本当の本を』」。この死亡記事は洒落、自己戯画化のおどけた文章のつもりで書かれ、また、そう広く受け取られたが、今読むと、ひどく的外れなほど馬鹿げているようには思えない。

もちろん、やがて世に出る彼の本物の死亡記事は長く、うやうやしいもので、彼の数多くの業績に讃辞が呈されるだろう。百余冊の著書、新聞雑誌に書いた数千のエッセイ、『タイム・マシン』や『宇宙戦争』のような初期のサイエンス・フィクション、『アン・ヴェロニカ』のような小説における、議論を呼んだ性関係の衝撃的な扱い方（彼自身の型破りな性生活は、そっと隠されるだろう）、『キップス』や『ポリー氏の人生』のような小説の、ディケンズ風のほのぼのとしたユーモア、彼の予測の多くのものの驚くべき正確さ（多くのほかの予測の不正確さは、如才なく無視されるだろう）、『世界史概観』の世界的成功、二つの世界大戦中の、国民の士気昂揚のための新聞雑誌への寄稿記事、世界的政治家との懇談、国際ペンクラブの会長職、それに、科学、教育、貧困の絶滅、平和、人権、世界政府のためのたゆまぬキャンペーン……そう、死亡記事の筆者には書くべきことが山ほどある。しかし、讃辞は必然的に尻すぼみになるだろう。最後の二十五年間の記録には、竜頭蛇尾の気味、それとわかる退屈したおざなりな書きぶりが見られるだろう。また、彼はその時期、次第に質が落ちる本をあまりに数多く出したということを仄めかす書きぶりが見られるだろう。特筆されるのは、彼の人生の最初の半分だ――そう、一九二〇年までの。ジョージ・オーウェルが数年前に『ホライズン』に書いたエッセイによれば、その年に彼の影響力は終わりになった。「今世紀初頭に生まれた、物を考える人間は、ある意味でウェルズ自身が創ったのである……一九〇〇年と一九二〇年のあいだに、誰であれ、ともかくも英語で本を書いていた者が、それほどに若者に影響を与えたかどうか疑わしい」。H・Gはその言葉を難なく思い出す。「ウェルズ、ヒトラーと世界国家」というオーウェルのエッセイに何度も何度も立ち戻り、それが、まだ痛む古傷かのように指でいじったからだ。

――しかし、なかなか立派な業績じゃないか。物を考える一世代をそっくり創り上げたというのは……？

最近彼は、そうした声をしばしば聞くのだが、見回すと、部屋の中には誰もいない。だから、頭の中で声がするのに違いない。その声は時には友好的で、時には挑戦的で、時には客観的な問いかけだ。その声は、彼が忘れていたり意識的に抑圧していたりする事柄、思い出すと嬉しい事柄、あまり思い出したくない事柄、自分について他人が陰で言うのがわかっている事柄、自分の死後、将来人が自分について、伝記や回想録や、さらにはひょっとすると小説で言うであろう事柄を話す。

――誇りに思う何かなのは確かじゃないか？

――オーウェルがああ言ってたんじゃ駄目だね。霊感を得たエドワード朝の預言者みたいな存在にわたしをしたものは、今ではわたしを浅薄で、不満足な思想家にしているとオーウェルは言ったんだ。一九二〇年以来、わたしは才能を紙の竜を殺すのに浪費したと言ったんだ。

――わたしの記憶に間違いがなければ、彼はこう付け加えた。「しかし、考えてみれば、浪費する才能を持っているというのは大したことだ」

――あれは単なる慰めさ。最後に棘を抜こうとしたんだ。おそらく校正で付け加えたんだろう、アイリーン（オーウェルの最初の妻）がイーネズと私をディナーに呼んだのを、ちょうど思い出したのさ。

彼は小説家のイーネズ・ホールデンを介して、一九四一年に初めてオーウェルに会った。ホールデンは当時、「マンフォード氏の家」を借りていた。そしてディナー・パーティーの数日前彼女は、彼自身についてのオーウェルのエッセイが載っている『ホライズン』の最新号を彼に渡して言った。「今度の土曜までにこれを読んでおいたほうがいいと思うわ、H・G。ジョージはあなたが読んだものと思うでしょうから。あんまり気にしないでね——あの人はあなたをほんとに崇拝してるのよ」。そのエッセイは彼を動揺させた。それは、彼が戦争について新聞に書いた初期のエッセイを攻撃することから始めていた。ロシアに雪崩れ込み始める直前のドイツ軍は疲弊し切った勢力だと断言したのは確かに早計だったが、本当に痛かったのは、オーウェルがこう主張したことだ。「ウェルズが想像し、そのために努力したことの多くは、具体的なものになってナチ・ドイツに存在している。秩序、計画、国家奨励の科学、鋼鉄、コンクリート、飛行機のすべてがそこにある」

——しかし、そうじゃないかね？

——そうさ、しかし、その背後の意図はまったく違う。あれはわたしが提唱し、実現しようと努力したことの戯画化だ——あのディナー・パーティーでオーウェルにそう言ったよ。

彼はオーウェルのエッセイに論駁するために『ホライズン』を持って行った。すると、オーウェルも『ホライズン』を手にしているのが、すぐにわかった。決闘の覚悟をしているのは、はっきりしていた。二人はテーブルを挟んで向かい合って坐った。H・Gはオーウェルのエッセイにパラグラフごとに反論した。その間、イーネズとアイリーンはびくびくしながら聞き、もう一人の客であるウィリアム・エンプソンは次第に酔っ払った。その晩はほぼ引き分けだったが、その後間もなくオーウェルはラジオで放送し、科学は世界を救うとH・G・ウェルズは予測したが、実際には科学が世界を破滅させるおそれのほうが遥かに大きいと言った。この二度目の攻撃に激怒した彼は、BBC気付でオーウェルに短い手紙を即座に出した。「そんなことはまったく言ってない、くそったれ。私の初期の作品を読め」

――例えば？

――例えば、『モロー博士の島』のようなもの。『眠っている者が目覚める』のようなもの。『宇宙戦争』のようなもの。火星人から地球を救うのは科学ではない。それは、彼らが地球のバクテリアに対する免疫性を持っていなかったという偶然だ。

――しかし、ほかの本ではあんたは、科学の応用が世界を救いうると主張している。

――応用、その通り。進歩はすべて、科学を優しく応用することにかかっている。しかし、文学者はその可能性をまったく信頼してこなかった。例えばT・S・エリオットは、その点ではオーウェルに賛成している。ほかのすべての面ではオーウェルと対極にあるけれども。

――エリオットは、『ニュー・イングリッシュ・リヴュー』のあのエッセイで、君について好意的なことを言っている。

――しかし、あのエッセイの全体の調子は人を見下《みくだ》して労わるような調子のもので、最後にエリオットはこう言った。「近未来にすべてを賭けているウェルズ氏は、絶望の淵のごく近くを歩いている」。エリオットのようなキリスト教徒は、人類から電撃戦《ブリッツクリーク》や強制収容所くらいしか期待してこなかった、なぜなら、彼らは原罪を信じているから。だから彼らは文明の終焉を静観し、寛いで再臨を待つことができるんだ。

――なぜそうした連中がそれほど気にかかるのかね？

彼は、淡い鼠色の灰の膜の下で鈍く光っている、暖炉の奥の火を見つめる。

――どうやら、彼らが正しいかもしれないからさ。わたしは確かに絶望の淵にごく近い。

「お爺さんはまた、ぶつぶつ言ってるわ」と日勤の看護婦が、その晩交替の際、夜勤の看護婦に言う。

「なんのことを？」

「知らないわ」と日勤の看護婦が言う。「時たま言葉がわかるだけ。〝死亡記事《オビチュアリー》〟って言葉が好きなよう」

――まだ自分の死亡記事のことを考えてるのかね？

――末期患者の無神論者は自分の死亡記事を読むのが許されて然るべきだと思う。もちろん内密に。それに対して何か言う権利はないが――事実を正す以外。

――無神論者だけ？

――そう、もし来世を信じているなら、同時代人が自分のことを実際にはどう思っていたのかを知ることを期待するに違いない、そうして幽霊になって立ち聞きし、人の肩越しに自分についての死亡記事を読む……天国で新聞が毎日配達されるのでなければ。あるいは、ほかの場所で。ところが、わたしたちは決して読めない。実に苛立たしい。

――何が知りたいんだね？　自分が大作家と思われているかどうかが？

――そうじゃない、そんな野心はとっくの昔に諦めた――それはヘンリー・ジェイムズとその仲間に任せた。私は文学上の偉大さという考えすべてを『ブーン』の中で粉砕した、覚えているだろう？「新人作家が夥しく輩出し、一般読者が増えることによって〝偉大〟な作品が衰退するという現象は、小説家、詩人、哲学者の世襲貴族を創ることによって食い止められる……ノーベル賞は、年齢順に彼らに与えることにする……」

――そうなると……次はどうなる？　偉大な思想家は？　偉大な幻視者は？　偉大な人間は？

――偉大な、なんてものは何もない。そもそも偉大という考え自体、十九世紀のロマンティックな死の落とし穴なのさ。それはヒトラーのような専制的支配者を生む。わたしたちは個人より共同体を重んじ、〝人類の精神〟に奉仕し、わたしたちの個人的意志をその上に押しつけようとしてはいけない。わたしはそのことを、この三十年言い続けてきたが、誰も真剣に耳を傾けてくれなかった。もし耳を傾けてくれていたら、ヨーロッパが急速に瓦礫になっているような混乱状態には陥らなかっただろう。

――戦争から、何かよいことが生まれるかもしれない。例えば、国際連合を設置しようという考え――死亡記事は、君がそれに貢献したことをいくらか評価するはずだ。

――そう考えると嬉しいね。しかし、それは世界政府からは程遠い。人類全体の思考様式が変わらなければ役に立たないだろうね。国際連盟がそうだったように。

レベッカはH・Gを見舞ってから間もなく、自分が属しているクラブ、ランズダウンにアントニーを招いてお茶を飲むことにする。二人はしばらく会っていないが、彼の風采によい印象を受けない。三十の彼は大男で肥満しているものの依然としてハンサムだが、今日は頬が不自然なほど膨れていて、腫れているとさえ言える。洗って刈る必要のある髪は、だらりと額に垂れている。服は皺だらけで、だらしない。自分の家から離れて暮らしていて、主婦としてのキティーに非常に長いあいだ面倒を見てもらっていないからに違いない。二人の話題がH・Gのことになり、不治の癌に罹っていることを告げたのは正しかったのかどうかという話になると、アントニーの話しぶりは演技めいた、嘘くさいものに思えてくる。アントニーは彼女の手をとり、同情している風に見せようとする意図の不愉快な言葉を口にする。「あんたを傷つけたくないんだが、ラック、そんなことは金輪際したくないんだが、H・Gの世話に関わっちゃいけない。正直なところ、あんたが彼の人生の中心だった時から長い時間が経っている」と彼女は憤然として言う。「そんなことはよく知ってるわよ」と彼女は憤然として言う。「わたしは二十一年前に、あの人の人生の中心から離れるようにした。なんであんたはそんなことを言うの?」「H・Gはあんたよりジップとマージョリーにずっと近いって言ってるだけさ」と彼は言う。「二人は必要な決断をしなくちゃいけない」。「わたしはあの人たちに賛成するふりをする必要はないわ」と彼女は言う。彼女がキティーと子供たちのことを尋ねると、アントニーは何かを隠しているかのように、やや後ろめたそうな顔をする。その後彼女は、それが何かをすぐに見つけることになる。

レベッカは五月中旬、離婚してくれとアントニーに言われたという短い手紙をキティーから受け取る。「まったく出し抜けでした。あの人は先週の土曜の夕食のあと、子供たちが寝ている時、BBCで出会ったある女《ひと》と結婚したいと言いました。私は言いました。『それは残念ね、あなたはわたしと結婚してるんだから』。私はあの人が冗談を言っているものと思いました。でも、そうではなかったのです」

レベッカは憤慨し、困惑する。彼女は、才能のある画家で美人のキティーが好きで、高く評価している。アントニーは一九三六年、すこぶるロマンティックなやり方で彼女に言い寄り、結婚を承諾させたのだ。彼は二人が二度目に会った時にプロポーズし、その後も彼女が折れるまで執拗にプロポーズした。当時、それはいかにもアントニーらしい衝動的でドンキホーテ的な行動だとレベッカは思ったが、今度だけはいい結果になった。キティーはアントニーより年上で相当に分別があり、アントニーには絵の才能が実際にないので画家になるという野心を捨てさせ、両親同様、作家になるよう説得した。彼はまだ本格的なものは何も書いてないが、『ニュー・ステーツマン』に書評を書いて、いくらかの才能を見せた。二人は一緒に暮らして幸せそうに見えた。とりわけアントニーが、戦争について抱いている感情を（彼は自分の平和主義と、愛国的義務を回避するように人に見られるのを嫌う気持ちとに引き裂かれた）、兵役免除職である酪農場主になることによって、すっきりさせたあとは。彼は驚くほどうまく農場の仕事をこなした。キティーも同じだった。しかし一年ほど前、彼はBBCからパートタイムの仕事を提供されて引き受けた。それは、戦争遂行に対する、酪農よりも立派な貢献に彼には思えた。その結果、今、一人の女にのぼせあがるという、この馬鹿げた事態に至ったのだ。「誰なの、その女《ひと》は？」とレベッカは電話でアントニーに訊くが、彼は言おうとしない。「その人に会いたいわ」とレベッカは言う。「駄目だよ」と彼は言う。「あんたには関係がない、ラック。キティーと僕の問題だ」。「あの二人の可愛らしい子供がどうして捨てられるの」とレベッカは、二歳半のキャロラインと、一歳のエドマンドのことを指して言う。彼女は二人を溺愛している。「あんたはH・Gに、彼の子供たちを捨てさせようとしたじゃないか」とアントニーは答える。レベッカは腹を立てて受話器をガシャンと置く。そして、そうしたことを後悔する。もっと訊きたいことがあったからだ。例えば、H・Gは自分の私生児の息子のごく最近の愚行について知っているのか？

H・Gは実際、知っているのである。なぜならアントニーが話し、H・Gは離婚の悪について論じ立てるからである。アントニーは、それに驚く。「けど、あんたは最初の妻を離婚したじゃないか」と彼は指摘する。「そうして、二度目の妻と非常に幸福に暮らしたと思うね」。「そんなことは、そのことに関係ない」と父は、甲高い声で言う。興奮すると、いつもそうなるのだ。「イザベルと私には子供がなかった」。「キティーと僕は子供に会う時間を分け合う」とアントニーは言う。「キティーは恨んじゃいない。このことでは実際、非常にものわかりがいいんだ」。「おまえには過ぎた女だ」とH・Gは言う。「おまえは馬鹿だ。おまえという奴はわからん。これまでもわからなかったが」。「僕は恋をしてるんだ」とアントニーは言う。H・Gは軽蔑したように鼻を鳴らす。「あんたには、どんな男よりわかってもらえると思ったがな」とアントニーは言う。

H・Gは黙っている。アントニーがちらりと見ると、彼は目を閉じている。眠っているのか眠っているふりをしているのかは知りようがないが、アントニーが彼の両足の上の膝掛けの具合を直し、惨めな気持ちで部屋を出ても身じろぎもしない。アントニーは台所で家政婦と話している夜勤の看護婦を見つけ、自分は「マンフォード氏の家」に戻ると言う。

――彼の言うことには一理あると思うね。

――なんだって?

――あんたはこれまでの人生で、人並み以上に情事に耽った。

――何度も情事に耽った。大方は、愛は関係なかった。わたしに関する限り――そうしてほとんどの女にとってもそれは相互の快楽のやりとりに過ぎなかった。セックスをするためには女を愛しているふりをしなくちゃいけないという考えは――キリスト教とロマンティックな小説のせいなんだが――馬鹿げている。それは、肉体的フラストレーションと情緒的惨めさしか生まなかった。セックスに対する願望は健康な男女には絶えずあり、絶えず満たされる必要がある。愛、本当の愛というのは稀だ。わたしが『自伝の試み』で言っているように、わたしはこれまでの人生で三人の女しか愛さなかった――イザベル、ジェイン、ムーラ。

――あんたはレベッカを愛さなかったのか?

――恋には落ちた。その前にはアンバーと。しかし、それは別の話だ。束の間の激しい恋は危険極まりない。

――どうして危険なんだ?

――ついに完全なパートナーを見つけたと思ってしまうからだ――心の友、ベッドの友……

――あんたが書いた自伝の、あの秘密の『後記』の中にある、あんたの言う「恋人―自分の影」だな。

――その通り。

――あんたはユングを読んでいた。

――そう。でも、彼の言う「影」とまったく同じというわけじゃない。それは人間なんだ、自分のペルソナに欠けているあらゆるものを体現している人間で、その人間と一緒だと、自分がいつも夢見てきた完全な充実感が得られる。しかし、その女を見つけたと思うと、分別が窓から出て行ってしまう。まるで霊薬を飲んだか、魔法にかかったかのように――『真夏の夜の夢』の恋人同士そっくりに。一種の狂気さ。それがアントニーに起こったことなら破滅が訪れる。

　アントニーは灯火管制で暗くしてある家の裏口から出て、覆いを付けた懐中電灯を頼りに庭の小径を歩いて行き、目には見えないが花を咲かせているヒアシンスとドイツ鈴蘭の匂いを吸い込む。やがて庭の端の塀に着く。彼は灯火管制の規則を無視し、懐中電灯の光を、H・Gが得意の漫画風の「ピクシュア」（ウェルズは自分の素描をそう呼んだ）スタイルで黒で描いた帯状装飾《フリーズ》のあちこちに当てる。それは、万物の霊長の興亡を描いたものだ。先史時代の怪物から始まって、シルクハットをかぶった男で終わる人物の横顔が描いてある。その下に、「滅びるべき時」と書いてある。

塀には扉がある。それはアントニーに、H・Gの短篇の一つを思い出させる。それは子供時代に、名の知れぬロンドンの通りで、ある扉に出くわした男についての話だ。その扉は、陽光と花と愉快な仲間たちで満ちている、天国を想わせる庭に通じている。男は生涯、その庭を再訪したいと願うが、その願いは叶わない。この扉の後ろには天国などはない――かなり狭苦しい、壁紙を貼り替える必要のあるマンフォード氏のフラットがあるだけだ。そこには、アントニーが覚えている、H・Gがエセックス州に持っていた別荘《カントリー・ハウス》、「イーストン・グリーブ」から持ってきたガラクタの家具が入っている。アントニーは一九二〇年代、学校の休日にそこをよく訪れたものだ。布が裂けている色褪せたソファー、ゲートレッグ・テーブル、回転式本箱――そして壁に、使い古したホッケー用のスティックがトロフィーのように気紛れに飾ってある。それは壮年のH・Gが週末に泊りがけの客のために催した数多くの騒々しい試合の記念だ。それらは平凡で惨めな品物だが、そうしたものを見て思い出すイーストン・グリーブ訪問は、不幸な学童には、天国を垣間見るような気がした。

アントニーはジーンに電話をするが、通話中だ。おそらく、ほとんど毎晩母親に長電話をする、ジーンのフラットの同居人、フィリスが使っているのだろう。彼は色褪せたソファーに坐り、時間を潰すため、H・Gの厚い普及版短篇集を回転式本箱から取り出し、『塀の扉』を開く。

それは、こう始まる。「三ヵ月も経たぬ、あるしんみりとした晩、ライオネル・ウォレスはこんな話をしてくれた」。ウォレスは政治家として出世した四十歳の男で、五歳か六歳の時に家出をし、ウェスト・ケンジントンの通りで道に迷った。そして、ヴァージニア蔦が這っている高い白塀にある緑の扉に出くわす。扉を開けると、中は魔法のかけられた庭だった。「まさにその空気には、人の気持ちを昂揚させるもの、ふわりとした感じと幸福感を人に与えるものがあった。その光景には、そこのすべての色を清澄で完璧で微妙に光るものにする何かがあった。そこに入るや否や、人はこのうえなく嬉しくなり……何もかも、そこでは美しかった」。二頭の優しい豹が少年のところに近づいてきて、一頭は耳を彼の手にこすりつけ、猫のように喉を鳴らす。一人の背の高い金髪の少女が彼を抱き上げ、キスをする。そして、彼の先に立って仄暗い並木道を歩き、館《やかた》へと彼を導く。そこには、噴水とあらゆる美しいものがあり、遊び友達がいる。彼はその遊び友達と楽しい遊びをする。それがなんだったか、あとになっては思い出せなかったが。もちろん、彼の話は信じてもらえず、嘘をついたこと、一人で家を出たことで罰せられる。その後終生、彼はその庭に戻りたいと願うが、白い塀の扉を探しても見つからない。そして、何度か偶然その扉の前を通っても、彼は立ち止まってその中に入らない。なぜなら、彼は緊急の世事に縛られているからだ――オックスフォード大学の奨学金試験、自分の名誉に関わる女との密会、議会の重大な分裂騒ぎ。こうした機会は、後年、さらに頻繁になる。「一年に三度、その扉はわたしに機会をくれた――平和な場所に通ずる扉、喜びに通ずる扉、夢想だもできない美に通ずる扉、この世の誰も知ることのできない親切さに通ずる扉。わたしはそれを拒んだのだ」

アントニーがそこまで読むと電話が鳴る。ジーンだ。彼は、忘れてしまっていた、物語のまさに終わりから一、二頁のところで中断されたので、二人が電話で挨拶する際のいつもの優しい声音を込めることをしない。

「どうかしたの、ダーリン？」とジーンは尋ねる。

「いや、H・Gの短篇に読み耽っていたところさ」

「あら、お邪魔をしてご免なさいね」と彼女は皮肉っぽく言う。「あとでかけ直しましょうか？」

「いや、いや、もちろんそんな必要はない」と彼は言う。「正直言うと、ちょっと気が動顛してたんだ。あの爺さんから、かなり手厳しく怒られたんだ」。彼はH・Gとの会話をかいつまんで話す。

「ちょっと図々しいわね、そうじゃない？」とジーンは言う。「あの人自身、あなたの話では、妻を裏切らない良き夫とも言えなかった」

アントニーはお座なりにくすくす笑う。「そうとも。でも、僕がそのことを思い出させると機嫌が悪くなった」

「あたしは会わなくちゃいけないかもしれないわね」とジーンは言う。「あの人は影響されやすいから、味方に引き入れられるかもしれない」

「今は駄目だよ、ダーリン」とアントニーは急いで言う。「今は早い」

電話の話が済むと、彼はウォレスの身に何が起こったのか知ろうと、すぐさま短篇に戻る。ああ、そうだ、思い出したぞ。ウォレスは、ロンドンの地下鉄拡張工事現場の深い立穴の底で発見される。建設現場を囲ってある臨時板囲いの、鍵をかけ忘れた扉を抜け、墜落して死んだのだ——偶然でか、もっと確率は高いが、故意にか。「われわれの常識からすれば、彼は安全な場所から歩み出て、闇と、危険と、死へと向かった。しかし、彼はそんな風に見たのだろうか？」

一方、母屋の狭い居間では、対話者が尋問者に変身する。

——あんたは人生で、三人の女しか愛さなかった。イザベル、ジェイン、それとムーラ？

——そう。

——二人の妻と一人の愛人。

——ジェインが死んだあと、ムーラと結婚したかった。

——しかし、彼女は断った。

——そう。

——おそらく彼女は、結婚したら、あんたは自分とセックスをしたがらないのではないかと心配したのだろう。

——どういう意味だね？

——そう、あんたの二度の結婚はセックスの面では失敗だった、そうだろう？

——失敗というより、失望と言うね。

——イザベルはベッドの中ではおまえを失望させたね？

——わたしは結婚した時、セックスに飢えていたが、彼女はそれに応ずることができなかった。わたしはうぶな恋人で、彼女はごく因習的な娘だった。

——そこであんたは、そう時も経たないうちに、ほかの女とのもっと刺激的なセックスを求めたね？　イザベルのあの小柄な助手のような？

——わたしがエセル・キングズミルを探し出したのじゃない。彼女が誘ったんだ。しかし、そう、彼女は、わたしと同じくらいの欲望を持った女がこの世にいることを教えてくれた。

——そうして、一年くらいあと、あんたはイザベルからあんたの学生の、エイミー・ロビンズに乗り換えた——あんたは奇妙なことに、彼女の名前を「ジェイン」に変えた。

——キャサリンという名前が気に入らなかったんだ、彼女は「エイミー」が好きじゃなかったんで、それを使ったんだ。わたしが新しい名前を選んでやった。

——あんまりロマンティックな名前じゃなかったな？　エロティックな感じはない。「平凡なジェイン」……ジェイン・オースティン……

——ジェイン・エアはどうだね？　彼女は非常に情熱的だ。

——あの小説が好きかね？

——好きじゃない、訊かれたから言うけど。しかし——

——あんたはイザベルからジェインに乗り換え、やがてジェインと結婚した、しかし、あんたが自伝で言っているように、彼女はベッドの中ではイザベルと同じようにあんたを失望させた。あんたが、性的に抑制された配偶者を、別のやはり性的に抑制された配偶者に替えるというのは、ちょっとわからない話だな。オスカー・ワイルドなら言ったろうな、「一度は不運だが、二度となると不注意のようだ」

——何を言いたいんだね？

——おそらく、あんたは密かに、潜在意識の中で、十分に性的な女を妻には本当はしたくはなかったんだろう。おそらくあんたは、セックスが荒々しく、放逸で、常軌を逸している場合のみ、本当にセックスを愉しむんだろう。おそらく、ムーラはそれに勘づいていたろう。

——馬鹿な！

——そうだろうか？

「あの人はまた独りごとを言ってるわ」とマージョリーは、ある日の午後、ジップがハノーヴァー・テラスに来ると言う。ジップは、ユニヴァーシティー・コレッジからの帰り道によく立ち寄る。彼女は彼を小さな居間のドアのところにそっと導く。ドアは少し開いている。ジップは数分廊下に立って、耳を澄ます。ジップはいくつかの単語と文句しか捉えられないが、老人の声の対話のリズムは、弟のフランクが幼い頃によくやっていたことを思い出させる。「奴には想像上の友人がいて、それによく話しかけていた」とジップは、彼女が事務室として使っている部屋に二人が戻ると言う。「僕は奴の独りごとを立ち聞きしたものさ、というのも、見られていると思うと、すぐに黙ってしまうから。奴は何か気にかかることがあると——例えば悪戯をして、見つかってしまうだろうか、正直に白状すべきだろうかと考えている時——その想像上の少年と話し合い、両方の立場から議論するんだ。僕は魅了されたね。放送劇を聞いているみたいだった——もちろん、当時はラジオはなかったがね。たぶんH・Gはおんなじことをしてるんだろう、けど、耄碌して」

「そう、それは面白い理論ね」とマージョリーは言う。「今度フランクが来たら、どう思うか訊いてみなくちゃね」。ジップの弟はドキュメンタリー映画製作者だが、目下、公務員として雇われ、空襲で焼け出された家族の住居の面倒を見ていて、田舎の家からロンドンまでの通勤で多くの時間を費やすので、ハノーヴァー・テラスにはたまにしか来られない。H・Gの世話は、もっぱらジップとマージョリーが責任を持ってしているが、二人は文句を言わない。二人は彼を心から敬愛している。


数日後、レベッカは再びH・Gに会いに来て、アントニーの無責任な態度を嘆く。自分は家族を壊さないよう息子を必死に説得したが、駄目だったとH・Gは言う。

「一体なんであの子は、ほかのみんなと同じように、浮気だけにとどめておくことができないのかしら?」とレベッカはこぼす。「キティーは、あの子に分別があったら気にしなかったでしょうよ——あの人は電話でそんな風なことを言ったわ」

「その通りだよ」とH・Gは言う。「でも、アントニーは愚かで、芝居じみていて、子供っぽい。それが生来の弱さのせいなのか、育て方の間違いのせいなのか、よくわからない」

「わたしを責めているのでなければいいんだけど」とレベッカは言う。

「あれが存在している責任を痛感してるのさ」

二人はしばらく黙り込み、レベッカがアントニーを懐妊した瞬間を思い起こす——セント・ジェイムズ・コートの彼のフラットの客間での熱烈な抱擁。彼の手が彼女の服の下に入り、彼女は強く反応した……しかし、フラットには召使がいるので、コンドームのある自分の部屋に彼女を連れて行くのは憚られた。そこで彼は、中絶性交をすれば大丈夫だと考え、そのまま続けた。ところが、いよいよという時に自分を抑えることができなかった。同じ考えが、二人の心に浮かんでいる。あの愉悦の束の間の痙攣から、なんという怒りと苛立ちと非難の応酬の惨めな歳月が流れたことか……

「もしアントニーが、この馬鹿げた離婚をどうしてもすると言い張るなら」とレベッカは言う。「あなたは遺言を書き直して、お金をいくらかキティーに遺さなくちゃ」

「おんなじことを考えているんだ」とH・Gは言う。「子供たちに安楽な暮らしを与えるだけの」

「もちろん、父親を与えることにはならないけど」とレベッカは言う。

H・Gは肩をすくめる。「僕にはそれだけしかできないさ」

メリルボーンからハイ・ウィカムの家に帰ろうと乗った列車の一等のコンパートメントに、山高帽をかぶり、夕刊越しに自分のほうを、ちらりちらりと見ている三人の年配のビジネスマンと一緒に坐っているレベッカは、恐怖、すなわち、数世代にわたるどうしようもない父親たちに呪いがかかっているような感じに圧倒された。レベッカの父は彼女が八歳の時に家族を捨て、得体の知れぬ冒険的事業を起こすために南アフリカに行き、消息を絶った。残された妻はレベッカと二人の姉を、かつかつの資産で育てた。そしてレベッカ自身はアントニーを自分一人で育てねばならなかった——もっとも、アントニーの父からもっと潤沢な財政的援助を受けはしたが。だがH・Gは彼女たちから距離を置き、自由を保った。そして今、アントニーはキティーから去り、彼の子供をキティー一人に育てさせようと計画している。自分たちに責任を押しつけられて、暮らしが苦しくなり、挫折感に襲われた母親たちの受ける報酬とはなんなのか？　母親は子供たちの「置き換えられた怒り」の対象になる、それが母親の受ける報酬なのだ。彼女は、自分の愛するダディーが、『鉄道きょうだい』（あの本の結末を読んで、彼女はどんなに泣いたことか！）の父親のように、ともかくも一家のもとに帰ってきて、自分がいなかった立派な理由を説明するという希望を捨てなかった。それは、十三になるまでのことだった。その時一家は、父が死んだということを聞いた。その後彼女は、父が性懲りのない女誑《たら》しで、家の女中を誘惑し、娼婦を買ったことを母から知った。今になってみると、自分が子供時代も思春期も気難しく、反抗的で、いつも姉たちと喧嘩し、母を批判したことを彼女は認める。アントニーも、大きくなる頃、同じだった——不在の父を英雄崇拝し、学校時代の一切の惨めな経験を母のせいにした。彼女は、小さいキャロラインとエドマンドもやがて同じ間違いを繰り返すのを、容易に想像することができた。アントニーを崇拝し、キティーに、同じ不当な罰を加えるのだ。キティーが二人を育て、農園を経営し、もし運がよければ自分の芸術に充てる少しの時間を見つけるのに苦労するというのに。レベッカはフェミニズムのために、成人してからの人生でずっと闘ってきた。そのフェミニズムは女性を性的に解放したが——ともかく大胆な女性を——男女の関係の基本的な不均衡を正しはしなかった。子供を育てようという女性の本能と、無差別に精子を振り撒こうと言う男性の本能との。H・Gも彼女の父と同じだ。父より遥かに知的で成功した男性だが。また、ヘンリーでさえ、そうした男性の本能という点では彼女をがっかりさせた。常に変わらず親切で彼女を庇い、彼女の仕事を賞讃し支援し（彼女が『黒い仔羊と灰色の隼』のための資料を集めるため、不潔な列車に乗り、蚤だらけのホテルに泊まってユーゴスラヴィアの荒野を回るのに、勇敢にも付き添ってくれた）、挙措は非の打ち所がなく、彼女をある程度贅沢に暮らさせてくれるヘンリーは、あらゆる面で完璧な配偶者だ。可愛らしい若い女にのぼせ上がりやすく、一九三七年以来、彼女と愛の営みをしていないという点を除けば。ある晩、ベッドでヘンリーの隣に横になりながら、闇の中で大きな声で言った。「なんでもう、わたしと交わってくれないの？」しかし彼は眠っていたか、眠っているふりをしていたかで、何も言わなかった。もちろん、それ以来、彼女はほかの何人かの愛人を持った。今は一人もいないけれども。自分の性生活は終わってしまったのかもしれないと彼女は思い、気分が沈む。

六月、戦争は外国でも銃後でも劇的な方向に展開する。六月六日、長いあいだ待っていた連合国軍のフランス侵攻が始まる——予想とは異なり、カレー海峡ではなく、ノルマンディーの海岸で。国民は興奮と不安に包まれ、その作戦に関する厳密に統制された情報を少しでも熱心に吸収する。数日後、作戦は成功したようで、連合国軍は確かな足掛かりを得、増援部隊と補給品が、マルベリーと呼ばれた巧みに作られた仮設港を通してどっと入る。それは確かに、戦争の終わりの始まりだ。有名な話だが、エル・アラメインの戦いをチャーチルが始まりの終わりと言って以来、それを長いあいだ待ち望んでいたのだが。ところが、まさに人々が安堵し、祝い始めた時、悪鬼のようなヒトラーは、パントマイムの悪魔の王のように、自分はまだ参ってはいないことを示すため兵器庫から新兵器を取り出す。ゲッベルスによって命名されたV1は、連合国軍がドイツの都市を爆撃したことへの報復として考案された二つの報復兵器《フエアゲルトウングスヴアツフエ》の最初のものだ。（V2がどんなものになるのか、まだ誰も知らない。）V1はパイロットのいない小さな航空機で、不吉な黒に塗ってあり、一トンの高性能爆薬を積んだ爆弾型の胴体に、短いずんぐりした翼が付いている。それは胴体の上に鏝《こて》の把手《とって》のような形で付いているジェットエンジンで推進する。そして独特なブーンと唸る音を出すので、英国の大衆から、「ぶんぶん爆弾《バズ》」および「蟻地獄《ドウードルバグ》」という綽名を付けられた。その兵器は燃料が尽きると音がやみ、地面に落下する。エンジンの音が止まり、その飛翔体が無作為の標的に当たって爆発する音が聞こえるまでの静寂のサスペンス、心臓が止まるほどの数秒は、長いあいだ苦しんできたロンドン市民にとって、新たなストレスの原因になる。

それは、H・Gが予見しなかった空中戦争の展開だった。V1は昼夜時を選ばず高速度で低空を飛んできて、夜は、ジェットエンジンから噴き出す炎の舌によってその存在を示す。高射砲にはほとんど役に立たない。最新のスピットファイアーとタイフーンだけがそのスピードに敵い、撃ち落としたり、翼をV1の翼に接近させ、空気流でV1を傾けさせ、海や広野にきりもみ降下させたりすることができる（それは難しいやり方だが、撃つのは自分の飛行機が爆破される危険を伴う）。V1攻撃は六月十三日に始まり、同月末までには二千五百のV1が発射され、そのうち約三分の一がイギリス海峡に、三分の一がイングランド南東部に落ちるか、撃ち落されるかし、三分の一がロンドンに達した。V1の数は七月になると増した。まるで、新たにロンドン大空襲が始まったかのようだ。女子供を首都から疎開させる計画が立てられる。ハノーヴァー・テラスの借地人たちは、田舎の安全な場所に逃げ込む。様々な友人と知り合いが、もっと安全な場所に移るようにとH・Gを促すが、彼はそうした提案を馬鹿にして一蹴する。V1攻撃は彼の健康によい効果をもたらしたようだ。食欲が増し、以前より動くようになり、家の中を歩き回り、天気の日にはリージェンツ・パークまで短い散歩にさえ行く。

ある日、ムーラが出し抜けに彼を訪ね、自分の掛け金の鍵で家の中に入る。それは驚きだ、嬉しい驚きだ。彼女は今朝、オックスフォード近くの娘の家から帰ってきてみると、自分のフラットの窓がV1の爆風で吹き飛ばされていた。ショックだったわ、と彼女は言う。そして、落ち着くためにブランデーを貫いたいと言う。「瓶は置いといてね」と彼女は、飲み物を持ってきた家政婦に言い、H・Gにウィンクする。彼女がブランデーに強いのは伝説的である。彼女が「ハノーヴァー・テラス」と言うと、独特な英露のアクセントのせいで「二日酔いテラス《ハングオーヴァー》」に聞こえるが、彼は彼女が二日酔いになったのを見たことがない——二日酔いになるのは、前の晩に彼女と同じペースで飲もうとした男だけだ。「君のフラットが住めるものになるまで、ここに移ってきたらどうだい？」と彼は言うが、彼女は頭を横に振り、もう一杯ブランデーを自分で注ぐ。「いいえ、ターニャのところに戻る」。彼は彼女がV1から逃げてくるとは思わない。彼女が自分で言う、これまでの人生で遭遇し、生き延びた死の危険の半分だけが信じられるとしても——いや、半分というのはほぼ正しい比率だ、だから、四分の一としよう——彼女が自分で言う、生き延びた危機の四分の一だけが信じられるとしても、彼女の勇気としぶとさについてなんの疑問もない。「君は客用寝室を好きなだけいつまでも使えるんだがね」と彼は言う。彼女は指を彼に向かって振る。「エイジー！　あなたは、わたしたちの約束を破ろうとしている」

いつもは、女との「協定」と彼が呼んでいたものの条件を決めるのは彼だったが、ムーラの場合は違った。その約束は一九三〇年中頃に遡った。彼女は進んで彼の愛人になり、彼と並んで社交界に出たが、彼と結婚しようとはせず、同棲しようともしなかった。二人は何度も口論をしたが、ある時口論のあと、それなら掛け金の鍵を返してもらいたいと、彼は不機嫌そうに言った。すると彼女はその場で鍵を返した。その後、彼女はある理由でその鍵を借りたが、彼は返してくれと言わなかった。そういうわけで彼女は、好きな時に出入する自由を、そのまま持っていた。二人が晩を一緒に過ごしたあとハノーヴァー・テラスで愛を営むと、彼女はそのあと彼と別れ、タクシーで家に帰るのだった。何度彼は電話でタクシーを呼びながら、ベッドから彼女を見ていたものだろう。彼女は笠の付いたテーブル・ランプの仄暗い光のもとで服を身に着けた——コルセット以外。彼女はそれを巻き、立ち去る前に紙袋に入れた。というのも、タクシーに乗るのに苦労してそれを着ける気になれなかったからだ。

「君はコルセットをタクシーに置き忘れたことがあるかい？」と彼は不意に衝動的に訊ねる。

「なんのことを言ってるのよ？」と彼女は言う。

「僕らがここで愛し合ったあと君が家に帰った時、君はコルセットを着けず、紙袋に入れたものだ。君がそれをタクシーの後部座席に置き忘れたことがあるのかどうか考えてたのさ。そうして、運転手がそれを見つけた時、どう思うかってね」。彼はにこりとするが、ムーラは面白がっているようには見えない。おそらく、コルセットが必要だということを思い出させられたくないのだろう。彼女は、彼が初めて会った時、ほっそりして、しなやかな体つきの若い女だったが、中年の今は、恰幅のいい、たるんで曲がった体をしている。

「なんて馬鹿なことを言ってるのよ、エイジー！」と彼女は言う。「真面目になりなさいよ。どんな具合――本当の話？」

「気分は前よりずっといい」と彼は答える。「君に会えて、ますますいい」。彼はホーダーの診断の結果を言う必要がないと考える。その診断の結果を疑い始めているのだ。

「で、飛行爆弾は？　怖くないの？」

「全然」

「でも、窓に板を張らなきゃ。約束して」。彼は同意するが、しぶしぶだ。なぜなら、家がひどく暗くなるからだ。しかし、ガラスを嵌めたサンルームがいつだってある。実際、そこを爆風から守ることなどできない。


七月のあいだずっと彼は、自分はV1の爆撃を無事に生き延びたことを知らせるため、定期的にムーラに手紙を書く。「可愛いムーラ、君にしろと言われたことはすべてしている。してはいけないと言われたことは何もしていない。だから、今日午後、ドゥードルバグが一発落ちたけれども、僕はまだ生きている。どうやらそれは、世界の果てに落ちたらしい、なぜなら、もうそのことについて何も聞かないからだ……僕のすべての心と愛をもって、エイジー……親愛なる可愛いムーラ、ゆうべ近くに一発落ちたが、君の指示を厳密に守り、僕らは今、板を張った窓なしの家に住んでいる。肉体的に、僕は一時間ごとに丈夫になっている。君に僕の最も熱い愛を、君の忠実なるエイジー……可愛い僕のムーラ、ロボット爆弾の落ちる量が増えたが、君の指示を忠実に守ったおかげで、僕は無事だ（この家のほかの誰もが無事だ）……僕は仕事を続けていて、日毎に自信が湧いてくる……君を愛している、永遠に君のエイジー」。窓に板を張ることについてのムーラの指示に彼が繰り返し言及しているのは、自分の家の中で一種の妻の地位を彼女に与えることを意図しているからだ。彼は孤独であること、自分の快適な生活に献身してくれる女性の伴侶がいないことを常に怖れていて、いつかムーラを説得し、ハノーヴァー・テラスに移ってもらうことに、すっかり希望を失ってはいない。

時折、彼は書斎の机の前に坐り、机に置かれた二つのマニラ・フォルダーの一つを開け、中のタイプ原稿を数頁繰り、万年筆で書き込みをしたり訂正をしたりする。この数ヵ月同時に書いている二つの作品は進行中で、その一つからもう一つに変わる際の気分の変動を反映している。一つは『幸福な曲がり角』と題した短いものだ。こんな風に始まる。「この混沌した戦争が私の目を覚ましている時間に侵入してくる前より、遥かに夢を見ることが多い」。そして、元気な頃にリージェンツ・パークに毎日散歩に行った時のことが何度も出てくる夢について記述している。

いつもの散歩に出るため、正面玄関に自分がいる夢を見る。私は出掛けるが、自分が見過ごしていた曲がり角があるのではないかということに不意に気づく。そこに入ったことが一度もないのは奇妙だが、実際、それはあるのだ！　一瞬のうちに私はこれまでになく早足で歩き、二度と見ることはあるまいと思ったような幸福な風景の中の丘を越え、谷を下る。

それはごく短い、明るい散文の幻想的作品で、短篇『塀の扉』のカーニヴァル風焼き直しである。それはジョージ・デュモーリエの『ピーター・イベットソン』の「夢が現実になる」という着想と、さらにはヘンリー・ジェイムズの短篇『いと良き場所』に幾分負っている。それらはすべて、超越的なるもの、復楽園の世俗的神話である。「この解放された世界では誰も死なず、わたしは誰も憎まない」。彼はイエスに会い、親しげに話す。イエスの「キリスト教に対する蔑みは、わたしの語彙の限度を超える」。そして、自分の最大の過ちは弟子を持ったことだとイエスは断言する。「『わたしは弟子の十二人を、ほとんど偶然に選んだ。なんたる連中だったことか！　君たちが話している例の福音書でさえ、彼らを好意的に述べてはいない』」。時には彼は、「純粋に建築学的な世界」を夢見る。「わたしは建物の巨大な正面《ファサード》、壮麗に設えられた風景の宏大な広り、どこであれ好きなところに自分で行くのではなく、自分を連れて行ってくれる動く道路を見る……」。しかし、非常に冷たく非人間的に感じられる彼のユートピア小説の未来派的都市風景、とりわけ、コルダの映画『来るべき世界』に映像化されたものとは異なり、彼の夢の中では「無限に愛らしい新しいものが達成されるが、人間の心が愛してきた何物も失われないであろう」。彼は最後には理想郷に落ち着き、「美しきもの、良きもの、真なるもの」について一群の詩人、画家、芸術家と論じ合う。だが、たぶん同書の結論になるものであろうこのエピソードは、依然として不完全だ。

二つ目の作品の調子は非常に違う。『行き詰まった精神』という題だ。

世界は行き詰まっていると思う、非常に重要な理由があると筆者は信じている……われわれが生命と呼ぶあらゆるものの終わりは近く、避けることはできない。筆者は諸君に、現実が筆者の精神を導いたところの結論を語っているのである。そして、諸君はそれについて考慮するくらい興味を惹かれるのではないかと思う……この考察において最も重要なのは、科学による物質世界の利用に、これまで誰も思いもしなかった上限があるということが不意に明らかになったことである……その袋小路を避けることも通り抜けることもできないと依然として筆者は信じている。それは終わりなのだ……これまで生命の秩序正しい永続的な発展の限界は明確に決まっているように見えたので、来るべき事柄のパターンの概略を述べることは可能だった。しかし、いまやその限界に達し、事態は信じ難い混乱に投げ入れられている……いまやもろもろの出来事は、まったく不確実な順序で起こっている。あすはどうなるのか誰も知らないのだが、現代の科学哲学者以外、その不確実性を十分に受け容れることはできない。彼の場合でさえ、そのことは彼の日常の行動になんの役割も果たしていない。その点で、彼は一般の大衆と同じである。唯一の相違は、すべての生命は決定的に終焉するという、苛酷な確信を抱きながら生きているということである……そのことは、彼が日常の愛情や関心、怒り等を抱くのを妨げない……精神は行き詰まっているかもしれないが、日常のドラマは続くだろう、なぜなら、それが生命の正常な構造なのであって、それに代わるものは何もないからだ。

この逆説ほどアントニーの結婚生活の危機とその反響を生き生きと示しているものはない。ヨーロッパの運命はノルマンディーの形勢にかかっていた。悪天候のせいで、連合国軍は前進を阻まれ、マルベリー港は破壊され、侵攻部隊を掩護する飛行機は飛べず、ノルマンディーのボカージュ（畑や農家が生け垣や樹木で囲まれている田園風景）の窪地の道は泥に変わってしまった。その間《かん》、いっそう多くのV1がイングランド上空を囂《かまびす》しい音を立てて飛び、心臓麻痺を起こした大きな鳥さながらに息絶え、ロンドンの家々の屋根に落下した——科学哲学者にとっては凶兆である、こうした出来事が起こっているあいだ、アントニーとレベッカとキティーと、その近親の最大の関心事は、また、彼らがしきりに話し、電話をし、手紙に書いているのは、彼らの個人生活における、このドラマなのである。それは誰のせいなのか？　アントニーのせいなのか、キティーのせいなのか？　それとも「ほかの女」のせいなのか？　どうすべきか？　どんな結末になるのか？

レベッカはアントニーに道理を弁《わきま》えさせるのに、自分の説得より夫の冷静な説得のほうが効果があることを願って、アントニーとヘンリーが会う手筈を整える。アントニーはいったんは同意するが、約束をキャンセルする。レベッカはその逃げ腰の態度を批判し、アントニーが言い出した離婚には、ヘンリーの助言が役に立つ財政的な面があることを指摘する。「なら、ヘンリーからキティーに話せばいい」とアントニーは言い、七月初旬のある日、カールトン・グリルで二人が昼食を共にする手筈を整える。レベッカは招かれていないのだが、ヘンリーに同行すると言い張る。彼は、怒った時の彼女の機嫌を恐れ、抵抗しない。アントニーを徹頭徹尾非難し、自分をキティーの主たる同盟者で庇護者にしたレベッカからの、夥しい数の手紙をすでに受け取っていたキティーは、彼女がカールトンのバーに予期せず現われたことに腹を立て、そのあとの論議でアントニーの肩を持つことで復讐する。アントニーより四つ上だが、ブロンドの美貌に自信を持っているキティーは、傷つけられた配偶者の役を演ずることを断り、状況を冷静に眺め、「こうしたことは起こるもの——男は恋に落ちるもの」と言う。「でも、アントニーは正常に振る舞っていない」とレベッカは言い返す。「あの子の精神がまともじゃないのは、あの子と電話で話すとわかるわ」。「それは変ね、アントニーはあなたについて、まったく同じことを言ってるわ」とキティーは辛辣に言う。「あなたがキャロラインとエドマンドのことで、アントニーに怒らないで頂きたいわ」と彼女は付け加える。「確かな話」とレベッカは訊ねる。「あの子は子供を手放したことを後悔すると思うと、あの子に言う権利はわたしにはあるんじゃない？」「いいえ」とキティーは言う。「それはアントニーとわたしのあいだの問題」。「わたしは意見さえ言ってはいけないの？」とレベッカは言う。「そうなの」とキティーは言う。「これはわたしの問題で、あなたのじゃない。干渉すべきじゃないわ」

ヘンリーは咳払いをし、自分たちのテーブルの用意が出来ているかどうか見ようと言う。しかし、彼らのためのテーブルはないので——どうやら、テーブルの予約に関し、ヘンリーとアントニーのあいだで誤解があったようだ——彼らはタクシーでリッツに行く。その途中キティーは、アントニーがやっと大人になった兆しを見せているので、今ののぼせあがった状態から抜け出すのではないかと思っていると言って、レベッカをいっそう刺激する。あなたは馬鹿よ、とレベッカは言う——アントニーはまったく無責任で、精神的に不安定。昼食をとりながら(誰もあまり食べない)、キティーがアントニーを弁護すればするほど、レベッカはヒステリックに息子を非難する。あの子は邪悪で下劣で、自分の周囲の者に苦しみしかもたらさない。あの子には生来卑しいところがある。あの子を生まなければよかった。三人の周りのいくつかのテーブルにいる客たちは、その滔々たる雄弁な悪罵に畏怖の念を抱き、魅了され、次第に黙り込む。やがてヘンリーは給仕頭に合図をし、一緒にレベッカに付き添って食堂から出てタクシーに乗せ、メリルボーン駅に行かせる。ヘンリーは戻ってキティーに詫び、自分の昼食を終え、「どうやらレベッカは相当ストレスを感じているようだ」と言う。

その晩、キティーがその出来事を電話でアントニーに話すと、彼は椅子に坐ったまま体を揺らして目をしっかりと閉じ、その光景を脳裡に思い描いて呻き、笑う、そして、母に対する自分の偏見の正しさがそれほど完全に立証されたことに半ば呆れ、半ば大得意になる。彼はその話をすぐさまジーンに伝えるが、小説家がするように、効果を高めるために粉飾をする。その結果、彼の話の中では、レベッカはヘンリーと給仕頭に椅子から持ち上げられ、アントニーに対する呪いの言葉を依然として金切り声で発しながら脚を宙にバタバタさせ、食堂から運び出され、スイングドアが閉まった。彼はその細部がひどく気に入ったので、それが実際に起こったことだと信じている。しかしジーンは、その話は面白いというより不安を抱かせるものと思っているようだ。「あなたのお母様にお会いする勇気はないと思うわ」と彼女は電話で言う。「今にも爆発する不発弾があるのがわかっている家に入って行くようなものでしょうね」。「心配するな、ダーリン」とアントニーは言う。「母はやがて落ち着くさ」。事実、その晩ヘンリーがイプストーンに戻った時には、レベッカは比較的素直な気分になっている。彼はリッツの食堂での彼女の振る舞いを咎め、キティーを一方的に攻撃したと非難する。「癇癪を起こしたのは謝るわ」とレベッカは言う、「でも、実際、キティーはわたしを盛んに挑発したのよ。あなたはキティーが言ったこと全部は聞けなかったと思う——あなたは耳が遠くなってるんだから、リック」。それがヘンリーを黙らせる最上の方法であるのに彼女は気づいていた。彼は自分の聴力が衰えているのは否定できないし、したがって、ある重要な情報を聞き逃したかどうか確信がない。

七月末、第二戦線から、ついによい知らせが届く。アメリカの機甲部隊がシェルブール半島を突破し、サン＝ロー周辺のドイツ守備隊を敗走させてブリタニー一帯に展開し、パリに突進する。パリは、ドイツ軍の抵抗を受けることなく八月二十五日に解放される。英軍とカナダ軍はカーンを占領し、フランス北東部に突進する。H・Gは『幸福な曲がり角』の一部を十月に雑誌『リーダー』に載せる手筈を整える。だが、戦争の早期終結の希望は打ち砕かれる。アーネムでライン川の三つの橋頭堡を確保する試みが、空挺部隊が潰滅して大損害を蒙ったため失敗したので。同月、ヒトラーの報復兵器《フエアゲルトウングスヴアツフエ》の二つ目のもの、V2がロンドンに向け発射される。三千ポンドの高性能爆薬を積んだ弾頭を持つ巨大なロケットに対する防御策は、まったく何もない。そして、音速の五倍で飛ぶので、それが接近してくるのを警告することはほとんどできない。たまたま上を見ると、空に小さな赤い光がちょうど見えるかもしれない。すると数秒後に、どこかの不運な通りかオフィスビルか商店が凄まじい衝撃を受ける。しかし、それだけだ。ある意味ではV2は、V1より怖くなかった。なぜなら、はらはらして待つ恐ろしい間《ま》がなかったし、防空壕に入る暇などなかったからだ。弾頭は自分に当たるか当たらないかで、当たるとしても自分には決してわからない。そのことは、大衆のあいだに一種の宿命論的態度を生む。非常に近くなければ、飛んでくるロケットの炸裂音を無視するか、炸裂音を聞いても、ただ肩を竦めるか顰め面をするだけという傾向を生む。H・Gは初期の本でロケット兵器の開発を予見したが、こんな規模のものを予見したわけではない。彼は『幸福な曲がり角』のフォルダーを閉じ、『行き詰まった精神』のフォルダーを開ける。

> これまで、循環ということが生命の基本的法則であったように思える。夜は昼に続き、昼は夜に続いてきた。しかし、われわれの宇宙が突入している、存在のこの新しい不思議な局面においては、出来事は、もはや循環しないのは明白である。出来事は不可解な神

秘に向かってどんどん進み、声のない、限界のない闇に入って行き、それに対し、われわれの満たされぬ精神は頑固に、執拗に闘うかもしれないが、すっかり征服されてしまうまで闘うのみであろう。

そこから出る道も、迂回する道も、通り抜ける道もない。

一方、アントニーの結婚生活の危機は未解決だ。キティーは離婚の成立に協力することを冷静に断る。アントニーはその問題を力尽くで解決する意志が自分にはないのに気づく。ある晩アントニーは、H・Gと一緒に黙って坐り、ジーンとキティーと子供たちについて思い悩み、道徳的、感情的方程式を頭の中で解こうとするが駄目だ。そして、肘掛椅子に坐ってまどろんでいた父をちらりと見、明るい青灰色の目が開いていて、自分を睨みつけるように見ているのに気づいてびっくりする。

「やあ、H・G!」と彼は言う。「起きたのかい?」

「心配事があるようだな」と父は言う。

「そう、当然さ……僕はキティーも子供たちも傷つけたくない。みんなにとって一番いいことをしたいと思ってるんだ」

「じゃあ、BBCの例のナチのことじゃないんだな?」

「どんなナチだい?」

「おまえを脅迫しているナチさ」

アントニーはもういくつか質問をしたあと、自分がBBCに潜入したナチのスパイに操られているとH・Gが信じているのを確かめる。

「それはまったくの戯言《たわごと》さ、H・G」とアントニーは抗議する。

「そうかね?」と父は疑わしそうに言い、また目を閉じる。

その奇怪な妄想の原因がレベッカなのにアントニーが気づくのに、長くはかからない。彼女は五十万語でユーゴスラヴィアの歴史、地勢、民族学、文化について書いた『黒い仔羊と灰色の隼』を一九四一年に出版して以来、英国が、亡命中の王党派の政府と、ドイツによる占領に対するセルビア人のミハイロヴィッチ将軍の抵抗運動を支持していたあいだは、ユーゴスラヴィアの権威になっていた。彼女は熱心な親セルビアだった。ところがいまやチャーチルが連合国軍の支持の対象をクロアチア人のチトーの共産主義者パルチザンに替えたので、彼女は自分が孤立し、左翼の評論家と政治家の攻撃を受けやすくなっていると感じていた。そして、その心配をアントニーに話し、外務省の親チトー派が、BBCでの彼の役割に疑問を投げかけることによって自分をやっつけるかもしれないと仄めかした。彼はその時、この典型的な誇大妄想的考えにほとんど注意を払わなかったが、今になってみると、H・Gの気違いじみた妄想との関連がわかったので、すぐに電話に手を伸ばす。

「ラック――僕がBBCに潜入したナチに脅迫されているってH・Gに話したのかい？」

「もちろん、話しはしないわよ。なんでそう思うの？」

「BBCでの僕の立場についてH・Gに全然話さなかったのかい？」

やや間があってから、レベッカは弁解がましい口調で言う。「あなたも知ってるように、わたしは自分の敵が、あなたの過去の履歴を利用して、あなたの評判を悪くし、わたしの信用を落とすかもしれないって心配してるの……」

「どういう意味だい――僕の履歴って？」

「連中はあなたが一時、平和主義者だったってことを知ってるの、おそらく戦争の初め頃、スパイ容疑で警察の監視下にあったのを知ったんでしょうよ」

「そいつはまったく滑稽な話だ、あんたも知ってるように、ラック！」

彼とキティーは、ウィルトシャーの自分たちの農場で何人かのベルギーの友人をもてなしていた際、疑いをかけられたことがあった。立ち聞きされたフラマン語がドイツ語だと誤解され、カーテンがはためくのが手旗信号と解釈され、有罪の証拠を手に入れようとした、眉を顰めた田舎の巡査によって農場内の居宅が捜査された。巡査は重々しい顔をしてアントニーの外国語の本、地図、案内書、子供の頃H・Gに貰った玩具の人形のコレクションを押収した。

「あなたには滑稽に見えるかもしれないけど、わたしがハロルド・ニコルソンやハロルド・ラスキのような偉い友達を持っていたからこそ、あの連中は捜査を中止したのよ」とレベッカは言う。

「でも、そのことを最近H・Gに話したかい？」

「話したかもしれない」と彼女は認める。

「それを彼は、BBCに潜入したナチが僕を脅迫しているっていう、気違いじみた陰謀説に変えてしまったんだ。誤解を解いてもらうと大変ありがたいんだけど」

「そうねえ、やってみるわ……でも、耄碌の始まりみたいね」

「ともかく、やってみてよ」とアントニーは言い、受話器をガシャンと置く。

彼女がそうしたのかしなかったのか、彼は確かめることができない。自分に対するどんな陰謀もないと父に誓い、ジップとマージョリーに請け合ってもらうが、H・Gは時折、「おまえのBBCのナチの友人」に言及し、依然として彼を嫌な気にさせる。そうした嫌味が耄碌のせいなのか、意識的な悪意からなのかはアントニーには決められないが、二人のあいだの、この新しい摩擦がアントニーに苦痛を与え、彼と母との関係を一向によくしない。

すると突然、十月にアントニーの結婚生活の危機は終わる。ある日の午後、アントニーはジーンのフラットでセックスをしたあと、ベッドの縺れたシーツの真ん中に坐って煙草をくゆらし、ジーンが靴下を片方ずつ、伝線した箇所はないかどうか入念に調べてから穿く様子を眺めながら、離婚した場合、キティーと子供たちにいくらかの金を遺すよう、H・Gが遺言を書き換えていると話す。ジーンはその情報に心を乱す。「あなたが貰う分から差し引かれるの?」と彼女は尋ねる。そうさ、まさしくフェアに思える、とアントニーは言う。ジーンは同意しない。彼女には、その金がアントニーの相続分から引かれる理由がわからない、彼の父は大金持ちなのだから。「そんなに金持ちじゃないのさ」と彼は言う。「H・Gは近頃じゃ、自分の本で巨額な金を稼いでいない。稼いでいた頃は盛んに使って、たくさん人にやってしまった」。「だからこそ、あなたは残っている分の自分の正当な分け前を間違いなく貰えるようにしなくちゃ」とジーンは言う。アントニーは、君は金銭尽くだと言う。ジーンは怒る。二人は大喧嘩をする。彼女は、出て行ってと、彼に言う。彼は、もう戻ってこないと言う。あたしは結構よ、と彼女は言う。H・Gの遺言が喧嘩の本当の原因なのか、二人が情事に飽きて、それを終わらせる口実を探していたのかどうかはわからない。

アントニーは「マンフォード氏の家」にそのまま住む。もっともな話だが、キティーが自分たち夫婦の家に彼をすぐにまた入れる気がしないからだ。そして、考える時間が欲しいと言う。アントニーは、ある日彼を訪ねたレベッカに、そのうち自分たちがまた一緒になれそうだと言う。レベッカはほっとし、アントニーと一種の和解をする。H・Gは、もうその問題に関わる必要がないので喜ぶ。気を逸らされずに自分の人生について考えたいのだ。

その年が経つにつれ、また、空気が冷たくなり、灯火管制のせいでロンドンがますます早い時間に産業革命前の闇に包まれるようになるにつれ、彼が夏に感じていた蘇った精力が衰え始める。彼はいっそう引き籠もりがちになり、自分の頭の中だけで生きる。家のほかの者たち、看護婦、料理人兼家政婦、毎日掃除にきてくれる女、少数の〝家族の側近〟であるマージョリー、ジップ、アントニーは、彼が小さな居間の肘掛椅子にぐったりと坐って虚空を見つめ、独りごとを言っているか、書斎の机の前に坐って書類を繰ったり、時折立ち上がって書棚から本を取り下ろしたり、引出しとファイリングキャビネットの中を掻き回して手紙や写真を捜していたりする姿を見る。彼の頭の中で何が起こっているのか、彼らにはわからない。精神は、思い出す場合は後方に、予言する場合は前方に進むタイム・マシンだが、彼はもはや予言はしない。彼の精神は行き詰まっていて、前方の混沌を見つめる勇気はない。彼は後方を、自分の人生を見る。それは全体的に見て、成功譚なのか失敗譚なのか？　その問いに答えるには、第二の声を持つのが役に立つ。例えば彼は、自分の過去について自分をインタヴューし、簡単な質問を投げかけ、ジャーナリストがまだ彼に関心を抱いていた時代にしたように、それに十分時間をかけて答えることができる。

2

——で、あんたはいつ、どこで生まれたのかね？

——一八六六年九月二十一日、ブロムリー本通りのアトラス・ハウスで生まれた——ブロムリーはなんの変哲もない場所で、ロンドンから南約十マイルのところにある、町と村の中間で、間もなくロンドンに吸収される運命にある。「アトラス・ハウス」というのは陶器屋にしては滑稽なほど大袈裟な名前で、両親が親戚に騙されて買った、慢性的に儲からない店だった。両親のどちらも商才に欠けていた。母は結婚するまで大きな屋敷の小間使いで、父は同じ屋敷の庭師の下働きだった。父はクリケットが得意だった——結婚後プロになり、ケント州代表のチームに入って試合をした。それでいくらか収入の足しになり、クリケット用具を店で売ったが、あまり儲からなかった。クリケットのバットを買いに、誰が陶器屋に行くだろう？

——あんたの一番古い記憶は？

——台所の鉄格子の嵌まった窓から、鋪道を歩いて行く人の足を見上げたこと。わたしたちは店の上と裏に住んでいて、家は斜面に建っていた。したがって、台所と食器洗い場は地面の下にあった。家全体は暗く、狭苦しくて不衛生だった。裏の居間から台所と食器洗い場に通ずる階段は危険なほど急だった。食器洗い場には蛇口がたった一つで、水はポンプで汲み上げた。裏庭には蓋のない下水があり、そこで家庭の排水は、屋外便所の下の汚水溜めに染み込んでいった。屋外便所は、ポンプに真水を送る井戸から数ヤードしか離れていなかった。

——しかし、三十四歳までには、あんたはフォークストーンのそばのサンドゲイトの近くに、有名な建築家が設計した、海を見晴らす宏壮な邸宅を建てるまでに出世した——

——わたしも設計した。それは、どの寝室にも便所の付いた、我が国で最初の個人住宅だった。それはわたしの着想だった。そうさせるまで、ヴォイジーを相手に奮戦しなければならなかった。でも、ブロムリー本通りの、あの恐るべき安普請の家に育ったという経験がなければ、たぶん、スペード・ハウス（ウェルズは窓ガラスの模様にスペードを刻ませた）を建てるという構想は抱かなかったろう。その経験のおかげで、住宅建築への生涯にわたる強い関心と、十九世紀後半のイングランドの郊外の至る所に、ある種の煉瓦とモルタルの醜い皮膚病のように広がっている、ひどい設計の家に対する憎しみを抱くようになった。哀れな母は、アトラス・ハウスを清潔に、見苦しくない状態に保とうとして奮闘したが無駄だった。壁紙の裏と家具の中に害虫がいたんだ──見たら潰せたけれど、すっかり除去できなかった。

──なら、貧困のうちに育ったんだ──

──本当の貧困じゃなかった。わたしたちは飢えはしなかったが、貧弱な食事だった、そのせいでわたしは成長が止まり、病弱になった。裸足では歩かなかったが、足に合わないブーツと短靴を履いた。友達を家に連れてきて遊ぶのは許されなかった、家に召使がいない、一番身分の低い下女さえいないということが友達にわかってしまい、その噂が近所に流れるからだ。両親は一番安い私立学校に僕をやり、公立小学校にやるという恥辱を免れるために、こつこつ貯金した。公立小学校のほうが、もっとよく訓練された教師がいたかもしれない。

──あんたはその環境に押し潰されている才能を、自分が持っているのを自覚していただろうか？

──ぼんやりと。どこかほかのところに、もっと刺激的で、充実した世界があるということを本で知った。

──当時、あんたの人生の最低の境遇はなんだったと思う？

──そう、サウスシー服地商店での最初の日だったと思う。それは二度目の徒弟奉公だった。わたしは十五だった。十四で学校を出ていた。両親は授業料が払い続けられなかったのだ。ブロムリー・アカデミーの授業料はひどく安かったが。僕が十一くらいの時、父が事故に遭い、片脚を折ってしまった。それで、クリケット選手としての人生は終わってしまった。そのあと、家計は火の車だった。母は、僕の二人の兄の場合同様、わたしを服地屋にしようとしたが、わたしはウィンザーで最初の年季奉公をした際、態度がひどく悪かったので馘《くび》になった。その時までには母は、ウェスト・サセックスのミッドハースト近くの大きな田舎の邸宅、アップ・パークに戻っていた。母は結婚する前にそこで女中をしていたが、やがて家政婦の仕事を提供された。それは、母にとっては思ってもみなかった僥倖だった。母はわたしを、しばらくそこに住まわせた。わたしはミッドハーストの町の薬屋に、試しに年季奉公をすることになった。そこは服地屋より自分の性に合ったが、母が高い謝礼金が払えなかったので、長続きはしなかった。しかし、わたしがミッドハースト・グラマー・スクールにやられ、校長から、わずかながらラテン語の個人授業を受けるくらいには長かった――それは、わたしが処方箋と壜のレッテルが読めるようになるためだった。アップ・パークの一家が居候のわたしをうとましく思うようになると、母は、ほかの服地屋の年季奉公の口を探しているあいだ、わたしを数週間、生徒としてミッドハーストの学校に寄宿させた。母は服地小売業というものに対し、ほとんど宗教的なまでの信頼の念を持っていた。しかしわたしは、ミッドハースト・グラマー・スクールでの本物に近い教育に近いものが気に入っていて、アップ・パークの書庫が素晴らしい場所なのを発見していた。そこには、可動式梯子で登らねばならないほど高い本の絶壁があった。『ガリヴァー旅行記』やプラトンの『国家』といった本があった。わたしは自分の寝室の隣の屋根裏部屋に、古い反射望遠鏡の部品があるのを見つけた。それをなんとか組み立て、寝室の窓に登り、月のクレーターを見た――たぶん、『月世界最初の人間』の起源はそこにあるのだろう。アップ・パークの持ち主は書庫をほとんど使わなかったし、望遠鏡はまったく使わなかったが、わたしが垣間見た一家の文化的で余裕のある暮らしが思春期の心を刺激し、それまではわたしから隠されていたあらゆる種類の地平線を見せてくれた。わたしは人生から自分が望んでいるもの、自分が成し遂げられるものは何か正確には知らなかったけれども、それが店で働くよりもっと充実した何かであるはずなのは知っていた……何を話していたんだろう？

――あんたの二度目の年季奉公。

――そうだ。だから、わたしは最初の日に気分がひどく滅入ったんだ――なぜなら、それはまさしく二度目だったから。徒弟と助手補が眠るわびしい宿舎に旅行用手提げ鞄を持って行ったのを覚えている。そこには八つの鉄枠のベッド、縁の欠けたエナメルの洗面器がある四つの洗面台が剝き出しの床に並んでいた。わたしは誰かが来て、宿舎の中を案内してくれるのを待っていたが、それがどんなものなのか前もって知っていた――裸のガスバーナーの照明の、窓のない地下の食堂、露の水滴で湿ったその壁、いまだに辺りに漂っている前夜のキャベツの臭い。そこでわたしは、開店準備のために一時間働いたあと、午前八時半にバター付きパンを食べ、服地の入った梱を、日中長時間肩に載せて運び、上流気取りの顧客にぺこぺこし、年配の売り場監督にあれこれ命令されたあと、食事をとりに戻ってくるのだ。「進め、ウェルズ！」。それが、人に用をさせる時に彼らが怒鳴った文句だ……宿舎の窓は、監獄の裏庭に似た、狭い、なんの変哲もない袋小路に面していた。わたしはそこを見下ろしながら、二度目の刑期を勤めるために舞い戻ってきた、老いた前科者のような気がした――四年間の刑期を。なぜなら母は、前もって謝礼金のほぼ全額を払ってしまったので。それが、わたしの最低の時期だった。

――で、あんたの人生で最も重要な転換点は、なんだと言うね？

――そこから出たこと。そこは、わたしが怖れていた通りの場所だった。わたしの小説『キップス』を読んでいれば、それがどんな風かわかるだろう。賃金奴隷の生活。しかもそれは、商売の性質上、客のお上品ぶりを真似することが要求されるので、挙措が仕事同様粗野な工場や炭坑よりもずっとひどかった。わたしは偽りの上品さと小口現金の雰囲気の中で窒息しそうだった――その言葉、小口現金というのは、なんと暗示的だったろう！　あの世界では、何もかもが小口なのだ――考えも、会話も、いちゃつきも、野心も。まるで、永遠の真実が、ヤードとインチで計られ、裁断され、その値段が最後の三ファージング（一ファージングは旧ペニーの四分の一）まで計算される。労働時間中であれ、ほんのわずかな休憩時間中であれ、礼儀正しく振る舞わないと即座に馘《くび》になった。自分の「飼葉桶」（そう呼ばれていた）を失うことと、貧困の淵に落ちることに対する恐怖心が、徒弟にだけではなく店員にもあった――店主以外の誰にも。そして、店主になれる望みのある者は、ほとんどいなかった。『キップス』には、ミントンという陰気な登場人物が出てくる。彼は古株の徒弟で、キップスに言う。「いいかい、おまえはひでえ下水管の中にいるんだ、おれたちは死ぬまでそこを這わなくちゃいけねえ」。それは実際の文句だが、ただ、私にそう言った男は「ひでえ」ではなく「くそ忌々しい」と言ったのだが。わたしは二年間辛抱したが、その頃にはうんざりしていた……下水管から抜け出す唯一の道は教育を受けることなのを、わたしは知っていた。わたしは頭がよかったが、教育がなかった。ミッドハースト・グラマーでの短い期間が懐かしかった。わたしは、自分でも何時間か授業を受けながら、幼い生徒に対する教師として働く助教師と呼ばれる者がいるのを知っていた。そこで、バイアットという名の校長に手紙を書き、その資格で雇ってくれないかと頼んだ。バイアットはわたしが頭のよいのを知っていた。なぜなら、彼はわたしにラテン語を教え、わたしは彼の教えている大方の初級者が一年でなんとか学ぶより多くのラテン語を五週間で覚え、彼を驚かせたからだ。彼はわたしが役に立つと考え、学生教師として雇おうと言ってくれた。俸給はなかったが、賄い付き下宿に住まわせるという条件だった。ある日曜日、わたしの休日だったが、わたしはアップ・パークまで十七マイル歩いて行き、自分のしたいことを母に話した。もちろん、母はその考えに反対した。母は泣き、わたしを諭し、服地屋の年季奉公を「もう一度試しておくれ」と言った。母の一番気になったのは、謝礼金が無駄になることではなかったと思う――それは、無資格の教師の将来の不安定さと、とりわけ、服地の小売業からわたしが離れることだった。

――あんたの父はどうだったのかね？　なんと言ったかね？

――父はわたしが謝礼金を無駄にしてしまうと考えて激怒したが、父の考えは、実際、問題ではなかった。父は母がアップ・パークに戻ってから、アトラス・ハウスに独りで住んでいた。そして、店がついに破産宣告を受けるまで、店を経営しているふりをしていた。父は事故のあと、廃人同様だった――クリケットが父の生き甲斐で、父はクリケットに才能があった。父は一流のクリケット選手で、連続して四回、打者にもバットにも触れずにボールを三柱門に当てた唯一の選手だ。クリケット年鑑の『ウィズデン』に、そのことは載っている。でも、母は結婚生活でいつも主導権を握っていて、何事も自分で決めた。法的にはわたしはまだ子供だったので、バイアットは母の同意なしにわたしを雇うことはできなかった。わたしはその日曜日の晩、サウスシーに戻らねばならなかったが、ミッドハーストに行くのを認めてくれなければ自殺をすると母に言った。

――本気だったのかね？

――本気だったと思う。サウスシーでは自殺のことを何度も考えた。一番いい方法はなんだろうとも考えた。溺死に決めた。自分にわかる限り、それが下水管から抜け出る、ほかの唯一の道だった。母はわたしが本気なのがわかり、動揺した。敬虔な低教会アングリカンとして母は、自殺を許し難い罪だと見なしていた。ところがわたしは、そんな良心の咎めなど感じていなかった――子供の頃でさえ、キリスト教の神に対する信仰はあまり持っていなかった、そして、十五の頃、すっかり失くしてしまった。

――何か特別の理由で？

――日曜日には、様々な礼拝を試しにポーツマスのそれぞれ違った教会に行ったものだ。ある日、カトリック大聖堂に入って行き、裾の長い法衣《ほうえ》をまとったあるモンシニョルの、地獄についての説教を聞いた。それは吐き気を催すようなものだった——それは実に嗜虐的で、人を恐怖心で一杯にする意図のものだった——ジョイスの『若き芸術家の肖像』の中の説教を知っているだろう？　それは、そういうものだった。わたしは何年も経ってから、ジョイスのその本を好意的に書評した——その際、ポーツマスの大聖堂でのあの日曜日の朝のことを、非常に鮮明に思い出した。わたしがまだ持っていたわずかばかりの宗教的信念を失くしたのは、その時だった。わたしは宿舎で、無神論的な言葉を口にし、もし神が存在するなら、雷でわたしを殺してみろと神に挑んで、ほかの徒弟たちを怖がらせたものだ。

——自分はもはや信仰心を持っていないと母に言ったのかね？

——言わなかった。母はたぶん、自殺をするとわたしが脅かしたので、そのことを察しただろうが。幸い、バイアットは条件をよくしてくれ、年に二十ポンド払う、もし満足な仕事をしてくれたら二年目には四十ポンド払うと言ってくれた。母は敗北を認めた。わたしはサウスシー服地商店を去ってミッドハースト・グラマー・スクールに行った。皮肉なことに、わたしはそこに行ってから間もなく、堅信式をしなければならなかった。同校の教師は誰でもイングランド教会の信徒でなければならなかったからだ。わたしは自分を偽って、無意味な儀式に従うのは嫌だったが、どうしようもなかった。わたしの人生には、ほかのいくつかの転換点があるが、それが一番重要なものだった。ほかの一切の事柄は、自分の可能性に対する信念にもとづくその行為、自分を教育しようという、その執念から生まれたのだ。

——で、あんたはミッドハースト・グラマーで満足な成果を挙げたんだね？

——そうとも……バイアットは善人で、わたしは彼に負うところが多いが、わたしをある程度利用した。彼は、教育省が当時進めていた科学プログラムの試験に自分の生徒が合格するたびに、政府から助成金を貰った——一級の成績には四ポンド、二級の成績には二ポンド等。バイアットは思いつくことをなんでもわたしにやらせた。わたしは信じられないくらい広い範囲の科目の詰め込み勉強をしなければならなかった——生理学、植物学、地理学、数学、化学、物理学……わたしは現代科学の全範囲の基礎をかなりまで習得した——それは基本的なものだったが、のちに非常に役立った。わたしは試験に合格するためだけに、教科書の詰め込み勉強をした。しかし、合格する以上のことをした――ほとんどの科目でも一級を取ったのだ。もちろん嬉しかったし、バイアットも喜んだ。しかし、サウス・ケンジントンの科学師範学校で学位を取るため奨学金に応募することを同校から勧められ、奨学金を獲得するまで、それがどんなに見事な成果なのか、わたしはわからなかった――全国でたった五人のうちの一人だったのだ。哀れな老バイアットは、わたしが彼に断らずに応募したことに激怒し、契約違反だとわたしを詰《なじ》ったが、偉大なトマス・ハックスリーのもとで学ぶ機会を逃すのはもったいなさ過ぎた。その時初めてわたしは、自分の頭脳が人並み外れた吸収力を持っているのに気づいた。

――しかし、あんたの自伝の副題は、「ごく普通の頭脳の発見と結論」だ。

――そう、少しばかり謙虚であることは、いつも英国の大衆には受ける……

――で、作家として広い世界に自分が知られるかもしれないと考えたのはいつだね？

――もちろん、『タイム・マシン』が出た時さ。それまでは、わたしはただのジャーナリストだった――市場に合わせた記事や小文や物語を書いていた。わたしは一生の職業としては教職を諦めた。一八九〇年代は新聞と雑誌のブームの時代で、新鮮なアイディアといくらかの筆力があれば、フリーランスでまともな暮らしができた。でもたまたま一八九四年に、わたしの定期的な収入源になっていたもの――わたしの書く物を好いてくれていた雑誌や編集長たち――が不意に減ってしまい、わたしは手元不如意になり、ひどく困った。難儀な時代だった。ジェインとわたしは、わたしがイザベルと離婚するのを待っていた。わたしたちは彼女の健康のためにロンドンを出た。彼女が虚弱だったからだ。実際、わたしも虚弱だった。わたしたちはセヴンオークスで下宿したが、女主人はわたしたちを胡散臭いと思っていた。間もなく、わたしたちが不義の生活をしていることを知ったが、わたしの手紙を読んだことを認めないではわたしたちを実際に非難することができなかったので、事あるごとに嫌がらせをしただけだった……とにかく、そうした状況の時、わたしは昔下書きを作った、『時の探検家たち』という物語を探し出し――あまり受けそうな題じゃないね？――『タイム・マシン』としてすっかり書き換えた。幸い、わたしの昔のパトロンで、しばらく失業していたウィリアム・ヘンリーが『ニュー・レヴュー』という新しい雑誌の編集長に任命され、『タイム・マシン』を連載してくれることになった。彼はそれに百ポンド出すと言った。百ポンド！　わたしたちにとっては一財産だった。そして、それが本として出版されると、途轍もなくヒットした。ある雑誌が、『レヴューズ・オヴ・レヴューズ』という誌名だったと思うが、「Ｈ・Ｇ・ウェルズ氏は天才である」と書いてくれたのを覚えている。処女作にそれ以上は望めないだろう。その本は以来絶版になったことはない。

彼は書斎にある、自分の小説の初版を入れてある前面がガラスの本箱を開け、『タイム・マシン』を取り出す。それはハイネマンから出た八折判で、淡い灰色のクロス装丁で、表紙に題と線描のスフィンクスが紫で印されている。本棚に行き、自分の昔の本を取り出し、試料を試験管に入れ光に翳すような具合に、どんな風に読めるか見ようと、でたらめに開けるのが、彼の最近の習慣だ。しかし、本当にはでたらめに開けるのではない。本はこれまで何度も開けた頁で開くからだ。それは、時の旅人が、いまや海岸に置かれたマシンを運転し、太陽の死と地上の生命の終わりに向かってどんどん近づいて行く、お気に入りの箇所だ。

そういうわけでわたしは、地球の運命の謎に惹かれ、太陽が西方の空で次第に大きく、次第にぼやけていき、古い地球の生命が消えてゆくのを、不思議な具合に魅了されながら眺めつつ、何度も停まりながら、千年以上を猛烈な速さで旅をした。闇がたちまち濃くなった。海の縁から漣《さざなみ》と囁くような音が近づいてきた。それらの活気のない音以外、世界は静寂だった。静寂？　その静けさを伝えるのは難しかろう。人間の立てるすべての音、羊の鳴き声、鳥の囀り、昆虫の羽音、われわれの生活の背景を作り上げている騒音——そのすべては消えた……空は真っ黒だ。その巨大な闇の恐怖がわたしを襲った……すると、空の灼熱の弓のように、太陽の縁が現われた。わたしは気を落ち着かせるために、マシンから降りた。眩暈がし、帰りの旅をするのに耐えられないように感じた。吐き気を覚え、頭が混乱しながら立っていると、赤い海水を背に、浅瀬の上に動く物を再び見た——それが動く物であるのに、いまや間違いなかった。それは丸い物で、サッカーボールくらいの大きさか、あるいはもっと大きいかもしれない。そして、触角がそれから垂れていた。それは、うねっている血のように赤い海水を背に黒く見えた。それは辺りをひょいひょいと跳んでいた。わたしは気が遠くなった。しかし、その遥かな怖ろしい薄明の中でなす術《すべ》もなく横たわるという凄まじい恐怖が、サドルに這い登るあいだ、わたしに取り憑いていた。

——サドル……

——そう、面白いじゃないか、わたしが自転車を自分のタイム・マシンのモデルにしたっていうのは？　今ならば自動車のようなものにするだろう——あるいは飛行機のようなものに。しかし、わたしがあの物語を書いた時は自転車の時代だった——自動車はまだ試作品の段階で、飛行機は存在していなかった。自転車はほとんどの者にとって、機械化された移動手段の極致だった。それは確かに、誰もがタイム・マシンに関連付けることのできる移動手段だった。そして、自転車には何か詩的なところがある、何かやや魔術的な。わたしはいつか、運動のために、一組のころの上に自転車を載せてペダルを漕いでいる男の写真を見たことがある。それが、わたしにアイディアを与えてくれた——時間は過ぎていき、男は、車輪が回るので動いているという錯覚を抱く、同じ場所にとどまっているのだが。しかし、もし男が実際に時間の中を通過していて、それにしたがって場所の光景が変わるとすれば……

——今、それを読んでどう思うかね？

——かなりいい、確かに。もちろん、非常にその時代を感じさせる、いわゆるデカダンスと呼ばれた、世紀末の一八九〇年代を。文学者のあいだではペシミズムが流行っていた。わたしは当時、純文学作家として真剣に扱われたかった。ワイルドの『ドリアン・グレイ』の物憂い会話のやりとりを覚えているだろう。「〝世紀の終わり《ファン・ド・シエクル》〟……〝地球の終わり《ファン・デュ・グローブ》〟」。『タイム・マシン』はその気分を捉えたものさ。しかし、触角を持ち、血のように赤い浅瀬をひょいひょいと跳ぶ、あの黒いものは、いまだにわたしの背筋を寒くさせる。あれは地上の生物の最後の名残で、進化が逆行したものだ。

——あれは、ひどくわびしいイメージだ。

——エントロピーというのは、まさにわびしい。遅かれ早かれ、わたしたちの太陽系はエネルギーを消尽し、地上の生命は終わる。しかし実際は、「早かれ」ではなく「遅かれ」だろう、あんまり遅いんで、心配するほどのことはない、なぜなら、その時点までには、人間はほかの手段で自らを滅ぼしているか、この惑星を離れ、宇宙のほかの所に入植しているかだろうから。

——どっちのほうがありうると思うかね?

——今は、前者だ、間違いなく。わたしは『タイム・マシン』を書いた時、同じことを言っただろう。しかし、その後何年も経つうちに、わたしは人類の将来と、地球の死さえ生き延びるわれわれの能力について、もっと楽観的になった。

——あんたは一九〇二年、王立研究所の講演で、こう言った。「今のところは、われわれの思念に潜み、腰部に隠れている存在が、人が踏み台の上に立つようにこの地上に立ち、笑い、手を星々のあいだに手を伸ばす日が来るでしょう」

——そう、相当物議を醸した、あの講演は。

——あの講演でフェビアン協会はあんたを入会させようとしたんだね?

——それも確かにあるが、彼らはすでにそうしようと思っていた。前年に出版された『予測』を読んでいたんだ。

彼は初版を入れてある本棚のところに行き、濃い赤の装丁のずんぐりした八折判の本を取り下ろし、題扉を開ける。

——『機械および科学の進歩が人間の生活と思想に与える反応の予測』というのが完全な題名だ。

——あんたは科学の進歩がもたらす人間生活の向上について、あの本では総体的に楽観的だった。

——そう。

——しかし『タイム・マシン』では、その中心的な話では、それは遥か未来の設定だが——

——西暦八〇二〇〇〇年。

——その頃には人類は二つの人種に分かれていると、あんたは想像している——

——今考えてみると、あまりに遠い未来だ。人間の文明がそれほど存続するかどうか、甚だ疑わしい。

——二つの人種。一つはイーロイ人で、地上で優雅で怠惰な、見たところ田園詩的な暮らしをしている、女性的な、牧歌的な人種で、もう一つは人喰いのモーロック族で、彼らは日中は地下の工場で働き、夜だけ外に出てきて、イーロイ人を選別する。彼らはイーロイ人を肉用の家畜として飼育しているのだ……それは、産業資本主義を打倒するという社会主義者の夢に対する、一種の暗い諷刺だ。プロレタリアートは支配階級になったが、殊に恐ろしい方法で上流階級を搾取する。五年間かそこいらで、なんであんたはあの悪夢的ヴィジョンから一転し、一世紀以内に温和な社会制度が生まれることを、『予測』の中で自信たっぷりに予言するようになったんだね。その社会制度においては誰もが中産階級で、自動車と、労力節約の家庭用品のある郊外の楽園に住むんだが。

――手短に答えれば、わたしがいささか金を儲け始めたことさ――『タイム・マシン』のおかげで。あの本は、貧困と貧しい食事と不健康の三十年から書かれたもので、もしそれが長期の未来に対するわびしい見方を投影していたとすれば、それは、わたし自身の短期の未来が自分にはわびしく見えたからさ。わたしの肺は結核の疑いのあった欠陥のあるものだったし、腎臓も損なわれていた。ジェインはあまり丈夫ではなかった。二人とも十年以上は生きないだろうと思っていた。『タイム・マシン』が成功を博すると、全力を尽くしてそれを利用し、自分に残されていると思った時間を最大限に活用するため、憑かれた男のように、長篇小説と短篇小説をいくつか書いた。その同じ年、一八九五年、もう一つの小説『驚異の訪れ』と短篇集を出した。翌年、さらに二つの小説、『モロー博士の島』と『偶然の車輪』を出した。九七年には『透明人間』と、もう一つの短篇集を出し、九八年には『宇宙戦争』を出した。無数の新聞雑誌のエッセイと書評は言うまでもない。小説のいくつかは『タイム・マシン』に劣らず暗く、恐ろしい――わたしは依然として、読者をぎょっとさせ、見た目の事物に対する自己満足した信頼の念を揺るがし、文明のうわべは、わたしの小説にあるように、火星からのエイリアンの来襲とか、太陽系に巨大な彗星が入ってきて地球と衝突するおそれが生じるとかいった、まったく予期しない破局が訪れたなら、いかに薄く、脆いものかを示すのを楽しんだ。わたしの短篇『星』でのように。しかし、わたしはいつも世界を救った――彗星はあわやというところで地球には当たらず、火星人は細菌によって殺される――そして、そうした話の最後に、恐怖と苦悩から新しい人間同士の連帯感が生まれるということを仄めかしている。

一方、わたしたちの生活――ジェインとわたしとの――は、急速に良くなった。『タイム・マシン』が出版された年に、わたしの離婚が成立したので、二人は結婚できた。そして、すぐに生活水準を上げ、家から家に転々と移り、とうとうサンドゲイトに落ち着いた。数年のうちに、そこの一等地に家を建てるくらいの金を稼いだが、自分が長生きするとは、やはり思っていなかった。わたしは寝室のいくつかを居間と同じ階にするよう設計した、というのは、自分がかなり早い段階で車椅子での病人生活を送るようになり、階段が登れなくなると確信していたからだ。それは本当だ！　しかし、家が建つ頃には、良い食べ物、海辺の空気、運動と家庭の快適さの恩恵をジェインもわたしも感じていた。二人は自転車で遠くまで行った。水泳やバドミントンやテニスを覚えた。二人は丈夫に、健康になった。次第にわたしたちは、自分たちの人生がこれまで考えていたよりずっと長く続き、楽しい可能性に満ちていると悟るようになった。わたしは考えた――そうはっきりとしたものではなかったが、それは思考の根底にあるものだった。もし自分が作家としてちょっとした幸運に恵まれることによって、こんな風に人生を変えることができるのなら、男の――そして女の――大多数は、もっと合理的な社会の仕組みによって変わるはずではないか？　彼らを死ぬまで下水管の中を這わせ、特権的な境遇にある者より早く死なせるのは、貧困、貧弱な食事、不健康だ。わたしは下水管から抜け出せたことで急進的になり、動脈硬化症の社会制度の首根っこを摑んで強く揺すりたくなった――ほとんどの男女が、つまらない骨折り仕事をして息苦しい生活を送るような仕組みはなくすべきだということを、その社会制度にわからせたくなった。それを変えるのに暴力的革命は必要はない――思考の革命だけでいい。産業社会のメカニズムに科学的知性と常識を適用することによって、われわれは産業社会の恩恵の公正な配分が平和に達成できるだろう。その論旨は、社会主義者と自称してはいるが、階級闘争を通じて社会主義を達成するというマルクス主義的モデルを拒否していたフェビアン協会に、強く訴えかけた。そこでフェビアン協会は、わたしに入会を呼びかけた。わたしの観点からすれば、彼らはわたしの考えを、重要な人々に伝えるのに最も便利な手段を提供してくれた。わたしたちは、当然の同盟者だった。わたしがフェビアン協会に入った一九〇三年には、そう見えた。

――しかし、その同盟関係は長続きしなかった。

――そう。

――なぜだね？

――いくつかの理由がある。今では当然に思えるが、当時はそうではなかった。ほとんどの者が送っている貧困の、あるいは貧困に近い生活は耐え難い、また富は、国家が資本主義の機能と資源と、私有地の多くを取り上げて再分配する必要がある、という点では、わたしたちは同意見だった。わたしたちはどちらも、革命よりは立法によってそれは達成できると信じていた。しかしフェビアンの会員は、彼らが「浸透」と呼んだものを信じていた——つまり、彼らはそうした考えを活字と公開討論で主張すれば、それは政治家と主要な政党の考えに徐々に浸透していく、と信じていた。「徐々に」というのが重要語だった。

——そこから協会の名前が付いた。

——そう、ローマの将軍ファビウス・クンクタートル、すなわち「ぐずのファビウス」（彼は持久戦を得意とした）にちなんで名付けられた。その名前を選んだということは、協会の多くを語っている。彼らは心の底では社会主義国家を決して望んではいなかったと思う、とりわけ裕福な会員は。自分たちは遠い将来、社会主義国家が実現されるのを手伝っているのだと考えたがったが、例えば召使もいず、私有財産もない社会に実際に暮らすという考えに、彼らは密かに怯えていた。わたしはうずうずしていた。何かを本当にしたかった。

——あんたはスペード・ハウスと召使を喜んで手放しただろうか？

——わたしが思い描いていたような社会制度では、あの家を手放す必要はなかったろう。それを所有せずに、家賃を国家に払うだけだったろう。そして召使に関して言えば、わたしは『予測』の中で、合理的な家の設計と、労力節約の道具——セントラル・ヒーティング、電気掃除機、自動皿洗い機等——が召使を不要にするだろうと説明している。

——しかしあんたは、自分ではまだ召使を使っている。

——そう、この国は社会主義国家でも、わたしが想像したような、技術的に進んだ社会でもまったくない。そんなことで、わたしの誤りを見破ろうとしても駄目だ！　わたしは左翼の連中、特に労働党と労働組合運動の連中から、社会主義者だと自称しながら高い水準の生活を享受していると、よく批判された。わたしは、いつも同じ答えをした——自分はほかのすべての者と同時に自分の特権を放棄する用意がある、それまでは、自ら率先してその特権を捨てるのはなんの役に立つのかわからない。わたしの最大の時間の浪費は、社会主義の大義のために、数え切れないくらいの時間、無報酬で働いたことだ。

——あんたは何かをしたくてうずうずしていたと言う。フェビアン協会は何をすべきだと思ったかね？

——そう、最初わたしは、彼らは労働運動に加わってもっと積極的に活動し、議員に候補者を立てるべきだと考えたが、後者についてはのちに考えを変えた。労働党は労働組合に牛耳られている限り、基本的には常に保守勢力で、賃金を上げ職場の環境をよくすることだけに腐心していて、労働そのものの性質と仕組みについて根本的に問うことはしない、とわたしは判断した。漸進的変化は、国家を経営する新しい政治的エリート、科学的教育を受けた献身的管理者の団体に権力を与えることによってのみ可能になるという考えを、次第に強く抱くようになった。

——あんたが『現代のユートピア』の中で「サムライ」と呼んだ者たちだね？　世界国家の守り手。

——そう、しかしその考えは『予測』の中で、「新共和国」としてすでに概説した。のちにわたしはそれを「公然の陰謀」と呼んだ。それは、いつも変わらない考えだった。つまり、貧困、病気、その他すべての人間の文明の悪が除去された、公正で合理的に統治されている地球規模の社会というヴィジョンさ。

——しかし、それは万人のためのものではない。慢性的に貧しい者、失業者、病人、知能の遅れた者、犯罪者、アルコールと博打に溺れている者のためのものじゃない——あんたが「奈落の人間」と呼んでいる者たちの。

不意にインタヴューアの口調は尋問者の口調になる。

——そう、彼らのためのものじゃない。幸福で有益な生活を送る新しい機会が肉体的、精神的に利用できない者は……

——除去されねばならない？

——そう、彼らを社会のほかの人間に寄食することを許すわけにはいかないのは明らかだ。彼らに子を産むのを思いとどまらせるか、禁じるかさせるべきだろう。

——あんたは『予測』の中で書いている。「彼らに平等の権利を与えるのは彼らのレベルまで下がることであり、彼らを保護し大事にするのは彼らの多産によって圧倒されることになる」

——その通り。

——そして、あんたはこうも書いた。「〝奈落の人間〟をきわめて決然と選別し、教育し、断種し、追放し、毒殺する国家は……二〇〇〇年以前に最も強力で支配的な国家になるのは確かである」。「毒殺する」というのは少々ショッキングな提案じゃないかね？

——あんたはそれを文脈から抜き出した。その一節全部を聴きたまえ。「〝奈落の人間〟をきわめて決然と選別し、教育し、断種し、追放し、毒殺する国家、また、きわめて緻密に賭博と、それが必然的にもたらす女と家庭の道徳的退廃を阻止する国家、また、賢明な介入、相続税その他によって、無能で裕福な家族の財産を取り上げ、その家族を消滅させ、一方、野心的な個人を自由にしておくよう努める国家、また、ひとことで言えば、無責任な脂肪過多的存在の大部分を社会的筋肉に変える国家は、二〇〇〇年以前に最も強力で支配的な国家になるのは確かである」

——それはどの国だと思うね？

——まったくわからない。見たところ英国ではないようだ。中国かもしれない、もし彼らが博打熱を冷ますことができれば。

——しかし「毒殺する」……あんたは殺人を唱道しているんじゃないのかね？

——わたしは安楽死、苦痛のない自発的終末のようなものを考えていた。幸福で充実した人生を送る希望のない者に、死のほうが望ましい選択だと説得するのだ。「毒殺する」というのは選択を誤った言葉で、何度も後悔した。そう書いたことで頻繁に非難された。殊に、ナチがジプシーと精神障碍者をガスで殺しているという報告のある最近は。

——そして、ユダヤ人。大方はユダヤ人なんだ、実際は。

——わたしはユダヤ人全体を望ましくない人種と見なしたことはない。そのことは『予想』に、ごくはっきりと書いた。三百十六頁に。「私は人がユダヤ人に対してとる異常な態度が本当に理解できない」。そしてわたしは、人がユダヤ人を嫌うすべての点を列挙し、それはほかの人種にもやはり見出しうると論じている。わたしは反シオニストだが、反ユダヤ人ではない。

——次の頁はどうなのかね。「その他についてだが、あの大勢の黒と茶色、汚れた白と黄色の人間たち、効率の新しい必要にそぐわない者は？　私の見るところでは……彼らは行かねばならない」。どこへ？　あんたは、死ぬ、もしくは殺されるということを意味したのかね？

——死ぬ、もしくは死に絶える。もし地球の人口が今のように、特にアフリカと東洋でのように増え続ければ、地球のすべての住民にとって望ましい生活の質を維持することは地球にはできない。人口増大をなんらかの手段を使って制御することのできる世界の権威がなければならない。避妊、断種、安楽死のような手段を使って。それがうまくいかなければ、食べ物と水の不足によって引き起こされる飢餓、戦争が、同じ結果をもっと残酷な形でもたらすだろう。

――フェビアン協会は『予測』のその箇所に反対したのかね？

――覚えている限り、反対しなかった。当時、安楽死という考えは政治的左翼のあいだで、かなり流行っていた。

――なら、あの箇所が原因で彼らと仲違いしたわけではないのだね？

――違う。むしろ政策と個性の問題だった。そして、セックス。基本的に彼らはわたしのセックス観を受け入れることができなかった。あるいは、セックス観自体より、それをわたしが実行していたことを。

――どういうことだね？

――話せば長いことながら、さ。

第二部

1

それは非常に長い話だった。彼が「フェビアン」という言葉を聞く何年も前から始まった話だった。そして、彼の頭の中でそれを語っているのは別の声だった。対話者でも、尋問者でも、インタヴューアでもなく、小説家だった。最初の頃、擬似自伝小説を書き、人間世界の何が悪いのか、それを正すには何ができるかのある種の説明を探し求める人間について、また、いかに彼らがその贖罪の過程でどんな指導的役割を果たすことができるかについての小説を次から次に書いた、彼自身に似ていなくもない小説家だった。「贖罪」というのは、組織化した宗教、例えば、母の信じていた抑圧的で恐るべき低教会プロテスタンティズムや、ローマ・カトリック教会の反動的教条主義に対する彼の生涯にわたる敵意に、表面的には矛盾するように見えるかもしれない。しかし彼は常に、自分の使命感を本質的には宗教的なものと見なしていて、そう言って、世俗的な友人や知人をしばしば困惑させ、憤慨させた。個人の願望を共同の利益に従属させる理念、例えば社会主義や世界国家の理念を信奉するというのは、彼の考えでは本質的に宗教的だった。それは、教会、さらには神に献身することを意味しはしなかった。もっとも、思い起こすのもばつが悪いが、一九一七年に出版した『見えない王、神』のような本の中で、世界を破滅から救う自分の計画の中に神を取り込もうとした時期があったが。彼は、意外によいと思うことはないのを十分承知していたので、試しに読んでみようとそれを本棚から取り下ろすことは決してなかったが。

現代社会の何が悪いのかを理解し、その中での自分の有益な役割を探す人間について書いた彼の最上の小説は、一九〇九年に出版された『トーノ・バンゲイ』だった。事実彼はそれを、通常の文学的基準から判断して、自分の最上の小説と見なしていた。そのあとに書かれたいくつかの小説は、もっと論争的で論証的で、ヒロインを中心にする『アン・ヴェロニカ』以外、主人公はひどくユーモアに欠けた高潔な人物なので、彼はそれらの作品を「生真面目《プリッグ》」小説と呼んでいた。『新マキャヴェッリ』、『結婚』、『情熱的な友人たち』、『崇高な探求』がそうした小説で、それらはすべて、ある程度彼自身を理想化した男が、青年から成熟した人物になっていく過程を描いたものだ。主人公は彼よりも背が高く、ハンサムで、彼より上の階級の出で、異性との関係においてもっと几帳面だ。それらの男たちは、知的なものであれ政治的なものであれ、個人的な使命感と、ある特定の女と結び付きたいという欲求との葛藤を、例外なく経験する。大抵、女が使命の達成の障碍になるが、それは、女をその使命に加わらせることによってか、女が死ぬことによってか、男が女を諦めることによってのみ乗り越えられる。

女および女と彼との関係が、フェビアン協会と彼との齟齬の中心にあった。彼と協会の指導的人物のあいだには意見の相違があり、それがいつも葛藤の原因になりがちだったが、最終的に両者を決裂させ、それ以後、世の中に物の道理をわからせようという彼の孤独な努力にずっとつきまとったのは、彼の性的行動だった。女および女と彼との関係は、小説にそれとわかるように反映されていた——それとわかるようにではあるが、忠実にではない。彼自身の性生活において非常に重要だった肉欲の要素は、そうした作品からはほとんど完全に消えていて、ほんの時折、控え目に仄めかされ、大抵、ひどくロマンティックな恋によってベールが掛けられている。その際、「あら、まあ……」という文句がもっぱら重要になる。省略されている部分は、読者が助けを借りずに想像せざるを得ない、情動の激しさを示唆していた。もちろん、肉欲を満足させる場面は、ポルノ作家として告訴されずにはフィクションで忠実に書くことはできなかったし、彼は、許される赤裸々な描写の限度を広げようと努力したジェイムズ・ジョイスやD・H・ロレンスのような現代小説家の一人ではなかった。『アン・ヴェロニカ』は一九〇九年に発表された時、新聞と説教壇上から、堕落した本、人を堕落させる本として非難されたが、それは、処女の若いヒロインが、妻帯者の主人公と性的に結ばれたいと率直に宣言したからであって、やがて二人がそれを愉しむ様子を描写しているからではない。その点では、その小説はラム姉弟の『シェイクスピア物語』くらいに純潔だった。事実彼は、フィクションにおいて性行為とそのヴァリエーションを描こうという衝動を決して感じなかった——そうしたことは恋文と睦言だけの、プライベートなものにしておきたかったのだ。彼が自伝の秘密の『後記』、つまり彼が死に、言及されている女たちも全部死んだあと遺言執行人によって出版されることになっていた、彼の性生活の回想録も、女たちとベッドで何をしたかは明かされていない。それは一つには、マージョリーによって原稿がタイプされたからで、自分の性的活動を恥じていない正直な男でさえ、そうした情報を義理の娘と分かちたい気持ちには限度があったのだ。彼の頭の中にいる小説家はそんな抑制は持っていないのだが、彼の関心は、交合の仕組みにではなく、男の生活、彼の生活における性的欲望の作用にあり、いかにそれが時折、女、一応魅力的なほとんどの女に対する、単なる無遠慮で激しい非個人的な生理的欲望になるかということにあった。その欲望は数分で鎮まる場合もあれば、数ヶ月も数年も続く憧れと嫉妬の苦痛を伴って、ある特定の女に執拗に集中し、人々の生活を向上させるという真剣な仕事を乱し邪魔する場合もあった。

彼は生涯で百人を優に超える女と寝たに違いないが、何人かとは一回寝ただけで、大多数の女の名前は忘れてしまった。彼は自分がほかの男より強い性的衝動を持っているのかどうか、大方の男より、それを満足させるのにもっと成功しただけなのかどうかはわからなかった。たぶん、二つの仮説が正しいのだろう。それでは、その性欲はどこから生まれたのだろう？　はっきりとした遺伝的、環境的原因はなかった。彼は母の死後、母の日記を読んでみたが、母の結婚し立ての頃のエロティックな目覚めを仄めかす記述はなく、敬虔なキリスト教徒的感情の色が濃い、若い母親になった喜びだけが書かれていた。父は男っぽい男で、妻よりも愉しみを追ったが、父の情熱はスポーツ、殊にクリケットに向けられた。パブで男同士と付き合う社交的気晴らしは、ジョー・ウェルズの社交的気晴らしは、パブで男同士と付き合うことだった。彼は思春期になってそうした事柄を観察し考えてみるほどの齢になると、両親の結婚はまったくセックスのないものに見えた。両親は別々の部屋で寝たが、彼がのちに思ったように、それが産児制限の手段だったとすれば、父はそれに黙って従った。彼の知る限り、兄たちは性的には冒険をしなかった。性的事柄は家庭の中では口にされることはなかった。その家庭は女家長社会の縮小版だった。言動においてピューリタン的品行方正の厳しい規律を課す、しっかり者の小柄な女の言うなりになる四人の男。学校で交わされる卑猥な冗談やエピソードは、彼を興奮させるよりは嫌な気にした。ならば、女に対する根深い、無尽蔵の彼の欲望は（それは彼が性に関する事実を知る前に兆し、老年に至るまで残ったのだが）、どう説明できるのか？

その面で彼に最初に影響したのは、仮想の、理念的で、古典的なものだった。それは、『パンチ』をまとめて装丁した巻にあった、テニエルの政治漫画の、世界各国を表わす寓意的な人物だった。父はそれを、彼が七歳か八歳の時、脚を折って療養中、アトラス・ハウスの表側の居間で数週間横になっていた時に、ブロムリー文芸協会（成人教育機関）から、ほかのたくさんの本と一緒に借りてきたものだった。ある若い仲のいい青年が、地元のクリケット場で自分の力を見せびらかせようと、小さなパーティーをふざけて空中に投げ上げたのだが受け損ね、彼はテントの止め杭の上に落ち、脛骨を折ってしまったのだ。父と息子が互いに数年のうちに脚を折ったというのは、奇妙な偶然だった。それは、前者にとっては破局的なことで、後者にとっては解放的なことだった。というのも、親の公認のもとに濫読したことは（家では通常、そうした行動は怠惰の一種と見なされていた）――歴史、自然誌、通俗科学、冒険小説、装丁した何巻もの『パンチ』を父が与えてくれるとすぐさま貪り読んだことは――作家としての将来の基礎を作った。『パンチ』の漫画を見て、彼は国内および国際政治に早熟な関心を抱いたが、乳房と腿を剥き出した美しい半裸のギリシャの神々に諸国を擬人化したもの――ブリタニア、エリン（アイルランド）、コロンビア（アメリカ合衆国）、ラ・フランス――にも、名状し難い感情を覚えた。彼の知っているすべての女は、顎から足まで、見通すことのできない布で覆われていた。そうした幾重もの布の下に何があるのかを最初に彼に薄々感じさせたのは、タニエルの素描だった。彼は思春期の初めに、ロンドン南郊シドナムの水晶宮にある、古代ギリシャ・ローマの彫像の石膏の複製を観察することによって、さらに知識を深めた。それらの女神はタニエルの人物より覆われている部分が少なく、襞の掛け布は彼女たちの立派な腰からまさに滑り落ちようとしていた。それは三次元なので、いっそう刺激的だった。彼は女のイメージを記憶に溜め込んで家に帰り、夜、ベッドの中で肉体の形でそれを脳裡に描いて自らを慰め、布が彼女たちの腰から落ちることを念じた。そして、腹這いになってペニスをマットレスに押しつけると、実際のマスターベーションにまつわる罪の意識を覚えることなく、スパンク（精液）（学校では下品な男子はそう呼んでいた）を心地よく噴出するのだった。当時彼が「ペニス」とか「マスターベーション」とかいう言葉を知っていたわけではないが、母が洗濯日に彼のベッドの布団を剝ぎ、「あそこを触って」いたのかと厳しい口調で訊くと、彼は否定形で正直に答えることができた。

仮想の女とのそうした遭遇は、理想化された女体に対する傾倒と、自分も裸になって美しい裸女を抱くことに対する憧れを彼の中に植えつけた。その憧れは、アップ・パークの書庫で、ミルトンの『失楽園』の古い革装版に出会うと、いっそう強まった。それには銅板画が入っていて、その一つはアダムとイヴが「堕落」する以前に楽園にいる姿を描いたもので、イヴの長い編んだ髪は乳房を半分しか隠していず、手から垂れている花は陰部を辛うじて覆い、一方、アダムの股座《またぐら》は、賢明にも、植えられた若木の大枝で見えないようになっていた。彼の腕はイヴを「妹背《いもせ》(親しい男女)の四阿《あづまや》」に導こうと伸びていた。ミルトンはそこで何が起きたかについて腹立たしいほど漠然としか書いていず、それを堂々とした詩句で包んでいるが、スリリングに響いた。

……魂を奪はれて見、
魂を奪はれて触れ、こゝに初めて
情欲と奇しき刺戟を感じ、他の楽しみには
超然動かざるも、こゝにのみは
力強き美の瞥見の魅惑に堪へず。(繁野天來訳)

しかし、裸の抱擁という夢が実現できるまで何年もあり、その間の歳月、彼の性体験は、ごくゆっくりと、密かに刺激的な、苛立たしいほど床入りを果たさない形で増していった。そして、そうした行為は、いつも何枚もの衣服を通して、またその下で行われた。例えば、イーディスがいた。彼女は、サマセット州のウーキーで学校を経営していた、遠縁の「叔父」アルフレッド・ウィリアムズの末娘だった。彼は十四の時、二回の年季奉公のあいだにしばらくウィリアムズの家に滞在し、無給の教室助手として手伝った。彼よりも数年上で、偏執的にセックスに関心を持っていたイーディスは(彼女はセックスについて実際の経験は持っていなかったが、情報はたっぷり持っていた)、セックスに関する事柄について彼に質問し、彼を当惑させ同時に自分を興奮させたように見えたほど具体的に、彼の誤解を正した。ある暑い日、二人が川堤の柳の木陰に坐っていると、彼女は芝の上に横たわって目を閉じ、女がどんな風に作られているのか知るために、スカートの下の両脚のあいだに触っていいという許可を彼に与えた。女に陰毛があるのを初めて知ったのは、その時だった。その感覚は衝撃的なもので、彼は急いで手を引っ込めた。彼はのちにそのことを悔い、次の機会にその試みを繰り返そうとしたが、彼女に平手打ちを食らった。

彼はウェストボーン・パークの下宿屋で同じような戸惑う経験をした。彼はそこに科学師範学校の学生として最初の年に住んだ。彼をそこに送ったのは、皮肉なことに母だった。というのも、母は下宿屋の女主人がミッドハーストの敬虔な福音主義者の友人の娘なのを知っていたからだ。その女は実は、両親の高い道徳的基準から外れていて、いかがわしい家を取り仕切り、安息日である日曜日は、イエス・キリストよりは婚姻の神ヒュメーンの儀式に捧げられていた。ローストの骨付き肉と、そのあとにビールとスタウト・エールの出る日曜の昼食が終わると、子供たちは召使の女と一緒に日曜学校にやられ、女主人と夫と、下宿している夫婦は「うたた寝」をするために、それぞれの寝室に退いた。その前に、その時間が何を意味するのかについて盛んに冗談と当てこすりを言い合った。そして、彼とアギーという若い女が残った。アギーは女主人の親戚だった。「いい子にしてなさいよ！」と夫婦は去り際に若い二人に大きな声で言い、その逆のことを嗾《けしか》けているのがはっきりしている厭《いや》らしい目付きをした。アギーでさえそれを期待しているらしかった。もっとも、彼がソファーで彼女を抱き締め、彼女の衣服の様々なボタンとホックを外そうとした際、体をまさぐるのに厳しい制限を設けたが。「あら、やめて！　それは駄目！　そこは駄目！」と彼女は言って、彼の手をぴしゃりと叩き、引っ張った。「あたいがどんな娘《こ》だって思ってんの？」しかし彼女は、本当に怒った様子は微塵も見せなかったし、部屋から出て行こうともしなかった。それが一種の公認された客間のスポーツ、一種の坐ってするレスリングかのようだった。彼はなぜ自分がそんなことをしつこく続けるに、彼の口説きを躱《かわ》して午後を過ごすことで満足しているのか、わからなかった。彼女は可愛らしくもなく、なんの考えもない女だったが、もし彼同様に文無しなら、冬の日曜日の午後、ほかにすることもなく、ほかに行く所もなかったのだ。

女主人自身は、もっと話がわかるように見えた。ある日彼女は枕カバーを替えに彼の寝室に入ってきて、彼がいるのに驚いた、または、驚いたふりをした。彼女は、首のところのボタンを外した、ゆったりした家庭着を着ていた。そのため彼は、彼女がベッドの上に屈《かが》んだ時、コルセットをしていない乳房が自由に揺れているのを見ることができた。そして彼女は、彼が自分を見つめているのを目にすると、媚びるように枕を胸に当てた。二人は冗談を言い合い、ふざけて枕の取り合いをしたが、その際、彼は手を家庭着の下に入れた。彼女はその無礼を詰《なじ》ったが、すぐにはその手をどけなかった。「誰だってあんたは大人だって思うわ、あんたの振る舞いを見れば」と彼女は言った。「僕は大人さ」と彼は大胆に言った。そして、「女を必要としている」とは付け加えなかったものの、彼女がやがてその必要を満たしてくれるかもしれないことに、いささかの望みを抱いていた。彼にとって幸いなことに、何かが起こり、彼をひどく厄介な事態に巻き込むことにならないうちに、ケンジントンの百貨店に勤めている父の姪に下宿屋から連れ出された。彼女は、彼がちゃんとやっているかどうか調べるように頼まれたのだ。彼女は下宿の道徳的雰囲気を即座に判断し、彼がユーストン・ロードのメアリー叔母さんの下宿屋に移る手配をした。そして、そこで彼は従妹のイザベルに出会った。そして、彼のロマンティックでエロティックな憧憬の念は、次の六年か七年、彼女に向けられることになる。

彼はユーストン・ロードの下宿屋の客間で、メアリー叔母と、その妹のベラ叔母と紅茶を飲んでいた。そこに移るための準備に訪ねたのだ。するとドアが開き、自分と同じ年くらいの若い女がそっと入ってきて、彼を見ると躊躇して立ち止まった。

「これは、あなたの従兄のバーティー、イザベル」とメアリー叔母は彼女に言った。

彼は立ち上がって彼女と握手をした。彼女の手はひんやりとして柔らかかった。彼女はおずおずと微笑し、呟くように挨拶をした。彼女は飛び切り美しく、写真の修整の仕事をしてリージェント街で一日中働いているにもかかわらず、姿形《すがたかたち》が素晴らしく清潔で新鮮に見えた。繊細な顔立ちで、深く窪んだ茶色の目をしていた。焦げ茶色の髪は密にカールしていた。彼女は紺のウールのラファエル前派風の、あっさりとした服を着ていた。その服は腰が柳腰なのを示していたし、形のよい乳房を暗示してもいた。このような容姿の娘と同じ家に住むことになるのだと考えると、彼は喜びに満たされた。

家自体は、ウェストボーン・パークの家より些細な一点で優っているだけだった。粗末ながら浴室があったのだ。それには気紛れなガス火の自動湯沸かし器が付いていて、浴槽の中に湯をちょろちょろと出した。下宿人は週に一回、決められた時間に風呂に入れた。しかし、どちらの家も同一のタイプで、ロンドン内の郊外の至る所に何万軒も建てられたものだ。それは上流階級のタウンハウスの作りの貧弱な真似だった。もともとは、召使のいる中産階級の家族用に建てられたもので、大勢の者が住むには適していなかった。メアリー叔母の家での屋根裏の彼の寝室には暖炉も、ほかの暖房設備もなかった。冬には凍えるように冷たい隙間風が、ぴったりと閉まらないドアの下から吹き込んできて、剝き出しの床板を通って行った。そのため彼は、靴下を履いた足を下着に包《くる》んで、整理簞笥の一番下の引出しを開けて載せて勉強をすることがあった。しかし当座は、家にイザベルがいることで、家の一切の不備と不自由さは我慢できた。

二人が従兄妹同士だということで、二人のあいだに友情以上のものがあるのではないかと年上の者たちにしばらくのあいだは疑われることなく、頻繁に一緒にいても自然に見えた。二人は朝一緒に家を出て、彼はリージェント街の写真店までイザベルと一緒に行き、それからサウス・ケンジントンに向かった。日曜日にはイザベルは、一番いい外出着を着、彼はサウスシー服地商店から割引で買ったシルクハットをかぶり、燕尾服を着た。そして二人はリージェンツ・パークに散歩に行くか、美術館か教会を訪れるかした。そう、教会！

イザベルは宗教に熱心ではなかったが、時折教会に行くのは、世間並みに慣習にちゃんと従っている印と見なしていたし、彼も、物悲しい讃美歌と退屈な説教を坐って聞き通すのが苦にならないほど彼女を愛していた。その際、大勢の坐っている信徒席にいるほうがよかった。彼女にぴったりとくっつき、彼女の腿が自分の腿に当たるのが感じられるからだ。

イザベルは彼の話に感銘を受けた。それは、これまでの人生で聞いたどんな話とも違っていて、彼がハマースミスで催されたウィリアム・モリスの社会主義者の夕べに出席して吸収した極端に急進的な考えと、師範学校に通って得た驚くべき科学的事実に満ちていた。産業資本主義の諸悪、宇宙の宏大さ、進化の証拠になる化石……彼女は滔々と彼の口から出るそうした事柄に、時折、すっかり感心した表情を浮かべたり、おずおずと疑念を表わしたりする以外何も自分からは言えなかったが（例えば彼女は、空に見える星のいくつかはもはや存在していない、それは星が消滅する前に発した光で、彼女が見たのは、地球に向かって何百万マイルも旅をしてきものだということを信じなかった）、彼の学識を、自分自身に対する一種の讃辞および自分に対する深い愛情の印として受け取った。彼としては、彼女が自分の恋人であるだけで十分で、彼は将来に対する己が漠然とした夢と野心を彼女に語ることができた。彼は、恋人としては自分があまり魅力的ではないのを十分に承知していた。貧弱で、不十分な食事のせいでがりがりに痩せていた――ハックスリー教授の実験室で、大型類人猿の骸骨の横に立っている写真を撮ったが、みすぼらしい服の下に、隣のグロテスクな骸骨よりも骨と肉がもっとあるのかどうか怪しかった。自らの肉体的欠陥を鋭く意識していた彼は、自分の痩せこけた腕を、そんな美しい娘の腕に絡ませて歩くことができるのをありがたいと思った。二人は機会があるとキスをし、抱き合ったが、イザベルは不安を覚えるほど彼が少々夢中になると、抱擁からなんとか身をふりほどいた。そのやり方は、アギーの場合より遥かに繊細で如才なかったが。彼は純潔な求愛期間が長く続くことを仕方なく受け入れていた。イザベルの性格と二人の家族関係を考えると、ほかの状況は想像できなかった。

彼は第一学年の試験に優秀な成績で合格したが、第二学年にはイザベルと多くの時間を費やしたので、勉学をなおざりにした。勉学は、ハックスリー教授のまばゆいほどに興味深いクラスから、退屈で無味乾燥な物理学の教授のクラスに替わると、授業は当然ながらさほど面白くなくなった。晩には彼は寒い寝室での勉強をいい加減にやっつけ、裏の居間に急いだ。そこでは、イザベルが暖炉のそばに坐り、彼とお喋りするのを待っていた。気候が暖かくなると、二人はリージェンツ・パークまで晩の散歩に出掛けた。その結果、彼は第二学年の試験の一つに落第し、ほかの試験では惨めな成績しか取れなかった。奨学金が貰えなくなり、コースでの資格を失うのではないかと少し心配したが、第三学年に進むことは許された。こうした憂慮すべき事態だったにもかかわらず、彼は最終試験の準備を真面目にやらなかった。社会主義に関する本を読み、学校の弁論部で挑発的な演説をし、学生雑誌を創刊し、短篇、エッセイ、詩を書くことと、イザベルに求愛することを含む、ほかの課外活動のほうに関心があった。

彼はその年の夏二つの試験科目に落第したので、学位なしに師範学校を去ることになったのに驚くこともなかったはずだが、実際は驚き、ショックを受けた。それは屈辱的で、意気消沈する挫折だった。イザベルと結婚できる望みは無限に延びてしまった。彼はその知らせを彼女に伝えた時、悲しみの幾分かを彼女に向けた。二人は夏の夕べの黄昏の中でリージェンツ・パークのベンチに坐っていた。彼は両手をズボンのポケットに突っ込んでだらりと坐り、いつものように彼女の手を握らず、池の面《おも》を暗い顔で見つめていた。

「これからどうするの、バーティー?」と彼女は心配そうに訊ねた。

「どこかの私立学校で教職に就かなくちゃいけないだろうな」と彼は言った。

「ロンドンの?」

「資格にうるさくないところならどこでも。本当は、遠くの所のほうがいいだろうな」と彼は言った。

「なぜ?」と彼女は心配そうに訊ねた。

「僕らが結婚する現実的見込みがないんだから、君を毎日見て苦しみたくはないのさ」と彼は言った。そう言ったのは、彼女が自分の両腕に身を投げかけてきて、挫折感を和らげてくれるのではないかと真剣に期待したからではなく、自分の苦い気持ちの幾分かを彼女に共有させたいという残酷な願いからだった。その点では成功した。彼女は静かに泣いたが、何も言わなかった。内周道路《インナー・サークル》のゲートが間もなく閉まることを伝える、公園管理人の鳴らす物悲しい鈴が、二人の牧歌的生活の終わりを告げていた。


彼はいくつかの教職斡旋所に何度となく申し込んだが、その一つが、ウェールズのレクサム近郊のホールト・アカデミーという学校の助教師の口を見つけてくれた。パンフレットによるとその学校はよさそうだったが、現実はひどく気が滅入るものだった。教室はみすぼらしく、食べ物はひどく、宿舎は汚く、校長は無能で、生徒は主に農夫の息子で、なんであれ学習には関心がなかった。村と周囲のなんの変哲もない田園に、辺鄙な地方特有の退屈さという瘴気が漂っていた。彼は到着してから数日後、師範学校時代の友人のアーサー・シモンズに手紙を書いた。ふざけた誤字に絶望感が透けて見えた。「僕はこの隠気な地域にいて、死んだほうがましだと思っている。少年たちは驚短するほど馬蚊で、躾けられていない。化学用品戸棚はその名に値しない」。一ヵ月後に彼はそこから逃げ出したが、それは、修辞的な死の願望が叶いそうになった災難のおかげだった。彼はサッカーの試合に加わった際、無礼な生徒に悪意で反則技をしかけられ、のちに血尿が出ることになった怪我をした。数日静養してから教室に戻ったが、間もなく倒れ、咳をし、血を吐いた。怪我は腎臓の損傷のように思われたが、地元の医者は結核をも疑った。母は、アップ・パークで療養するよう手筈を整えたが、彼はそこに着くとすぐ、また血を吐いた。それは、結核という診断を裏付けたように見えた。

彼は回復期にあるあいだ、すっかり怠けていたわけではなかった。アップ・パークの厖大な蔵書で、もう一度知識を蓄えようとした。そして、そこから出て、信じ難いことだが、結核患者の健康によいという評判のあったスタッフォードシャーの陶器生産地に住む、師範学校時代のもう一人の友人の家に居候をすることにした。そして、いくつかの文学作品を試みに作ってみた。それには、時間の中の旅についての話の最初の草稿が含まれている。しかし彼は、自分のすべての望みが叶えられぬまま、また、女の体を知らぬまま死ぬということを考えて自己憐憫に耽った。結核はほとんど痛みのない病気なので、患者は危険なほど受身の気持ちを抱くようになる、ということを彼はのちに知り、実は体力を回復し始めていたのに、自分が安らかな死に半ば恋していたことを悟った。

一八八八年の晩春、ある麗らかな日に転換点は訪れた。彼はストーク郊外の小さな森に散歩に出かけた。そこでは、煙を出している陶器工場の煙突は見えず、野生のヒアシンスが咲き乱れていた。彼は小道で可愛い少女と行き合い、帽子を上げ、率直な賞讃の念をもって少女の目を見た。少女は恥ずかしそうに微笑し、そのまま歩き続けた。彼は立ち止まって少女の後姿を見ながら、スカートの下で揺れている腰を嘆賞し、ヒアシンスの咲いている芝の堤に横になり、頭がくらくらするような芳香を吸い込んだ。そして、あの可愛い少女と、アダムとイヴのように「妹背《いもせ》の四阿《あづまや》」の中で裸で愛を営んでいる自分を想像した。それから、心の中で、少女をイザベルに替えた。彼は自分に向かって言った。「自分は一年の三分の二近く死んでいた、もう十分に死んだ」。彼は直ちにロンドンに戻り、仕事を探し始めた。

不意に彼は新たなエネルギー、野心、自信に満たされた。次の二年間、キルバーンの私立学校で教職に就いた。その後、ロンドン大学の学外学生のための通信教育コレッジで、格段にいい給料が貰えるチューターになった。彼はそこで、教材作成者、学内報の編集者として貴重な存在になり、ロンドンを基盤にする学生のために生物学のコースを教えた。間もなく彼は年に三百ポンド稼ぐようになった。そして自分も学外学生になり、動物学で最優秀の成績を取り、理学士の称号を獲得し、その結果、科学師範学校から放校になった屈辱を拭い去ることができた。彼は教職で身を立てることを考え始めたが、文学的野心を捨てたわけではなく、「独特なるものの再発見」という科学的思弁のエッセイ（科学師範学校の弁論部で読んだ論文を発展させたもの）を、名声のある進歩的な『フォートナイトリー・レヴュー』に載せることができた。彼は原稿が採用されたことを知らせる手紙をシモンズに送り、裏に喜びが溢れるメモを書いた。「これは月桂樹の小枝をくわえた鳩だろうか？　哀れな巡礼の、白く輝く都の最初の一瞥だろうか？　それとも蜃気楼だろうか？」それは蜃気楼ではなかったが、そうやって根を詰めたせいで彼は健康を害し、さらに二度、短期間重い病気になり、一度再び血を吐いた。どちらの場合も、短いあいだ療養したのち仕事に復帰した。イザベルと結婚し、ついに彼女に対する愛情を実らせることのできるくらいの金を稼がねばならないという気持ちに動かされ、少しも衰えぬ熱意をもって。

二人はリージェンツ・パークのベンチで、あの惨めな会話を交わしたにもかかわらず、彼がロンドンを去った時、正式に別れたわけではなかった。正式に婚約していなかったからだ。彼はホールトとストークにいたあいだ、恋人というより友人といった調子で時折イザベルに手紙を書いた。それに対しイザベルは、同じ調子で返事を書いたが、彼はロンドンに戻ると、自分たちの以前の関係を、まるで中断されなかったかのように再び続けた。イザベルはその間《かん》、ほかの恋人を見つけはしなかった。間もなく彼は、もう一度メアリー叔母の家に下宿した。彼の羽振りがよくなるにつれ、一家は彼とイザベルが結婚するのは時間の問題だということを受け入れた。そして彼女の身近で暮らしている彼は、そうした結果に早くならないかと、次第に苛立ちを募らせた。

彼は結婚式の夜を、興奮し、憧れながら想像したが、自分が未経験であることを、いささか心配もした。ある晩、彼はコレッジで遅くまで仕事をしていて帰る時、いつものように真っ直ぐ家には向かわず、衝動的にウェスト・エンドまで歩いて行き、一人の娼婦を見つけた。彼が選んだ女は、ヘイマーケットの裏の薄暗い通りで彼に取り入るように声をかけた時ほど、若くも顔立ちがよくもないのがわかった。女は彼の先に立って、ギシギシ言う剝き出しの板の汚い階段を登って行き、狭い、ほとんど家具のない部屋に入り、ガスバーナーに点火した。女は、疲れ、厚化粧をした年増で、商売上の微笑を浮かべると前歯の隙間が現われて、彼をどぎまぎさせた。女は媚態を示さずに服を脱ぎ、水を張った洗面器の上にしゃがみ、襤褸切れで体を洗った。まるで、陰部は汚れた皿同様、面白くも、敏感でもないもののように。それにもかかわらず、その無恥な行為が彼を興奮させた。彼はイーディスのスカートの下で触れて知っただけのものを、催眠術にかかったかのように凝視した。「あんたは、おべべ脱がないの?」と女は言った。そして、彼がためらっていると、訳知り顔に言い添えた。「あんた、これが初めてなんでしょ、坊や?」

「うん」と彼は呟くように言い、後ろを向いて上着、靴、ズボン、パンツを脱いだ。ワイシャツは着たままだった――これは非常に長いあいだ夢見てきた、理想的で牧歌的な裸の抱擁ではなく、あのことをするための単なる機械的な行いに過ぎない。彼の勃起したペニスは、隠そうとしたにもかかわらず、ワイシャツの裾から荒々しく突き出た。「あら、チビにしちゃ、おっきいのを持ってるわね」と女は言って、ベッドに仰向けになり、両膝を広げた。自分がその点で稀なほど恵まれているということを知ったのは、それが初めてだった。少年時代以来、自分のとほかの男たちのと比べてみる機会がなかったからだ。その言葉に勇気を得て、彼は女の上に横になり、女の股間を固くなった陰茎で突き始めたがほとんど効果がなく、ついに女は慣れた手つきでそれを持ち、陰部の中に導いた。行為は、止めることのできない、強い快感を伴った射精とともに瞬時に終わったが、ともかく完了したのだ。彼は男になった。イザベルは、次に彼が彼女を見た時、そのことを感じたようだった。彼女は顔を赤らめ、目を伏せた。まるで彼の目の中に、自分に対する欲望において、新たな意識が生まれたことを示す光を認めたかのように。そして、おずおずと後じさりした。

彼はただ単に欲望を解放するためだけに数回娼婦を買った。その際ゴムの避妊用具を使ったが、それはいかがわしい理髪店、場末の薬屋、怪しげな読み物を売っている店で容易に買えた。それを使ったのは、一つには感染を防ぐため、一つにはその扱いに慣れるためだった。なぜなら、結婚してすぐ子供を持つ意思は毛頭なかったからだ。「子供が生まれたとしたら、バーティー?」と、ある時イザベルが、しばらく結婚を待って、もっと貯金をするよう彼を説得しようとして言った。「生まれやしない」と彼は言った。「でも、どうして確信があるの?」「使えるものがあるのさ」と彼は言った。「もの?」と彼女は恐ろしげに鸚鵡返しに言った。まるで、固い尖った器具がなぜか関係していると想像したかのように。「ゴムの避妊具さ」と彼は言った。「男が付ける」。「あら、バーティー」と彼女は囁くように言い、真っ赤になって両手で顔を覆った。「よして《ドウント》」。その単音節語で彼女は何を意味したのだろう？　それを使わないで、か、そんなことを口にしてあたしにばつの悪い思いをさせないで、か？　彼はずっとあとになるまで、彼女がたぶん、こういうことを意味したのだということを悟らなかった。あたしがあなたと同じくらい、そのセックスという事柄を待ち望んでいると思うのはよして。

二人は一八九三年十月の晦日に教会で結婚した。彼は己が世俗的良心を宥めるため、登記所で宗教的儀式抜きの結婚式をしようと、イザベルを説得するうわべだけの努力をした。彼女と母が絶対に賛成しないのを十分承知していたからだ。イザベルは、結婚の条件を前もってはっきりとさせていた――恥ずかしからぬ自分たちだけの家に入るだけの銀行預金があること、「ちゃんとした」結婚式をすること。彼は、南西ロンドンの、なんの変哲もないが品のいい郊外ウォンズワースにある八部屋の家を賃借して、第一の条件を満たした。彼は第二の条件を問題にして結婚を延ばすつもりはなかった。教会の角のレストランで家族と友人のための結婚披露会――実際には肉料理付きティー――をしたが、新婚旅行には行かなかった。初夜は二人の新居で過ごした。

それは、彼が非常に長いあいだ夢見ていた、裸の歓喜の抱擁というものではなかった。イザベルは彼の飢えたような目に自分を晒すのを恥ずかしがった。彼女は、まず浴室を使い――二人の家には、機能的な温水装置の付いたまともな浴室があった――彼が次に浴室を使っているあいだに、彼女は脱衣してダブルベッドに入り、寝具を顎まで引き寄せた。彼がベッドに入って彼女の隣に横になる準備をすると、まず電気を消してくれと彼女は頼んだ。そして、彼がナイトシャツを脱ぎ、彼女を両腕に抱くと、彼女は薄地の綿布のナイトガウンを着ていて、脱ごうとしなかった。「したくないの、バーティー。よして」と彼女は懇願した。彼は、ついに彼女の中に入るためにリンネルの襞を彼女の腰の周りに押し上げなくてはならなかった。彼が処女膜を突き通し、最初の娼婦の時と同じようにたちまち果てると、彼女は苦痛の喘ぎ声を出した。翌朝早く、カーテンから淡い光が射している中で、彼はベッドの寝具を投げ落とし、彼女の寝巻きを捲くり上げて、弱々しい声で抗っている彼女の頭にかぶせ、激しく切迫した様子で再び交わり、なんらかの反応を引き出そうとしたが無駄だった。彼女は怯み、彼が突っ込んだり出したりすると、彼の下でかすかに啜り泣いたが、それだけだった。彼が力尽きて彼女の上からごろりと下りると、彼女はシーツを引っ張り上げて顔を隠し、向きを変えて泣いた。「すまない」と彼は呆れて言い、片腕で彼女を抱いて慰めようとした。「君を傷つけようとしたわけじゃないんだ」。「わかってるわ、あなた」と彼女は、シーツの端で目を拭いながら言った。「そうしなくちゃならなかったのは知ってるわ」。数分経つと、彼女は彼に背を向けてベッドの端に坐り、ナイトガウンをまた着た。

悲しいことに、それが二人の夫婦生活のパターンになった。彼は、彼女が無垢で経験不足なのを斟酌し、やがて彼女が性交から歓びを得るようになるのを信じたが、性行為においては受身のパートナーのままだった。彼女は性行為を、不可解なことだが、創造主が人類の繁殖のために定めた一種の公認の攻撃で、それゆえに女が耐えねばならぬものと見なしていた。彼は、娼婦ではないすべての女が同じ見方をしているのだろうかと暗い気持ちで考えたが、その仮説は、ミス・エセル・キングズミルによって嬉しくも否定された。彼女はイザベルの写真修整術の助手で弟子の若い女だった。イザベルは結婚後、リージェント街の昔からの雇い主の仕事を家でしていた。週に一、二度仕事を家に持ってくるか、雇い主に届けるかした。彼女の母とメアリー叔母は、家事の手伝いをするために二人の家に移ってきた。彼自身、家で仕事をすることが多かったので、八つの部屋全部が必要だったのだ。エセルは頻繁に家に出入し、いつも彼ににっこりと微笑みかけ、廊下や階段で会うと愛想よく挨拶をした。彼女は溌剌として陽気で、大変魅力的だった。そして、均整のとれた体をし、イザベルよりも派手な服装をしていた。袖の膨らんだ縞模様のブラウスを着、腰にぴったり合ったスカートを穿いていた。彼女は最上階にある写真の仕事部屋に行く途中で階段で彼と擦れ違うと、媚びるような仕草をし、色っぽい目付きをした。彼は、小柄なエセル・キングズミルが無垢な処女ではなく、自分に関心を寄せているという確信を強めていった。

ある日の午後、彼が書斎で生物学の答案の採点をしていると、ドアをノックする音がした。「どうぞ!」と言うと、エセル・キングズミルがドアを開け、部屋に一歩入ってきた。「自分で紅茶を淹れるところなんですの、ウェルズさん」と彼女は言った。「あなたもいかが?」

「それはご親切に」と彼は言った。「メアリー叔母が今頃紅茶を淹れてくれるんだ」

「買い物に行ってますわ」とエセルは言った。「ウェスト・エンドに」

「そうなのかい？」

「そうして、ウェルズ夫人はリージェント街のお店」

「うん、それは知ってる。今日はその日なんだ」

二人は、家に二人切りで一緒にいることを意識しながら見詰め合った。

「で、君は何をしてるんだい？」と彼は訊いた。

「ウェルズ夫人に言われた仕事があったんだけど、終わったの」。そして、厚かましく言い添えた。「あなたは何をなさってるの？」

「学生の答案の採点さ」と彼は言った。

「見てもいいかしら？」彼女は許可を待たずに机のところにやってきて、彼が赤インクで直している答案を彼の肩越しに見た。そして、題を声を出して読んだ。「顕花植物の受精」。そして、くすくす笑った。「全部、鳥と蜜蜂についてでしょ？」

「そういったところさ」と彼は言って、椅子に坐ったまま彼女を見上げて微笑んだ。

「人間の場合はもっと愉しむと思うわ」と彼女は言った。

「どうしてわかるんだい？」

「あなたは驚くでしょうよ」

二人が互いの考えと意図を読み取ろうとして、互いの目を見詰め合っているあいだ、長い間《ま》があった。「あのね、僕は驚かないと思うんだ」と彼は言った。そして不意に彼女の手を取り、彼女を膝のところに引き寄せ、唇にキスをした。彼女は強く反応した。

「このために君はここに来たんだと思うね」と彼は言った。「間違ってるかな？」

「あたしは前からあなたが好きだったの」と彼女は言った。「初めてここに来た日から。わからなかったの？」

「最近気づいた」と彼は言った。「で、確かに僕も君が好きさ、エセル。僕ら、どうしようか？」

彼女は口を彼の耳に当て、囁いた。「なんでもお好きなように」

彼は懐中時計を取り出し、計算するようにそれを眺めた。「三時十五分過ぎ」と彼は言った。「いつメアリー叔母は出掛けたんだい？」

「二時。いくら早くても四時までは戻らないわね、外でお茶を飲むのがお好きだから。ウェルズ夫人は四時半までは絶対帰ってこない」

「君はすっかり計算済みのようだな」と彼は言って、にやりとした。「寝椅子に移ろうか？」彼の心臓は興奮のせいで早鐘を打った。

彼が時折本を読んだり休息したりするのに使うオットマンの寝椅子に彼女を連れて行く時に、「気をつけてね」と彼女は言った。

「心配無用」と彼は言った。「ある物を使う」

「それはいいわ」と彼女は言った。

彼はコンドームを仕舞ってある机の鍵をかけた引出しのところに行った。そして向きを変えると、彼女はスカートを脱ぎ、ペティコートとステーを外して椅子の上に丁寧に掛けていた。彼女が腰から上は慎ましくブラウスを着、腰から下は淫らにも何も着けずに姿で立っている姿を見ると、彼はいっそう欲望を掻き立てられ、跪いてズロースを下ろし、顔を腹に埋めた。彼女は笑った——笑った！ イザベルは、彼と愛を営んでいる時、決して笑わなかった。エセルもまた、その点になれば、話しも身動きもしなかった。エセルは、彼が突っ込むと、それに合わせて腰を上げ、快感の絶頂に達すると「ああ！ 素敵！ 素敵！」と大声で叫び、彼の快感を二倍にした。

二人は服をすっかりは脱がなかった。イザベルか彼女の母が予期していたよりも早く戻ってくるといけないからだ。二人はまた急いで服を着なければならなかった。しかしその他の点では、それは彼がその存在を知らずにいつも夢見ていたようなセックスだった。「妹背《いもせ》の四阿《あづまや》」の荘厳な歓喜ではないが——それは別の夢だった——乗り気の相手との、恥じらいもなく、罪の意識もなく、なんらの義務もない、解放感を得る、気晴らしのセックスだった。行為を正当化するための、なんの誓いも、約束も、愛の公式的宣言もなかった、なぜなら、そんな証明は不要だったからだ。二人がちょうど服を着終えた時、玄関のドアがバタンと閉まる音がし、メアリー叔母が家に入ってきた。彼は指を一本唇に当てた。エセルは、ドアのところで立ち止まり彼に投げキスをしただけで、部屋からそっと出て行った。彼は、彼女が階段を降りてメアリー叔母に挨拶し、紅茶用に薬缶を火に掛けるところだと言うのを聞いた。なんたる冷静沈着な小娘！

彼はその夜ベッドに行き、眠っているイザベルの隣に横になり、二人の女のあいだで、セックスと結婚についての、あからさまではない、暗示的な言葉が交わされたのだろうか、と自分も眠り込む前に考えた——例えば、イザベルは間接的に、彼が「あの面で過大な要求をする」と言い、エセルがその言葉から、あの人はもっと積極的な相手を歓迎するかもしれないと推測し、その結果、今日の午後、自分の書斎に大胆に入ってきたのだろうか。理由はなんであれ、彼女がやってきたことを天上のヴィーナスに感謝し、その夜はぐっすりと寝た。

彼はその経験を繰り返したいと願ったが――偶然か、イザベルあるいはメアリー叔母が感づいたせいか――エセルと彼は、ひと月ほどあとに彼女の見習い期間が終わるまで、家に二人だけになることはなかった。それは彼の記憶に、輝かしいエピソードとして、また、同じようなほかの機会を探す刺激として残った。やがて、そうした多くの機会が訪れることになるのだが、当座は彼は、家庭内の心配事と責任に押し潰されそうになった。ひどく耳が遠くなり、アップ・パークの家政婦として次第に役立たずになった彼の母は、償いとして百ポンド貰ってその地位から追われ、アトラス・ハウスが倒産した際に、彼が父のためにアップ・パークの近くに借りてやったコテージに行き、しぶしぶ夫と一緒に住むことにした。彼の二人の兄も仕事で行き詰まり、弟の助けを必要とした。彼は間もなく、収入の三分の一を家族のために使うことになった。

次第に彼は、状況と、自分の親族の期待が押しつけてくる役割が重荷になった。一家の稼ぎ手、勤勉な夫、忠実な息子および弟という役割が。彼は遮二無二働き、自分と同じように悩み、重荷を背負っている妻帯者で鮨詰めの地下鉄のディストリクト線の列車でウォンズワースとチャリング・クロスのあいだを往復し、ストランドとキングズウェイの雑踏する鋪道を歩いてレッド・ライオン広場の大学通信教育コレッジの本部まで急いで行き、手紙を書き、答案を採点し、生物学のクラスを教え、それからまた夕方地下鉄に乗り、運がよければ坐って膝の上に答案を載せて採点し、夕食のあと書斎に引っ込み、生物学の教科書作成の仕事をした。それが、自分のすべての財政上の義務を果たせるかどうかという不安を解消してくれるだけの稼ぎになるのを期待して。疲れてはいるが緊張し、肉体をリラックスさせ頭をすっきりさせるためにセックスの解放を必要としながら、とうとうベッドに行くと、イザベルは大抵眠っていた。もし眠っていないと、あるいは彼がしつこく抱擁して目を覚まさせると、彼女は消極的に従うのみで、踊り場の向こうの寝室にいる母を起こすといけないので音を立てないように、母は眠りが浅いので、と警告した。

結婚生活のエロスの面での失望は、イザベルが、彼を夢中にさせた科学教育とか、社会的、経済的改革とか、その目的に向けられている社会主義的思潮の様々な流派に無関心であること、あるいは積極的に敵意を抱いていることによって、いっそう苦いものになった。彼は長い求愛期間中、イザベルに対する抑えられた欲望に捉えられていたので、そのことに気づかなかったのだ。彼女は価値観と野心において救い難いほど因習的だった。彼女は、感じのいい家と感じのいい家具と感じのいい衣服のある、ほどほどに快適で、一点の非の打ち所のない恥ずかしからぬ生活様式が欲しかっただけだったのだ。「感じのいい《ナイス》」というのが彼女のお気に入りの賞讃の形容詞だった。そして、彼自身を含め、誰もが彼女が感じのいい女であるのを認めた。彼女は優しく、親切で、貞節で、非利己的だった。しかし彼は、自分たちが肉体と魂においてまったく相容れないということを悟り、ぞっとした。一体、なぜ二人は結婚したのか？　それはすべて、社会制度のせいだった。社会制度は、旧態依然とした宗教的ドグマにもとづいた時代遅れの道徳観を強固に支持し、若者が、相手と永久の契りを結ぶ前に、互いのセックスの相性を知ることを妨げている。

　そのような気分でいた彼は、レッド・ライオン広場のコレッジで、自分に対する女子学生たちの憧れの眼差しに惹かれた。特に、一八九二年の秋学期に彼の実践生物学のクラスにいたある女子学生の。名簿では彼女の名前はエイミー・キャサリン・ロビンズだったが、彼女は友人には「キャサリン」と自分を呼んでいた。彼にとってはもちろん、「ミス・ロビンズ」だった。彼女は飛び切り可愛らしく、容貌はイザベルに似ていなくはなかったが、髪はもっと明るい色で、体つきはもっと華奢で繊弱だった。家族の背景は、彼とイザベルより社会的に数段上で――中産階級の下というより中産階級の中――彼とイザベルよりよい教育を受けていた。彼女は彼のコースを取った時、父が最近死んだので、喪に服していて黒い服を着ていた。父が死んだために、遺された妻と娘の暮らし向きが苦しくなったのは明らかで、教員の資格を取って自分と母の暮らしを支えるというのが彼女の意思だった。そのため、彼女の目にはある種の悲哀感とヒロイズムが宿っていた。彼は彼女の容貌にも惹かれた。黒い服がそれを引き立てていた。また彼は、彼女の鋭敏な知性と弁舌の爽やかさにも感銘を受けた。

　ミス・ロビンズは、ウォンズワースから程遠からぬパトニーに、母と一緒に暮らしていたので、彼の授業が終わったあと、ディストリクト線に乗るために、チャリング・クロス駅まで彼と一緒によく歩いた。ある日彼は、ストランドにあるエアレイテッド・ブレッド社のティーショップに立ち寄って紅茶を飲まないかと声をかけた。すると、一瞬も躊躇せずに彼女は同意した。そうしたティーショップは比較的新しく出現したもので、大いに歓迎すべき施設だった。男が、付き添いのいない若い女と、どちらもばつの悪い思いをせずにお喋りのできる、清潔で上品な場所だった。彼はその際、彼女の父がパトニー近くの鉄道線路で事故で死んだことを知った。

「何が起こったのか、はっきりしていないんです――父は線路の脇で発見されました、どうやら列車に撥ねられたらしく」とキャサリンは言った。「父は線路を渡ろうとしていたのかもしれないんです、近くの森の中をよく歩きましたから。検視官の判断は事故死でした。でも、もちろん、それは事故死ではなかったのではないかと思わざるを得ませんでした。とりわけ、父の事業がひどく悪い状態でしたから。でもわたしは、そういった類いのことをひとことも母に言いませんでした――ほかの誰にも」

どうやら、彼女のチューター以外。彼は自分も同じような告白をしたい気になった。「僕は時折、父は自殺をしようとしたんじゃないかと思うんだ」と言い、ジョーゼフ・ウェルズが、アトラス・ハウスの裏庭のベンチに危なっかしく立てた梯子から落ちて脚を折った、かなり信じ難い事故について話した。父は、建物の裏の壁の蔓の先を切り取ろうとしたのだと言った――それは、父に似合わない愚かな試みだった。「もし実際に自殺をするつもりではなかったのなら、わざと用心しなかったのだと思う――生きても死んでも、どっちでも構わなかったんだろう。父は商店主としては成功せず、クリケット選手としては盛りを過ぎていた」。彼は今まで誰にもそんな考えを話したことがないのに気づいた。信頼の念を起こさせ、打ち明け話をしようという気にさせる、この若い女のじっと見つめる澄んだ瞳には何かがある、と思った。

家に帰る途中、ＡＢＣティーショップでミス・ロビンズと紅茶を飲み会話をするのが、いつものことになった。そして間もなく彼は、彼女が科学にだけではなく、彼と同じように、現代文学と急進的思想にも興味を抱いているのを発見した。彼女はイプセンの戯曲とオスカー・ワイルドの「社会主義下の人間の魂」を読んでいた。彼女は目下流行っていた言葉、「新しい女」に憧れていて、女には高等教育を受ける権利、投票をする権利、ブルーマーで自転車に乗る権利があると固く信じていた。国家が母になった女性に対する基金を設け、妻を財政的に夫から独立できるようにすべきだと（それはトム・ペインの考えというより自分の独創的考えだと微妙に匂わせながら）彼が提唱すると、彼女は感心したあまり気を失いそうになった。彼女は自分が宗教に関しては自由思想家で、原則として「自由恋愛」を信じていると告白した。その原則というのは、心から愛し合っている男女の結び付きは、国家や教会に邪魔されたり規制されたりしてはならない、というものだった。彼は、自分が彼女にとって「のぼせあがり」の対象のようなものになっているということ、また、二人が親密に付き合うことに危険の要素があることを意識していたが、家庭生活に不満だったので、自分には可愛い、知的な生徒の無害な賞讃の念を享受する資格があると考え、ABCティーショップでの二人だけの会話を、義務的苦役という砂漠における、文化的な余暇の小さなオアシスと見なしていた。

しかしながら、その苦役はいつものように害をもたらした。彼は五月中旬、チャリング・クロスに向かって家路を急いでいる時——その時は一人だった——咳をし始め、幹線駅のコンコースの下にある紳士用手洗で血を吐いた。なんとか家に帰ったものの、くずおれ、床についた。呼んだ医者に、阿片の丸薬と、胸に当てる氷嚢を処方してもらった。

イザベルはコレッジに、夫が今学年の残りは授業を休まざるを得ないということを連絡した。彼自身は、教職は永久に諦め、将来は作家として生活費を稼ぐしかないということを悟った。数日後ミス・ロビンズは、彼の健康を気遣って家に訪ねてきた。イザベルは外出していて、メアリー叔母が、学生がお大事にと言ったことを、寝室の病人に伝えた。「若いご婦人は大層心配しているようでしたよ」と彼女は言った。「そう、仲間意識さ」と彼は言った。「彼女自身、結核体質と思われるんだ」と彼は言った。「そうなの、可哀相に、残念なこと」と言ってメアリー叔母は溜め息を洩らした。「あんな可愛らしい娘《こ》が」。彼はミス・ロビンズに礼状を書き、それに、ナイトシャツを着てベッドに起き直り、ぼさぼさの髪をした惨めな自分の姿を滑稽に描き、一週間後にまた訪ねてくるように、その時には妻も家にいるだろうし、自分は階下《した》に思い切って行って、君と話ができるだろうから、と書き添えた。彼の回復期とそれ以後、彼女の時折の訪問と二人の文通は続いた。

イザベルは、ミス・ロビンズが彼を崇拝しているのはわかっていたが、脅《おびや》かされているとは感じていないようで、事実、それを冗談のようなものにした。彼は妻が落ち着いている理由がわかった。一つには、ミス・ロビンズは非常に若く、一つには病弱だからだ。彼女は彼と一緒にいる時は媚態を少しも示さず、常にイザベルと母に対して非常に恭《うやうや》しかった。病気の時は世話をするのがそう楽ではない彼のところに、コレッジのゴシップと知的会話で気を紛らわせてくれる訪問者が定期的に来るのを、家の女たちが大いに歓迎しているのを彼は知っていた。しかし、健康のためにロンドンから遠く離れた所に行くよう勧められ、八月に、サットンに擬似チューダー様式の家を借りた。そこでは、ノース・ダウンズから吹いてくる汚染されていない空気を吸うことができた。その新しい場所はパトニーから少し離れていて、キャサリンの訪問は間遠になった。とりわけ、新学年が始まってからは。イザベルはある日そのことを一種の満足感をもって言った。そして言い添えた。「素敵な若い男を見つけたんだと思うわ」。「いや、そうは思わない」と彼は答えた――そして、慌てて付け加えた。「うん、君は正しいかもしれない。しかし、彼女は真面目な学生なんだ――彼女の心は学位を取ることに向けられているんだ」。事実、彼はキャサリンが若い男を見つけてはいないことに確信があった。なぜなら彼は、イザベルには知られずに、ロンドンでいまだに彼女に何度も会っていたからである。

彼は今、新聞や雑誌に、短篇小説やユーモラスな小文を書くのに忙しかった。短篇小説ではあまり運がなく、小文が主な収入源だった。六月にイーストボーンで回復期を送っていた時、J・M・マリーの『男が独身の時』という小説を読んだことが刺激になった。その中に、フリーランスのジャーナリストとして文を新聞雑誌に載せてもらう最も確実な方法は、パイプ、傘、植木鉢のような、ありふれた話題について、面白い短いエッセイを書くことだと説く登場人物がいた。彼はすぐさま「海辺に滞在する術」と題した小文を書き上げ、秘書の仕事をしていた、イーディスの姉のバーサ・ウィリアムズに送ってタイプしてもらった。彼はそれを『ペル・メル・ガゼット』に送った。編集長は直ちにそれを掲載し、同じようなものをもっと送ってくれと言った。それからの数ヵ月、彼は「石炭バケツ」、「動物の騒音」、「写真に撮られる術」のような題の約三十篇の小文を書いた。それは高級な文学作品ではなかったが、ともかく出発点だった――そして、書くのに費やした時間の割に報酬がとてもよかった。彼はそれらをいくつかの新聞雑誌に発表した。そして、編集長たちと親しくなり、原稿を届け、新しい委嘱を受けるためにロンドンに頻繁に出掛ける必要があった。彼は通信教育コレッジは辞めたが、依然としてコレッジと繋がりがあり、かつての雇い主に時折用事があった。そうやってロンドンに出るので、キャサリンに会い、レストランでの昼食か、ABCティーショップでのティーに彼女を連れて行く機会が頻繁にあった。天気の良い時には、二人はチャリング・クロス駅のそばのエンバンクメント・ガーデンズを散策した。

その年、一八九三年の十一月の異常に暖かいある日、二人はテムズ川を見渡すベンチに並んで坐っていた。テムズ川は満潮の変わり目で、いつものように平底荷船、フェリー、遊覧船、塵芥を海に運んでいた。「国境みたいだ、川は」と彼は言った。「こっち側の建物と、あっち側の建物の違いを見てみたまえ」。南側の堤の埠頭、クレーン、倉庫、煙突から煙を吐いている工場が低く連なる不規則な輪郭線を、彼は指差した。「僕らの右には議事堂があり、左にはサマセット・ハウスがある――気高く、威厳があり、高価な建築だ、それは、こう言っている、『これがロンドン、これが歴史、これが権力のある場所』。川向こうは、産業スラムみたいなものだ――商業上の必要に迫られ、無計画に闇雲に急造された建物。外観や、その中で働く者の便宜などまったく考慮せずに。そして、その向こうの建物は、おぞましい不潔さの中で人々が暮らしている本当のスラム、安アパートだ。その向こうも、そうした建物とさして変わらぬ、狭苦しい連続住宅か、本来の目的とは違っていくつものアパートに分割されたタウンハウスの建ち並ぶ通りだ。ロンドンの宏大な土地も同じだが――例えばイースト・エンド――ここにおいてのみ、二つの世界が互いに激しく対立する。この大きな醜い橋は」――彼はチャリング・クロスの老朽化した錆びた鉄橋を指差した――「鉄の腕のようだ、イギリスの支配階級に向かって川越しに拳を突き出している恵まれない大衆の腕に見える――しかし、十分には届かない――届いても、その一撃は和らげられ、吸収され、毎日シティーに流入し、そこから流出する賃金奴隷のための単なる導管になる……どうやら隠喩の抑制が効かなくなったようだ！」彼は笑い、振り向いてキャサリンを見た。キャサリンは讃嘆の念を込めて彼を見詰めた。

「いいえ、素晴らしいわ！」と彼女は言った。「あなたのお話を聴くのは素晴らしい。ウェルズ夫人はとっても幸せ！」

「ウェルズ夫人は僕の考えに関心がない、残念ながら」と彼は皮肉っぽく言った。

そのあと沈黙が続いたが、二人ともその言葉の意味をじっくりと考えた。彼は懐中時計を取り出し、「帰りの列車を捉まえたほうがいいな」と言った。

「ウェルズ夫人によろしく」とキャサリンは言った。

「キャサリン……」。彼は今では、二人切りの時は彼女のファーストネームを使った。自分を「ハーバート」あるいは「バーティー」と呼んでくれとは言わなかったが。彼は前者の名前はあまり好きではなく、後者の名前は、少しばかり馴れ馴れしく響いた。彼女はそのデリケートな問題を、彼に名前で呼びかけないことによって解決した。

「何？」と彼女は促した。

「ウェルズ夫人は、僕がロンドンに来る時に君に会っているのを知らない」。彼は、興奮ゆえの光が彼女の目に宿るのを見た。「知らないのが一番だと思う。僕らの友情の性質を誤解するかもしれないから」

「もちろん」とキャサリンは言って目を伏せた。「わかるわ」

「結構」。彼は立ち上がって片手を伸べ、彼女が立ち上がるのを助けようとしたが、彼女は坐ったままだった。

「でも、わたしには友情以上のもの」と彼女は、彼を見上げずに言った。「あなたを愛してるんです」

彼は再び坐り、溜め息をつき、彼女の片手を自分の両手に挟んだ。「キャサリン……僕は妻帯者だ」

「知ってます」と彼女は言い、まるで暗記したスピーチをするかのように真っ直ぐに前方を見た。「あなたから何も期待していない。あなたが奥様を捨て、一緒に逃げてくれることなど期待していない。それは無理だって知ってます。でも、あなたに知ってもらいたいだけ。もう、帰りの列車を捉まえたほうがいいわ」。彼女はわっと泣き出した。

するとう当然、彼は彼女を慰め、手をもう一度取らねばならなかった。そして、自分は君の気持ちはありがたいと思うし、感動したけれども、それについて何もできない、二人が会うのをやめない限りは、それは残念だがと、できるだけ優しく言った。

「あら、それはいや！　死んでしまう」と彼女は言った。「あんなことを言ってご免なさい。わたしは馬鹿でした」

「いや、君は実に優しい。しかし、僕らは限界の線を引かなくちゃいけない」。彼女は頷いて同意した。「さあ、本当に列車を捉まえなくちゃ」と彼は言った。「君も」

そのあとの数日、数週間、彼の思いはその会話に何度も戻った。そしてそれは、その後二人が会って話す際の、共有する、声にはならない対位旋律《デスカント》だった。彼はもしキャサリンを誘惑しようとすれば成功するということに、かなり自信があった。なぜなら、彼女は拒む意思など毛頭ないだろうからだが、その結果は重大なものだろう。彼女は海千山千で奔放なエセル・キングズミルのような女、なんの後腐れもなく楽しく性交ができる女ではない。彼女は処女で、仕草と外貌がいかにも処女らしいのに、自由恋愛や産児制限のような事柄を論議する際にはまったくあけすけな少女に、これまで会ったことがなかった。彼女は無条件の恋のため以外には処女を捨てないだろう。また彼は、彼女が、恋人をその妻と共有する内密の愛人であることに満足するとは想像できなかった。いや、もし彼女と情事に耽るようなことになったらすぐにばれてしまい、大騒動になるだろう。だから、自制しなければならない。公園の樹木の下で二人切りの時、あるいは、暗くなってから、ガス灯とガス灯のあいだが濃い影になっている路地で二人切りの時、情熱的な少女を抱いてキスをしたいという誘惑に抗うのは難しかったが。彼は自分の自制心を自画自賛した。ほかの男たちがいかに良心的ではないかを知っていたからだ。とりわけ、いまや自分もその端にいる、文学的、ボヘミアン的サークルの男たちは。そして、決して満たされることのない結婚生活の罠に自分が嵌まってしまったという感覚が耐えられないほど強くなると、大騒動になるのが関係者全部にとって一番いい解決法ではないかと思う時もあった。「あなたが奥様を捨て、わたしと一緒に逃げてくれることなど期待していない」と彼女は言ったことがあったが、その否定的な言葉が、逆に彼の意識の中に、肯定的な含みを残した。彼女と駆け落ちをしたらどうだろう？ その結果は、自分の侘しい将来よりも悪いだろうか？ 優れぬ健康によって短いものになっている自分の将来は、高い塀に囲まれた狭い袋小路のように目の前に広がっている。

その時点で、積極的だったのはキャサリンだった。彼女は十二月中旬、パトニーにある自宅に、母と自分と一緒に長い週末を過ごすようにイザベルと彼を招いたのだ。その招待の手紙は、ごく理に適っていたのだが、イザベル宛だった。それにもかかわらずイザベルは戸惑った。「なぜ、あたしたちを招《よ》んだのかしら？」と彼女は言って、朝食用の食卓越しにその手紙を彼に渡した。「親しくしようとしただけさ」と彼は言い、素早くその手紙に目を通した。その手紙は、イザベルにとってと同様、彼にとっても驚きだった。「ここに書いてあるように、彼女は僕らがサットンに移ってから、あまり僕らに会っていない。彼女のお母さんが僕らに会いたがっているようだ」。「週末ずっと、そこであたしたち何をするの？」とイザベルは訊いた。「わからない」と彼は言った。「お喋りし、食事をし、散歩に行き、トランプをする——そうした訪問の際、人が普通するようなことさ」。「あたしたちは家族以外人を泊めたことはないわ」とイザベルは言ったが、それは本当だった。「そう、僕らもそうしなくちゃいけないのかもしれないな」と彼は言った。「もっと人をもてなさなきゃいけないかもしれない。僕らは型に嵌まりつつある」。この招待についてキャサリンが自分に相談しなかったのは、やめるようにと言われないためだろうと、彼は思った——それにしても、背後にある動機は何か？

その週末のあいだに明らかになったのだが、彼女は意識的にせよ無意識的にせよ（彼は前者の仮定が正しいと感じていた）、二人の関係を徐々に明るみに出し、状況を危機に、そしてある種の解決にもっていこうとしていた。彼女は自分の持っている一番魅力的で優雅な服を着ていて、きわめて愛想のよい招待主だった。母は後ろに控えているのに満足していた。「エイミーが全部したんですの」とロビンズ夫人は、出された食べ物や、客のもてなしぶりに誰かがお世辞を言うと、謙遜するように言うのだった。「すべてエイミーがしたんですの——とても気の利く娘《こ》——この娘がいなければどうしたらいいか、わかりませんわ」。まるで、結婚適齢期の娘を求婚者に自慢しているかのように。するとキャサリンは、目に余るような露骨な言動はとらず、言葉と挙措の無数のニュアンスで、自分は彼と相当に親密だということを伝えた。彼女は彼の食べ物の嗜好を正確に知っていることを明かした——マフィンにどんな種類のジャムを付けるのが好きか、何分茹でた卵が好きか、ローストの去勢鶏の白身が好きか赤身が好きか。彼女は、ストランドのＡＢＣを含め、ロンドンの様々な名所や施設に対する自分の意見の正しさを彼に裏付けてもらおうとした。まるで、共有の経験を匂わせるかのように。また、彼に貸してもらった本のことや、二人がそれらの本についてした議論に言及した。ロビンズ夫人はそのような二人の親密ぶりに驚いた様子はなかった。娘がウェルズ家で親しくなったと思って（と彼は推測した）。しかし彼は、イザベルがそれを聞いていて驚き、心を乱したのがわかった。彼は、何も気づかない寡婦の目の前で演じられているちょっとしたドラマに、びっくりすると同時に興奮した。キャサリンはどこまでやるつもりだろう、イザベルはその挑発にどう反応するだろう？

その夜、二人が客用の寝室に退くと、彼女はすぐに彼に挑んだ。「あなたとあの娘さんは、ロンドンで盛んに会っているようね」

「キャサリン？　コレッジに行く際は、時々会う」

「あそこはチャリング・クロスに近い——僕らは一、二度、偶然一緒に駅まで歩いた、そうして紅茶を飲みに立ち寄ったのさ」

「で、どのくらい前からあの娘さんを〝キャサリン〟って呼んでるの？」

「いやあ、わからない、思い出せない」と彼は軽い調子で言った。「僕はもう彼女の教師じゃないから、〝ミス・ロビンズ〟はひどく堅苦しく思えたのさ。なんで訊くんだい？」

「もしわからなければ、あなたは盲人に違いないわ」とイザベルは言った。「あの娘《こ》はあなたをものにしようとしてるのよ」

　彼は無理に笑った。「馬鹿なことを言うなよ、おまえ。彼女は感じがいいと思われようとしてるだけさ」

　彼が彼女のお気に入りの形容詞を使ったのは別に皮肉のつもりではなかったが、彼女はキャサリンについてひどく無礼なことを言い始めた。その声があまりに大きかったので、彼は人に聞かれるのを心配し、もっと小さな声で話すように頼んだ。彼女はむっつりと黙ってベッドに行き、お休みなさいも言わずに彼に背を向けた。

　翌日も雰囲気は一向によくならなかった。イザベルは朝食の時、キャサリンに対しぶっきらぼうだったので、鈍感なロビンズ夫人でさえ、何か変だと、ぼんやり感づいたらしかった。彼としては、人を面白がらせ、愛想よくしようと余分な努力をして、妻の不機嫌を糊塗しなければならないと感じたが、そのためにはやむを得ずキャサリンと協力し、彼女の合図に応じ、彼女を冗談に引き込んだので、イザベルの疑念をいっそう深める結果にしかならなかった。一同はキュー・ガーデンズに行くことに前もってなっていた。キャサリンは、温室では真冬にどんなに寒くても気晴らしができるということを指摘した。しかし、そうした建物は、異国の樹木、蔓植物、灌木、顕花植物、サボテンで満ちていたので、様々な種の特徴について彼と会話をした際、自分の植物学の知識を披瀝する、またとない機会を彼女に提供もした。哀れなイザベルは術語を知らなかったので、そうした会話から疎外され、二人の科学者のあとを、ロビンズ夫人と無意味な話をしながらついていかざるを得なかった。彼はイザベルの怒りがくすぶっているのを意識していたが、それについては、ともかくも何もできないと感じていた——あるいは、ただ単に、そうする気がなかっただけかもしれない。実は彼は、自分が目にしているものを知っていて、それについて話すことのできる可愛い若い女と温室の中を歩くのを楽しんでいて、なんでその楽しみを我慢しなければならないのかわからなかった。それは彼に、そうした女を妻に持てばどんな具合かを身に沁みて感じさせた——自分の興味と関心を共有し、自分の仕事を助けてくれ、自分の野心を理解してくれる女を。

イザベルはサットンからの帰途、不気味なほど口を利かず、彼が言うことに一語でしか答えなかった、もし答えたとすれば。しかし家に着くと感情をぶちまけ、自分は彼とキャサリンの振る舞いに傷つけられ、侮辱されたと言った。彼は、おまえは理不尽に騒いでいると言って自己弁護をした。

「理不尽?」とイザベルは鸚鵡返しに言った。「誰だって、あの娘があなたに惚れているってことはわかるわよ。問題は——あなたはあの娘に惚れてるの?」

その質問が直截なものだったので、彼は不意を突かれた。「わからないねえ、そんなことを考えたことはない」と彼は言ったが、そう言いながらも、自分が真実を話していないことを悟った。キャサリンは彼の灰色の生活における一つの光明で、彼女と会うのは、心から待ち望む唯一のことで、彼女は自分を決して退屈させも、苛立たせもしない唯一の人物だった。「たぶん、そうだろうと思う」と彼は言った。

「なら」とイザベルは言った。「あたしたちのどちらかを選ばなくちゃいけないわ」

彼女は最後通牒を、静かに、明瞭に、決然と告げた。もし彼がイザベルと結婚していたいなら、キャサリンを自分の人生から切り離し、二度と彼女に会わないことを約束しなければならない。これまではひどく退屈で先の知れたものに思えた彼の運命、未来が、不意にスリリングで、危険な新しい可能性に満ちたものになった。彼は喜悦の表情に見えるかもしれない表情を隠そうと、向きを変えて客間の床の上を行ったり来たりした。

「あまりに急な話だ、イザベル」と彼は言った。「考えてみなくちゃいけないな」

彼女は椅子から立ち上がった。「あんまり長く待たせないでね」と彼女は言った。「そのあいだ、あたしは予備の寝室で寝るわ」

翌日彼は朝早く、霧の立ち込めたロンドンに行き、キャサリンが現われるまでコレッジの周りをうろついた。彼女は彼を見て驚いた。「僕らは話し合うべきだ」と彼は言った。「これから実験の授業があるの」と彼女は言った。「そうかい、僕は待とう」と彼は言った。「いいえ、一緒に行くわ」と彼女は、用件が緊急のものなのを察して言った。「実験には出ない」

二人はリンカンズ・イン・フィールズに歩いて行き、ベンチが坐れないほど濡れていたので、砂利の小道をぶらぶら歩いた。灰色の湿った日で、樹木の葉のない大枝から雫が垂れていた。黒いガウンを羽織った法廷弁護士や、法律関係の書類の束を持った事務員たちが霧の中からぬっと現われ、まるで二人のドラマを察したかのように二人を見詰めてから、再び霧の中に姿を消した。彼はイザベルの最後通牒について彼女に話した。

「で、あなたはどうするの?」と彼女は、ほとんど聞こえないような小さな声で言った。

「君を諦めることはできない」と彼は言った。

「あら!」と彼女は呟いてよろめき、いまにも気絶しそうに見えた。

彼は彼女を両腕で抱き、キスをし、「君を愛している、キャサリン」と言った。

「わ、わ、わたしがあなたを愛してるってことを知ってるでしょ」と彼女は彼にもたれながら言った。「わたしはとっても幸せ」

「でも、聴くんだ、ダーリン。たやすいことじゃないんだ。非常に辛いことになるだろう。僕らは、いわゆる〝不義の暮らし〟をするんだ」

「わたしは構わない。それは真実の精神の結婚になるでしょうよ」

「君は実に優しい」と彼は言い、また彼女にキスをした。「でも、スキャンダルになるだろうな。君のお母さんは取り乱すだろうな」

「あら、哀れなお母さん!」とキャサリンは叫んだが、それは一種の笑声だった。「ええ、お母さんは動顛するでしょうけど、わたしはなんとかできる」

「君の家族の全員が怒り狂うだろうな。僕は肚黒い誘惑者になる」

「みんなはわたしを止めるなんてできない。わたしは二十一だから」

「君は素晴らしい」と彼は言って、またもや彼女にキスをした。

「わたしはどうしたらいいのか、言って」と彼女は言った。

「何もしないでいい、今のところは。まず僕はイザベルに話さなくちゃいけない。それから、どこかに僕らの住むところを見つける。そうしたら——早ければ早いほうがいいんだが——君は僕と一緒になるんだ。お母さんに何も言わずにそうするのが一番いいんだが——家からそっと出て、お母さん宛の手紙を残すんだ。そうしなければ、お母さんはともかく君を止めようとするだろう、君が二十一であっても」

「つまり——駆け落ち?」。彼女の目は、その言葉のロマンティックな響きで輝いた。

「その通り」

「でも、クリスマスのあとまでは駄目」と彼女は言った。「クリスマスに母を一人切りにするのは耐えられないわ」

彼はすぐに同意した。クリスマスまであと一週間もないからだ。彼は彼女に付き添ってコレッジまで行き、彼女の手を握り締め(その場所で抱擁するのは無謀だからだ)、チャリング・クロスに戻り、サットンに帰った。

イザベルは悲しい諦めの気持ちで彼の決断を受け入れた。「あなたがどっちを選ぶか、わかっていたわ」と彼女は言った。「あたしはあなたにとって十分なほど利口ではなかった、バーティー、そうして、これからも利口にはなれない」

「そういうことじゃない、イザベル」と彼は言った。彼はもっと本当のことを言うべきだったのだが——それだけじゃない。「僕らは恋人同士として互いに合ってないんだ——僕の言っていることがわかるだろう。ひょっとしたら、僕らが従兄妹同士だからかもしれない。僕は君を愛している、君は素晴らしい、美しい女だと思っている、でも、僕らのは夫婦の愛情というより兄妹の愛情だ」

「あの女《ひと》がその面であなたを満足させると思ってるの?」

「そう信じている、うん」と彼は言った。

「あの女《ひと》と寝たの?」

「もちろん、寝てないさ!」と彼は言った。「彼女はそんな類いの女じゃない、ともかく」

「あなたが幸福になるのを願うわ、バーティー」と彼女は言った。

奇妙なことに、二人の結婚生活が崩壊したその週ほど、彼がイザベルに感心したことはなかった。もし彼女が、不当に扱われた妻の役を演じ、彼を金切り声で罵倒し、物を投げ、彼を殴り、ヒステリーを起こしたなら別れるのが楽だったろう。危機にあって冷静に威厳を保っている彼女を見て、彼は彼女を捨てることに後ろめたさを覚えた。彼はメアリー叔母が大きな声でしていた会話を立ち聞きしたのでわかったのだが、娘の肩を持つどころか、娘は馬鹿だと思った――彼女の言うところでは、「愚かな若い娘といちゃついただけのことで」、「彼を追い出す」とは。彼自身の決心も揺らぐ瞬間があった。そしてその夜、もしイザベルが、彼の口にした兄妹の愛情という言葉に対し、二人の寝室で彼の目の前で服を脱いで裸になり、彼の好きなように荒々しく情熱的に自分と交わるように誘うことで応じたなら、何が起こったかわからなかったろう。しかし、彼女はそんなことをする性格ではなかった。そこで彼は家を出る準備を進めた。

　彼は月ごとに決まった額の金を送るということで、イザベルと合意した。「あたしたちが離婚するまで、それでいいわ」と彼女は言った。「離婚」という言葉は、彼の心を少しひやりとさせた。「僕らは離婚しなくちゃいけないだろうか？」と彼は言った。「感情的行き違いという本質的に個人的事柄に法律と弁護士を持ち込まなくちゃいけないだろうか？」「なら、あの娘《こ》と結婚したくないの？」と彼女は驚いて言った。「僕らは制度としての結婚を信じちゃいない」と彼は言った。「あたしは信じてる」とイザベルは言った。彼女自身、いつか再婚したいと思うかもしれないということを仄めかしているのだと彼は考え、ひどく心を乱したので、急いでその考えを頭から払い除けた。

　彼は自分とキャサリンのための住まいを探しにロンドンに行き、キャムデン・タウンのモーニングトン・プレイスに二部屋を見つけた。それは連続住宅の一階にあった。彼は下宿屋時代に逆戻りしていると感じてやや気が滅入ったが、もっとよい住まいが借りられる望みはなかった。当分のあいだ、キャサリンだけでなくイザベルをも養わなければならないからだ。彼は近くのカフェでキャサリンに宛てて手紙を書き、下宿の住所を教え、クリスマスの贈り物の日《ボクシング・デー》に、そこに会いに来るようにと指示した。「君のお母さんに住所を教えてはいけない、もちろん。君宛の手紙はキャムデン・タウンの中央郵便本局宛に出せばいいと伝えてくれ。薬指にあっさりした指環を嵌め、下宿の女主人に会う際は、自分が〝ウェルズ夫人〟なのを忘れないように」と彼は書いた。自由恋愛の使徒でさえも、慎重でなければならなかった。彼はクリスマスのためにけばけばしく飾り立てられ、贈り物が山と積まれたストランドの店のショーウィンドーの前を通って、チャリング・クロスに歩いて戻った。トラファルガー広場から、慰めと喜びの知らせを告げる聖歌隊の歌声がかすかに聞こえてきた。

彼は結婚生活の危機が違った季節に訪れたのならよかったと思っただろう。近づくクリスマスと、それに関連した儀式や祝祭が、家庭の不幸に対する嘲笑的で皮肉な評言のように思えたからだ。「僕らはクリスマス・ディナーを食べなくちゃいけないのかい?」と彼は、クリスマス・イヴに台所で七面鳥が調理されているのを見て唖然として言った。「あたしたちは何か食べなくちゃ」とイザベルは言って、肩をすくめた。「だったら七面鳥がいい。母は七面鳥が大好きで、毎年楽しみにしてるわ」。「僕らがクラッカーを鳴らしたり、紙の帽子をかぶったりしない限り」と彼は言ったが、その当てこすりをすぐに悔いた。イザベルが非常にはっきりと、こう言っている目で彼を一瞥したからだ。「あたしたちがひどいクリスマスを過ごしてるのは誰のせいなの?」イザベルとメアリー叔母と彼の三人は、七面鳥のローストといつもの添え物を、ほとんど無言のうちに食べた。荷作りをしたトランクは、翌日彼が出発するために玄関のホールに置いてあった。彼は食事のあと、吐く寸前だった。

彼はイザベルがまだ眠っているうちに――眠っていないとしても、ベッドにいるうちに――朝早く家からそっと出た。彼は彼女に直接別れを告げる勇気がなかったので、偽善的に見えない限り優しい文句を書いたメモを残した。彼はトランクを載せた手押し車を駅まで押して行き、ポーターに一シリング与えて家に戻してもらうことにした。彼は切符売り場で、「チャリング・クロス、往復」と、いつものように言ってしまってから、「片道」と、すぐに言い直した。車内に坐り、列車が動き出すと、気分が昂揚した。新しい人生が始まるのだ。それは危険と不確実な要素に満ちていた――しかし、自由だ! そして、両腕に抱いて、肉体的愛の快楽に導く、ほっそりし、しなやかで、年頃の新しい女体。

キャサリンはその日の午後早くに、二つの旅行用手提げ鞄を持って、一頭立て二輪馬車で到着した。彼女は蒼白く、不安そうで、二人だけになるや否や彼の腕の中に身を投げ、海の嵐の際、マストにしがみつくようにしてしがみついた。数分経ってから口を利いた。

「母に話さなくちゃならなかったの」と彼女は、とうとう言った。「置き手紙だけなんてことはできなかった。卑怯に見えたのよ」

「どんな風に受け取った?」と彼は訊いた。

「どうだったと思う？　母は啜り泣き、涙を流し、あなたのところに行かないよう、跪いてわたしに頼んだ。ひどかった」

「可哀想《こ》に、ダーリン」と彼は言った。「でも、君は来た。勇敢な娘だ！」

「母はヒステリックに喚くのを、わたしの馬車が来た時にやっとやめたの、そうしてわたしは、隣の奥さんにお母さんの面倒を見てもらうって言ったの。すると母は突然気を取り直したの。何もかも隣の人に説明しなくちゃいけないって考えたから……」

「気付け薬よりましだ」と彼はにやりとして言ったが、それがあまりに軽薄な言葉に思われるといけないので、表情を変えた。

「ソファーに横たわっている母の額に、オーデコロンを染み込ませたハンカチを押し当てて、家を出たの。幸い、従姉のジェマイマとご主人が今日、紅茶を飲みに来るの、だから、母はいくらか助かるわ」

「紅茶！」と彼は言った。「いい考えだ。僕らの宿の女主人に紅茶を淹れてもらおう。紅茶とマフィン」

ドイツ人の女主人は、彼とキャサリンが、ともかく結婚していれば、ごく最近結婚したと推測していたようだった。そして、二人は人前を気にするような振る舞いをしていたので、女主人としては、そう推測するのにさほど優れた眼識を必要としなかったろう。それでも女主人は、二人に好意的だった――事実、あまりに好意的だった。二人に紅茶とマフィンを出し、あとで夕食を出した際、何度も意味ありげに作り笑いをし、頷き、身振りをした。彼女は二人をうっとりと眺め、両手を揉み合わせる癖があった。それは下品とも言えた。キャサリンが彼女から見詰められると、居心地悪そうに怯むのがわかった。そして、もしショルツェ夫人が誰にも見られず二人の寝室に入ってきたなら、マットレスに薔薇の花びらを撒くだろうという気がした。

彼は実のところ、その最初の夜に結び付きを完成させようとはすまいと、すでに決めていた。キャサリンはその日、ストレスをたっぷり受けていたし、彼はイザベルとの初夜の失敗を繰り返したくなかった。そのうえ、彼の欲求は、何年も前に鬱積していた欲望を解放した、あの時ほど切羽詰ったものではなかった。夕食のトレイを下げに来たショルツェ夫人が、涎《よだれ》を垂らさんばかりにしてお休みなさいと言って去ると、彼はドアに鍵を掛けた。鍵の掛かるカチッという音を聞くとキャサリンは、まるで勇気を奮い起こして厳しい試錬に耐えようとするかのように、一種の緊張した厳粛な顔で彼を見た。彼は彼女を抱擁して言った。「可愛い娘さん、今夜は言葉の本当の意味での恋人同士になるのはよそう。君がもっと休んで、寛いだ時まで待とう。今夜は、ただ抱き合って寝るだけにしよう。それでいいかい?」

「ええ、いいわ!」と彼女はすぐさま言い、満面に安堵の色を浮かべた。

二人の部屋は元はこの家の食堂で、いつも閉まっているアコーディオンドアで仕切られ、前半分に居間、奥に寝室が出来ていた。彼は彼女が服を脱ぎ、ベッドに入ってから一緒になった。整理簞笥の上の一本の蠟燭が、部屋をぼんやりと照らしていた。髪を垂らし、枕の上に広げていたキャサリンは、首までボタンのあるナイトガウンを着ていたが、彼を見ておずおずと微笑し、彼が服を脱ぎ始めると、頭の向きを変えて慎ましく壁を見詰めた。彼はズボンとパンツを脱ぐ前にナイトシャツを羽織り、蠟燭を消し、ベッドに入って彼女の隣に横になった。彼女を両腕で抱き寄せると、彼女は満足したような溜め息を洩らしながらすり寄り、彼が勃起しているのをナイトガウンを通して感じたとしても、体を引かなかった。ナイトガウンの薄い布の上から彼が彼女の背中をさすり始め、また、片手を滑り下ろして彼女の尻にあてがった時になって初めて彼女は、びっくりしたかのように体を固くした。誰もその部分を、彼女が赤ん坊だった頃以来触っていないのだ、と彼は思った。彼は手をどけ、もっと適切な場所に置いた。そして彼女は、日中の精神的、肉体的疲労でぐったりし、すぐに眠り込んでしまった。彼はやがて彼女を自分のものにする仕方をあれこれ考えた。愉しみを延ばすのは、愉しみを増すことだ。

結局、それは予期していたよりも延びることになった。翌日キャサリンは、母がすでに何か連絡をしてきたかどうか知ろうと、キャムデン・タウン郵便局に行くのに抗えなかった。事実、母はそうしていたが、キャサリンが封筒を手にカウンターから離れると、従姉のジェマイマの夫レジナルドが、勝ち誇った表情を浮かべて彼女を見ていた。彼女は待ち伏せされたのだ。彼女は急いで郵便局を出たが、レジナルドは外で彼女に追いつき、「君を誘惑した卑劣漢」と対決するため、彼女の下宿先に連れて行ってくれと要求した。「あの人がわたしを誘惑したんじゃないわ。わたしが自由意志であの人のところに行ったの」と彼女は言った。「誘惑したのはわたしのほう」と彼女は大胆に言い添えた。「君は恥を知るべきだ」とレジナルドは言った。「君のお母さんは身も世もなく泣きづめさ。僕らはお母さんが気が狂うんじゃないかと心配してるんだ――それを読んでみたまえ」。彼は彼女が手にしている手紙を指差した。「都合のよい時に読むわ」と彼女は言った。「お願いだから独りにして、さもないと巡査を呼ぶわよ」。彼女は彼に背を向け、足早に立ち去った。彼は彼女を引きとめようとはしなかった。彼女はモーニングトン・プレイスの家に戻ってから、その一切を「誘惑者」に話した。話しながら彼女は、笑い、泣いた。

彼は彼女の勇気を褒め、彼女を「ヒロイン」と呼んだ。彼は、今すぐ一緒にベッドに行き、愛を営もうと言った。しかし彼女は、さっきの出来事ですっかり動顛していると言った。そして、心の動揺は、涙の染みのある母からの手紙を読んで、いっそう増した。

「自殺をするって書いてあるわ」

「馬鹿な。単なる感情的脅迫さ」

「それはわかってるけど、母にじかに会わなくちゃ」

キャサリンはすぐにパトニーに行き、その日の遅くに電報を打った。「母気分優レズ　一日二日母ノトコロニ滞在私ヲ信ジテ　キャサリンヨリスベテノ愛ヲ」

電文の最後の言葉にもかかわらず、いったん彼女が家族のもとに戻れば、家にとどまって彼を諦めるようにと圧力がかかるのではないか、とりわけ、彼女がまだ処女だということを親戚が知れば。彼は、彼女の処女としての感情をあまりに騎士的に思い遣ったことを後悔し始めた。というのも、妻を捨て、愛人を繋ぎとめることができずに、ロンドンのみすぼらしい下宿屋でたった一人になったら、ひどく愚かに見えるだろうし、そう感じられるのは確かだからだ。そうした不安は、翌日、レジナルドとその弟のシドニーが、どうやってかモーニングトン・プレイスの住所を知って訪ねてきた時に、恐怖に変わった。二人はかなり大きく、相手を畏怖させるような人間で、葬儀屋のようにシルクハットをかぶり、黒のオーバーを着、黒のキッドの手袋を嵌めていた。二人は、キャサリンと二度と連絡をとらないと約束をする文書に署名しなければ、誘拐ないし誘惑の廉で法的措置を講ずると、漠然と脅した。彼は二人の面前で笑い、何物も自分とキャサリンを分かつことはできないと、思っていたより自信たっぷりに言った。翌日彼女が帰ってきたので、彼はほっとした。そして、彼女の親戚が介入してきたことに憤慨した。彼女はそのことについて何も知らなかった。「ひどい話」と彼女は言った。「あの人たちには干渉する権利はないわ」。「なら、奴らは君からここの住所を知ったのじゃないんだね？」と彼は訊いた。「もちろん違うわよ」と彼女は言った。「あの日、レジナルド叔父さんはキャムデン・タウン郵便局からここまで、わたしのあとをつけてきたに違いないわ。わたしが住所を教えると思ったの？」「いや、いや」と彼は言った。「自分の意思からじゃなくても、奴らに脅かされたのかもしれないと思ったのさ」。「あの人たちが親指締めを使ったって、絶対言わなかったわ」と彼女は言った。その瞬間彼女は、平然と拷問者に挑んでいる昔の絵の処女の殉教者に見えた。彼は不意に、彼女の信念の強さに圧倒され、彼女が自分のところに戻ってきたことに安堵感を覚え、彼女を両腕で抱いた。「今夜、僕らは恋人同士になろう」と彼は囁いた。彼女は呟くように同意した。

2

――しかしそれは、あんたが望んでいた、共に分け合う歓喜の経験ではなかった、そうだろう？

――そうなるだろうと本当には期待していなかった。わたしは彼女に言った、「一回目は痛いかもしれないが、そのあと、快感を覚えるようになるだろう。時が経つにつれ、もっともっと快くなる」

――しかし、彼女はそうはならなかった。

――ならなかった。彼女はわたしのために努力してくれたが――その夜も、その後の夜も。彼女はイザベルより努力してくれた。わたしを喜ばせるために、ナイトガウンを脱いだ。二人が愛を営むあいだ、整理簞笥の上の蠟燭を点けたままにしてくれた。しかしそれは、水を怖がっている者に水泳を教えるようなものだった――彼女は体のあらゆる筋肉を緊張させてわたしの下に横たわり、両腕をわたしの首に回し、溺れるのを怖がっている者のように必死でしがみついた。時が経つにつれもう少し順応し、もう少し反応したが、大したことにはならなかった。わたしたちが九八年に初めて外国に行った時、わたしはフィレンツェの本屋でアレティーノの『体位画集』を買った。しかし彼女は、それを見ようとはしなかった。ましてや、それを試してみようとは。

――彼女はオルガスムスを感じただろうか？

――感じたとは思わない。二人が結婚してからだいぶ経った頃、愛を営んだあと、楽しかったと彼女は時折言ったが、わたしは信じなかった。そもそも彼女には肉欲が欠けていた。ところが、わたしにとってはセックスは肉欲の歓びに満ちた解放だった。動物的なものだった。女とベッドにいる時は動物のようでありたかった。彼女と交わる前に、咬み、舐め、取っ組みたかった。ジェインは、それを嫌がった、動物ゲームに加わることはできなかった。彼女はあまりに繊弱で、あまりに繊細で、あまりに潔癖だった。

――しかしあんたは、彼女と駆け落ちする前、彼女がどんな娘か知っていた。「キャサリン」は官能的なタイプじゃなかった。

――彼女を性的に目覚めさせることができると考えていたと思う。わたしは最初失敗すると、それは、イギリスの郊外に住む中産階級の低教会信徒の家に特有な、抑圧された、取り澄ました、狂信的に「お上品な」やり方で育てられたせいだろうと思った。彼女はそれに対し、「新しい女」の理念にすっかり共鳴して知的に反抗したが、肉体で反抗したのではなかった。それに浴室がなく、下宿屋の女主人が売春斡旋人のような、モーニングトン・プレイスのあの二部屋は、セックスの手ほどきに最適の場所ではなかった……わたしたちはそこをかなり早く出た。ジェインが角をちょっと曲がったところのモーニングトン街に下宿屋を見つけてくれたのだ。女主人はもっと感じがよかったが、部屋は前の下宿屋とほとんど変わらず、やはり浴室がなかった。立って中にやっと入れるくらいの大きさのブリキの盥があった。わたしはジェインが立って体を洗っているあいだ、アコーディオンドアの隙間から覗き、入って背中を流そうと言って彼女をからかった。わたしたちは実際、「母さん、父さんごっこ」をしている一組の子供のようだった。わたしたちは世間に立ち向かう勇気を十分に持っていた。結婚せずに同棲しているということは、最も慎ましい愛の行為でさえ、大胆なものに思わせた。偽善的で抑圧的な社会秩序に対して、シェリー流の反抗をしていたのだ――わたしたちは、財産、義務、責任から自由になっていることを誇りにしていた。わたしたちは怠けていたわけではない。怠けていたどころではなかった。下宿屋の女主人はトレイに載せて食事を持ってきてくれたので、気が向けば一日中読んだり書いたりすることができた。ジェインは、わたしが新聞雑誌に書く小文のための調査を手伝ってくれ、原稿を綺麗な字で清書してくれ、タイプしてもらうためにわたしの従妹に郵送してくれた。

――彼女は勉学を続けなかった。学位を取らなかった。

――そうできなかったのさ。続ければコレッジでスキャンダルになったことだろう。彼女はその代わりタイプを習った。わたしの原稿をタイプし、金を節約するために。そして彼女もいくつかちょっとしたものを書き、わたしが少し手を入れたあと、新聞雑誌に載せてもらえた。わたしたちはチームだった。二人は郵便物が来るのをはらはらしながら待っていた。封筒の中に掲載承諾の通知が入っているかどうか知ろうと――あるいは小切手が!

わたしたちは財政が逼迫していて、ジャーナリズムが金を作る最上の手段に思えた。『タイム・マシン』が出版され、わたしのブームが始まるまでは。やがてわたしたちは下宿屋から出て、ウォーキングにある、わたしたちの最初のまともな家に移った。それから、ウスター・パークに移った——それはかなり大きな家で、番地だけではなく「ヘザリー」という名前も付いていた。そして、庭というよりは半エーカーの「敷地」があった。わたしたちはその時、勝利の匂いを嗅いだ——二人の駆け落ちを非難し、わたしたちを別れさせようとした者たちに対する勝利の匂いを。自分の家を売り、その家の費用の一部を負担したジェインの母は、しばらくウスター・パークに移ってきた。彼女は、わたしがイザベルと離婚し、離婚判決が下りるや否やわたしがジェインと結婚すると、ついにわたしたちの結婚を認めた。わたしとジェインは、主義のために「不義の暮らし」を続けるのは意味がないという点で同意した——その問題に関して偏見と闘うのは、あまりに多くの時間とエネルギーを消費するだけだった。

——性的にあんたを満足させられない女と、また結婚したことが気にならなかったのかね？

——ジェインに関しては、まだその結論に達していなかったと思う。あるいはおそらく、そのことを自分に認めたくなかったのだろう。二人の関係のほかのすべては非常に順調だったので、わたしはその問題を明るみに出したくなかった。ジェインもそうだった。わたしたちは数年、共謀してそのことを無視した。そして、自分たちの婚姻関係の本当の性格に直面するのを避けるため、子供っぽい二人だけの言語、一種の神話を作った。それは、ペットネームと、へぼ詩あるいは、わたしのちょっとした漫画風の「ピクシュア」で、家庭生活の面白いパロディーを含んでいた。彼女は傲慢で実利的な女性の「ビッツ」または「ミス・ビッツ」で、わたしは大抵のことでは間違っていて、彼女を怖れている性格の弱い「ビンズ」または「ビンズ氏」だった。それは、二人が同棲していた頃に始まり、結婚してからも続いた。わたしは今でも、その「ポウムズ」（「ポエム」のこと）のいくつかを覚えている。

　われわれの神は、おもしろーい神。かつては病気だった
　このビンズが、今では大変元気で太っていて
　もはや禿げもせず、歯痛《はーいた》もないのは神の慈悲
　物書きのこのビンズは、そのことで神を大いに祝福する。

その詩はこんな具合に終わる。

　わたしは坐り、卑小なる心を込め、主なる神に向かっ

て歌う。
（けれど、やっぱりわたしは、ビッツを愛するほどは
神を愛さない。）

わたしたちはそんな風なことをして大いに楽しんだ。そうした楽しみを、自分たちの結婚生活に欠けていた官能的快楽の代わりにしていたのだ。

――そこであんたは、官能的快楽をほかで求めた。それは、いつ始まったのかね？

――わたしたちがウォーキングに住んでいた頃だったと思う。ブロムリー時代の旧友のシドニー・バウケットを通してだ。わたしは学校を出て以来彼と音信不通だったが、ある日、剽窃事件でその名前の被告の劇作家に関する新聞記事を読んだ。それは彼に違いないと思った、なぜなら、変わった名前だし、少年の頃彼はいつも舞台に立つのを夢見ていたからだ。彼はある劇の地方公演を行っていたが、その劇はジョージ・デュモーリエの『トリルビー』にもとづいていると訴えられた。もちろん、『トリルビー』はビアボム・トリーの演出で、ロンドンではすでに大ヒットしていた。その裁判がどうなったか覚えていないが――彼は負けたと思う――わたしは彼に手紙を出した。するとある日、彼はウォーキングの我が家に姿を現わし、昔の学校友達が若い新進小説家H・G・ウェルズなのを知り、びっくりした。彼は青い目の非常に魅力的なユダヤ女、ネル・ド・ブアという女優と結婚していて、わたしたちの家から程遠くないテムズ・ディトンのコテージに住んでいたので、わたしは頻繁に彼に会うようになった。二人はサリー州の小径をサイクリングしながら、人生、芸術、女について、とりわけ女について話した。バウケットは女に非常にもて（あるいは、そうわたしに信じ込ませた）、女を征服した話を、実に生々しく話した。フランク・ハリスも、当時、同じような仕方で自慢するのが好きな知り合いだった。それはごく下品な話だったが、ひどく刺激的だった。わたしもその面で、家で経験しているよりもう少し煽情的なものが欲しくなり始めた。そして程なく、それを得た――実を言うと、ネル・バウケットと一緒に。それは、わたしがある日、二人のコテージを訪れた時のことだった。シドニーは劇の仕事でロンドンに行っていた。あるいは、仕事ではなかったのかもしれない――ネルは貞操については彼に対しなんの幻想も持っていず、仕返しをする気持ちでいた。そしてわたしは、一度ならず喜んでそれに応じた。わたしは何年かのち、二人をチタロー夫妻として

『キップス』に登場させた。その際、ディケンズ風の喜劇的な夫婦にするため、それにふさわしくない面は省いた。二人はその頃には別れたが。ネル・バウケットはわたしの姦通という冒険の最初の相手だった――ジェインに関してという意味だが。もちろん、わたしはイザベルをも裏切った。エセル・キングズミルと関係を持ち、そのあと、いくつかの仮初《かりそめ》の出会いがあった。ジェインに対しては、バウケットがウォーキングに現われ、わたしによからぬ考えを吹き込むまで忠実だった。

――しかし、それはあまり長いあいだではなかったんだね？　あんたが彼女と駆け落ちしてから二年足らずのことだったんだね？

――その通り。でも、わたしが女を「ものにする」あらゆる機会を捉えるようになったのは、しばらくあとのことだ。

彼が自分の卑しい出自、短軀、慢性の病気、また、「野卑」の痕跡をすっかり拭うことのできなかった、甲高い声によって植え付けられた自信のなさを克服し、自分が作家として次第に成功し、名声を得たことが、自分を女に対して魅力的な人間に変えたのを悟ったのは、しばらくしてからだった。彼がその事実を認めるようになったのは、彼とジェインがサンドゲイトに落ち着き、スペード・ハウスを建て始めてからだった。その頃までには、次第に羽振りがよくなったことが、肉体的欠陥を相当程度埋め合わせていた。彼は背が高くもなくハンサムでもなかったが、いまや、立派な靴を穿いた小さな足のステップは弾むようで、肌は滑らかで光沢があり、その下の筋肉はいつも運動をしているために引き締まっていた。口ひげさえまばらには生えてはいず、前より艶やかで、濃くなった。やや上瞼《うわまぶた》の垂れた青みがかった灰色の目の視線は人を刺すようで、その目が向けられた者には催眠術的な力を及ぼすと、何人かの女は彼に言った。そのことは、誘惑というゲームにおいて彼に自信を与え、女と一緒に服を脱ぐと、彼の男根《メンブラム・ヴィライリ》（彼は色事の際の冗談で、それを擬人化して「サンドゲイトの議員《オナラブル・メンバー》」と呼ぶことがあった）が事に臨んで立派に立つ自信があった。しかし、磁石が鉄粉を惹き付けるように、感じやすい女を惹き付けたのは、なかんずく、彼の文学的名声であり、本の著者と親しく接することができるということだった。ほとんどの場合、声をかけさえすれば女はなびいた。時には女のほうから言い寄ってきた。例えば、あのオーストラリアの女だ。彼は女の名前が思い出せなかった。ただ、上と下の金色の巻き毛と、女の体が蒼白い部分と日焼けした肌が地図のようにくっきり分かれているのを覚えていただけだった。女はロンドンを訪れていて、自分がいかに『キップス』を楽しく読んだかという手紙を出版社気付で彼に寄越した。女は、自分の下宿に来て、数時間過ごすように彼を誘いもした。そして、お互いに楽しく時間が過ごせることを願っていると書いていた――小説も数ある中で、事もあろうに『キップス』を読んだあとに！　その主人公は同時代の小説の中で最も性的に無知な主人公の一人なのだ。そして、確かにそれは非常に楽しい午後だった。

　彼とジェインがサンドゲイトに居を定めると、彼は週の中頃、二日か三日ロンドンで過ごした。クレメンツ・インに借りた小さなフラットに泊まり、出版業者や編集長たちと会い、友人たちと昼食か正餐をとり、文学者のパーティーに行った。そのようにして彼は、自分とセックスをするのに大乗り気な婦人たちに遭遇し、彼女たちが年増で海千山千で、自分同様に性行為に対してあからさまに快楽主義的態度の持ち主である限り、なんら不愉快な後腐れはなかった。例えば、皮肉っぽくて優雅な短篇を『イエロー・ブック』に頻繁に載せた、目が緑で髪が赤い作家エラ・ダーシー。あるいは小説家ヴァイオレット・ハント。伝えられるところによると、エレン・テリーが、「バーン＝ジョーンズのボッティチェリ」から抜け出したようと評した頃ほど美しくはなかったが、それでも魅力的だった。彼は、長きにわたる情事が不幸な結末を迎えたあとの彼女を慰めた。そうした、思慮分別のある、世故に長けた女たちは、彼を当惑させることもなく、醜聞も起こさなかった。有名な作家で急進的な思想家に、セックスの神秘の手ほどきをしてもらいたがったのは、若い女、若い処女だった。彼を厄介な事態に陥れ、彼の評判を傷つけたのは彼女たちだった。ロザマンド、アンバー、レベッカ……そして、さらにドロシーもいた、ドロシー・リチャードソン。彼女は処女を奪ってくれと彼に頼むまで、ほかの女たちより長くためらい、その結果について、ほかの女より慎重だったが。

　――いずれ、若い処女のことに触れよう。まだ妻たちについてあんたが答えるべきいくつかの質問がある。あんたは自伝の中で、イザベルは「性行為というものを、気乗りのしない女に加えられる暴力以外の何物でもない」と考えたと言っている。しかし、同書の別のところでは、ジェインがあんたの性的欲求に応えられないことを論じて、こう言っている。「従妹に対する、心の中に依然としてわだかまっていた性的執着に似たものは、自分たちのあいだにはなかった」。それには、いくらかの矛盾があるのではないだろうか？

――いや、そんなことはない。わたしはイザベルの不感症に苛立ち、そのことに腹を立て、ちょっとした浮気をして復讐したが、それは彼女を自分にとって本質的に、さほど好ましくない者にはしなかった。わたしはキャサリンと駆け落ちをする準備をしていた時でさえ、もしイザベルがわたしを自分に縛り付ける努力をしたなら、わたしは決心を翻したということは十分にあり得たということを、自伝の中で認めている。

イザベルとの結び付きが相変わらずいかに強かったかは、三年後になるまで彼は本当には理解しなかった。彼とイザベルは離婚に関する事柄について、時折文通はしたが、一八九八年まで会わなかった。その年の早く、彼女はヴァージニア・ウォーター近くの田舎に小さな養鶏場を買ったが、ベラ叔母の助けを借りてそれを経営するつもりだと彼に手紙で話した。彼女は『宇宙戦争』を読み、驚いていた。「一体全体、あの素晴らしいアイディアをどこから取ってくるの？　そうしてあなたは、それをとっても現実的なものにもしている。素晴らしい」。数ヵ月後彼女はまた彼に手紙を書き、請求書の支払いの金が少し足りないので助けてもらえまいかと頼んだ。その額は大したものではなく、小切手を送るだけでよかったが、彼は彼女に再会したいという抗い難い好奇心に駆られ、六月のある晴れた日、小切手帳をポケットに入れ、ウスター・パークから養鶏場まで自転車で出掛けた。彼はいまや熱心な自転車愛好家で、二時間ほど自転車に乗るのはなんでもなかった。

彼はイザベルに再会して自分がどう感じるかについて、まったく心の準備が出来ていなかった。それは一つには、辺りの環境のためでもあった――彼女は田舎にいて寛いでいるように見えた。鶏の世話をし、お気に入りの鶏を抱いて、その羽根を撫で、鶏を名前で呼んだ。そして菜園に彼を案内し、自分の植えた様々な野菜と花を指差し、屈《かが》んで雑草を引き抜き、背を伸ばして薔薇の灌木の萎れた花を摘み取った。彼女は以前よりも美しく、血色がよかった。彼女が本当に属しているのは、彼が彼女に求愛したロンドンのむさくるしい、汚い通りではなく、この田舎なのだ。彼女は彼に捨てられたことになんの恨みも持っていず、ジェインに対して嫉妬心を抱いていなかった。彼女のような状況の女がそれほどに度量が大きいのは稀だと、彼は思った。二人は寛いで親しく会話を交わした。彼女は過去数年間に出版された彼の本と短篇のほとんどを読んでいて、それらを素朴に、見せかけでなく賞讃した。彼は我ながらほとんど信じられなかったのだが、彼女にすっかり恋をしてしまうように感じた。そして、彼女を取り戻し、これまで起こったすべてのことを引っ繰り返そうという、気違いじみた考えに取り憑かれた。彼は日没までに自転車で家に帰るのは遅過ぎる時間になるまで、わざとそこにいた。そのため彼女は、その夜、彼に泊まるよう言わざるを得なかった。そして、ベラ叔母が寝に行ったあと、彼は一緒に寝ようと彼女を口説こうとした。彼女は目を大きく開き、びっくりして、まじまじと彼を見た。

「一体、どういう意味なの、バーティー？　あたしがあの面で、あなたを喜ばせたことがないのを忘れたの？」

「すべて僕が悪かったんだ。僕は当時、不器用で、忍耐心に欠けた恋人だった。今は違う。ああした惨めな夜の埋め合わせができるだろう。どうか、お願いだ」

「でも、どうやってできるの？」と彼女は、それだけ言った。

彼はベラ叔母が二階の寝室で動き回っている音を聞き、彼女がためらっているのは、おそらくそのせいだろうと思った。「僕らは納屋に行けばいい」と彼は言った。「横になれる藁の山があるのを見た。それとも、野原に行ってもいい——湿気のない夜だ」

「あなたは気が変になったんだと思うわ、バーティー」と彼女は、きっぱりと言った。我儘な子供に話しかけている母親のように。「あたしたちは離婚した、そうしてあなたは再婚した、それでお仕舞い」

彼女は彼のために予備の部屋のベッドを整えた。彼はそこで落ち着かぬ気持ちで眠ったが、早く目を覚ました。彼は彼女の眠りを妨げないよう、あの惨めだったクリスマスの贈り物の日《ボクシング・デー》にサットンの家を出た時のように、そっと立ち去ろうとしたが、彼女は彼が立てている音を聞きつけ、階下《した》に来て台所に入り、どうしても朝食を作ると言い張った。「おなかが空いていたんでは、家まで自転車は漕げないわ」と彼女は賢明にも言った。彼はテーブルの上に置いておくつもりだった小切手を彼女に渡した。その額は多過ぎると彼女は言ったが、彼は受け取るようにと説得した。二人は抱き合い、彼は彼女の腕の中で泣いた。彼女は農家の戸口に立ち、彼が自転車で立ち去る際、手を振った。彼は暁の空の美しさにも、野畑から立ち昇ってくる乳白色の霧にも関心を払わず、自分が干からび、空《から》になったような気がした。そして、自分の人生における永続的な幸福を摑むすべての機会を失った、それも全部自分のせいだと強く感じた。

やがて彼は、イザベルがいかに正気で分別があったかを理解した。もし彼女が彼の懇願に負けていたなら、二人はなんという道徳的、感情的混乱に陥ったことだろう。だが、五、六年後、彼は彼女が再婚したことを聞いた。実はその時、再婚してからすでに一年経っていたのだ。彼女は彼の気持ちを乱すかもしれないと気を遣い、自分にそのことを言わずにいたのだと彼は思った。そして、確かに彼の気持ちは乱れた。数日間彼は、激しい嫉妬に襲われた。ほかの男があの肉体を所有し、自分は目覚めさせることのできなかった、歓喜の反応を起こさせているのかもしれないと考えると堪らなかった。彼は自分の持っているイザベルのすべての痕跡、すなわち一切の手紙、写真、あらゆる種類の形見を破き、スペード・ハウスの庭で燃やした。二歳の息子がそれを怪訝な顔で見ていた。ジェインも窓から見ていたが、彼女は、彼が何をしているのか、なぜそうしているのかをはっきりと知っていたが、何も言わないだけの分別を持っていた。

さらに数年経ち、アンバー・リーヴズと深い関係になってからイザベルに再会したが、「性的執着」が、今度はすっかり消えているのに気づいた。それからというもの、イザベルと気楽に、友人として付き合うことができた。その際、嫉妬や欲望のかけらも感じなかった。イザベルはスペード・ハウスに時々泊まりに来た。そして、その後、イーストン・グリーブに。イザベルはそうした際、彼の原稿をタイプしたり、書類をファイルしたりしてジェインを手伝った。二人が屈《かが》み込んで一緒に仕事をしているのを見ると、彼は嬉しかった。自分たち三人が、過去にあのような感情の嵐を経験したあと、今、一緒にいるのを静かに楽しむことができるのは、自分たちが成熟し、洗練された良識を持つようになったことへの褒美のように思えた。

——あんたが自分の女たちを、もはや性的関係を持たなくなってから、秘書あるいは筆記者として使ったというのは面白い。イザベルや、もちろんジェインだけでなく、二〇年代には『世界史概観』に、三〇年代には『人間の仕事と富と幸福』に寄与したアンバーもいた。そしてあんたは、何年にもわたり、ドロシー・リチャードソンに金を払って自分の本の校正をしてもらった……

――ほとんどの場合、彼女たちを経済的に援助するための友情の行為だった。

――しかしそれは、ある意味で自分はまだ彼女たちを所有している、彼女たちは、ハーレムの老いた妾のように、自分から年金を貰っていると、あんたに感じさせもした。

――それは滑稽な考えだ！　ジェインはごく最初の頃からわたしの秘書の役をした。彼女はそれを自分の仕事にし、満足感を得ていた。ドロシーは三〇年代に自分の小説の売上げが下がっていた時で、実際に金が必要だった。『自伝の試み』の原稿に編集者のように目を通してもらうのに五十ポンド払った。彼女は大喜びだった。アンバーは自伝の中に自分が出てくるので嬉しがった。イザベルについて言うと、あれやこれや、彼女の一生にわたって経済的に助けた。彼女が再婚してからは、法的には彼女に一ペニーも与える義務はなくなったのだが。彼女はわたしたちの家に泊まった時、感謝の印として、ジェインの手伝いをした。

――それにしても、あんたの人生には一種のパターンがあると思わざるを得ない。あんたはいったん女をものにし、その女と結婚したり、自分の愛人にしたりすると、かなり早く飽きてしまう。その女といつでも寝られるということが、その女を性的にさほど満足の行く存在ではなくしてしまう。そこであんたは、刺激、情熱、解放感を求めてもう一人の、あるいはほかの数人の女を探す。イザベルはあんたと離婚すると、また好ましい女になった。

――わたしは性生活において目新しさと変化を必要とするのを認める、最初の人物だろう。実際、人生のあらゆる面でも。わたしはそれを自伝の中で、「逃亡衝動」と呼んだ。ある一つの場所あるいは関係に落ち着いたと感じるや否や、束縛されたような気詰まりを感じ始め、逃げたいという衝動を覚える。性的なフラストレーションというより、それが、イザベルを捨ててジェインと逃げた基本的理由だ。そして数年後に、美しくなって女盛りを迎えたイザベルを見た時、わたしたちの不満足な性生活は、すべて自分のせいだったということに、はっと気づいた。なぜなら、わたしは当時、経験不足の無神経な恋人だったからだ。そして、償いをし、過去を引っ繰り返したいという、圧倒的な欲望を覚えた。馬鹿げた考えだが、基本的には利己的なものではない。わたしは結婚したからといって、恋人としてジェインに飽きたわけではなかった。わたしたちは最初から性的に不一致で、やがて、わたしたちはその事実に直面しなければならなかった。別居か離婚ができただろうが、ほかのどの面でも互いにぴったり合っていて、一緒にいると非常に幸せだった。そこで二人は、話し合いがついた。わたしたちはずっと結婚生活を続ける、ジェインは愛する妻、子供を可愛がる母親、家庭の有能な主婦、わたしの友人に対する優雅な女主人、わたしの仕事に不可欠なマネージャーであり続け、わたしはほかの女たちと時折、目立たないように浮気をする。フランス人は、それをパッサード、つまり仮初《かりそめ》の恋と呼んでいる。それは、ごく洗練された解決策だった。

——そう、あんたは自伝の中でそう言っている。しかしそれは、それほど型に嵌まったものではなかったのではないかね？　例えば、ジップが生まれたあとで彼女があんたに書いた手紙があった。恋文だ。

——覚えていない。

——いや、覚えている。「愛するあなたの恥知らずの妻」と彼女が署名した手紙だ。あんたはそれを取って置いた。どこにあるか、あんたは知っている。

彼は、ジェインに関する手紙とほかの文書が年代順に仕舞ってあるファイリング・キャビネットのところにいささかしぶしぶ行き、その手紙を難なく見つける。それには日付がないが、「スペード・ハウス」というレターヘッドが入っている。彼は読む。

——「最愛の、最愛の、最愛の、最愛の人——わたしを忘れないで——わたしを見捨てないで。わたしの愛する人、わたしを疑わないで。わたしを少し信じて——あなたをすっかり信じさせるまで——わたしがどんなにあなたを愛しているかを、あなたに見せることができるまで。ああ、でも、わたしはあなたを愛している、そして、あの時が来るのを待ち焦がれている。わたしの最愛の人。愛している、あなたの（恥知らずの）妻」

——それは、浮気な夫と「話し合いがついた」女の書くようなものじゃない。

——そう、わたしたちはまだその段階に行っていなかった。

——その手紙は不感症の女が書くようなものじゃない。「恥知らず」というのはどういう意味だったと思うね？

——わからない。当時、どういうことか考えた。

彼はその手紙を、ジップが生まれてから約三週間後にラムズゲイトの郵便局で受け取った。ジェインの出産所要時間は長くて陣痛は苦しく、難産だった。彼にとっては、その経験はひどく心を乱すものだった。それは、人生において最も精妙な感覚の一つである愛の行為が、いかに自然の盲目的目的を達成したかを示すものだった——血と汗と苦痛の叫びを伴って。彼はもちろん、出産の場にはいなかったが、ジェインの叫び声を書斎で聞いた。そして、寝室に入るのが許されるや否や、彼女の試煉の証拠を見た——洗濯籠の中の、血の染みのついたシーツ、枕の上のジェインの蒼白い、疲れ果てた顔、汗で生気がなく黒っぽくなっている髪。医者は彼におめでとうと言い、看護婦は生まれ立ての嬰児を抱いて彼の鼻先に持って行きながら、満面に笑みを浮かべた。彼は自分の息子を見て、驚異の念と、息子を産んでくれた妻に対する強い愛しさを覚え、彼女の額にうやうやしくキスをした。しかし、ほとんど同時に、その反動が起こった。家の何もかもが新しい住人を中心に回り始めた。嬰児の授乳、排泄、睡眠、泣き声が、無尽蔵の関心と懸念の対象になり、それについての話し合いからは、彼はもっぱら除外されていた。嬰児の毎日の入浴は、嬰児の世話をしている女たちにとって、ほとんど宗教的な恍惚感を伴う儀式だった。間もなく、彼の義母もそれに加わった。彼が執筆と文化的な余暇のための避難所のつもりだった家は、突如、育児室と病院の中間のものになった。「逃亡衝動」が起こってきた。彼は赤ん坊中心の家の息苦しい雰囲気から逃れたいという、抗い難い衝動を感じた——自転車に飛び乗り、できるだけ遠くまで、できるだけ速くペダルを漕ぎたいという衝動を。

ジェインは出産してからわずか数日後に、彼が自転車旅行に出掛けたいと言った時、あまり喜ばなかった。どこへ？　いつ？　どのくらいのあいだ？　と彼女は尋ねた。両親を訪ね、二人が祖父母になったことを告げるが、そのあとはどこに行くか、いつ帰るかよくわからない、と彼は言った。どこかに行かねばならない、たぶん二、三週間、ということしかわからなかったのだ。ジェインはふくれた。彼女は、こんな時に理由もなく自分を置いてどこかに行けるというのは理解できない、母も、召使たちも理解できないだろう、それは自分にとって非常にばつが悪く、屈辱的だと言った。しかし彼は、済まないけれども、行かなくてはならないと言った。そして、まさしく翌朝、出掛けた。彼が、行ってくるからと言いに、彼女がベッドで休んでいる部屋に行くと、彼女は口を利かず、彼がキスをしようとすると顔をそむけたので、耳にキスをすることになった。彼は二、三冊の本と、最小限の衣服と洗面用具を自転車の荷籠に入れ、深い安堵感を覚えながら広い道路を走り出した。ハンプシャー州のリスに住む両親を訪ねたあと（両親はいまや、アップ・パークの近くの家よりましなコテージに住んでいた）、サセックス州とケント州を探検したが、主要道路は避け、気持ちのよい田園の静かな小径を走り、田舎の旅館か海辺の高級下宿に泊まった。彼は頻繁に家に絵葉書を出し、次の目的地をジェインに教えた。そして彼はジェインからの一連の手紙を宿泊地で受け取った。文面の調子は、冷淡なものから温かいものに、すぐに変わった。彼が不意に出掛けたことで生じた悪感情が嵩じ、永劫の仲違いになってしまうのを恐れ、次第に動揺したのは明らかだった。

二人の性関係は、ジェインが妊娠したことでしばらくのあいだ中断していたが、その間《かん》の禁欲は楽だった。というのは、彼は普通、スペード・ハウスでは二人の寝室の隣の化粧室で寝たからだ。彼は進行中の作品の新しい着想が頭に閃き、早く目が覚めることが多かった。すると、ジェインの目を覚まさせずに、電気を点け、ガウンを羽織り、机に向かって執筆することができた。彼は性交をしたい気分になると——日中に自分が読んだものや書いたものによって、あるいは、好ましいがものにはできない女に遭遇したことによって、あるいは、ジェインの一瞥や言葉で、性交という形で自分の愛情をこの前示してから相当な時間が経っていることを自覚させられたことによってそうした気分になるのだが——寝る支度をしている彼女に、こう言うのだった。「今夜、君の部屋に行こうか？」すると彼女はいつも、その月の具合の悪い時でなければ、慎ましくにこりとして頷くのだった。上流階級の夫婦が別々の寝室を持っているというのは、大いに推奨されるべきだと彼は思った。そうすれば、夜更けに自由に仕事ができるばかりではなく、夫婦のベッドでいつも一緒にいることで消えてしまいがちな性行為のロマンスの一種のオーラを維持することもできるからだ。夫婦の性交権の行使は、密会のようなものになった。風呂に入ったばかりで、香水をつけたジェインが、隣室でシーツの下に横たわって自分を待っていると、服を脱ぎながら考えると、彼は興奮して身震いし、必ず勃起した。彼女もそれぞれ別室で寝るのが性分に合っていると思っていること、また、いまや彼女が、二人の寝室を分けているドアから、彼が二度と入ってこないのではないかと怖れていることを彼は感じた。ああ、でも、わたしはあなたを愛している、そして、あの時が来るのを待ち焦がれている。わたしの最愛の人。愛している、あなたの（恥知らずの）妻。彼はラムズゲイトの下宿屋のベッドに坐りながら、その手紙に興奮させられると同時に面食らった。彼女は面と向かってそんな言葉で彼に話したことはなかったからだ。明らかに彼女は、性的関係を続けるのを待ち望んでいると言いたいのだ。しかし、「恥知らず」というのはどういう意味だろう？　これまで、試してみるようにと勧めたが無駄だった、体位のあらゆるヴァリエーションに積極的に協力するというのだろうか？

彼が家に帰ると、二人は感情的には和解したが、ジェインが難産の肉体的影響からすっかり回復し、彼を自分のベッドに再び迎える用意があると仄めかすまでは、しばらく時間があった。彼は愛の営みの際、最初は気遣って優しく穏やかで、万事つつがなかったが、彼がもっと大胆になると、彼女はいつもの通りで、喜ばなかった。「恥知らず」の手紙と、それが約束したすべては、彼が帰宅するや否や雲散霧消してしまった精神的緊迫感のもとに書かれたか、その形容詞は、彼の愛を保つためには彼の前にひれ伏すのも恥じないということを、ただ意味しただけかだった。そういうわけで、二人は微温的な仕来り通りの性交を続けた。そして、ほどなく彼女は再び妊娠した。今では「ジップ」という愛称で呼ばれていた、小さなジョージ・フィリップは弟か妹を持つべきだという点で、二人は意見が一致していたのだ。生まれたのは弟で、やがて二人の少年は非常によい遊び仲間になった。

――そしてその頃、あんたはまたしても自由を求めて逃げ出したんだね？　フランクが生まれる寸前に、グレアム・ウォラスと一緒にスイス・アルプスに一ヵ月の徒歩旅行に出掛けた。

――そう、ジェインの出産の日が近づくにつれ、わたしたち二人とも、彼女がジップの時にいかに苦労したかを思い出し、次第に緊張し、不安になった。わたしは自分が出掛け――いわば、自分の「逃亡衝動」を前もって解放するわけだ――出産に間に合うように帰ってきたほうがよいと考えた。それは非常にうまくいった。休日を大いに楽しみ、新生児を巡っての大騒動に直面できるくらい、元気で上機嫌で家に帰ってきた。

――その間《かん》、触《ふ》れなば落ちん風情の二、三人の客室係のメイドといちゃついた。

――そう。ウォラスはひどくショックを受けた。彼は淫らな行為をしたと言って、わたしを詰《なじ》った。昔のフェビアン主義者の多くの者同様、彼は主義としてはリベラルだが、心底は本質的にピューリタンだった。

――客室係のメイドのことをジェインに話したかね？

――話さなかったと思う。

――で、いつあんたと彼女は、あんたの言う「ごく洗練された解決」に達したのかね？

――いつかを言うのは難しい。わたしはそれを「協定」と呼ぶことがあったが、二人がある日、テーブルに着いて、徹底的に議論して同意に達したわけじゃない。そんな風ではなかった。たぶん、わたしはちょっとした喧嘩をしたあと何か言ったか、もっとありうることだが、わたしが家から出ていた時に手紙を書き――わたしたちは会話でより手紙でのほうが率直なことを言った――君をとても愛していて頼りにしているが、純粋に肉体的解放感を味わうため、時折ほかの女が必要なのだ、そのことについて君を騙すつもりはないが、そのことをしつこく言いたくはない、だから、わたしたちは結婚生活においてそのことを受け入れ、ほかの素晴らしいことを楽しむことはできないだろうか、と言ったかだ。彼女はすぐには賛成しなかったが、その考えを拒否もしなかった。わたしたちは時折、その問題に戻った。ある日の夕方――夏の夕方で、わたしは覚えているが、まだ辺りは明るく、庭に夕日が射していた――わたしたちはスペード・ハウスの客間に静かに坐っていた。わたしは本を読んでいて、彼女は縫い物をしていた。すると彼女は、ちょうどその問題について話し合っていたかのように（実際には、その問題はわたしたちのあいだでは、しばらく口にされていなかったのだが）、突然言った。「あなたが何をしているのか、あなたが付き合っている女が誰かをわたしが知っている限り、わたしは構わない。でも、あなたはわたしに完全に正直でなくちゃ。わたしは騙されていると思うのは嫌。ほかの人が知っていて、わたしに同情したり、陰でわたしを笑ったりすると思うのは嫌」。もちろん、わたしは大喜びで同意した。それはわたしたち二人にとって、大きな救いだった。わたしは彼女の気持ちを思い遣ろうという間違った願望から、仮初の恋《パッサード》だけを隠した。それが転換点だったと思う。そのあと、二人の関係はずっと気楽なものになった。

――あんたがジェインに話した最初の女は誰だね？

――ドロシーだったと思う。しかし、あれは特別なケースだった――彼女はジェインの友達だったから。ドロシー・リチャードソンはジェインの学校時代の親友だった——それはパトニーにあるサウスボロ・ハウスという学校で、その二人の女子卒業生から判断すると優れた学校で、稀なほどリベラルなカリキュラムを組んでいた。二人は学校を出てから互いに連絡していなかったが、ジェインはいったんへザリーに落ち着くと、また連絡を取りたいという衝動に駆られ、ドロシーに手紙を書き、ロンドンのティーショップで会わないかと言った（それは実際、彼とジェインとの関係が事実上始まった場所であるＡＢＣだった）。ジェインはドロシーに会ったあと、二人が再会したことにすっかり感激し、ドロシーのした話に感動し、夕方帰宅して帽子とコートを脱ぐや否や、その話を彼にした。

「可哀想なドロシー！　お父様は数年前、突然零落し、破産宣言をしなければならなかったの——ダディーと同じように。でも、お父様ではなくお母様がひどい鬱病に罹り、世話をしていたドロシーが数分外にいたあいだにパン切りナイフで喉を切ったの。もっと恐ろしいことが想像できる？　でも、彼女はそれを乗り越えたようなの。ともかく、次の日曜日の昼食に招待したわ。あの人に会えば楽しいはずよ。とても頭がいい、と思う。たくさん本を読んでる」

「僕の本も？」と彼は訊いた。

「読んでいないと思うけど、もちろん、あなたのことは聞いてるわ。わたしがあなたと結婚してるってことに、すっかり感心してた」

ドロシーは次の日曜日に約束通り現われた。彼女は大変頭がよかったばかりではなく、少々堅苦しい、人形めいた可愛らしさもそなえていた。時折感じよく微笑むと笑窪《えくぼ》が出来、鹿爪らしい顔がぱっと輝いた。彼女はジェインを「エイミー」と呼んだ。学校ではその名で知られていたのだ。もっとも綽名は、どうやら「生意気《パーキー》さん」らしかったが。彼はそれを知って嬉しそうに笑った。ジェインはそのことをばらしたことでドロシーを叱った——「これからは、この人はわたしを死ぬほどからかうわ」と彼女は言った。「いや、そんなことはしない、パーキー」と彼が言うと、ドロシーは笑窪を作って微笑んだ。彼は、ジェインが新しい家と新しい夫を古い学校友達に自慢している姿と、ドロシーが明らかに家よりは自分にずっと興味があるらしい様子を見て面白がった。ドロシーはジェインに会って以来、彼の著作に目を通したのに違いなく、へつらうことなく、いくつかの知的な言及をした。彼女はいつの日か自分でも「書く」という野心を持っているが、今はハーリー街の歯科医院の受付をして生活費を稼いでいると告白した。

その訪問は成功で、三人ともそれぞれ別の理由で楽しんだ。ドロシーはその後も招待を断ったことがなかった。彼とジェインがサンドゲイトに転居したあと、ドロシーは時には一人で、時には大勢の招待客の一人としてスペード・ハウスに頻繁にやってきて、後者の場合、ほかの訪問客の文学と政治に関するお喋りを、かすかに懐疑的な顔をして聞いていたが、批判的な意見を述べることもあった。彼は、彼女がバーナード・ショー、アーノルド・ベネット、フランク・ハリス、フォーディー・ヘファーのような多弁の有名人の前で萎縮しないことに感心した。そして彼は、その自信が強固な自己本位に根差していることを徐々に悟るようになった。彼女は、自分自身、自分の意識や個性に飽くことを知らぬ興味を持っていて、宇宙のその他もろもろの事柄は、重要性において、そうした至高のものの下だった。

彼女は明らかに彼に魅了されたが、そこには、惹かれると同時に反撥する気持ちがあるようだった。彼女は彼と絶えず議論し、彼が科学と進歩を信じていることを攻撃した。彼女は科学と進歩には個人的で精神的な面が欠けていると見なしていた。彼女自身はなんの首尾一貫したイデオロギーも主義も持っていなかった――彼女はフェビアン協会の集会に時たま出席したが、ベンジャミン・グラードという、アナーキストの亡命ロシア系ユダヤ人の男友達を持っていた。彼女はその友人の意見を時折引用し、しばらくのあいだ、マクタガートという、ケンブリッジの観念論者の形而上学者の主張を引き合いに出して彼を批判した。彼女は彼に長い手紙を書き、自分の考えと読んだものについて率直に詳述した。それに対して彼は短く、しかし即座に返事を書き、彼女の理念をエッセイか短篇小説に発展させるよう勧めた。こうした知的なやりとりの下に、性的な猫と鼠のゲームが進行しているのを二人とも意識していた。彼女はそれを認めるのは気が進まないようだったが。彼は二人切りで一緒にいる時をいつでも利用し、片手を彼女の手に置いたり、腕を彼女の腰に回したりしたが、彼女はそのたびに静かに身を離し、流れを中断させずに会話を続けた。彼は明らかに自分に惹かれている女から、こんな風に抵抗されることに慣れていなかった。それは、相手を誘惑しようという意欲をいっそう駆り立てた。

彼は一九〇五年の早い時期に、絶好の機会が訪れたと感じた。ある日の午後、ジェインは熱を出したジップの看病をするために家に残ったので、二人はフォークストーン・リースを歩いていた。二人は西から海峡を通り抜けてきた突然の吹き降りに見舞われ、海を見晴らしている避難所に雨宿りをした。観光客の来るシーズンではなく、彼ら二人だけしかいなかった。彼は会話の話題を性関係、あるいは、新聞雑誌と教会の識者が「性問題」とよく言っているものに変えた。彼女は、いかにも彼女らしいが、それを自分自身の性問題に変えた。

「わたしは処女なのよ」と彼女は驚くべき率直さで言った。

「本当かい、ドロシー？　君には驚かされる」と彼は言ったが、実際には驚かされてはいなかった。「君が付き合っているあの青年、ベンジャミン——ひょっとしたら君たちは恋人同士じゃないかと思ったよ」

「いいえ、ベンジャミンはわたしと結婚しない限り、わたしと寝ない、そうして、わたしは結婚したくない」

「君は、結婚せずに寝ようと彼に申し出た、そうして彼は拒んだ?」彼女は頷いた。「ベンジャミンは実に変わったアナーキストのようだな」と彼は言った。「その点になれば、君のような娘の申し出を断るとは、どんな信条を持っているにしても、実に変わった青年だ」

「ええ、そうなの」と彼女は言った。「あの人は一年、精神病院に入っていたことがあるの」

「ほう」と彼は言った。「それなら、彼と結婚しないっていうのは、ごく正しい」。彼は片腕を彼女の肩に回し、彼女が肩をすくめてそれを振りほどかなかったので、自信を得た。

「あの人とどうしてもセックスがしたいっていうんじゃないの、まったく逆。わたしたちはセックスなしにとてもうまくやっている。でも、作家になるんなら、経験しなくちゃいけないんじゃないかと思う時がある」。彼女は後ろを振り向いて、真顔で彼を見た「どう思う?」

「そうすべきだと思うね」と彼は言った。

彼は身を乗り出し、彼女の唇にキスをした。彼女は拒みも、顔をそむけようともしなかったが、反応もしなかった。そのキスを、新しい種類の食べ物を提供され、口蓋に残っている味で、それが本当に好きかどうか決めている者のようだった。

「いいえ」と彼女は言った。「できない——あなたとでは。ジェインはわたしの友達」

「ジェインは気にしないだろう。僕らは自由恋愛の信奉者なんだ」と彼は言った。

ドロシーは一瞬考えたが、立ち上がった。「いいえ、いいとは思えない。雨がやんだわ——戻りましょうか?」

しかし数週間後、彼は彼女からリフォーム宛の手紙を受け取った。スイスで素晴らしい休日を過ごして帰ってきたところで、ロンドンでそのうち会えれば嬉しいと書いてあった。彼女が彼のクラブ宛で手紙を書いた理由は一つしかあり得なかった——自分が書いたのがわかる封筒の文字をジェインに見られないようにすること。ドロシーはどうやら決心を変えたようだった。

彼はフランク・ハリスに薦められたソーホーのレストランに彼女を連れて行った。そのレストランには、大食堂を通らずに行ける個室があった。横丁にある目立たないドアの脇のベルを押すと、給仕が先に立って一続きの階段を登り、二人を部屋に案内した。そこには二人用の小さな円テーブルがあり、シャンデリアの下でデカンターとグラスが煌き、赤いビロードのカーテンが窓に引かれ、食後の休息用に、明かりの輪の外の暗がりに長椅子があった……

——ドロシーはその部屋の様子を、彼女の小説『夜明けの左手』に書いた。

——二十五年後に書かれたにしては非常に正確だ。彼女はその晩家に帰るとすぐにメモしたに違いない。

——あんたたち二人は服を脱いだ、そして、あんたは節をつけずにハミングしながら服を畳んだ。彼女はあんたの裸体を見て気に入らなかったと書いている。「彼の体は美しくなかった。彼女は賞讃すべき何も見つけることができなかった……いつもの見慣れた服と共に、彼の本質的な自我の何かが失われたように見えた……」

——そう、それは彼女の顔を見るとわかった。それで、わたしは調子が狂ってしまった、まったくのところ。つまり、わたしはヌードになるとミケランジェロのダヴィデのようだと自惚れたことはないが、少なくとも一物は彼より大きかった。しかし、彼女がわたしを見た時の様子に、実際わたしは狼狽した。彼女はこれから処女を失おうとしている女にしては、ひどく落ち着いているように見えたのだ。彼女はそこに、両手を両脇に下げ、ばつの悪い様子も、恥ずかしい様子も、欲情を覚えている様子も見せずに、真っ裸で立っていた。それはまるで、まさに必要のない時に冷たい灌水浴をしたようなものだった。わたしはそうした状況で、初めてインポテントになるのではないかと怖れた。彼女はそれを察したらしかった。というのも、彼女は態度を和らげ、近寄ってきて両腕をわたしの体に回し、なんとも奇妙なことを言ったからだ。

——「わたしの生まれ立ての赤ちゃん」。それは、あの小説に出てくる。それはどういう意味だろう？　——全然わからない。その小説から判断すると、彼女も知らなかったのははっきりしている。わたしはそれを彼女に向かって繰り返してから言った。「抱き合って、ただ横になっていよう」。わたしたちはそうした。二人は膝掛け毛布を体に掛け、二時間ほど寝て、それから服を着て、彼女の知っているイタリアン・カフェに行き、コーヒーを飲んだ。

そのあと彼は彼女を辻馬車に乗せ、ソヴリン貨（旧一ポンド金貨）を辻馬車代として握らせ、「次の週末にサンドゲイトに来ないか」と言った。彼女は言った、「駄目。姉の家に行くの」、すると彼は、「なら、その次の週末に来たまえ」と言った。彼女は同意した。彼は、その晩の失敗の償いをできる限り早くする必要があるのをわかっていた。彼は最近ジェインとした会話を心に留めていた。あなたは付き合っている女性について包み隠さずに話してほしい、と彼女は言ったのだ。彼はそれをまだ試してみたことはなかったが、ドロシーとコーヒーを飲んでいる時、ドロシーがカフェの主人と喋っているのにほとんど注意を払わず、これがそうするのにいい機会だという考えが浮かんだ。

翌日家で、二人が食後居間に坐り、彼が新聞を読み、ジェインが縫い物をしていた時、彼は言った。「きのう、ロンドンでドロシーに会った。食事を御馳走してやった」

「そうなの？　あの人、どうだった？」

「元気だった。最近、ベルン・オーバラーント（スイス南部の山群）で素敵な休日を過ごした」

「それはいいわ。それが必要だったと思うわ。この前ここに来た時、疲れていたようだったから。まごまごしていると、本当の老嬢みたいになっちゃうわ」

「うん、それが問題なのさ。彼女は処女であるのに飽きている」

ジェインは繕っていた靴下から顔を上げ、彼を見詰めた。「あの人がそう言ったの？」

「彼女のロシアの男友達は意気地無しらしいんだ、奴は求めに応じようとしない。彼女は、僕に愛を営んでもらいたいんだ」

「あなたは、そうしたいの？」

「ああ」と彼は、あっさりと言った。「これまでずっと僕らのあいだには一種の性的誘引があったのを、君は知ってるはずだ」

「もちろん。あの人はあなたに夢中」

「でも、彼女はそれを絶対認めないだろうな。これまでずっと、僕らのあいだには障壁があった。苛々させるもの、フラストレーションの源が――だから僕らはしょっちゅう口論してるんだ。口論は昇華されたセックスなんだ。だから、彼女がここにいると、辺りに一種の緊張感がいつも漂うのさ。僕はそれを取り除きたい」

「なら、そうしたほうがいいわ」とジェインは、靴下の上に頭を屈《かが》めながら言った。

間《ま》があったあと、彼は言った。「次の次の週末、彼女をここに招待したんだ」

「それは構わないわよ」とジェインは静かに言った。「その週末には、わたしたちはなんの予定もないんだから」

「そいつはいい」と彼は言って、新聞の頁をめくった。

そのことについては、その後二人のあいだで口にされることはなかったし、彼はドロシーが約束の土曜日にやってきた際にも、はっきりしたことは彼女に言わなかった。だが三人は、これから何が起こるのかを十分に知っていた。

三人は昼食をとり、紅茶を飲みながら文学について雑談したあと散歩に出掛けたが、みんなまるで夢うつつに動き、機械的に話しているように彼には感じられた。昼食後、いつものように、二人の女は彼のためにピアノの連弾をし、彼は肘掛椅子にゆったりと坐って、自分たちの奇妙な関係について思いを巡らした。三人は互いに貶《けな》し合い、相手を肴にして鋭いちょっとした冗談を言い合うのを楽しんだ。ドロシーは、いつもクッションをふっくらとさせ、カーテンを真っ直ぐにし、花瓶の花を活け直すジェインを、あまりに几帳面な主婦だとからかい、一方ジェインはドロシーを、夢見がちで、非実際的で、歯医者の受付のような先の知れた仕事を黙って引き受けると言って批判した。二人の女は実際には好き合っていないのではないのか、おそらく女学生の時でさえそうだったのではないのかと、彼はいつも感じていた。だが、二人のあいだには共生関係があり、それは好き嫌いより強いもので、二人で一緒にピアノを弾き、彼を楽しませることに集中し協力している光景に要約されている、とも思った。彼は、自分をもてなすよう二人のお気に入りの妻を呼び出した後宮のパシャになったような気がした。そしてしばらく、その夜二人を同時に愉しむという妄想に耽った。その二人ほど、性の饗宴に参加しそうもない者を想像するのは難しいだろうが。

そのあとのことは、静かに、ひっそりと行われた。彼はジェインの部屋で彼女にお休みと言い、重々しくキスをして、自分の寝室に退いて一時間ほど本を読んだ。それから、バスローブだけを羽織り、そっと廊下を通って、客用の寝室のある家の別の端に行った。予期した通り、ドアの鍵は掛かっていなかった。彼は静かに中に入り、ドアを閉めた。「ここは寒い」と彼は言った。「窓を広く開けてるのに違いない」。彼女は何も言わなかったが、ベッドの中で動きながらかすかな音を立てたので、目を覚ましているのがわかった。部屋の中はほとんど真っ暗だったが、彼は電気を点けようともせず、カーテンを開けようともしなかった――今度は、彼女に自分の裸体を見せるつもりはなかった。彼は手探りでベッドのほうに行き、ローブを床に落とした。目が闇に慣れるにつれ、彼女が夜具を持ち上げるのが見えた。彼は彼女の横に入った。彼女も裸で、タオルの上に横になっていた――いささか臨床的だが、思慮深い措置だった。まるで、手術台の上の患者のようだ。彼は、やりに来たことをやったが、それはすぐに完遂した。それは恍惚感を伴うものではなかった。彼はそれを期待していなかった。彼はベッドから出てローブを羽織り、「お休み、可愛い人」と言って、キスをしようと屈《かが》んだ。「わたしは存在していないの」と彼女は、初めて口を開き、そう謎めいたことを言った。「また戻ってきたまえ」と彼は言った。「もっとよくなる。こうした予備行為を重要視してはいけない」

事実、二人はスペード・ハウスで一緒に寝ることは二度となかった。二人はロンドンのパディントン駅のみすぼらしいホテルで二、三回会ったが、ドロシーはいつも、自分が本当に彼と密会したいのかどうか、よくわからなかった。そして彼女は、下宿屋を出て、自分が加入した、ある婦人クラブの会員と一緒に住むため、寝室が一つのフラットに移った。その女はミス・モファットという四十歳の恐るべき独身女だった。それはまるで、彼を自分のベッドには迎え入れられないということを確かにするためかのようだった。彼は彼女に我慢ができなくなり始めた。そのことから生まれた唯一のよいことは、ジェインとの取り決めがいまや、いっそう確かなものになったということだった。

――しかしあんたは、その後、すべての女について彼女に話したわけではない……

――そう、話さなかった。しかし、もしそれが彼女の知っている誰かであれば、あるいは会いそうな誰かであれば話した。それは非常に大きな違いだった。奇妙な話だが、彼女は知ることによって権限を与えられたような気がした。やがて彼女は、パッサードだけではなく、わたしが長期の愛人たちを持っていることも受け入れた。実際、彼女たちに関する助言さえしてくれ、彼女たちに友好的な手紙を書き、贈り物をした。それはひどく異常だ、異常なほど寛容だ、もしくは異常なほど堕落していると思った者もいたけれども、それは、わたしたちが駆け落ちをした際に信じていた原則、つまり自由恋愛に矛盾しなかった。

――すると、それは一種の開かれた結婚だが、あんたの側にだけ開かれていたわけだ。

――ジェインは恋人を持ちたがらなかった。

――それは確かかね？　彼女は、不満足な結婚生活に閉じ込められ、ロマンティックな冒険に憧れる女についての短篇小説を何篇か書いた。あんたはそれを集めて『キャサリン・ウェルズの本』にした。一緒にそれを見てみようじゃないか。

彼は書棚のところに行き、『キャサリン・ウェルズの本。序文、夫H・G・ウェルズ』を取り下ろした。それは彼女が癌で死んだ一年後の一九二八年に出版されたものだ。チャトー&ウィンダスはいい仕事をした。キャサリンの人生のそれぞれの段階の三葉の肖像写真が、本の頁にではなく、個人のアルバムの写真のように台紙に貼られていた。

なんと彼女は美しいことか！

――しかし、なんと彼女はいつも写真では悲しそうなんだろう、スナップ写真でさえ。彼女が微笑んでいる写真を一枚でも持っているかね？

――生前、彼女が微笑んだり笑ったりしたのを覚えている。わたしにはそれで十分だ。

――「塀のある庭にて」という彼女の晩年のこの短篇には、あんたの短篇「塀の扉」の興味深い影響が見られるが、ただ彼女の場合、庭は監獄であって楽園ではない。ヒロインは、退屈な、自分本位の詩人で文人のブレイと結婚している。ブレイは彼女のファーストネームを、あんたがキャサリンをジェインと変えたように、自分の趣味に合うように変える。そして彼は、彼女を性的に満足させない――

――しかしそれは、彼が彼女と「繊細に、うやうやしく」愛を営むからだ――わたしのやり方ではない。

――そう、それは作家が自分たちの自伝的要素を隠す、典型的やり方ではないだろうか？　事実を引っ繰り返すだけ。あまりに荒々しい恋人を、あまりに臆病な恋人にする。ジェインはそのトリックをあんたから学んだ。そしていずれにせよ、それは物語の基本的な主題に影響しない。

つまり、ヒロインは性的に満たされないので、ハンサムな若い写真家が夫の留守に夫の肖像写真を撮りに来ると、彼女はたちどころに彼と恋に落ちる。「わたしの伴侶！　見つけた！　見つけた！」と彼女は考える。そして、今度彼が来た時、自分から働きかけようと決心するが、彼は戻ってこず、彼女は彼を見ることは二度とない。そこで彼女は、その代わり、母親であることに充実感を求める決心をする。最後の行は、こうだ。「しかし、彼女の望んだのは、ブレイの子ではなかった」

——そう、その短篇を読んだ時、疼くような不快感を覚えたのは認める。それは、ごく発行部数の少ない雑誌に載ったのだが、それがわたしの友人たち——および敵——のあいだに回され、くすくす笑われるのが想像できた。「ジェインが復讐しているぜ！」「H・Gは自分がしたのと同じ手で報復されている」。そういう風なことを言われるわけだ。もちろん、わたしは短篇のその面についてジェインには何も言わなかった。彼女はいつものように、原稿の最初の下書きをわたしに見せた。わたしは純粋に文学的なコメントしかしなかった。わたしは、「わたしの伴侶！　見つけた！　見つけた！」に疑問を呈したのを覚えている。ヒロインの言葉らしくない、少しばかりあまりにD・H・ロレンス風だと感じたが、彼女はそれに固執した。

——あんたは自分の小説で、不満足な結婚についてしばしば書いた、そして妻の何人かは様々な面でジェインに似ている。それを考えれば、あんたはその短篇の内容に文句が言えなかったはずだ。

——その通り。彼女もそれについてわたしに文句を言わなかった。わたしが自分たちの生活を小説で自由に使ってよいということは、わたしたちの申し合わせの一部だった。もし現代の生活について書くなら、実際、自分自身の生活を素材にする以外、方法はない。しかしあの短篇とほかのいくつかの短篇を読んで、ジェイン、というよりキャサリンには、ロマンスに対する満たされない憧れがあったのだと考え、かなり悲しくなった、とりわけ彼女が死んでから。だからわたしは、この本を『キャサリン・ウェルズの本』という題にしたのだ。

——キャサリンは満たされぬロマンティックな憧れを持っていた女だった。それはあんたが彼女の名前を「ジェイン」に変えた時に彼女が抑えつけた部分だ。

——それはちょっと偏った言い方だ。彼女には抑圧すべきリビドーがあったとは思わない。わたしはこの短篇集の序文で書いている。「欲望は本書にあるが、それは積極的で攻撃的な欲望ではない。それは美と、心地よい付き合いに対する欲望である。この欲望の奥に、決して見ることのない、確かめられることのない、自分のものにできない恋人がいる。挫折が、この欲望につきまとう」

――しかし、それがもっと積極的で攻撃だったとしたら、どうだろう。それが無期限に挫折させられていなかったとしたら、どうだろう。彼女に恋人が実際にいたとしたら、どうだろう。

――そうだったら、わたしは嫉妬で気が狂ったかもしれない。

――あんたはそれを認めるんだね。

――オセロも、それに比べれば蒼褪める。

――あんたが自由恋愛を信じているにもかかわらず。

――求める理想として、それを信じている。残念ながら、それはいつも、嫉妬によって駄目になる。わたしは著書の多くで、嫉妬はいけないと説いたが、わたし自身は嫉妬から完全に自由になれなかった。時折、嫉妬は完全にわたしを捉えた――例えば、イザベルが再婚した時、そして、ムーラが三四年にゴーリキーに会いにロシアに戻り、そのことについてわたしに嘘をついた時――しかしジェインは、そうした類いのことでわたしを挑発したことはなかった。

――あんたは実に運がよかった。

――そう。

奇妙なことに、ジェインの不貞の証拠を発見するのを怖れたのは、一九二七年十月に彼女が死んだあとの数週間のことだった。また、彼女の死病で、二人がそれまでの多くの歳月ではなかったほど親密になったあとのことだった。彼は、当時一年の多くを過ごすようになったフランスの南部にいたが、その時、ジェインが不治の癌に冒されていると診断されたという電報を、フランクから受け取った。彼女はしばらく体の具合が悪かったが、自分では大したことは思っていなかった。そして、いかにも彼女らしく、彼に迷惑をかけまいと、自分で診査手術の予約をした。彼はすぐさまイーストン・グリーブの家に帰り、その後五ヵ月、ゆっくりと衰えていく彼女と一緒に過ごした。彼は、彼女の気丈さ、忍耐心、自分を憐れまぬ態度を賞讃し、全力を尽くして看病した。彼女はフランクが結婚するのを見るまで生きているのが唯一の望みだったが、残念なことに、フランクの結婚予定日の一日前に死んだ。花嫁は地元の娘だったので、イーストンで結婚することになっていた。二人は内密に結婚し、葬式は一週間後に行われた。彼は大勢の友人を招いた。葬式で彼は醜態を晒した。彼は友人の古典学者T・E・ペイジが頌徳文を読んだ時、号泣した。頌徳文は彼が書いたものだったが、自分ではとても読めないと思ったのだ。「わたしたちは今日、この礼拝堂にと、それは始まった。「われらの最も親愛なる友人、キャサリン・ウェルズに最後の挨拶をするために集《つど》まりました。わたしたちは深い悲しみに包まれて集っています、なぜなら、彼女の死は、彼女の人生の真ん中の季節に訪れたからです。わたしたちの誰もが、これからも永の歳月、彼女の毅然として優しい存在が、わたしたちのあいだにあるのを望むことができたであろう季節に。彼女は癌の犠牲になって死にました。癌はいまだに征服されていない、人間の幸福の敵です。数ヵ月のあいだに彼女の体力は衰えましたが、彼女の勇気も親切さも衰えませんでした。最期まで彼女は、平静さと、彼女を看病した人々に対する優しく、絶えることのない微笑をもって運命に直面しました」

過去数年間、彼女は大英博物館から程遠からぬブルームズベリーに、一種の避難所、自分だけの場所として小さなフラットを借りていた。彼も家族のほかの者も、その中に入ったことがなかった。彼女はそこをそうたびたびは使わず、一度に数時間以上いることも滅多になかった。彼女はそこを使った――イーストンの家かロンドンの二人のフラットで、彼の多作の文学者としての経歴の証拠に囲まれ、彼が執筆するのを助けている時に、自分のものを書くのは難しいと彼女は言った。彼はそれを理解し、フラットを借りるように勧めた。それは、ヴァージニア・ウルフが数年後に本の題で「自分だけの部屋」と呼んだものだ。彼はウルフの著作の中でそれが一番好きだった。彼はそのフラットの賃貸料を払った際、君がそれを愛の巣に使わないことを信じているという、ちょっとした冗談をジェインに言った。彼女はそれに応えてかすかに微笑み、首を横に振った。彼は彼女がそんなことをするとは微塵も疑っていなかった――彼女の葬式から間もなく、彼女の身辺整理をし、持ち物を片付けるという気の重い仕事の一部として、彼は彼女の書き物机の引出しから、ベッドフォード・プレイスの住所のラベルがきちんと貼ってある鍵を取り出し、フラットから彼女の所持品を持ち出すために、そこに行った。

その途中彼は、フラットの中で、ある秘密のロマンティックな人生、彼女がそこで彼には知られずに会っていた恋人の証拠が見つかるのではないかという怖れに不意に襲われた。彼はそんな考えは馬鹿げていると自分に言い聞かせたが、その考えを頭から追い払うことができなかった。おそらく、その疑惑を掻き立てたのは、彼自身の小説家的想像力だったろう――それはまさしく、小説家が考え出すような逆転のようなものだろう。つまり、姦通常習者が、実は自分の従順な小柄な妻に裏切られていた証拠を突きつけられるのだ、彼がもはや彼女を詰《なじ》ることができない時に……あるいはおそらく、ジェインが生きている時に彼女を十分に愛さなかったことで、彼自身の心の疚しさが彼を罰し、そうした不安な思いをさせていたのだろう。理由はなんであれ、彼はジェインのフラットのある建物に着くと、心配で体が震えるほどだった。そして、玄関と、ジェインのフラットのドアに鍵を差し込む際、やや苦労した。

しかし、フラットの中に入るや否や、彼の恐怖は消えた。それは小さな、ほとんど家具のない寝室・居間兼用の貸室で、狭いソファー・ベッドと、窓辺の書き物机と椅子と、安楽椅子と、書棚と、整理簞笥があった。静物と海景の数枚の版画が壁に懸かっていて、ガスストーブの隣の暖炉にはドライフラワーを挿した花瓶があった。何もかもが適切な場所に整然と置かれていた――ベッドはぴったりと合った上掛けの下に隠され、その上のクッションは左右相称に置かれ、筆記具は机の上にきちんと並べられていた。それは、尼僧の独居房同様、貞潔を雄弁に物語っている部屋だった。彼は机の引出しに、彼女の短篇と詩の原稿があるのを見つけた。その大部分は彼女が彼に見せたもので、これまで見ていない原稿には、思いも寄らなかった情事を匂わすものは何もなかった。しかし、総じてそれらの原稿には、自分が疎外されているのがわかっている人生の分野、情熱の分野に対する切ない憧れを間違いなく匂わせていた。それは手書きの頁から立ち昇ってくる仄かな暗示で、部屋の淀んだ空気にかすかに漂っている、彼女のお気に入りの香水の匂いのように、微妙で触知し難いものだった。彼女の机の前の椅子に坐りながら彼は、そうした原稿の一番よいものを集め、彼女の記念になる本にしようと決心した。

――で、あんたとジェインの性的関係はいつ終わったのかね？

――わからない。思い出せない。それは、わたしたちがはっきりと合意したものではなかった。性交と性交の間隔は次第に長くなり、やがて性交は終わった。

――しかし、あんたはそれがいつだったか、大体覚えているに違いない。

——たぶん、一九〇七年か一九〇八年頃。ひょっとしたら一九〇九年。

——あんたがロザマンド・ブランドとアンバー・リーヴズと関係を持った時だ。

——しかし、ジェインはその二人の女に関して嫉妬したり、怒ったり、「二度とわたしの部屋には来ないで」と、わたしに言ったりはしなかった。事実、彼女は実に頼もしかった。わたしは彼女の支えなしには、あの時期を生き延びることはできなかったろう、とりわけ、アンバーとの情事の時は。あれで、わたしは駄目になるところだった。心痛で気が狂いそうだった——それまで二十年間努力してきた一切が水の泡になりそうだった。文筆生活、政治的使命、私生活がすべて同時に。

——そう、それは自業自得だ。

——その通り、自業自得さ。

第三部

1

一九〇二年までには、彼は十年前、さらには五年前でさえ可能だとは夢にも思わなかったような地位を世間で獲得した。建築家が彼の細かい指示に従って建てた立派な家を所有していた。建てる際には数多くの些細な蹉跌や遅れがあったが（建築業はその工事方法においてピラミッド構築以来、ほとんど進歩していないようだった）、出来映えは待った価値があった。それは、持ち主の社会的地位を誇るためよりも、快適で便利な暮らしのために設計された家だった。正面から見ると単純で、ポーチと玄関は慎ましい規模のものだった。その家の窓から見える興味深い主なものは、サンドゲイト・リフトだった。それは水力によって巧妙に動かされるケーブルカーで、フォークストーン・リースの高台へ、または高台から下に乗客を運んだ――工学に関心のある者には魅惑的だが、まったく画趣に富んでいない。その家の美観は南に面した裏側で、白ペンキを塗った粗塗りの壁面が太陽の光を反射し、その暖かさを吸収していた。魅力的なテラスと芝生が二箇所あり、一箇所はバドミントンができるくらい広かった。庭の縁の向こうで土地は急斜面になっていて、樹木のあいだにイギリス海峡が見えた。敷地の西端には、裏側を家のほうに向けた、小さな煉瓦造りの建物があり、その屋根には装飾風のタイルの屋根が付いていた。それは、ヴォイジーが庭師の物置用に作ったものだが、彼は早速自分のものにし、補助的な書斎に変えてしまった。彼は夏の数ヵ月、天気のよい時は夜明けと共に起き、朝食前の数時間、そこに行って執筆した。そして、フールスキャップ判の剝ぎ取り式ノートから時折目を上げて、遥か下のほうで活気づき始めるサンドゲイト本通り、村の後ろに聳えている、朝日に照らされた樹木の茂った丘、セント・メアリー湾に沿ってダイムチャーチまで西に延びている砂利の浜辺に音もなく打ち寄せて砕ける波の景観を楽しんだ。開けてあるドアから流れ込んでくる新鮮で甘美な海の空気を吸いながら、彼は時々、モーニングトン街の寝室を思い出した。ベッドと整理箪笥に挟まれて小さな書き物テーブルのあるその寝室は、ほかのどれも同じ作りの家々の煤だらけの裏側が境の、むさ苦しい裏庭を見渡していた。そして、自分とジェインはそれから、随分遠い所に来たものだと満足感を覚えながら感慨に耽った。

　ロンドンは正確に七十マイルしか離れていず、南東鉄道会社はそれを二時間十五分の旅にすることができたが、週末の客が思いとどまるほど退屈な旅ではなかった。客は大勢来た。ギッシングが来た、ベネットが来た。そして、フェビアン協会が彼に入会してもらおうとし始めると、ビアトリス・ウェッブと夫のシドニーが来た。そして、ショー夫妻と、協会のその他の著名人が来た。彼は首都から来た友人や知人をもてなすのが好きだった。バドミントンをし、文学談義をし、シャレードをした。ジェインはやや気遣いし過ぎだとしても、気の利いた女主人役だった。

　地元に有名な文学者がいなかったわけではない。ヘンリー・ジェイムズは程遠からぬライに住んでいて、二人は、彼とジェインが九八年に初めてその近くに来て以来ずっと友人同士だった。その年、彼は腎臓病の最後の発作を起こしてニュー・ロムニーで臥せっていたのだ。損傷した腎臓は、そこでついに駄目になり、健康な腎臓は一つになったが、それ以来ずっと役目を果たした。ジェイムズとその客のエドマンド・ゴスがラム・ハウス（ヘンリー・ジェイムズの家）から自転車で遥々やってきて、王立文学基金からの財政的援助が必要かどうか、親切に訊ねた。必要ではない、この辺りに落ち着き、小説の印税で家を建てようとすでに計画していると彼が言ったので、二人は喜んだ。

　彼が数年前、短期間ながら『ペル・メル・ガゼット』の劇評家になった当初、大失敗に終わったジェイムズの劇『ガイ・ドンヴィル』を好意的に批評したのは幸運だった。なぜなら、そのおかげで、互いに賞讃し合ったことと、二人の作品の性質は非常に異なり、齢もひどく離れていたため幸いライバル関係になかったことにもとづく友情が芽生えたからである。二人はもっぱら文通によって付き合った。ジェイムズはスペード・ハウスに招待されると、いつも何かの口実を設けて断ったからだ。おそらく、スペード・ハウスを納得のいくように褒めることができないのを怖れたからだろうが（どの寝室にも便所があるという情報が彼の心を乱したようだ）、彼の書簡の過剰なバロック風文体が、それを補っていた。「早くも目くるめくほどに顕著な雅量をもって、君は昨夏、美しく、かつ僕の勇気を挫く本を送ってくれた。その本に対し、それが当然受くべき、君に感謝する時間と言葉の正しい結合を僕は実現することができなかった——そして、この恥じている意識が、いわば僕を痙攣するパルプ状のものに実際に変えてしまったのを完全に知りながら、君は僕の息の根を止めた矢を放った、それを今、僕は苦しくも証明する」――そんな風にしてジェイムズは、『宇宙と時間の話』を受け取る前に『眠れる者が目を覚ます時』を受け取った際に礼状を出さなかったことを大袈裟に詫びた。二人は自分たちの新刊を交換し、それを褒め合う習慣になっていた。年上の作家の過褒には、仄めかされた但し書きが常に付いていたが、それ自体、形を変えた讃辞だった。「僕は読みながら、君に多くのことを再び書く――それは、僕の呪わしい生意気さが著者に贈ることのできる最高の讃辞だ」。ジェイムズは『タイム・マシン』を、遅くなってから読んだあとで手紙を書いたのだ。しかし彼は、英語での芸術形式としての小説の最も傑出した主唱者（最も人気のある主唱者ではないにせよ）と親しい関係にあることを嬉しく思っていた。

イギリスの同じ片隅、サセックス州東部がケント州西部と出合う所に、次第に名声を博しつつあった、二人の別の小説家が住んでいた。彼はすぐにその二人と知り合いになり、二人が好きになった。フォード・マドックス・ヘファーとジョーゼフ・コンラッドである。その二人も友人同士で、時折共作した。二人が一緒のところを見ると、共作は考えられないように思えた――ヘファーは背が高く、金髪で、口ひげを蓄え、外向的なボヘミアン的な態度の男だったが、コンラッドは背が低く、髪は黒っぽく、顎ひげを生やし、怒りっぽかった。彼は密かに、二人にセイウチと大工という綽名をつけていた。ヘファーは出っ歯だったので、セイウチという綽名にしたのだ。「フォーディー」（ヘファーの愛称）は、同時代の英国の文学を現代的なものにする使命を果たすために、ほかの作家と協力する機会を常に求めていた。そして、引退した船長だったポーランド人のコンラッドは、ヨーロッパ大陸独特の真剣さと、冒険の経験という宝物箱をその企てに持ち込んだ。英国の風俗喜劇の微妙な味わいは彼にはわからなかったが。「親愛なるウェルズ、ジェイン・オースティンを巡るこの騒ぎは、一体なんだね？」と彼は眉根を寄せ、身振りをしながら訊いたものだった。「何が彼女の中にあるのかね？　何について書いてるのかね？」

ジェイムズ、ヘファー、コンラッド、彼自身が同じ地域に住んでいたので、新しい文学グループが結成されるように思われた。そして、しばらくのあいだ、『赤い武功章』の才気煥発な若いアメリカ人作家スティーヴン・クレインと、その妻として通っているが実はほかの男と結婚していて、アメリカの西部地方で売春宿を営んでいると噂された美しいコーラが、そのグループに加わった。クレイン夫妻は一八九七年にイギリスに来て、ライの近くのブリードで、今にも崩れそうな大邸宅を借りた。そこで二人は、一八九九年から一九〇〇年にかけて、記憶すべき新年パーティーを開いた。それは、三日にわたる祝宴、酒宴、ゲーム、素人芝居だった。ヘンリー・ジェイムズは招待されたが、思慮深くも断った。客があまりに多かったので、客は男女に分離された共同寝室で寝なければならず、スペード・ハウスとはまったく対照的に手洗は一つしかなく、それは婦人専用だった。そこで早朝、男は互いに気づかぬふりをしながら、わざとぼんやりとした風を装いながら近くの森に行った。そうした不便はあったものの、訪問客の大半は大いに楽しんだ。もっとも、哀れなクレイン自身は結核に罹っていて、見た目にもひどく具合が悪く、半年後にスイスのサナトリウムで死んでしまったが。彼は、勇敢で愉快な人物のクレインがいなくなって、ひどく侘しかった。クレインの悲劇的な早世は自分の早世でも容易にあり得たので、彼はひとしお自分の運のよさを祝った。

一九〇二年には、彼はそんな具合だった。スペード・ハウスの誇り高い持ち主。健康な息子を持つ家長。地元の住民から尊敬されている人物（自治都市の治安判事にならないかと言われたこともあった）、多忙で、様々な社交生活を楽しむ人物、親しい重要な作家と思想家の数が次第に増していく人物、自分自身、作家として、思想家として次第に有名になっていく人物。『予測』は小説のようにどんどん売れ、一月に王立研究所でした講演「未来の発見」は、切符が買えなかった大勢の者のために急遽印刷された。しかし同年、彼は非常に違った種類の本を書いた。それは、出版されると、彼の新しい崇拝者の多くを戸惑わせた。それは、『海の貴婦人』という中篇小説だった。それはウンディーネ伝説のヴァリエーションで、幻想とリアリズムの両立し難い要素を面白おかしく混ぜたものだったが、テーマは真面目なものだった。サンドゲイトの海辺の家に住むバンティング家という中産階級の一家が、ある日、一人の若い女が海で泳いでいるのを目撃する。女はどうやら溺れかけているらしい。女は救助され、毛布に包《くる》まれて海岸に運ばれる。毛布には女の尻尾が隠されている。女は誰彼となく魅了する。とりわけ、自由党の議員としての出世が約束されているチャータリスという青年を。彼は人魚と恋に落ち、フィアンセのアデラインを落胆させる。アデラインはハンフリー・ウォード夫人の小説に傾倒していて、「貧者の境遇」を改善することに身を捧げている。「海の貴婦人」はそれを嘲る。「貧者の境遇とはなんなの？　どん底生活で転げ回り、絶えず彼らを苦しめる結果を絶えず恐れる、なぜなら、一切の事柄が夢であるのを知らないから……そして結局、どのくらい彼女は貧者の境遇を気遣っているというの！　彼女の夢は、感謝と賞讃と祝福に囲まれて、人目に立つように善い事をし、自分の意見を主張し、貧者の一切の事柄を牛耳るということ」。海の貴婦人の謎めいたモットーは、「もっとよい夢がある」だった。チャータリスは欲望と義務のあいだで迷うが、最後には前者に屈し、海の貴婦人に抱かれて波間に沈む。

この作品の着想は、一九〇〇年の夏に、彼がサンドゲイトの海岸で経験したことから生まれた。スペード・ハウスが建てられているあいだ、一家はアーノルド・ハウスという邸宅を借りた。それは一列に並んで建っている家の一つで、裏庭が岸辺まで続き、男女一緒の水浴には非常に便利だった。それは、保守的なサンドゲイトの人々には、やや大胆な行動だと依然として見なされていた。ある晴れた朝、彼は引き潮の浜辺に散歩に行き、庭の門に向かって戻っていると、海のほうから「バーティー叔父さん！」という呼び声が聞こえた。彼が振り向くと、絶世の美人、ボッティチェリの『ヴィーナスの誕生』が現《うつ》し身になったかと思われる女が、浅い白波のあいだを彼のほうに向かって歩いてくるのが見えた。

彼女はE・F・ニズビットの娘だった。ニズビットは『タイムズ』の劇評家だった。彼自身はその頃、『ペル・メル・ガゼット』の劇評家だった。実はニズビットは、『ガイ・ドンヴィル』を酷評した。ヘンリー・ジェイムズはそのことを思い出すと、いまだに心が疼いた。しかし彼は、そう批評した人物を個人的に知っていることをジェイムズに言ったことはなかった。彼とニズビットは劇の初日に頻繁に会い、経験豊富なジャーナリストのニズビットは彼に好感を抱き、劇評のこつをいくつか伝授した。やがて二人は親密になり、ニズビットは、ケント州のガウドハーストにある学校に、庶子の娘がいると彼に打ち明けた。そして、ニズビットは急病に罹ると、自分の死後、その娘の面倒を見てもらえまいかというメッセージを「親愛なるウェルズ」に送った。ニズビットが死んだという知らせが、その直後に届いた。彼はそれに応え、彼女の学費を払い続け、時折休暇にサンドゲイトに招き、自分を「バーティー叔父さん」と呼ぶように言った。彼女は、初めて彼の被後見人になった頃は、ぎごちない、面皰《にきび》だらけの思春期の少女だったが、十七歳になったその年の夏には、人目を惹くような美人になっていた。今、濡れた水着を着、朝日に照らされて彼のほうに大股に歩み寄ってくる姿は、若い女神のように見えた。彼女の水着は学校で支給されるあっさりしたもので、流行のフリルも襞飾りも付いていなかった。それは彼女には小さ過ぎたが、それだけにいっそう露出的だった。それは彼女の首からふくら脛《はぎ》の中頃まで覆っていたが、彼女の完璧な若い肉体のあらゆる輪郭に、第二の皮膚のように張り付いていた——彼女が微笑しながら近づいてきた時に彼は気づいたのだが、盛り上がった乳房の乳首にさえ張り付いていた。彼女は清潔で、健康で、太陽に接吻された若い女の化身に見えた。彼は彼女に対する叶わぬ欲望に襲われた。

「お早う、バーティー叔父さん」と彼女は言って水泳帽を引っ張って脱いだ。すると、長い金髪が肩にぱらりと垂れた。「泳がないんですか?」

「いや、君の四肢から水着を剝がし、甘美な肉体の至る所から塩水を舐め尽くし、それからこの砂の上で、激しい、恍惚感に満ちた愛を営みたい、エーゲ海の島でサテュロスがニンフと愛を営むように」と彼は言いたかったが、実際にはこう言った。「たぶん、あとで。僕は満潮の時に海に入るのが好きなのさ」

彼女は彼が話しながら自分をじっと見ているのを意識するようになったらしく、顔を赤らめ、タオルと浴用ローブはどこかと辺りを見回した。彼女はそれを海岸のずっと上のほうに置いたのだ。「中に入って着替えてきますわ」と彼女は言った。

「そうだね、冷えるといけない」と彼は言った。そして、こう言い添えるのに抗えなかった。「君は美しい娘になった、メイ」

彼女はまた顔を赤らめ、恥ずかしそうに微笑し、「ありがとう」のように響いた何かを呟いた。彼は、彼女が海岸の上のほうに行く際、尻が交互に上がったり下がったりするのを嘆賞しながら眺めていた。やがて彼女は、乾いた砂利の上に置いたタオルとローブを見つけ、それで体を覆った。その時になって初めて彼女は、彼のほうを振り返り、手を振った。彼も手を振った。

メイはある程度の音楽的才能があり、自分が費用を負担するから音楽の教師になる教育を受けたらどうかという彼の提案をありがたく受け入れた。しかし彼女は、やや鈍く、想像力に欠けていて、唯一の魅力は肉体的美しさだった。彼は、彼女を誘惑しようと努めたなら、たぶん成功しただろうが、もちろん、その考えは名誉と常識の点からまったく論外だった。その休暇の残りの日々は、彼は感傷的な叔父のようなやり方で彼女にふざけかかるだけにとどめた。そして、ごく控え目なお世辞を言っても、彼女が恥ずかしそうに、しかし嬉しげに戸惑う姿を見て楽しんだ。しかし、彼女が海からアフロディテのように立ち上がったイメージが脳裡を離れなかった。そして、それがその日の朝、彼の内部に引き起こした憧れをもとに、彼は海の貴婦人と、彼女の宿命的な魅力についての物語を思いついた。

その物語の意味は曖昧で、彼自身、それがなんなのか、よくはわからなかった。海の貴婦人は不死身だが、不死身であることが彼女にとっては重荷だった。彼女は「終末を見据えている」点で人間が羨ましかったが、「あなたたちは持っているわずかな時間を、あまりに下手に使う」と批判した。彼女のセイレーン的魅力は主人公にとって致命的なものになるが、彼女はその作品の中で、一番いい台詞の全部を与えられている。それは、性的な愛の破壊的影響を示している寓話なのか、あるいは、超越的力を祝っている寓話なのか？　彼は実際に知らなかった。それはまるで、自分の人生の新しい局面の入口で躊躇しながら、不意に疑念に襲われたが、それを乗り越え、この空想的な話にすることによって投げ捨てようとしたかのようだった。そうしたのは効果があった。彼はその年の終わりまでにはフェビアン協会に入ることを決意したのだ。そうすることによって、急進的政治という大義にかかり合うことになった。自分はスペード・ハウスに落ち着いて、エドワード朝の文人として快適な人生が送れたでもあろうのを、彼は十分に自覚していた。もしその道を辿るなら、静かな場所で満足の行く仕事をし、その合間に文学者の社交の場や晩餐会で楽しい噂話をし、互いに褒め合う将来が彼を待っていた。そしてやがては勲爵士の称号を授けられ、一ダースほどの名誉学位を貰う――しかし、それでは自分は満足しないのを、彼は知っていた。執筆は続けるだろうが、その面でのスリルはすでに味わった、そして、次から次に本を書いて文壇での地位を維持するだけのためにこれからの一生を送るというのは、魅力がなかった。彼は、それ以上の何か、自分の小説を読まない人々の人生に影響を与えるような何かが達成したかった。それは、政治活動をすることを意味した。彼は世界を自分が生まれた時よりもよい状態にして遺したかった。のちに彼は、海の貴婦人と、彼女を書くきっかけになった、海で変貌したメイ・ニズビットを、その使命達成を台無しにしてしまった、彼の人生におけるほかの若い女たちの先駆者として見ることになる。

その頃の彼らの隣人は、ポパムという人のよい一家だった。彼は、『海の貴婦人』のバンティング一家のモデルに勝手にその一家を使った。ポパム夫人の兄で、時折訪ねてくる人物は、最近出来たロンドン・スクール・オヴ・エコノミックスの講師のグレアム・ウォラスだった。その人物に会って初めて彼は、フェビアン協会に惹き付けられた。二人は多くの考えと抱負を共有していたので、たちまち意気投合した。気質的には二人は大違いだったが。彼は教育を通して「偉大なる社会」を創ろうというウォラスの目的を共有していたが、ウォラスは『予測』の中の新共和国という革新的なヴィジョンに興奮していた。ウォラスは彼よりも年上で、フェビアン協会に入ったのは、それが一八八四年に設立されてから二年後で、それ以来理事の一人だった。もっとも最近、自分の影響力はウェッブ夫妻とバーナード・ショーが牛耳るようになってきてから衰えた、とウォラスは打ち明けたが。「フェビアン協会は目標を見失っていると思う」とウォラスは、サンドゲイトの海岸を散歩しながら言った。「僕らはどの重要問題についても決めかねているようなんだ。ボーア戦争についても意見が割れている。関税改正についても意見が割れている。婦人参政権についても意見が割れている。僕らは果てしなく議論し、何も解決しない。会員数は七百をかなり下回った。それが僕らの限度だ。会員の大多数が中年か老人だ。僕らには新しいアイディアが必要なんだ、ウェルズ、君がそれを僕らにくれる人物かもしれないと思っている理事は、僕一人じゃない。本当のことだが、ショーとウェッブ夫妻は『予測』を強い関心をもって読んでいる。君を二人に紹介したい」

「ショーに会ったことがある」と彼は言った。「向こうが覚えているかどうかはわからないが。ヘンリー・ジェイムズの『ガイ・ドンヴィル』の初日のあと、家に帰る時、一緒になったんだ。僕らは当時、二人とも劇評家だったのさ」

「それなら、ますますいい」とウォラスは言った。「彼が君のことを覚えているのに賭けてもいい」。そして良心的に言い添えた。「僕が賭け事をする人間ならばだが」。ウォラスは大学生の時にキリスト教に対する信仰を失ったが、福音主義で育った影響が、まだ残っていた。

さらに、フェビアン協会の事務局長、エドワード・ピーズが手紙で打診してきて、ウェッブ夫妻に会ったかどうか彼に尋ねた。「彼らはあなたの新共和国のパイオニアです。私たちはウェッブの政治観に立って何年も過ごしてきました。そして、やはり将来のことが考えられる、別の人物を求めています。それゆえに、私は『予測』を歓迎するのです」。ウェッブ夫妻は週末にスペード・ハウスに招かれ、慇懃に互いの考えを評価し合った結果、両者とも満足したようだった。ウェルズ夫妻はウェッブ夫妻のロンドンの家に食事に招かれた。その招待は数回繰り返された。大抵、彼は一人で行ったけれども。彼はウェッブ夫妻を愛することができないのを知っていた。そして、二人を好いている者がいるのだろうか、また、二人は誰かを愛しているのだろうか、二人が互いに微温的に愛し合っている以外、と彼は少々いぶかった。ウェッブ夫妻は、アイルランドの労働組合の歴史を研究しながらダブリンで蜜月を過ごした、とウォラスは彼に言ったが、彼は驚かなかった。二人は一見、不似合いな夫婦だった。彼女は背が高く、すらりとして優美な中産階級の上の出身で、夫は背が低く、ずんぐりしていて、中産階級の下の出身だった。しかし二人は恐るべきチームだった。シドニーは公務員の精神を持っていた。骨の折れる仕事を疲れも知らずにこなす精力と、事実と統計を吸収し互いに関連付ける能力。ビアトリスはもっと知的で直観的だった。しかし二人は一つの声（アクセント）は二人の非常に違った社会的出自を表わしていた）で話した、というより書いた。二人は自分たち両方の名前がないものは何も公刊しないようだった。二人はまた、驚くべき数の影響力のある人物と知り合っていた。そして、自分たちが作ったコ＝エフィシェンツという名のダイニング・クラブに彼らを入れた。彼も招かれてそのクラブに入った。クラブのディナーで、彼は自由党の指導的人物ハーバート・アスキス、労働組合の指導者ジョン・バーンズ、ショー夫妻、レディー・エルコーと一緒に坐った。レディー・エルコーは、保守党の首相バルフォアを中心にした、知的で開けた貴族のサークル、「ソウルズ」の一人だった。彼は彼女と知り合った結果、ある週末、スタンウェイの彼女の家のパーティーに招かれた。その家はコッツウォルズにある十七世紀の魅力的な家だった。

ジェインは彼について行ったが、やや威圧されていた彼女は、その際の社交上の厄介な問題を自信をもって捌く彼の姿に感心した。彼は、到着すると同時に召使たちが自分たちの手荷物を開けるのに驚くことはないのを知っていたし、月曜日の朝、辞去する時にいくら召使たちにチップをやるのかも知っていた。また、ディナーに行くためにいつ自分の部屋に行くべきか、また、食事が供される、正確にどのくらい前に階下の客間に行くべきかを知っていた。「そういうことを知っているのは、子供の頃に、召使の目からすべてを観察してたからさ」と彼は彼女に説明した。それは、彼がアップ・パークで、母が家政婦をしていたあいだに、最初は素行の悪い徒弟として、次は病後を養っていた学校教師として過ごした時を、感謝の念を込めて振り返った多くの理由の一つだった。偶然が彼に、普通であったなら彼のような階級の若者には決して与えられなかっただろう、英国社会の歴史と構造を洞察する機会を与えたのだ。大勢の召使と、へいこらする借地人と村人と、遥か昔に盗むか、徴発するか、囲い込むかし、特権的な少数の者によって受け継がれ、まるで神授の王権によってかの如く所有されてきたカントリー・ハウスは、英国を知るための鍵だった。それは、過去二百年間ほとんど変わらず、社会的、経済的変化によって基盤が弱体化していることに気づかず、永遠に存続するものと思い込んでいる、文化的ではあるが厳密に階層化された社会組織を具現化したものだ。彼は、土地を基盤にした伝統的な貴族と大地主階級が、「寡頭政治」の安定を脅かす新しい工業と商業の影響を受ける過程を検証した小説を構想し始めたが、それを書くのは、しばらくのちのことになった。当座は、土地の利用と、産業革命の恩恵をもっと公正に配分する、緊急の政治的必要を痛感していた。フェビアン協会はその企てを発展させるのに使える、最上の手段に思えた。

彼は一九〇三年二月、グレアム・ウォラスとバーナード・ショーの推薦でフェビアン協会に入った。ショーは、『ガイ・ドンヴィル』の悪名高い初日のあと、二人がウェスト・エンドからキャムデン・タウンまで一緒に歩いたのを非常によく覚えていた。不運な作者は、最後のカーテンが下りたあと舞台に出てお辞儀をしたが、天井桟敷の観客からブーイングされた。「君は、『タイム・マシン』という小説を百ポンドで売ったところだったと、わたしに言ったね」とショーは、ウォラスが、フリート街の外れのクレメンツ・インにあるフェビアン協会の地下のみすぼらしい事務所で二人を改めて紹介すると言った。「あの題が印象的だった——それから原稿料の額も。わたしは一つのものでそんなに稼いだことはなかった——その後の君の活躍を関心をもって、わたしは追った。君は非常によくやった、確かに」。「で、あなたも」と彼は答えた。二人が初めて会った時、ショーは自分の劇を上演してもらおうと苦労していたが、近年では、現代の英国の最も興味深い劇作家として認められていた。また、劇場を満員にする、きわめて面白い劇作家として。「わたしたち二人とも、よくやった」とショーは言った。「しかし、わたしの場合、君より時間がかかった」。二人のあいだには十年の年の差があった。ショーはフェビアン協会の新入りに、父親のような態度をとろうとしているように見えた。それは、ショーが彼よりも一フィート近く背が高いことによって容易になった。「君が仲間になってくれて嬉しい、ウェルズ」と彼は言って、赤毛の顎ひげを生やした顔で優しく見下ろしながら言った。「われわれは組織替えをしなければいけない。会員に新しい血が必要だ。君こそ、若者を惹き付ける男だ」。それはすべて大いに自尊心を擽《くすぐ》るものだったが、ショーが、協会の改革をするのに自分を利用しようとしていると彼は感じた。また、ショーは改革が必要だと思っているが、理事の旧友たちと離反せずには自分では動けないし、あまりに革新的だと思われるどんな提案にもブレーキを掛けるだろうとも、彼は感じた。

彼はショーの操り人形になるつもりはなかったが、フェビアン協会の保守派あるいは、「古老連中」(理事のベテランは、そうよく呼ばれていた)に、協会でした最初のスピーチで不安の種を与えたくなかった。「局地的事業との関連における科学的行政領域の問題」は、その題(シドニー・ウェッブが考えたであろうようなものだが、ウェッブのパロディーのつもりだったのかもしれない)が示唆しているより面白く、現代世界における通信の速度が次第に速まると、地方と国家の境というこれまでの考えは古くなり、やがては必然的に世界政府の樹立に至るであろうという、『予測』の中の持論を発展させたものだった。しかし、それは論議を呼ぶものではなかった。世界政府という考えは、フェビアン会員の心を乱すには、あまりに遠い可能性に過ぎなかったからだ。彼の「処女スピーチ」のあとで彼を祝った新しい友人たちには、協会の二人の忠実な古株、ヒューバート・ブランドとその妻イーディスがいた。

彼とジェインは数ヶ月前、ダイムチャーチでブランド夫妻に紹介された。ダイムチャーチはサンドゲイトから海岸に沿って数マイル離れた所で、そこにブランド夫妻は別荘を持っていた。「君はブランド夫妻に会うべきだ」とウォラスは、二人が知り合ってから間もなく言った。そうすればフェビアン協会に入る気になると思ったのは明らかだった。そして実際、そうなった。彼とジェインが、それほど早く積極的に新しい友人が好きになることは稀だった。

イーディスは『宝探しの子供たち』の著者、児童文学者の「E・ネズビット」だとウォラスが言った瞬間から、彼は二人に会いたくて仕方がなくなった。彼は、詩と、しばしば子供のための短篇を書くE・ネズビットという人物の存在に十年以上前から気づいていたが、そうした作品にはあまり関心が持てなかった。彼は同時代の詩は読まなかったし、本を読んで楽しませてやる子供もまだいなかったし、試しに読んだE・ネズビットの大人向けの小説は二流のように思えた。しかし、一八九八年か九九年に、たまたま取り上げた『ペル・メル・マガジン』の頁をぱらぱらとめくると、『宝探しの子供たち』の最初の挿話の冒頭に注意が惹かれた。

　宝探しについて語りはじめる前に、お話ししなければならないことがあります。というのも、わたし自身いくつか本を読んだことがあり、物語がこんなふうに始まるのは、なんといやかということを知っているからです。「『なんて悲しい！』とヒルデガルドは深い溜め息をつきながら言いました、『あたしたちは先祖伝来のこの家の見納めをしなくてはいけないわ』」——すると、ほかのだれかが何か言います——そして、その家がどこにあるのか、またはヒルデガルドがだれなのか、またはほかの何についても、何頁も何頁も読んでもわかりません。わたしたちの先祖伝来の家は、ルイシャム・ロードにあるのです。

　彼はここを読んだ時、ほほうと思いながら含み笑いをした。それは、彼がその時、『恋《ラヴ》とルイシャム氏』という小説を書いていたからではない。ルイシャムは、純粋に頭韻が理由で、ブロムリーとチャリング・クロスのあいだの鉄道駅から借りた名前だった。彼は読み進めた。

　それは二戸建て住宅で、庭があります、広い庭ではありませんが。わたしたちはバスタブル一家です。お父さんのほかに、わたしたち六人がいます。お母さんは死にました。もしあなた方が、わたしたちがお母さんのことをあまり話さないので、お母さんのことを気にかけていないと思うなら、それは、あなた方が人間をまったく理解していない証拠です。ドーラが一番上です。次にオズワルド——それからディッキー。オズワルドは神学準備校でラテン語の賞をもらいました——そしてディッキーは算数が得意です。アリスとノエルは双子です。二人は十で、ホラス・オクテーヴィアスは、わたしの一番下の弟です。この物語を語るのは、わたしたちの一人です――でも、それがだれかは言いません。最後の最後になって言うかもしれません。物語が進行中、あなた方は当てようとするかもしれませんが、当たらないのは確かです。

それは際立って新鮮で独創的な子供向け小説だと彼は思った。それを子供に読んで聞かせる両親も楽しめるものだ。子供は、若い語り手の真実を語る話言葉の文体を楽しむだろうし、大人は（そしてたぶん、もっと年上の、もっと世慣れた子供も）、文学的パロディーと、「わたしたちの先祖伝来の家は、ルイシャム・ロードにあるのです」という機知に富んだ急落法《ベイソス》を楽しむだろう。この二重効果は、彼が『ペル・メル・マガジン』で断続的に読んだ連載に終始保たれていた。基本的なシチュエーションはこういうものである。父の事業がうまくいかなくなって金が不足すると、子供たちは家運を挽回する手立てを考え出すが、それはお伽噺の本から取ったものなので、絶望的なほどに非現実的だ。そのため、子供たちはトラブルに巻き込まれるが、親切で物分りのいい大人に、期せずして助けられる。子供たちが自分たちの策略が実際にうまくいくと信じているのか、あるいは、母親が死んだ淋しさを埋め合わせるための遊びをしているのか、母親が死んだのでできるようになった遊びをしているのかは、よくわからない。この小説は、この点で賢明にも明言を避けている。この小説から得る喜びは、まさに最後まで現実の枠内にとどめられているが、最後に至って、筋が明らかにあり得ない具合に展開して感傷的なハッピーエンドを迎える。語り手は（オズワルドであるのがわかる）、人を安心させるように言う。「それがディケンズに似ていても、わたしにはどうしようもない。こんな具合に起こったのだから。現実の人生は、本のようなものであることが多い」

この物語が大ヒットしたことに、彼は驚かなかった。それは事実、E・ネズビットの画期的な本で、彼女は続篇の『よい子連盟』と、登場人物の違う、もう一つの物語『五人の子供とそれ』で、その成功を不動のものにした。彼は著者が女だと知って驚いた。「わたしはいつも、〝E・ネズビット〟は男だと思ってましたよ」と彼は、彼女に最初に会った時に言った。「ファーストネームの代わりにイニシャルを使うのは、大抵男ですよ。例えば、わたしのように」。「出版社に作品を送る時、注意を惹こうとしてその手を使った最初の女じゃ、わたしはありませんわ、ウェルズさん」と彼女は答えた。「そうして、わたしが最後じゃないでしょうね。〝E〟はなんのイニシャルだと思いました？」「アーネスト」と彼は即座に答えた。「深刻《アーネスト》な作家に見えなければいいんですけど」と彼女は言った。「いや、いや、正反対」と彼は急いで言った。「最初にわたしに訴えかけたのは、あなたの微妙なユーモアだった」。それにもかかわらず彼は、二人の友情が深まるにつれ、彼女に時折「アーネスト」と呼びかけた。彼女は、愛情を込めてからかったニックネームをつけられる女だった――「マダム」、「公爵夫人」、「伯母さん」がそのうちのいくつかで、それらは彼女のボス的態度によるものだった。

　もし彼が、ある小説の登場人物としてブランド夫妻を創ったとしたなら、二人にその姓を付けなかったのは確かだ（「ブランド」には「おとなしい」の意がある）。イーディスは背が高く、均整がとれていて端整で、豊かな髪は緩く編んで頭の両側に相称にまとめられていた。若い頃はラファエル前派風の本格的な美人だったに違いない。そして母親になってから四十代半ばで中年太りになったけれども、澄ましている時は、ロセッティの描く物思いに耽っている乙女を相変わらず思い起こさせた。彼女は派手な色の、裾が流れるような長いドレスが好きで、数多くの銀の腕輪を嵌めていた。それは、新著が出るたびにブランドから記念に貰ったものだった。彼女は絶え間なく煙草を吸ったが、自分で巻いた紙巻煙草を吸った。彼女は材料の葉を、有名なコルセット製造会社の名が書いてあるボール紙の箱に入れて持ち歩いた。そして煙草を長いシガレットホルダーに差したので、身振りは余計に芝居がかったものになった。時には、彼女は葉巻を吸った。しかし、精力的で運動好きでもあり、バドミントン、水泳、乗馬、三輪車を楽しんだ。自分たちは多くの面で似た者同士だと、彼は感じた。イーディスは彼と同じように多作で、仕事に憑かれていて、一日の早い時間に孤独のうちに集中し、決まった量の文を書いた。そのあとは、仲間と自由に運動したり、楽しいことをしたりした。仲間が多ければ多いほど楽しかった。彼と同じように、彼女も衝動的で、落ち着きがなく、簡単に飽きてしまい、気分が不意に変化した。

　ヒューバート・ブランドも、やはり風変わりで並外れた人物だったが、彼の様々な面を一つにし、首尾一貫した、説明のできる性格にするのは、もっと難しかった。彼は「新生活」という、理想主義的ユートピア協会から離脱し、一八八四年にフェビアン協会を作った小さなグループの一人だった。それ以来、協会の名誉会計係だったが、典型的な協会員ではなかった。彼の考えは、進歩的なものと反動的なものの奇妙な混淆だった。彼は、フェビアン協会は独立した社会党の結成のために働くべきだと信じて、アニー・ベザントが、ブライアント&メイ工場でマッチ製造に携わっていた女工の有名なストライキを組織するのに手を貸した。だが、熱烈な帝国主義者で、婦人参政権に反対した。資本主義が廃止された暁には、女性は投票する必要はないという理由で。彼はローマ・カトリック教徒だと自認し、金曜日に肉を食べるのを几帳面に避けたが、日曜日に教会に行く姿は見かけられなかった。外貌は特異だが、戯画の誇張すれすれだった。例えば、癇癪持ちの退役大佐か、保守党員の財政家の戯画だった。大柄で無骨な男で、髪と眉毛は銀色だったが、かなり厳しいへの字なりの唇の上の口ひげは、染めたらしく、黒っぽかった。彼は片方の眼窩にモノクルを嵌め込み、それを通し、議論で彼に反対した者を威嚇するように睨んだ。喧嘩の相手にはしたくない男だった。というのも、熟達したボクサーで、ウォラスによれば、ロンドンの家にライフル銃を置いてあり、それをリボルバーかのように片手だけを使って摑んでラックから取り下ろして、腕力を誇示することがあったからだ。彼は普段、黒のフロックコートを着、シルクハットをかぶり、実業家のような格好をした。しかし調べてみると、彼はかつて銀行に勤めていたことがあるだけのことだった。実際は、ジャーナリストでエッセイストで、流暢な、気取らない文体を持つ、言及の幅が広い有能な書き手で、マンチェスターの『サンデー・クロニクル』のコラムに何年間にもわたって定期的に寄稿した。イングランド北部では、そのコラムの大勢の信奉者がいた。彼は結婚して以来、様々な文学とジャーナリズムの仕事を妻と一緒にしたが、最近では、イーディスが一家の主な稼ぎ手になった。ヒューバートはその立場の変化を嬉しがらなかっただろう。そして、威張り散らす態度をとることによって、それに対抗した。

彼は心《しん》からはヒューバートが好きになれなかったが、イーディスとの友情のために、夫の欠点を大目に見た。ブランド夫妻は二人とも人生の早い時期に最初の子供を作った。二人には四人の子供がいた。二つの家族が初めて会った時には、それぞれ二十二歳と二十一歳のポールとアイリス、十六歳のロザマンド、三歳のジョンがいた。生きていたなら十七歳の、フェビアンというもう一人の息子がいた。フェビアンはアデノイドを切除したあと、二年前に悲劇的にも死亡した。二人の成人した息子たちは、かなり引っ込み思案だった。ポールは内気で、アイリスはむっつりしていたが、ロザマンドは魅力的で、社交的な少女で、齢の割にはよく発達した体をしていた。ジョンは個性を発揮するには幼過ぎたが、ジップのよい遊び友達になりそうだった。ジョンはアリス・ホートソンという乳母兼家政婦に世話をしてもらっていた。「マウス」という愛称でしばしば呼びかけられていたアイリスは、イーディスの伴侶でもあり助手でもあり、召使というよりは家族の一員で、どこにでも家族と一緒に行った。年齢の差にもかかわらず、ウェルズ夫妻とブランド夫妻には共通点が多かった。どちらの夫婦も、暮らしを安泰にする不労所得もなく、伝統的な上流階級の教育も受けず（ブランド夫妻のどちらも大学に行かなかった）、文筆業でやりあげた。どちらの夫婦も人付き合いがよく社交的で、いくつかの個々の問題では意見を異にしたにもかかわらず、全般的に同じ進歩的な考えを共有していた。だが、ブランド夫妻は華麗な生き方をし、因習をボヘミアン的態度で無視した。それに比べれば自分とジェインは小粒の郊外居住者、ブルジョワだと彼は感じた。彼はブランド夫妻の生活スタイルを羨みはしなかったが――それは、あまりに向こう見ずで騒々しく、彼の趣味には合わなかった――時折、その雰囲気に浸ることは、彼とジェインの人生に好ましい色彩と変化を加えた。

二つの家族が初めて会い、交わった場所であるダイムチャーチは、感じのよい、眠気を誘うような小さな村で、低地にあるため海からの風からは護られていて、素晴らしい砂浜に恵まれていた。ブランド夫妻は何年も前から毎年夏にそこにやってきた。最初のうちは下宿屋に泊まったが、その後、コテージを手に入れた。しかし、ブランド夫妻の暮らしの複雑さを十分に知るには、ロンドンの家での二人の暮らしを知る必要があった。その家は正しくはロンドンにはなかったが――ケント州のエルタムにあり、野畑に囲まれていた――ロンドンは容赦なく忍び寄ってきつつあった――列車によって首都に結びつけられていた。便利なことに、列車は家の近くの駅に停まった。実際、駅名はその家にちなんでつけられた――ウェル・ホール。

イーディスは子供たちを、ルイシャム・ロードにあるバスタブル一家の家のような、一連のテラスハウスや二戸建住宅で育てたが、その後徐々に、もっと大きく、もっと設備の整った家に移ったものの、そのどれも救いようのないほど平凡だった。だがウェル・ホールに、自分の夢の家を見出した。それは作家に、とりわけ児童文学者にふさわしい家だった。その家は十八世紀に赤煉瓦で建てられ、今では厚く蔦で覆われていた――それはたぶん、よいことだったろう。とりわけ美しい家ではなかったからだ。しかし、ユニークで、歴史的興味のある場所に建っていた。「ローパー家のものだったんです。チューダー王朝に建てられてから、そのまま」とイーディスは、初めて屋敷の中を案内した時に彼に言った。「トマス・モアのお気に入りの娘、マーガレットはウィリアム・ローパーと結婚し、父が処刑されたあと、父の首をここに持って帰り、庭に埋めたと言われているんです」

「本当？　どこに？」と彼は熱心に訊いた。

「あら、誰も知りませんの」とイーディスは言った。「なんでそんなに関心がおありなんです？」

「モアの『ユートピア』を読んでいるところなのさ」と彼は言った。「現代のユートピアを書こうと計画してるんだ。古典的例を見てきたんだが、モアが最上なのは間違いない」

「そうして、幽霊が出るんです」とイーディスは言った。

「もちろんさ！」と彼は言った。「こうした場所に幽霊が出なくちゃおかしい。現代の家に配管工事がされていないようなものだ」

「実のところ、ウェル・ホールに現代的な配管工事が施されていたらよいと思いますわ」と彼女は言った。「でも、わたしたち、ここを住める所にするのに、もう大金を使ってしまったんです。ここを買った時、ひどく荒れてたんです」

「で、幽霊は？　トマス・モアが自分の首を捜しているの？」

「いいえ。マーガレットでしょうね。彼女は――幽霊が女なのは確か――隣の部屋でスピネットを、ごく静かに弾くんです――人がどの部屋にいようと、いつも隣の部屋なんです。でも、彼女は全然怖くありません。わたしが仕事に没頭している時、かすかな溜め息が時々聞こえるんです、わたしが何を書いているのか、肩越しに見ているんじゃないかって感じるんですが、振り返ると、誰もいない」

「で、それは満足した溜め息だろうか、または、失望した溜め息だろうか？」

「時には前者、時には後者」

「それはたぶん、その時の君の気分の投影だろうね」

「あなたはそうおっしゃるだろうと思ってましたわ。あなたは幽霊の存在を信じないでしょ？」

「信じない、でも、小説家にとっては幽霊は役に立つと思っている」

ウェル・ホールは三階建てで、裏に、庭を見下ろす、今にも落ちそうなバルコニーが付いていた。庭はテニスやバドミントンができるくらい広く、三辺が濠《ほり》に囲まれていた。その濠で、夏には舟遊びができ、冬の霜の降りる日にはスケートができた。濠の向こうには灌木の茂み、二本の巨大なヒマラヤ杉（そこに梟が止まり、ホーホーと鳴いた）、草がはびこっている果樹園、家の寝室がふさがっている時に客を泊める離れ屋があった。ブランド夫妻はいつも大勢招いたからだ。ディナーに招かれた者はキャノン街から、途中ブラックヒースで乗り換えてやってきた。そして、しばしば帰りの最終列車に乗り損なった。なぜなら、食事が遅く始まったり、食事のあとの余興——ダンス、シャレード、韻探しジェスチャー・ゲーム（相手の言った語と同韻の語を考え出す遊び）、闇の中の悪魔——を楽しんでいて、途中で抜けるわけにいかなくなったりしたからだ。もし週末に招待されたなら、早い列車で来て、主な一行が到着する前に寝室を予約するのが賢明だった。ディナーは玄関の後ろの大広間の長いテーブルで供されたので、玄関にはいつも鍵が掛かっていて、「玄関は裏です」という掲示で客は出迎えられた。日曜日の晩には、決まって政治に関するシンポジウムが開かれ、チェスタトン兄弟やヒレア・ベロックのような話し手が、四十人ほどの人々を前に、ショーやブランドや、もっと若いフェビアン協会の会員と討論したものだった。

時折彼は、こうした一切のもてなしの費用をブランドが心配している兆候に気づいたが、ブームを迎えているイーディスが金を出しているので、彼には反対する術《すべ》がなかった。彼女は気前のいい女主人の役をするのが大好きで、彼女の讃美者の一人か複数の青年を、いつも従えていた。そうした関係がどのくらいプラトニックだったかは、推測と噂話の種になった。彼女は、何年も前、詩人のリチャード・ル・ガリエンと熱烈な情事に耽っていて、ブランドと喧嘩をしたあと、彼と駆け落ちをするところだったと噂された。そして、ウォラスによると、その前にしばらくのあいだ、バーナード・ショーに恋していた。「彼はある程度まで応えたと思う」とウォラスは言った。「なぜなら、ブランドが忠実無比な夫ではないのを知っていたから。でも、彼は深く関わりたくなかった。彼女は彼を追いかけたが。彼女は大英博物館で彼を待ち伏せしたものだった。彼は彼女を自分の下宿に入れまいとして、彼女を連れ、へとへとになるまでロンドン中を歩いた」。フェビアン協会での噂から察すると、ブランドは依然として忠実な夫ではなかった。彼がそうした行動と、性道徳についての彼の公的な発言とを、どうやって一致させたかは、彼の性格の多くの謎の一つだったが。あれやこれやで、それはきわめて型破りの家庭で、しっかりとした中流階級のマミーやダディーの子供たちについてのE・ネズビットの物語の熱心な購買者が、ウェル・ホールにさ迷い込み、その女流作家が自分の開いたパーティーを取り仕切っている様を見たならなんと思うかと、ウェルズはよく考えた。

一九〇四年、イーディスは例によって、クリスマスに売るのにちょうど間に合うように出された『不死鳥と絨毯』で、またもや大ヒットした。それは、幻想的な要素と、現実だとわかる要素とを継ぎ目なく結合させた点で、彼女の作品に新しい面を付け加えた――その結合のさせ方が『海の貴婦人』より巧みなのを、彼は認めざるを得なかった。彼はふざけて「酔っ払いマダム」に宛て、心からの祝いの手紙を書いた。「こういう本を毎年クリスマスに出し続けたまえ、一度も飛ばしてはいけない、そうすれば、今から六年で、君は英国の名物になる。何物もそれを止めることはできない。自尊心のあるすべての家庭は、自動的に君の本を買い、君はいかなる貪欲の夢も超えて金持ちになるだろう。わたしは君の楽々と書く技巧を大いに賞讃して、額を地面に打ちつける」

彼自身、『キップス』という題の、ディケンズ風のコミカルなリアリズムの小説を、いささか苦労して書き上げたところだった。彼は数年間、断続的にそれに取り組んできた。それは実際、もし彼が才能と知能と意志の力に欠けていたなら、自分の人生であったろう人生を描いたものだった。アーサー・キップスは、バーティー・ウェルズ同様、海辺の服地商店の惨めで不幸な徒弟で、自分自身の努力では、貧しい、単調な骨折り仕事の人生から逃げ出す希望はない。彼は思いがけず入ってきた遺産で紳士の生活ができるようになるが、まともな教育も受けていず、生まれつきの才能もないので、紳士の役がまったくできず、いまや交わることになった紳士階級の連中に不当に利用され、辱められる。この小説の執筆の途中で彼は、キップスを社会主義に転向させ、そこに救いを見出させようとしたが、フェビアン協会の政治論議に次第に巻き込まれるにつれ、そうした類いの議論を、今自分が書いている本の温和な喜劇的「著者の声」に融合するのが段々に難しくなった。同じ時期に、彼は『現代のユートピア』も書いていた。それは、自分の政治思想の伝達手段としてはもっとふさわしかったので、アーサー・キップスは召使の女と結婚し、小さな書店を経営することに幸福を見出させることに決めた。彼は著作権代理人ピンカーに原稿を送った際、その小説の最後の部分は「おざなりだ……継ぎはぎの代物だが、大層うまく出来ている」ということを認めた。彼は、最初の三分の二は、そうした形式で書いたほかのものより優れていて、もっと滑稽だという自信があった。そして、読者はいったん本当にのめり込んだなら、多くの欠点は許すだろうとも信じていた。ピンカーもそれに同意した。マクミランは『キップス』の出版を即座に受諾し、一九〇五年秋に刊行することになった。

『現代のユートピア』はそれより早く、同年の春に刊行され、相当の反響を呼び起こした。とりわけ、フェビアン協会員のあいだに。それは、人類は貧困と病気を追放する手段を手近に持っている、もし、そうする意志と知恵さえあれば、と主張している点で『予想』と同じだったが――「あまりに有能な召使である科学は、その大声で議論する下品な主人の後ろに立ち、資源、装置、救済策を差し出しているが、主人はあまりに愚かなのでそれらを使わない」――それが人間の統治組織の革新的変化と結びついた場合に生まれるかもしれない社会についての予測において、遥かに大胆だった。彼の基本的な物語の仕掛けは、われわれの知っている宇宙と平行して、ほかの宇宙が存在するかもしれないという、彼の聞いた理論物理学者の説を応用することだった。一つの宇宙から別の宇宙に移ることが可能で、そこでは、自分がこれまで馴染んでいた世界がよいほうに変化していて、その宇宙同様やはり変貌した自分の分身に会うとしたら。それが、『現代のユートピア』の語り手と、そのかなり愚鈍な連れの植物学者の身に起こることなのだ。二人はスイス・アルプスを歩きながら、イタリアのほうに続いている絶壁を見下ろす。すると、「見よ！　瞬く間に、われわれはあの別世界にいるのだ」。それは、秩序と合理性、美と便利、肉体と精神の平和と健康の世界で、もちろん、世界政府を持っている――それは民主主義的に選ばれたものではなく、プラトンの「国家」の守護者にもとづいた「志願貴族」から作られたものだ。彼はそれをサムライと呼んだ。人間に関する諸事を公益のために管理する、厳格で、献身的で、才能豊かな男女のカーストだ。サムライの下に、それぞれの性格を持つ四つの階級がある。想像力豊かな「詩的階級」、実際的な知力を持つ「運動階級《キネティック》」、なんの特別な才能もない「愚鈍階級」、道徳的感覚に欠けた「野卑階級」。最初の三つは公共の福祉に適切に貢献するためにサムライによって指導されるが、「野卑階級」は犯罪に走る傾向があるので、遠隔の安全な島で住むよう義務づけられ、互いに相手に対して野卑な真似をし合う。ユートピアには刑務所はない。なぜなら、「賢い者も、善良な者も、安い賃金で働く者も、看守にはなろうとしないからである」。

彼は理想的社会を詳述するのを楽しんだ。特に、セックスと結婚に関する規則については。その中に、当時、二人の関係についてジェインと取り決めたことのいくつかが反映していた。彼のユートピアでは、結婚は子供を持ちたいと思う者だけに許されることで、それ以外の性交は、有効な避妊具が無料で手に入るので、国家が関係することではない。結婚した女は母親になると国家から金が支給されるので独立できるが、子供の親を知る必要があるので、夫に貞節であることが求められる。さもないと離婚される。しかし妻帯者は、妻が反対しない限り、ほかの女と自由にセックスをしてよい。この本における普通の小説的興味の中心は、植物学者の性格である。植物学者は現実世界で性的フラストレーションに苦しめられている惨めな男だ。なぜなら、因習的道徳と慣習にあまりにも束縛されていて、自分が愛し、自分を愛する女を、間違って結婚した男から引き離すことができないからだ。そのせいで植物学者はユートピアの魅力に反応せず、自分の分身に会うのを拒否したため、植物学者と語り手は、汚い、気の滅入るようなロンドンに突然帰ることになる。そこでは新聞売りのビラが、ごく最近の危機と残虐行為を報じている。そして、「我が帝国国民に加わった末っ子を抱いた、襤褸をまとい、不潔な母親が飲み屋から出てきて、少々ふらふらしながら立ち、皸《あかぎれ》の切れた赤い手の甲で、口と鼻全体を拭う……」。

『現代のユートピア』は方々で書評され、論じられ、フェビアン協会での彼の立場を強固なものにした。とりわけ、そのヴィジョンの大胆さに熱烈に反応した若い会員のあいだで。彼は「古老連中」からもっと批判されるだろうと思っていた。なぜなら、彼のエリート主義のユートピアは社会主義のオーソドックスなモデルとは、ほとんど似ていなかったからだが、彼らの反応は驚くほどに好意的だった。実のところ、ウェッブ夫妻もブランド夫妻も、現行の民主主義制度の熱心な支持者ではなかったし、無教育な大衆にもっと権力を与えることを、あまりよいこととは思っていなかった。彼らは理想的世界における自分たちをサムライにごく近いものとして見ていた――とりわけ、ウェッブ夫妻は。サムライは無私で、ほかの誰にも責任を負わず、自分たちの優れた知能を実際的に応用することによって、社会に優美と明知《スイートネス・アンド・ライト》（スウィフトの用語で、美と知識が調和した状態）をもたらす。彼のユートピアの性的規範に対してだけ、人は眉を少し上げ、口をつぐんだ。それは、トラブルが間もなく起こる前兆だった。

　その年の六月、彼の母がコテージの階段から落ちたあと、死んだ。彼女は何年かのあいだ次第に耄碌し、息子がどのくらい出世したのかよく理解できなかった。彼女が死ぬちょうど一年前に、スペード・ハウスの日当たりのよいテラスに二人が一緒に坐っているところをジェインが撮った写真がある。それは、二人の関係と、彼女の精神状態を雄弁に語っている。彼は寛いでいて、柔らかいイェーガー社製のウールのスーツを着、脚を組み、片手を膝に置いているが、母の注意を惹こうと斜め前に身を乗り出している。一方、母は裾が足元まで届く、全身を包む黒のドレスを着、黒の帽子をかぶっている。それは、最近亡くなったヴィクトリア女王の寡婦時代の姿だ。母は白い丸顔に当惑と恐怖の色を浮かべて、彼から顔をそむけている。母には、この素晴らしい、贅沢な新しい家が息子のバーティーのものであること、また、彼がそれをまっとうな手段で所有するに至ったことが信じられないようだ。彼女の父親は、自分の財政状態について妻と子供たちを騙し、抵当証書と、その他の無数の借金以外、何も遺さなかった。彼女が、今にも執行吏がやってきて、スペード・ハウスの家具を持ち出し始めると思っているのは明白だった。また、自分の著書からの収入について、付き合っている偉い人々について彼が話したどんなことも、彼女の心配を払拭しなかった。彼が貴族や貴婦人や大臣と対等の立場で会っているという話は、彼女がまだ本が読めた頃に読んだ彼の科学的ロマンス同様、彼女には途方もなく、不可解なことだった。「あら、まあ」と彼女は彼が話したすべてのこと、一切のことに、信じられないという顔でそう呟くのだった。「そんなことがあるなんて」

　彼は母が死んだ時、彼が成功したことが母には理解も本当に評価もできなかったのを悲しんだ。彼の成功は二人のあいだの意志の闘争の結果手にしたもので、その闘争で彼は勝ったのだ。彼は、息子が正しく、自分が間違っていたことを母が認め、そう認めることに喜びを見出せたのなら嬉しかったであろう。そうなれば、二人はついに和解しただろう。だが、そうはならなかった。埋葬のために母が白いレースのショールに包まれて安置されると、彼は大理石のように冷たく固い母の額《くる》にキスをし、柩の蓋がネジで止められる前に数枚の写真を撮った。しかし、そうした写真は、心の慰めになる記念にはならなかった――唇は固く閉じられていて、己の人生に与えられたものに一から十まで失望しているとしか言えないことを物語っていた。母の遺品の中に、彼は一冊の日記を見つけた。それは、母の若い頃にまで遡り、不満が長々と記してあった。とりわけ母の父親に対する不満が。父親が無責任だったせいで、母は召使にならねばならなかった。そして、召使として築き上げた安泰な地位から夫は母を奪い、スラムより一段上でしかない家で主婦として、無給の奴隷の境遇に母を何年も置いた。母の人生の唯一の喜びは娘のフランシス、「ポッシー」だった。フランシスは盲腸炎で九つの時に死んだ。そして母は、三番目で一番下の息子は、その聖者のような子供の代わりに自分に送られたのだと思ったが、その期待はものの見事に裏切られた。彼はその日記を読み進めながら、母の不幸な人生に対する哀れみと、その人生が母を不寛容な、自己中心的な、いやに敬虔な人間にしてしまったことへの失望感を同時に覚えた。

彼は母の死に心を乱されたが、そうした考えをジェインとも、ほかの誰とも分かつ気はしなかった。そして、葬式のあとの数週間、苛立ち、落ち着きがなく、『彗星の日々に』という新しい作品が書き進められなかった。彼は家事のことでジェインと言い争い、息子たちが書斎の窓の前の庭でひどく騒ぐと怒鳴りつけ、小さなフランクを泣かせた。「あなた、どうしたの？」とジェインは訊いた。「ここから出る必要がある」と彼は言った。「どこに行くの？」。「わからない」と彼は言った。「たぶん、リフォームだ。そこの図書室で仕事ができるかもしれない」。彼は三月にその有名なクラブの会員に選ばれたのだ。またしても、もう一つの自慢の種。彼はいくらかの衣類と『彗星の日々に』の原稿を旅行用手提げ鞄に詰め、ロンドンに向かったが、その途中、アーノルド・ベネットやヘンリー・ジェイムズのような、知り合いの会員たちが田舎か外国に行っているであろう七月中旬に、リフォームにとどまるということが魅力的ではなくなった。彼は伴侶が必要だった、思い遣りのある伴侶が。彼はイーディス・ブランドのことを考えた。

彼は事前に電報を打たなかったが、旅行用手提げ鞄一つを持ち、招かれもせずに、知らせもせずにウェル・ホールに着いた。そして、誰が来たのだろうと階下《した》に降りてきたイーディスに「やあ、アーネスト、二、三日泊りにやってきた」と言った。彼女の顔は嬉しさで輝いた。「なんて素敵な驚きだこと！」彼女は彼の手を取り、頰にキスをした。「君は不思議に思ってるだろうが――」と彼は話し始めたが、彼女は手を振って、説明を遮った。「わたしたちはあなたにお会いするのはいつだって嬉しいの、H・G。好きなだけ泊まっていってね」

その晩、一家は彼を楽しませ、寛がせるために、彼の作品の題名にもとづいたシャレードをした。ポールはテーブルの前の椅子に坐って教科書を読んでノートを取り、幼いジョンはキューピッドの服装をし、弓矢で彼を射る真似をした。彼はそれが「恋とルイシャム氏」だとすぐにわかったが、役者たちを楽しませるため、しばらくわからないふりをした。イーディスと家政婦兼乳母のアリス・ホートソンのシャレードは、当てるのに時間がかかったが、とうとう彼は、『予想！』と叫んだ。いまや十八歳で、可愛い顔と豊満な肉体を持った、際立った娘になっていたロザマンドは平泳ぎの真似をして「海の貴婦人」になり、ヒューバート・ブランドが小海老捕りの網を振り回しながら、部屋の中で彼女を追い回した。彼も余興に一枚加わるのに抵抗できず、即興でネズビットの二つの小説の題のシャレードをし、大いに喝采された。彼はこれまで何週間も、これほど楽しんだことはなかった。そして、上機嫌で寝室に向かった。「あした、わたしが午後まで顔を出さなくとも気になさらないでしょうね」とイーディスは、彼にお休みなさいと言った時に言った。「わたしは午前中、仕事をするの」。「僕もさ」と彼は言った。「なら、申し分なし」と彼女は言った。

彼は寝室を二つ貰った。一つは二階にあり、そこで眠るためで、もう一つは三階にあり、そこで執筆するためだった。三階の寝室には、正面の門と、「ザ・ロッジ」という重々しい名前の付いたコテージのほうを向いている窓の前に机があった。しかし、その週は好天で、彼もイーディスも、ほぼ毎日、庭の隅の木陰で執筆した。二人は互いに気が散らぬよう、十分に離れた所を選んだ。彼は脚を伸ばし、執筆中の小説の続きをどうするか考えるために庭をぶらぶら歩くと、彼女が木陰に坐り、フールスキャップ判の剝ぎ取り式ノートの上に屈《かが》み込み、頁に素早くペンを走らせ、書き止め、書いたところを消し、霊感を求めて空を見上げ、それからまた書き始める姿が時折見えた。彼女は時々午後の中頃まで仕事をしてから休息し、紅茶を飲むか、バドミントンをするか、濠《ほり》で平底小舟に乗るかした。彼女は二つの連載物を同時に書いていて、締め切りよりも先に一回分か二回分書いて置こうと苦労していた。『鉄道の子供たち』が一月以来毎月『ロンドン・マガジン』に掲載されていて、本はクリスマスに間に合うように出版されることになっていた。『魔除け物語』は五月以来『ストランド』に掲載されていて、翌年の同じ月に終わることになっていた。それには前の作品と同じような魔術的仕掛けがしてあって、イギリスの子供たちを、現代のロンドンから、遠くの時代と場所に運び、そこで子供たちは危険な冒険をした。

「魔除けは、実際は君のタイム・マシンだ」と彼は、ある日、二人が自分たちの作品について喋っている時に、悪戯っぽく言った。

「お借りしたのは認めるわ、H・G」と彼女は言った。「間もなく、もう一つお借りする。『現代のユートピア』を再読してたの。最初に読んだ時よりずっと気に入った。今、わたしの登場人物が未来に旅をし、学校に行けなくなると泣くの、学校があまりに素敵だから、という章を計画してるの」

「それを早く読みたいものだね」

二人はお茶のあと、庭の一本の栗の木の厚く茂った葉の下で坐っていた。母と同じ道を歩みたいという野心を抱いていたロザマンドは二人の話を熱心に聞いていたが、二人の作家のやりとりに魅了されたのは明らかだった。お茶を済ませたほかの者は家の中に戻っていて、皿に付着したジャムを楽しんでいる雀蜂以外、木製のテーブルのところには、彼ら三人しかいなかった。イーディスはシガレットホルダーで煙草を吸い、煙をほかの二人に吹きかけた。

「『魔除け物語』は大いに楽しんだ」と彼は言った。「特に、歴史的人物を現代のロンドンに持ってくるところは。バビロンの女王が大英博物館から自分の宝石を取り戻そうとするところ……なんとも愉快！　けど、アーネスト、『鉄道の子供たち』は君の傑作になると思う」

「ええ、あたしも賛成！」とロザマンドは言った。「面白いと同時にとっても感動的。いつも次のエピソードが読みたくて仕方がないの」

「それは、しっかりした筋が物語全体に通っているからさ、ロザマンド」と彼は言った。「父はどうなったんだい？　彼は何をしたんだい？　家族のもとに帰るのかい？

僕らは知りたいんだ」。彼はイーディスをちらりと見た。

「わたしが言うとは思わないでね」と彼女は微笑みながら言った。「あなたはどうなの、H・G？　あなたの新しい小説は何についてなの？」

「舞台は未来で、『彗星の日々に』というんだ。エンケ彗星が来年また現われることになっているのを知っていたかい？」

「聞いたこともないわ」とイーディスは言った。ロザマンドも首を横に振った。

「でも、ハレー彗星のことは聞いたね――それも一九一〇年に再び現われるはずだ。今の小説を思いついたのは、そうした彗星のことを考えていた時だ。彗星の光の尾には大量のガスが含まれているんだ、そして、そのガスは、彗星が地球のような別の星の重力場に入ると、尾からガスが奪われるかもしれない。巨大な彗星が地球に次第に近づいてきて、大変な恐怖とパニックを引き起こすと思う――なぜなら、もしその彗星が地球に衝突したら、その影響は甚大で、ひょっとしたら世界の終わりかもしれないから――そして、それはイギリスとドイツのあいだに戦争が勃発した、まさにその時に起こるんだ。また、嫉妬が絡む恋物語もある。結局、彗星は地球に衝突せず、かすめるだけで、世界をガスで包んでしまう。そのガスは不思議な有益な影響を及ぼす。それは人間を深い、深い眠りに陥らせ、人間は生まれ変わって目を覚まし、自分たちはなんと愚かだったか、戦争や嫉妬は必要がないということを悟り、それに従って世界を作り直し始める」

「なら、もう一つのユートピアね」とイーディスは言った。

「そう、しかし、前のものよりもっとわくわくする話だ」

「素晴らしそう！」とロザマンドは言い、目を大きく見開いて彼を見た。

その日、ディナーの前、彼はイーディスと散歩に出掛けた。二人は濠を越え、雑草が蔓延《はびこ》り、ほとんど手入れをしていない土地を逍遙し、古い四阿《あづまや》まで行った。そして、古い小枝細工のソファーに坐った。そこで、きわめて興味深い会話が交わされた。

「なんで君は『現代のユートピア』を最初読んだ時、気に入らなかったんだい？」と彼は訊いた。

「妻帯者は浮気をしてもいいけど、妻は駄目っていう考えが気に入らなかったの」

「君は結婚している女も浮気ができるべきだと思うのかい？」

「いいえ。どっちも浮気をしてはいけないと思う」と彼女は言った。彼はその答えに驚いた。彼女のこれまでの結婚生活について知っていることに合わなかったからだ。しかし、そうはとても言えなかった。彼が黙っているのに気づいた彼女は言った。「誰もがしているのは知っている、という意味。肉体は弱く、心は感じやすい……わたしは言い張るつもりはない、ヒューバートとわたしが完全に……でもそれは、あなたのユートピアでのように、おおやけに認められ、当然と見なされるべきではないと思うの。性交は夫婦のあいだに限られるべきだという、伝統的な原則を、わたしたちは擁護すべきだと思う」

「実際はそうではないのを僕らが知っていてもかい?」

「ええ。もしあなたにロザマンドのような娘がいたら、わたしに賛成すると思う。あの娘《こ》のような若い女は、なんでも知っていて、なんにも怖れない。宗教を信じず、なんでも好きな本を読む、ダーウィン、マルクス、フランスの小説、ハヴェロック・エリス。わたしは別に驚かない、なぜって、わたしたちはあの娘《こ》たちを、完全な知的自由の中で育てたのだから——わたしたちのような自由主義的で進歩的な者は子供たちをそう育てたって意味。それは子供たちを恐ろしいほど傷つきやすくする。わたしはアイリスについては心配してないの、スレイド(美術専門学校)に行っているけど。あそこでは、ありとあらゆることが起こっている。アイリスは分別のある娘《こ》なの。今、公務員のとても素敵な青年に求愛されている……でも、ロザマンドは……」

「しかし、君とヒューバートはローマ・カトリック教徒だろう? それが……」

彼は質問の途中で言いさしたが、彼女は難なく推測した。「わたしたちは比較的最近カトリック教徒として認められたの。ヒューバートが一九〇〇年に、わたしがその二年後に。ロザマンドの躾けに影響を与えるには遅過ぎた。あの娘は恐るべき小さな異教徒、残念ながら」

彼はその返事を聞いて驚いた。というのも、ブランドは、イングランド北部の古いカトリックの一族に属していて、その一族は宗教改革によって富と土地を奪われたという印象を彼に与えたからだ。だが、彼はその食い違いを穿鑿せず、彼にとってもっとわからない事柄について、あえてずばりと訊いてみた。「失礼な質問でないといいんだが、アーネスト、なんで君たち二人は、フェビアン協会が掲げるほとんどすべての原則に頑強に反対する組織に入ったんだい?」

イーディスはやや当惑したように見えた。「ええ、それを知った友人たちはびっくりしたわ、非難した友人もいる。ヒューバートはかなりロマンティックで文学的な立場から、ローマ・カトリック教会につねづね惹かれていたの。でも、フェビアンが死ぬまでは、それについて何もしなかった。あの子が死んだことは知ってるでしょ？」

「うん、実に気の毒な話だ」

「わたしは一度、死産したことがあるの――それさえひどいことよ。しかも、人は幼児の病気を年中怖れている。でも、人生がこれからだという十五歳の息子を失うっていうのは……あの子はとっても可愛らしい少年だった、わたしの愛しい、お気に入りの子……」。彼は、彼女が泣き出したので、うろたえた。

「アーネスト――イーディス――すまない。僕の生意気な質問を忘れてくれ」と彼は言った。「何かほかのことを話そう」

「いいえ、時にはこういうことについて話すのはいいこと」と彼女は言って、袖からハンカチを取り出し、涙を拭った。「あれはとっても愚かで、不必要な死だった、だからひどく耐え難かった。あれは、家で行われた、ほんの小さな手術だった、あんまり小さなものだったので、わたしたちは手術の約束の日のことをすっかり忘れてしまったの。外科医と麻酔士が来た時、フェビアンは庭を掘り返していた。わたしはフェビアンを呼びにやり、風呂に入らせ、手術ができるようパジャマに着替えさせた。お医者さんたちはクロロフォルムの作用が消えるまで、フェビアンを眠らせて帰った。誤解があった。わたしはヒューバートがフェビアンと一緒にいると思い、ヒューバートはわたしがフェビアンと一緒にいると思った。ヒューバートが寝室に入って行くと、哀れなフェビアンは死んでいた――麻酔がまだ効いているうちに、喉を詰まらせて窒息したの。哀れなフェビアンは、独りで死んだ。ヒューバートとわたしがどんな気持ちだったか、わかるでしょ。わたしたちは最愛の息子を失い、すっかり参ってしまった。それはすべて、わたしたちのせいだった」。彼女は再び泣いた。

「そう考えちゃいけない、イーディス」と彼は言って、慰めようと腕を彼女の肩に回した。「ただ、ひどく運が悪かっただけさ」

「わかってるわ」と彼女は言って、鼻を啜り、洟をかんだ。「そう言って下さって嬉しいわ。でも、わたしたちはそう感じたの。ヒューバートはとても気にした。あの人は赦しが欲しかったのでカトリック教徒になることにしたのだと思う――カトリックでは告解があるの、イングランド教会の粗末なイミテーションではなく、本物の告解。カトリック教徒になったなら、自分の全人生の罪を告白しなくてはならないの。そうすれば赦される。それは効果があったようだわ。あの人は自分を赦すことができた。昔の精力と元気を取り戻した。そこでわたしも、あの人のようにカトリック教徒になろうと決心したの」

「で、それは君にも効果があったのかい？」と彼は言った。

「ある程度まで」と彼女は言った。「でも、ヒューバートの場合ほどじゃない。実を言うと、わたしたちは二人とも、本当によいカトリック教徒じゃない。わたしたちはミサにはあまり行かない——滅多に行かない、実は。でもカトリック教会に属しているのは心の慰めになるの。生と死の大きな危機に見舞われた時、必要ならば教会があるってわかってるのは素敵。率直に言って、フェビアン協会はそういう時、あまり助けにならない」。彼女は悲しげに微笑して彼を見た。「H・G、辛抱してこの話を聞いてくれて嬉しいわ。ところで、あなたの目は素晴らしい」

二人は彼の腕がまだ彼女の肩に回されていて、顔がくっつきそうになっているのを、同時に意識した。会話をキスで終わらせるのが自然に思われた。そして、そのキスは、貞潔で礼儀正しいものではまったくなかった。唇にぴったり押しつけたキスで、しばらく続いた。その間《かん》、彼はもう一方の腕を彼女の腰に回した。キスが終わると、イーディスは頭を彼の肩にもたせかけた。そして二人はしばらく黙っていたが、彼は次にどうすべきか考えた、そして、彼女もそのことを考えていると思った。するとイーディスは溜め息をつき、坐り直し、自分を支えている彼の腕から身を振りほどいた。「家に戻らなくちゃいけないでしょうね」と彼女は言った。

もし自分が最初に行動したなら、もっとキスが楽しめたことに、彼はかなりの自信があった。そして、次にどんなことが起こったろうか？「肉体は弱く、心は感じやすい……」。イーディスは情熱的な女で、ブランドは都合のよいことに、ジャーナリズムに関する仕事でイングランド北部に行って留守だった。しかし、振り返ってみると、彼女と仮初《パッサード》の恋をする機会を捉えなかったことに安堵した。その理由は騎士的なものではなかった。彼女は背が彼よりも数インチ高く、彼が彼女を少しのあいだ抱き締めた時、ゆったり垂れたローブの下の体は相当に大きいのがわかった。裸で彼女とベッドの上で愛の営みをしている姿を想像すると、やや可笑しかった。したがって、四阿の中で取り返しのつかないことが言われたり、なされたりしなかったのは、よいことだった。彼は罪のない友人関係を続けることができた。それは二人の先程の会話によっていっそう親密なものになったが、感情的な縺《もつ》れはなかった。彼はブランドが北部の旅から帰ってきた時、なんの後ろめたさも感じずに、ブランドの顔をまともに見ることができた。

ブランドは上機嫌だった。その理由は、ブランドが戻ってきたので遅くなったディナーのあと、ブランドの提案で二人が「一休み」するために外に出た時に明らかになった。暗かったが、満月だったので、ランプの助けを借りずに小径を歩くことができた。月が樹木の影を芝生の上に濃く落としていた。それは、もし彗星が夜空でそれほど明るかったら、どの事物も、角度の違った二つの影を作るだろうという考えが彼の頭に浮かんだ。彼はそれを忘れずに小説に取り入れようと思った。ブランドは先に立って、濠に囲まれた庭の隅に行った。そこは樹木と灌木で家からは見えなかった。そして、堆肥の山の脇で立ち止まり、ズボンの前ボタンを外した。「僕は戸外で小便をするのが、決まって好きなんだ、その機会がある時は。君は？」とブランドは言った。

「そうね、戸外でする、もっと楽しいことがあるね」と彼は調子を合わせて言った。それは彼のいつものユーモアではなかったが、ブランドのような人間——例えばフランク・ハリスやシドニー・バウケット——と一緒にいると、そんな低いレベルで相手と競り合う自分を軽蔑しながらも彼らに引きずられてしまった。

ブランドはわかっているように笑った。「君の言うのはバドミントンじゃない！」ブランドは両脚を広げ、やや後ろに反り、小便の弧を描いた。それは、月光に照らされてキラキラ光り、葉と、刈った芝をぎゅっと固めた山に、シューッという柔らかい音と共に落ちた。「個人的には、発条《ばね》がしっかりしている、素敵な大きいベッドがいいね」とブランドは言った。「そう言えば……ゆうべ、そんなベッドをうまく活用したんだ、マンチェスターにいる、知り合いの若い婦人のものだがね。三時間で三回、天国に連れてった」。ブランドはほっとして呻くような声を出して長い排尿を終え、ペニスを振り、ズボンの中に仕舞い、ボタンをかけ始めた。「僕の齢の男にしちゃ悪くないだろう、ウェルズ？」

「全然悪くないね、ブランド」と彼は、すでに小便をし終え、ズボンの乱れを直した。

「一晩でやった最高の回数は？」とブランドは、二人が歩き出すと訊いた。

「わからない」と彼は言った。「二桁になったあとは数えられないな」

ブランドは哄笑し、彼の背中を叩いた。「悪党め！　でも、もし野外《アル・フレスコ》でやりたいんなら、暖かい夜にブラックヒースを試すべきさ、グリニッジ・パークの門の近くだ。あらゆる種類の面白いご婦人にそこで会える」

彼はブランドに、新たに信じるようになった宗教とそうした冒険をどうやって両立させるのかと、ぜひとも訊きたくなった。「君の信仰に従えば、それは罪じゃないのかい、ブランド？」

「もちろん、そうさ。それは、ひどく邪悪なことだ」とブランドは言った。「しかし、それを意味のあるものにするのは、それが罪であるのを知っていることさ。君たちのような無信仰の者には、それはくしゃみ以上の意味はない。僕らにとっては、それは自分の不滅の魂を賭けることを意味する。幸い、告解というものが、いつもある」

彼はブランドが冗談を言っているのではないかと思ったが、ブランドは至極真面目のようだった。もしブランドが臨終の告解のために自分の罪を取って置くなら、それを全部言い終えるには危険なほど長い時間がかかるだろうと思わざるを得なかった。しかし、それはなんとか言わずにおいた。

彼はウェル・ホールに一週間滞在し、『彗星の日々に』が大いに捗った。二十世紀末に、年老いた語り手のウィリー・レッドフォードは、彗星によってもたらされた大「変化」の前の自分の生活を思い起こす。ウィリーは青年時代の彼によく似ている登場人物で、知的だが、自分の卑しい生い立ちゆえの不利と、性的なフラストレーションによって野心に足枷が嵌められている。彼は初めの三章の舞台をイングランドの製陶地帯にした。アーノルド・ベネットの領域を侵したと非難される危険を冒して。なぜなら彼はその場所を、自分自身の人生の最低の時期の一つに結び付けていたからだ。しかしウィリーの家は、ブロムリーのアトラス・ハウスを忠実にモデルにしている。

　旧世界での皿洗い場は、我が家のような場合、暗い居間兼台所の裏の、湿った、嫌な臭いのする地下に主にあった。そこは、黒い不潔な、ぽっかりと明いた穴である地下石炭貯蔵庫が口を開けていて、でこぼこの煉瓦の床に、踏むとバリバリ言う小さな粒を撒き散らしているので、我が家の場合、普通以上に汚くなっていた。そこは「洗い場」で、食事のあとごとにする食器洗いで手が湿り脂っぽくなり、その空気の含んでいるものは、絶えず冷えてゆく湯気、そして、茹でたキャベツの記憶、深鍋や薬缶が一分ほど置かれた薄黒い染み、逃がし管の濾し器に挟まっているジャガイモの皮の切れ端、「布きん」と呼ばれる、まったく形容し難いほどおぞましい襤褸、皿洗い場という言葉を聞くと、それらがわたしの記憶に蘇ってくる。

このような不潔な環境で、骨折り仕事と克己の人生を送った母のことを思い出しながら、彼は母の死によって掻き立てられた複雑な感情を克服し、それを、社会の犠牲になった女の哀切な肖像にした。「彼女は当時の非常に多くの女同様、社会通念の容赦のない残酷さに怯え、屈服した。既存の社会秩序は、彼女を卑屈な遵守《じゅんしゅ》の崇拝者にした。それは彼女の腰を曲げ、老けさせ、視力を奪い、そのため五十五で、私の顔を安物の眼鏡を通して見たが、ぼんやりとしか見えなかった。そのことは彼女をすっかり不安にした……」。彼は、ウィリーが嫉妬に狂って、かつての恋人ネティーを追う姿と、彼女の新しい恋人、上流階級のヴェロールという人物を書く際、イザベルが離婚したあと、彼女が再婚した時の自分の感情を検証した。いつものことだが、こうした事柄をフィクションとして自由に変更し、誇張し、自分の経験を後知恵で解釈するのはカタルシスになった。

彼は最後の日、昼食前に庭を散歩しているとロザマンドに出会った。そして、それが偶然ではないような気が強くした。彼がパーゴラ（蔓植物を這わせた棚を屋根にした四阿）の陰になったところを歩いていると、向こう端から彼女が現われ、にこにこしながら近づいてきた。牧歌的な田園風景から抜け出してきた可憐な田舎娘のようだった。素足でサンダルを履き、麦藁帽子をかぶり、ゆったりとした青いモスリンの服を着ていたが、襟ぐりが見事な胸を引き立てていた。

「今日のお仕事は終わりですの、ウェルズさん？」と彼女は訊いた。

「ああ、一つの章の終わりまで書いたんだ。まだ次の章を書き始める用意は出来ていない。あす家に帰るまで、そのままにしておくつもりさ」

「お発ちになるって聞いたところ。なんて残念でしょ、あなたがここにいらして素敵だったわ。あなたは家族の一員になった」

「僕にとっても素敵だったさ」と彼は言った。「でも、僕にも家族がいる――だから帰らなくちゃいけないわけさ。坐ろうか……?」彼はベンチを指差した。二人は坐った。

「ウェル・ホールは作家にとって完璧な避難所だ」と彼は言った。

「そう、あなたにとってはそうかもしれない……」と彼女は、やや唇と顎を、むっとしたような形にした。母同様、彼女もロセッティの美女を思わせるような官能的な肉付きのよい顎をしていた。髪型は違っていたが。彼女の髪は短く、ブロンドで、柔らかくウェーブしていた。

「君自身、文学的野心を持ってるんだね、ロザマンド」

「ええ。実は二冊ほど、子供の本を出したんです」

「本当かね? 知らなかった。おめでとう」

「あら、どうってことないんです――自慢するようなものじゃないんです。小さな子供のための小さな本。一つは『猫のお話』で、もう一つは『モーモーのお話』。ただのやっつけ仕事、本当のところ――イーディスが世話をしてくれたんです。お小遣いにはなるけど、それだけ。もっと年上向けで、もっと独創的なものが書きたいんだけど、イーディスとヒューバートのような二人の有名で成功した作家の両親が肩越しに見ていると、それは難しい。そうして、あたしが一人でどこかに行きたいと言うと、二人は大騒ぎ。いくらか経験を積まなければ、どうして作家に成れるというのかしら?」

「やがて経験を積むさ。君の人生はこれからだ」と彼は優しく言った。「ところで、君の家庭は、君にたくさんアイディアをくれるはずだ」

「どういう意味?」一瞬彼は、彼女の茶色の目の中に、ほとんど恐怖に近い驚きの色を見た。

「実にロマンティックな場所だ。歴史が深く染み込んでいる。例えばトマス・モアの首が敷地のどこかに埋まっている、どこかは誰も知らないが。それは物語のいい材料だ。イーディスがそれを書いてないんで驚いてるのさ」

「ああ、あれね……」

「君が書いたらどうなんだい?」

彼女は生意気な微笑を浮かべて彼を見た。「もし書いたら読んで意見を聞かせて下さる?」

「もちろん」

「なら、書くわ!」と彼女は言って、手を叩いた。「ありがとう。トマス・モアについて読んで調べなくちゃ」

「『ユートピア』は必ず読むように」と彼は言った。

「ちょっと退屈じゃないかしら?」

「全然退屈じゃない。結婚に関する章は、とりわけ興味深い」

「なぜ?」

「読めばわかるさ」

「読みます」と彼女は言った。

一つの声が、たぶんアリスの声が、「ロ＝ザ＝マンド」と呼ぶのが家のほうから聞こえた。

「うるさいわねえ」とロザマンドは言った。「お昼の手伝いをしてもらいたいんでしょ。失礼します」

「いいとも」と彼は言い、トンネルめいたパーゴラを彼女が歩いて行くのを見ていた。その端に着くと、彼女は振り返って手を振った。それは彼に、何かを、誰かを思い出させた。

彼は上機嫌でスペード・ハウスに戻り、早速イーディスに宛て、「ルーファー」を書いた。それは、理由ははっきりしないが、ブランド家で使われていた、人の家に泊めてもらった際の礼状を意味する隠語だった。その手紙はこう始まっていた。「親愛なるレディー、これはルーファーさ! 事は筆舌に尽くせない! 僕の思うに、黄色い、世を拗ねた、完全に呪われた男が木曜日に家を出、次の木曜日にピンクになって――一部は自分ので、一部は反映されたもの――戻ってくる様を書く仕事を、ジェインが引き受けなければならないと思う」。結びはこういうものだった。「心地よい交際の細い、微妙な糸が、ロッジから階段室に伸び、僕を君の上階と階下の寝室に捉え、君の芝生の樹木の下に、君の庭の小径に連れて行く……それは、輝かしい、貴重な時間だった。草々、H・G・ウェルズ」

その訪問で、ウェルズ夫妻とブランド夫妻の関係が新たに一段と深まった。ブランド夫妻はイーディスの印税で潤い、ダイムチャーチにもっと大きい夏の別荘を買った。それは、オランダ風切妻の付いた赤煉瓦のジョージ王朝の家で、シカモア・ハウスと呼ばれていた。もっともブランド夫妻は、いつもの無頓着さで、前のコテージと区別するために、「別の家」と、いつも言っていたが。彼らは八月と九月に頻繁にそこに住み、二つの家族は何度も互いに訪問し合った。バドミントンがスペード・ハウスで行われ、引き潮の時、フレンチ・クリケットがダイムチャーチの海岸の平らで固い砂の上で行われた。サイクリングがロムニー・マーシュの小径で行われた。また、持ち寄り料理《ポットラック》の昼食会や、陽気なシャレードが行われた。

彼はロザマンドに、二人だけで喋っている際、文学上の助言を与え、彼女が彼の作品を激賞するのを楽しんだ。彼女はトマス・モアの首の話を、彼に進んで見せるようなものには結局できなかったが、『ユートピア』の結婚に関する章は読んだ。「で、結婚を考えているカップルが、約束する前に互いに裸の姿を見ることが許されるというのを、どう思った?」と彼は訊いた。「それは、とってもいい考えだと思いましたわ」と彼女は言った。「あの本にあるように、介添え役中年女性《シャペロン》付きで、ちゃんと行われるなら。あなたはどう思います、ウェルズさん?」「それがわれわれの社会の仕来りだったら、不幸な結婚はずっと減るだろうと思う」と彼は言った。「でも、イギリス人は裸に関してひどくお堅い」。「ええ、あたしはアイリスに、オースティンと婚約する前に、裸のオースティンを見たくないかと訊いたら、いやらしいことは言わないでと言われたわ。自分ではスレイドで年中、裸のモデルを描いているくせに! そう、すっかり裸じゃないけど」。彼女はくすくす笑った。「どうやら男は小さな袋を着けているらしいの」。「モアの『ユートピア』のほかの所は?」と彼は訊いた。「あまり面白くなかった、残念ながら」と彼女は言った。「あなたのもののほうが、ずっと好き。みんなが汚らしいロンドンに戻ってくるっていう結末は、とっても素晴らしい」

「あの娘さんには分別をもって接してね」とジェインは、その日、「別の家」から家に帰る途中で言った。彼女は、彼とロザマンドが庭で熱心に話し込んでいる姿を見たのだ。「心配しないでいい」と彼は言った。「いい娘《こ》だが、僕は恋しちゃいない」。「わたしの心配してるのは、あの娘があなたに恋することよ」とジェインは言った。「わたしたちとブランド夫妻の素敵な関係を壊すようなことになれば、残念だわ」。「心配するな、君の言う通りだ」と彼は言った。そして、彼も同意した。二つの家族のあいだには、それぞれの家族の作家にとって役立つ共益関係があるように思われた。十月にジェインは、彼に蹤《つ》いて初めてウェル・ホールに行った。二人はそこで週末を過ごしたが、万事つつがなかった。イーディスはあとで書いた。「ああ、わたしの親愛なる人たち――ああ、本当に親愛なる人たち! この良き週末のあいだ、効力があなたたち二人から出ていたのに違いありません、というのも、まったく予期せずに、そしてきわめてスリリングな唐突さで、わたしは『鉄道きょうだい』を書き上げたからです、それは、わたしの曲がった、老いた肩に一年近く居座っていたのです!!! 本当にありがとう。これは、ご覧のように、ルーファーです！」

十二月にイーディスは、『鉄道きょうだい』の新刊見本を彼に送った。彼は書斎で一気に読んだ。初めの数章は連載の形ですでに読んだのを思い出して、さっと読み、それからゆっくりと味わいながら読んだ。彼の暫定的な判断は正しかった。それは、まさしくイーディスの傑作だった。それまでの彼女の作品にはそれぞれ長所があるが、それは、そのどれもが持っていない深みと統一性をそなえていて、彼の考えでは、古典になる運命にあった。

三人の子供がロンドンの快適な家から不意に出ざるを得ないことになる。父が理由もなく失踪したので、母と一緒に田舎のコテージで貧困に近い暮らしをしなければならなくなる。近くの線路が、子供たちの主な楽しみだ——通過する列車に手を振り、地元の駅員と親しくなる。物語の四分の三あたりで、一番年上のボビーが父が刑務所にいることを古新聞から知る。間違って入れられたのだと母は彼女に言うが、彼女はそのことを弟妹からは隠しておく。この作者の作品に非常に多くあることだが、子供たちの善行の結果、慈悲深い老紳士が物語に登場し、父の有罪判決に控訴をする手筈を整え、ハッピーエンドになる。しかしそれまで、イーディスは読者の願望、期待、感情をクライマックス向かって非常に巧みに操作する。

ある日のこと、三人の子供はいつものように野原を下って九時十五分の列車に手を振ると、乗客全員も新聞を持って、にこにこしながら自分たちに手を振るので驚く。その日の午前、母のレッスンに身が入らないボビーは、信号手の病気の小さな息子の様子を訊きに駅に向かう。その途中、彼女が出会う誰も彼もが、何か知っているように微笑みかけるが、何も言わない。作者と共謀し、何がこれから起こるのかをボビーに言わないのだ。大胆にも作者は読者に話しかける。「もちろん、あなたは何が起こることになっていたのか、もう正確に知っているでしょう。ボビーはそんなに頭がよくありませんでした。彼女は夢の中で心に浮かんでくる、漠然とした、混乱した期待感を抱いていました。彼女の心が何を期待したのか、わたしは言えません——たぶん、あなたとわたしの知っている、まさにそのことが起ころうとしていたのです——でも、彼女の心は何も期待しませんでした」。このようにして作者は、慣習に縛られた小説の性格を認めると同時に、自分の小説の優れた真実性を主張する。したがって彼女は、感情のクライマックスの発露を精妙に遅らせる。駅のプラットフォームに坐り、十一時五十四分の列車から降りてくる乗客をぼんやりと眺めていたボビーは、不意に見る――

「あら！　あたしのダディー、あたしのダディー！」

その叫び声は、列車に乗っていたみんなの胸にナイフのように突き刺さりました。人々は窓から首を出し、唇をぎゅっと引き結んだ背の高い男と、両手両脚で男にしがみついている小さな女の子を見ました。男の両腕は、女の子の体にしっかりと回されていました。

物語は次の頁で終わる。イーディスは、ヒロインの安堵感や幸福感や、そうした気持ちを家族のほかの者たちがどんな風に共有したかについて記述しようという過ちを犯さなかった。

ボビーは家の中に入りますが、悲しみと苦労と別れはすっかり終わり、父が家に帰ってきたことを「母にごく静かに話す」のにふさわしい言葉を唇が見つけるまで、目には話させないようにしました。

あと数行あるが、涙が頬を流れ落ちたので、読むのが難しかった。

その時、ジェインが書斎に入ってきて、彼を見てびっくりした。「あらまあ、H・G、一体どうしたの？」と彼女は叫んだ。

「なんでもない」と彼は言って、ハンカチで目と頬を拭った。「子供の本を読んでおいおい泣くなんて、馬鹿みたいだ。でも、どうしようもなかった」。彼は『鉄道きょうだい』を掲げた。「あの女は人の心の琴線をハーピストのように掻き鳴る」

ジェインは笑った。「あ、な、た、を子供向けの本で泣かせるなんて、大したことよ」

「最後の章を読むまで待ってくれ――君もきっと同じことになる」と彼は言った。そして、どんな工夫が凝らされていたのかについて、しばらくじっくり考えた。例えば、視点がボビーから列車の乗客に移り、ボビーが叫んで、両腕だけでなく両脚も使って父に抱きつく姿を読むと、彼女は感情的に成熟してはいるものの、まだ子供だと改めて感じる――見事だ！　しかし、それは単に技巧の問題ではなかった。「言ってくれないか」と彼は言った。「僕はこれまで、君を泣かせるようなものを書いただろうか？」

ジェインはしばらく考えた。何年も前まで遡り、彼の長篇小説と短篇の題を思い浮かべながら、焦点の定まらない目をした。「いいえ、書いてないと思うわ」と彼女はやがて言った。そして、彼が浮かぬ顔をしたので、慰めるように言い添えた。「それはあなたの得意じゃないわ、H・G」

2

フェビアン協会に属していることに伴って生じる個人的、社会的事柄のほうが、その公的活動よりも面白く、実りがあった。公的活動はもっぱら、かなり退屈な集会から成っていた。集会では長老の会員が論文を読み、聴衆にはすでによく知られている見解を述べた。そして聴衆は予測できる線に沿って、それについて議論した。協会の役目と戦術を根本的に考え直す意志は、ほとんどないようだった。彼は入会したのは間違いだったのではないかと思い始めた。そしていつもの逃亡衝動に駆られ、一九〇四年の春、目下の関税改正を巡って交わされている議論に、名誉ある逃亡の機会を見出したと思った。保守党のカリスマ的政治家ジョーゼフ・チェンバレンは、保護主義的大英帝国のために運動をして成果を挙げた。フェビアン協会の執行部は実際的な配慮から、その考えを非難しないことに決めたが、彼の友人のグレアム・ウォラスは、忠実な自由主義者として、原則的に反対した。ウォラスがその問題を巡って退会した時、彼はその機を捉え、同じ理由で退会届を出した。しかしショーは、それを撤回するよう彼を手紙で説得した。その手紙は、皮肉と阿諛をうまく混ぜたもので、ショーは彼が関税改正に少しでも関心があるとは信じなかったが、協会は彼を必要としているので辛抱するように促した。そこで彼は幹事のピーズに手紙を書き、退会届を撤回したが、自分は現在の形の協会には失望していて、協会を引っ繰り返すためにだけとどまる、ということを明確にした。

一九〇四年を通し、また一九〇五年の大部分、彼はフェビアン協会の大事な「基本理念《ベイシス》」を再検討するよう、会員の説得に努力を集中した。それは、ウォラス、ショー、ブランドその他の協会の創設者によって起草されたマニフェストで、「古老連中」にとっては、十戒がイスラエル人にとって持っている地位と同じ地位を獲得していた。その文書の長所は短いことだった。同じ事を数回違った言い方で言っているにもかかわらず、たった一枚の紙に印刷できた。「フェビアン協会は社会主義者から成る」というのが書き出しだった。「したがって当会は、個人あるいは階級所有から土地と産業資本を解放することによって、また、それらを全体的な利益のために社会に帰属させることによって、社会を再編成することを目指す」。次の二つのパラグラフは、同じ目的を、ほんのわずかなことを加えるだけで繰り返し、自信をもって、こう予言していた。「現在、他人の労働の上に暮らしている怠惰な階級は必然的に消滅し、機会の実際的平等が、経済的諸力の自発的活動によって維持されるであろう……」。そして、こう結んでいた。「それは、経済的、倫理的、政治的側面における個人と社会の関係に関する知識を広く普及させることによって、これらの目的を達成することを目指している」

この文書の主たる特徴は、その抱負を実際に実現する手段について曖昧だということだった。それは、自分は進歩的だと考えている多くの中産階級の知識人に、自分たちの私有財産を国家に引き渡さねばならないという、実際のそれを抱かずに署名させるという意味で利点だったが、難点は、講演をし、パンフレットを発行する以外のどんな活動も無期限に延期したということだった。そして、狭義の経済的観点から社会主義を定義した結果、緊急に必要とされている社会的、文化的改革に対する言及が省かれていた——例えば、女性の従属的立場に終止符を打つこと。彼はこの問題に関して急進的考えを持っていたので、フェビアン協会の指導的女性会員の一人、モード・リーヴズの友誼と支持を得た。彼女は、ニュージーランドのロンドン駐在の自治領代表、ウィリアム・ペンバー・リーヴズの妻だった。リーヴズ夫妻は九〇年代末に英国に来たが、進歩的だというよい評判があった——夫はニュージーランドの自由党政府の元大臣で、『オーストラリアとニュージーランドにおける国家の実験』という学術書の著者だった。妻は生国で婦人参政権の運動をし、成功した。ニュージーランドは女性に選挙権を与えた世界で最初の国になった。二人はフェビアン協会の仲間に早速歓迎された。二人はすでにその何人かと繋がりがあった。リーヴズは外交官という立場上、協会の活動で積極的な役割は果たせなかったが、モードにはそうした制約がなかった。

彼女は快活で、優雅で、知的な女性だった。彼は、イーディス・ネズビットとの関係にはいつも潜んでいた、相互に性的に惹かれ合うおそれの微塵もない友情を深めた。たぶんそのためか、彼女はセックスと結婚の一般的問題に関して彼と話す際、驚くほどあけっぴろげだった。一度、こうした問題における男の保守的傾向に関して話した際、「ウィルは避妊を全然考えず、それについて話し合うことさえ拒否する」と、さりげなく言った。彼はその言葉やほかの言葉から、二人の性生活は、イギリスに来る寸前の三番目の子供（息子）の誕生と共に終わり、それは彼女にとって悲しいことではなかったろうと推測した。確かにペンバー・リーヴズは、女の鼓動を欲望で速めるような男には見えなかった。長い、ブラッドハウンドに似た物悲しい顔をし、齢より老けて見え、気難しく、態度が堅苦しく、自分の地位を非常に意識していた。肩書きが高等弁務官に昇格してからは、なおさらだった。彼はニュージーランドで政府の同僚と仲違いし、解任され、英国における外交官のポストを代償として与えられたが、彼はそれを実際以上に重要なポストに見せようとした。リーヴズは婦人参政権という大義を支持していたにもかかわらず、家庭では家長として専制的に支配した――あるいは、そう想像した。実際には、モードと二人の十代の娘は、彼の許可を得ずに好きなことをして、かなり制約のない暮らしをしていた。例えば二人の若い娘は、シャペロンなしにロンドンを歩き回った。彼女たちは、彼が勘が鈍く、公務に専念しているので見つかるまいと思っていたが、その通りだった。

リーヴズは個人的魅力を欠いていたものの、二つの家族は非常にうまが合い、モードはジェインとの友情を深めるのに殊のほか熱心だった。ジェインはフランクが乳離れするや否やフェビアン協会に入った。両家は互いに訪問し合い、リーヴズ一家は一九〇四年の夏、サンドゲイトで丸一週間過ごした。ウェルズ一家の近くにいようと、その村に家を借りたのだ。彼はリーヴズの二人の娘と話すのが好きだった。とりわけ、姉のアンバーと。彼女はちょうど十七で、非常に可愛らしかっただけでなく、非常に知的でもあった。彼女は学校を出た時、ケンブリッジ大学に入りたかったのだが、父はそれをやめさせようとし、その代わりに宮廷に伺候し、ロンドンで社交界にデビューしてはどうかと勧めたが、それは、父の本質的に保守的な性格をよく現わしていた。「まるで、わたしがデビュタントになりたがっているみたい！」アンバーは、ある日、彼が彼女と妹のベリルと一緒に海岸を歩いている時に、軽蔑したように言った。「白いドレスを着て王族に膝を曲げてお辞儀をし、毎晩毎晩、退屈な青年と舞踏会でダンスをするなんて」。「なら、君はケンブリッジに行くんだね？」と彼は言った。「もちろん！」「でかした、アンバー。何を勉強するんだい？」「まだ決めてないんです」と彼女は言った。「何を勉強したらいいと思います？」

アンバーとその妹のような、嫌でも自分の話を聞かざるを得ない相手に、教育について長広舌を振るうほど彼の好きなことはなかった。彼は自然科学と人文科学のそれぞれの長所と限界について、即席の講義をした。「理想的には」と彼は締め括った。「大学で両方が学べなくてはならない。しかし、この暗愚な国の偏見はひどいもので、どちらかを選ばなくてはならない、だから、それは直観の問題だと思う――どんな種類の知識を自分は一番望むか」。「ウェルズさんに、花嫁学校の女教師になるべきだったとお伝え下さい」とモードは、あとでジェインに宛てた礼状に書いた。「なんとあの娘たちは、あの人に夢中になり、なんとあの人の影響は素晴らしかったでしょう！」

一年後、彼とアンバーがケンジントンにあるリーヴズ一家の大きな家で会った時、彼女は秋に、道徳科学を専攻するためにニューナム学寮《コレッジ》に行くと言った。「それはなんだい？」と彼は彼女に訊いた。「科学は道徳的でもなければ不道徳的でもない――ただ、利用次第だ」。「あら、自然科学とはなんの関係もないんです、ケンブリッジでは、哲学をそう言ってるんです」と彼女は気取って言った。「哲学、古代と近代。心理学が少し。プラトンとアリストテレス、ベンサムとミル、カントとヘーゲル。そういったこと。今から楽しみ」。「なんでそれを選んだんだい？」と彼は尋ねた。「わたしはチャリング・クロス・ロードの本屋で立ち読みしていたんです。そうして、たまたまカントの本を広げたら、彼はローマ・カトリック教会の主張を理性によって覆す方法を示していた。あたしは哲学が自分の専攻だって決めたんです」。「本の題は？」と彼は言った。「僕自身、その覆す方法について読みたいね」。彼女は顔を赤らめた。「覚えていないんです」と彼女は言った。「その本を買わなかった――買う余裕がなかったんです」。「公共図書館で調べて、ウェルズさんにお知らせしなくちゃ」と、二人の会話をそばで聞いていたモードは言った。「それでなければ、あなたはウェルズさんを感心させようと作り話をしているだけだと思われますよ」。「そんな意地悪なこと言わないでよ、お母さん！　わたしは作り話なんてしていない！」とアンバーは言い、部屋から飛び出して行った。モードは眉を上げて溜め息をついた。「若い娘ときたら！　あまりに神経過敏」

モードにとっては、フェビアン協会内部の政争がもたらす興奮が、自分の意に満たない夫を持つ、ほかの女たちの人生を補っている情事の代わりをしていた。そして彼女は、協会を改革しようという彼の使命を強く支持した。「僕はあんまり進んでいない」と彼は一九〇五年の秋のある日の夕方、彼女にこぼした。二人は、シドニー・ウェッブによる、ランベス自治区における出生率と死亡率の統計的分析に関する少々退屈な発表を聞いたあと、お喋りをしていた。「特別総会で基本理念《ベイシス》について論議させようという僕の試みを、〝古老連中〟が妨害しているんだ。僕は執行部に動議を送ったんだが、送り返された」

「それはよいやり方じゃないわ」と彼女は言った。「変革を求める一種のマニフェストを協会で読まなくちゃ。その題は……」

「フェビアン協会の欠陥」と彼は、彼女が言い淀んでいるので言った。

「その通りよ。それであなたは、会員の目には改革運動の指導者になる。執行部は答えなければならないわ」

「問題は」と彼は言った。「僕は人前で話すのがうまくないってことなんだ。いや、うまくない」と彼は、彼女が異議を唱え始めると言った。「その点に関しては、なんの幻想も持っていない。僕の声はそうするのにふさわしくない――緊張すると甲高くなり、キーキー声になる。それにショーとは違い、メモや即興で完全な文章になるよう話すことができない――僕は前もってスピーチの原稿を書き、それを読み上げなくちゃならないんだ、あんまり効果的じゃない」

「もしあなたが、H・G、情熱と確信をもってそれを書いたなら効果的だと思う」と彼女は言った。「早口で不明瞭に読んだり、言葉を飲み込んだりしなければ。あなたは神経質になると、そうする傾向があるのは認める。あなたの言うことが聞き取れる限り、人は傾聴するわ」

結局彼は、彼女の世辞と熱意に負け、新年の一月十二日に、「フェビアン協会の欠陥」という小論を読むことに同意した。しかしその後間もなく、首相バルフォアは同月に総選挙を施行することに決めたので、執行部は、協会にとって物議を醸すような重要なテーマについてのスピーチは、二月に延ばしたほうがよいと決定した。二月ならば国内政治のせいで影が薄くなることはないだろうから、という理由で。「ところで、それほどものものしいものでない何かが手元にあれば、ウェルズ、一月十二日に君が話すのは、もちろん大歓迎だ、ホールを予約してあるので」とピーズは言った。彼は、「ものものしい」という言葉をピーズが選んだことに、やや皮肉が混じっているのに気づかざるを得なかった。ピーズはフェビアン協会に入るように彼に勧めた最初の者の一人だったが、ピーズの態度には常に慇懃無礼なところがあった。そして最近、協会を引っ繰り返そうという彼の意図があからさまになったので、ピーズの態度は目に見えて冷たくなった。しかし、彼はたまたま、協会でのスピーチにふさわしく簡単に手直しできる、「靴のこの惨めさ」と題した、ある雑誌に載せるために書いたばかりの小文の草稿を手元に持っていた。そこで、そのことをピーズに話した。ピーズはその題を書き留めながら、その申し出を、取り澄ました微笑を浮かべながら受け入れた。

彼が予想した通り、フェビアン協会を挑戦的に批判する前に「靴のこの惨めさ」を読んだのは、彼にとって非常に有利だった。それは軽妙なスピーチで、ユーモアがふんだんに含まれていた。しかしそれは、社会主義の基本原理を、非常に近づきやすい仕方で説いたものでもあり、聴衆に大いに受けた。彼は恵まれない子供時代のちょっとしたエピソードから話を始めた。幼児の時に最初に広い世間を見たのは、アトラス・ハウスの外の鋪道を通って行く、様々な靴を穿いた足の光景だった。彼はそれを、地下の台所の、鉄格子の嵌まった窓から見たのだ。そのために彼は後年、靴を生活の質の指標と、もっぱら考えるようになったのだろう。それから彼は、シドニー・ウェッブの分析的手法を真似、英国人の五人に一人は靴で悩んでいるのではないかと述べ、新しい靴、まったく合っていない靴、よく乾燥していない革で出来た靴によって生じる様々な不快な思い、そうした靴が起こす様々な擦り傷、不均衡な踵と磨り減った底、裂け目、水の入る孔によって起こる各種各様の痛みと傷について話した……聴衆は初め、楽しそうに笑ったが、やがて彼は次のことを聴衆に思い起こさせた。「靴のこうした惨めさは、単なる一例にしか過ぎません。庶民が着ている服は、彼らの靴よりよくはありません。そして、彼らが住んでいる家は遥かに悪いのです。彼らの貧しい精神に教育によって詰め込まれた、理念と誤解と部分的真実という粗悪な衣服を考えて下さい！　それが、彼らをいかに締めつけ、痛めているのかを考えて下さい！」聴衆は拍手した。

彼は譬え話を続けた。週に稼ぐ一ポンドから食料品代と家賃を払ったあとに残った金で靴と衣服を買う階級から、年に七十ポンドか八十ポンドが靴と衣服に使える階級に出世したので、足はいまや申し分なく快適だという男（実はウェルズ自身）を自分は知っている。しかし、この履物という問題で彼より遥かに悪い状態にある大勢の者のことを考えると、彼はなんの満足感も覚えない。彼らの靴が、彼らの代わりに自分を苦しめるのだ。なぜなら、靴のこの惨めさは、人間に対する避け難い呪いではないからだ。「世界には、良質の格好のよい靴を、それを必要とするすべての人のために作ることができるだけの革があり、必要なすべての作業ができるだけの暇のある人間、動力、機械があり、靴の製造と、万人のために靴を配分することを取り仕切るだけの、使われていない知力があるのです。何が邪魔をしているのでしょうか？」邪魔をしているのは私有財産と私有資本だった。それは、原料の革を入手することから、完成品を売ることに至るまでの過程を、あらゆる段階で利益を得るために支配しているのだ。社会主義者のみが、その救済策を持っている。「もしわれわれが、現状を、すべての分別のある男女にとって嫌悪すべきものにしていく、人を無気力にする夥しい貧困を取り除こうとするなら、全制度が変わらねばなりません。それこそが、すべての真摯な社会主義者の目的であります。すなわち、土地、自然の産物、その利用における私有財産権を廃止することによって、新しい、よりよい社会秩序を建設すること……もし人がそのことから尻込みするなら、現状のままで一種の個人的、私的幸福を感じながら生きていく覚悟をし、『靴のことなど考えても仕方がない』と思わねばなりません」

彼が読み終えると、ホールに拍手が湧き起こり、長く続いた。彼は、モードが前列にいて、満面に笑みを湛えて賛同の意を示しながら拍手しているのを見た。彼女の脇にいたジェインは、誇らしげに目を輝かせながら力一杯拍手をしていた。彼はいくつか質問を受けたが、望んだほど巧みにではなかったが、十分にうまく答えた。そして、散会になった。「素晴らしかったわ、ダーリン」とジェインは、彼が来ると言った。モードも同意した。「そうよ。よくやったわ、H・G、『フェビアン協会の欠陥』の申し分ない幕開き劇になるわ」

「そんなにうまくいかないかもしれない」と彼は、傲慢の報いを受けまいとして言った。

しかし、うまくいったのである。

総選挙は自由党の地滑り的勝利に終わった。自由党は保守党の百二十九議席に対し、四百議席を獲得した。ほかのグループと連合することを考慮に入れると、法案通過のための十分な過半数、三百五十八議席を獲得した。フェビアン協会の観点から最も重要だったのは、労働党の二十九人の議員が選出されたことだった。初めて社会主義は議会に相当数の代表を送ったのである。「古老連中」にとって、それはいささか当惑することだった。なぜなら十年前、執行部はラムジー・マクドナルドから議会労働党を結成するための資金援助を依頼された際、二大政党が支配的なのを考えれば、それは時間と金の無駄だという理由で断ったからだ。そして執行部はその代わり、当時持っていた厖大な遺産を、ロンドン・スクール・オヴ・エコノミックスを設立するのに使った。彼はいまや状況は自分にとって有利だと感じた。自由党の大勝利は、国民が旧体制に失望し変革を求めていることを示していて、フェビアン協会は、もし至急再建し、歴史的好機を掴まなければ国民感情の波から取り残される危険にあると、彼は思った。彼が「フェビアン協会の欠陥」について話すのに、それ以上有利な時はあり得なかっただろう。驚くには当たらないが、二月九日の講演の日には、クリフォーズ・インのホールは満員だった。

彼は話ののっけから、フェビアン協会の島国根性と自己満足を攻撃した。「七百余の会員のいる我らが協会は、これらの七百余の人々だけが、英国に存在する思慮深い、信頼できる社会主義者だと思い込んでいるようです」と彼は言った。「わたしは今夜、われわれの何人かが犯しているこの大変な間違いを正したいのです」。「靴のこの惨めさ」の調子が気楽でユーモラスなものだとすれば、この二つ目のスピーチは、諷刺的な調子のものだった。フェビアン協会は、と彼は言った。「公正な観察者にいまだ半ばサロンの協会だという印象を与えます。この協会はクレメンツ・インの地下室に、猛烈にして勇敢な努力をして本部を獲得し、そうすることで勇気を消耗してしまいました」(笑い)。彼は、会員に配られる、漫然としたどうでもいい情報を揶揄し、新しい会員を積極的に勧誘していないことを嘆いた。「わたしたちは宣伝をしません、ありがたいことに。それは、わたしたちの流儀ではありません。わたしたちは零落した良家の淑女が『オレンジ』と劇場で叫んだように、社会主義、と叫びます。誰もわたしの言ったことを聞かなかったのを望みます。(また、笑い)」。フェビアン協会のすべての欠陥は、その設立当初に遡ることができた。「それは社交的な集まりでした――今に至るも、社交的な集まりです。決して未知の公衆に対し、組織的な、同化させようとするような攻勢には出たことがありません。それは、発展のある段階で止まったようでした。それは、成長するのをやめ、夢見るのをやめ、社会主義が社会主義として勝利する可能性を信じるのをやめたのです。それはまさに、鉢一杯に根を張った植物に見られる、成長停止を経験したのです」

それから彼は、いわば銘板に刻まれた法律の一つ、協会の名前の由来であるローマの将軍ファビウス・クンクタートルについての、基本理念《ベイシス》に付されている有名な引用文を攻撃した。「人は潮時を待たねばならない、ちょうどファビウスが、ハンニバルと戦った時に、きわめて忍耐強く待ったように。多くの者は、彼の遅れを非難したが。しかし、時至れば人はファビウス同様、激しく打って出なければならない、さもなければ、待ったことは無駄になり、実りがないであろう」。それは、あるローマの歴史家からの翻訳に見えるように仕立てられているが、誰もその箇所の原典を見つけた者はいず、一般に、でっち上げだと見なされていた。また、誰もそれが正しくないことにも気づいていないようだった。プルタルコスを少し調べてみれば、ファビウスが打って出たことは決してないことがわかった――ハンニバルに対する戦いをしたのはスキピオで、スキピオはファビウスがあらゆる手を尽くして彼を妨害したにもかかわらず、アフリカに遠征して勝利を収めた。「これでファビウスの理念がいかに危険で、いかに人を麻痺させるものになりうるかがわかるでしょう。わたしはそれがこの協会でそうなったとは、一瞬たりとも言ってはいませんが」――もちろん、それは誰をも騙すことのなかった「お断り」だった――「わたしは単に警告として、このことを言っているのです」。自分たちの貴重なファビウス聖典がこんな風にやっつけられたことは、「古老連中」にとってはボディーブローだったが――彼は、ピーズが石のような無表情な顔をし、ブランドがモノクルを通して自分を睨みつけているのを垣間見た――彼がファビウス聖典は信用できないものであるのを証明したことは、若い会員を面白がらせ、感心させた。

彼はいくつかの具体的な提案をして、スピーチを締め括った――新しい会員を獲得するために、一連の小冊子を発行する。七百人ではなく一万人の会員を目指す。協会の活動において、若い会員にもっと積極的な役割を与える。全国に地方支部を作る。彼は熱烈な拍手のうちに坐った。しばらく議論があったあと、彼を議長とする調査委員会を設け、協会の再編成と基本理念《ベイシス》の改正のための草案を作り、それを総会にかけることが決まった。

彼に個人的に多少とも共感する、執行部の四人が調査委員会の委員に任命された。その中にシドニー・オリヴィエと、ショーの妻シャーロットがいた。もちろんシャーロットは夫に報告し、彼に言われたことをするだろうが、オリヴィエは独自の判断をする男で、いまやウォラスが関税改正問題を巡って辞任したので、彼が一番気楽に付き合える唯一の執行部の一人だった。植民省の高官で、洗練され、立派な風貌のオリヴィエは、行政的手腕と文学に対する関心を併せ持っていて、自身、見事なライト・ヴァースを書いた。委員会のほかの者は、改革支持者として知られていた。その中にモードが入っていた。彼は委員会を取り仕切るのに自分より遥かに経験のあるオリヴィエを説得し、委員長になってもらった。そしてジェインが秘書に任命された。この有望な委員会を設けたことは、その時は勝利に思えたが、やがて委員会は、彼の批判に脅威を覚えた執行部の者たちによって、またも先延ばしの道具に使われた。

委員会の仕事は彼の趣味には合わず時間の無駄だったが、彼はとうとう折れ、数回の会合のあと文書の草稿を書き、同僚たちの賛同を得た。新しい基本理念《ベイシス》は三つのことを協会の目的にした。土地および資本を国に移す。市民権を男女平等にする。「教育および若者支援において、私的機関を公的機関に代える」。最後のものは、国家が母親手当てを出し、その結果女性を家長的な家庭の専制から解放することを本質的に意味したが、シドニー・オリヴィエの助言で、委員会はもっと抽象的な表現にするほうが賢明だと考えた。「協会員は既婚婦人に対する母親手当てを認めるかもしれないが」とオリヴィエは最後の会合の時に言った。「もし、結婚していない母親も含めるという意味なら、ウェルズ――」「そういう意味」と彼は即座に言った。「それなら、それは不道徳的行為を助長すると多くの者が見なすのではないかと恐れる」とオリヴィエは言った。「曖昧にしておくのが一番いい」

草案を三月初旬にピーズに出すに当たって彼は、三月二十七日までにそれを総会にかけることを求めた。アメリカに長期の旅行をしなければならなかったからだ。ピーズは、総会を開く手筈を整えるのは日数が足りず不可能なので、彼が戻るまで待たねばならず、その間《かん》、委員会の提案は会員たちに回覧するという返事を寄越した。だが、彼が五月末にアメリカから戻ると、ピーズは、改訂された基本理念《ベイシス》に関して会員から非常に多くの質問があったので（とりわけ、第三の目的に関し）、提案を総会にかける前に、彼自身が会員に説明し、明確にするのが望ましいと彼に言った。そして、会員たちは間もなく、それぞれ避暑に行ってしまうので秋まで延ばさざるを得ない。協会の予定では、説明の日は十月半ばになるが、それでよいだろうか？

ファビウス・クンクタートルの精神は生き続けていたのである。

執行部の優柔不断ぶりは、アメリカを訪れ大成功を収め、精力と自信に満ちて帰国した彼にとって、ひどく腹立たしかった。彼は、講演をし、ロンドンの『トリビューン』に旅行記を連載するためにアメリカに行った。そして、その旅行記を『アメリカの未来』と題してすぐに本にするつもりだった。彼はどこに行っても名士扱いされ——ニューヨーク、ボストン、シカゴ、ワシントン——ホワイトハウスで、大統領のセオドア・ルーズヴェルトと個人的に会いさえした。彼はアメリカが気に入り、そのがむしゃらで、騒々しく、平等主義で、意欲満々の気風に積極的に触れた。愛情を込めて、広く「テディー」と呼ばれていた大統領が、その気風を体現していた。それは、作られつつあった若い帝国だったが、その非常な未熟さゆえに人は、果たして永続し完成するのかどうかいぶかった。新興国のアメリカは、巨大な子供なのか、それとも巨大な無駄なのか、幾時代にもわたって興亡した政治的実験の長い連続の最新のものに過ぎないのか？　彼とルーズヴェルトが昼食後、樹木と灌木が満開のホワイトハウスの庭を散策した際、彼はルーズヴェルトと話しながら大胆にもそのことに触れたが、大統領が、公式にはアメリカの将来に対する自信を表明していたにもかかわらず、ペシミズムに陥る時があるということ、また、『タイム・マシン』をよく知っていることに興味を唆られた——そして自尊心を擽られた。「今は、繁栄と権力が上り調子のこの国が、いつの日か衰退するのを知っている」とルーズヴェルトは言い、庭の椅子に坐ってもたれて片足を座部に置き、あたかもおおやけの場の演壇からのように、椅子の背越しに彼に話しかけた。「しかしわたしは、そうではないように生きることを選ぶ。未来についてのあなたの小説が正しいとすれば、すべては、あなたの蝶と」——ルーズヴェルトはイーロイのことを意味していた——「モーロック族で終わる。それは今、問題ではない。目下の努力は本物だ。続けてやっていく価値がある。それだけの価値がある」。

彼はその言葉に感銘を受けた。そして勇気づけられた。それは考えてみれば、自分がディレッタントの文人生活の人生に背を向け、フェビアン協会に入った際の信念だった。しかし自分は、協会の古株たちからまったく感謝されていない。地球上で最も権力のある政治家の一人とそうした会話をするほどに有名な男は、もう少し尊敬されてもいいのではないか？　そんな風に彼は、十月に集会でスピーチをすることを受諾する短い手紙をピーズに書きながら、一人で不満を洩らした。

彼がテディー・ルーズヴェルトと会った日のことを覚えているのには、もう一つの理由があった。あの暖かい春の午後、ホワイトハウスを出たあと、女体に触れ身体的解放感が得たいという、お馴染みの物憂い感覚が彼を襲った。彼は仕事をうまくやり遂げたことに対し自分に褒美を与え、考えるという重荷からの一時的解放を得ようとした。彼はタクシーを呼び止め、娼館に連れて行ってくれと言った。「白、それともクーン？」と運転手は言った。「クーン」と彼は一瞬ためらってから言った。その不快な言葉が彼の口から出たのは、それが初めてだった。もっとも、白人が黒人に対してさりげなくその言葉を使うのを、それまでの数週間、何度も耳にしたけれども。自分の甲高い英国人特有の声で発音すると、それは自分の耳にも奇異に響いた。まるで、外国で地元の料理を注文しているかのように。彼はある意味でそうだった。これまで、黒人と性交したことがなかったのである。「その類いで一番いい場所」と彼はタクシーに乗りながら付け足した。「まかしときな。一流の店を知ってるんだ」と運転手は言った。

ほどなく彼は、豪華な家具で飾りつけた客間に案内された。ブラインドが、光は入るが外からは見えないように調節してあり、天井の扇風機が音もなく頭の上で回っていた。彼は、様々に肌を露わにした魅力的な女の一群に飲み物を買ってやり、美しい気候と、当時まだ完成していなかったワシントン記念塔の工事の進み具合について彼女たちと話した。すらりとした、サテンのシフトドレスを着た黒っぽい目をした若い女が、一人離れて坐っていた。引き潮のあとの砂のようにまったく瑕疵《かし》がない薄茶色の肌のその女が、彼の注意を惹いた。彼はその女の隣に坐った。二人は気軽に話し、間もなく彼は彼女に従って彼女の部屋に行った。彼女の名前は――ともかく職業上の名前は――マーサだった。彼女は、自分は白人とインディアンとニグロの混血だと言った。そして、イタリア語を本で勉強しているのだと言って、その本を彼に見せた。彼女は貯金をしてイタリアに行き、しばらくそこで暮らしてからアメリカに戻り、イタリア人として通すつもりだった。彼女の顔立ちと薄い茶色の肌を考えれば、それはありそうもないことではなかった。彼女がそうしなければならないと感じたのは残念だったが。彼は旅行中に会った多くの白人が、とりわけ南部の州の出身の白人が、有色人種の仲間の市民に対して敵意を抱いているのにショックを受けた。彼自身は、ホテルのポーターであれ知識人であれ、有色人種は大変友好的で人好きがすると思った。しかし遺伝学的には、こうした奴隷と奴隷所有者の子孫は、ヨーロッパからこの国に流れ込んでくる白人の移民の大群より互いにずっと多くの共通点がある、と指摘することによってその偏見を取り除こうという試みは、あまり受け入れられなかった。

彼はマーサと彼女の話に次第に興味を掻き立てられた。その話は小説家が作ったと言ってもよかった。彼女は二人が一緒にいる理由を、そっと彼に思い出させねばならなかった。彼女の愛の営み方は、彼がタクシーの中で予想したようなエキゾティックなものではなかったが、優美で、完成されていた。もし、彼女の悦楽の溜め息と呻き声が演技だったなら、それは真に迫ったもので、彼を非常に満足のいくクライマックスへと駆り立てた。「あなたが好き」と彼女は、あとで言った。「また、ここに来る?」「なんとか、そうする」と彼は言った。その言葉は、もし、自分が翌日ワシントンを離れることがわかっていなかったら、本心からのものだったろう。彼がベッドサイドテーブルに大きな額面金額の札を置くと、それだけの額の金をそっくり置いていくつもりかと彼女は訊いた。そうだと彼が言うと、彼女は悲しげに言った。「なら、あなたを二度と見ることはないのね」。彼はその日ずっと、彼女について考えるのをやめられなかった。イタリアで彼女に会う手筈を整えようかという、途方もない考えさえ抱いたが、常識を働かせて思いとどまった。翌朝、ジェインから一通の手紙を受け取った。

今夜、家を快適にするという妻の役割を果たすのにすっかり疲れ果て、まるで、世界にたった一つしか懐かしい休息の場がないかのよう感じています。そこは、あなたの両腕と心です。人生の愚かしく、無駄な混乱から、わたしが時折平安を見出す、世界で唯一の場所——考えてもみて下さい。わたしは、がっかりするほど滅茶滅茶になった自分の人生のこと、人が人生の初めに抱いていた高邁な野心、惨めな譲歩のことを絶えず考えています——窒息するようにまといつく固い外皮のような腫瘍、家と家具とたくさんの衣服と本と庭と、わたしを引き倒す重荷。もしわたしが、あなたにとって住みやすく、仕事をするのに快適な家庭を作ろうとすると、あなたが死ぬほど退屈する場所を作ることになるだけです。わたしは、あなたにとってもっともっと遥かに満足のいくような大勢の人々を押しのけて、あなたと愛を営み、あなたを自分の友としています。そう、愛しい人、こんな手紙をあなたに送るべきではないと思います。ただの気紛れですが、別の手紙を書く時間がありません。わたしは愚かな真似をしてしまいました。すべて大丈夫だということを、あなたはよくご存じです、ただ、わたしは今、独りでいる時間があまりに多いので、当然ながら、自分のような人間にうんざりしています。どうしてあなたは、そんな人間に耐えることができるのでしょう！　やれやれ！

あなたをとても愛している、ビッツ

この手紙は、ほぼ同じ割合で、彼を不安にし、感動させ、当惑させた。まるで数通の手紙が綯い交ぜになったかのようだった。孤独な妻からの優しい思慕の手紙。つまらない家庭内の問題と所有物に支配された人生に対する強い不満足を表わしている手紙。いかに懸命に努めても彼の欲求を満足させられないことを嘆く手紙。だが、そうしたネガティヴな考えを無理矢理彼に読ませた自分を詰《なじ》る手紙。文末の言い訳は、それまでの文面に仄めかされていた、彼に対する非難を帳消しにはしなかったし、「すべて大丈夫だということを、あなたはよくご存じです」という文句は、彼女がたとえ一時的にせよ、それほど不幸だということを認めている事実に対する懸念を和らげなかった。おおやけの討論で、女性の権利を擁護している自分が、妻にそうした不満を爆発させたことに心を痛めた。二人が合意したか、もしくは彼がそう思った、ほかの女たちと自由に浮気ができるという取り決めを、彼女は実際には受け入れてはいないように見えた。彼は帰国したら妻にとりわけ親切に、優しくしてやろうと決心した。

彼はしばらくはそうした。毎晩彼女とベッドを共にした。必ずしも愛を営むためではなく、二人が眠りに落ちる際に彼女を抱くために。ところが間もなく、いつもの習慣に戻った。彼はアメリカに関する本の執筆と、『彗星の日々に』の校正で忙しく、夜更けに、いろいろなことが頭に浮かんで目を覚まし、執筆するために起き上がり化粧室に行った。そのため、しばらくすると、そこで眠るほうが賢明に思われるようになった。そして、すぐにはほかの女を探し始めはしなかったものの、ほどなく、新しい機会と誘惑と義務が生じた。

ブランド夫妻は夏の多くの日をダイムチャーチで過ごし

た。彼とジェインは時折二人に会ったが、以前ほど頻繁にではなかった。彼が「フェビアン協会の欠陥」と題したスピーチをして以来、二人との関係は目に見えて冷えてしまった。彼がフェビアン協会を再編成するという意図を表明した際、至極真剣だったことをヒューバート・ブランドが悟るのに、しばらく時間がかかった。それは、これまでの協会の指導者を非難するということを必然的に暗示する野心だったが、彼のスピーチと、それが熱烈に受け入れられた事実が、ついにブランドの目を開かせた。彼は、ウェッブ夫妻は自分についてまだはっきりした考えを持っていない、と考えた——協会に対してそんな風な批判をし、変革を求める、概括的な提案をするというのは、新入りとして生意気だとウェッブ夫妻が腹を立てているのは明らかだったが、おそらく二人は、協会に対する攻撃を続けるだけの意志と指導力を彼が持っているかどうか疑っていたろう。一方、ショーは直接介入せずに人形使いのゲームをし続け、上から糸で操《あやつ》って平和を保とうとしていた。ピーズと共にブランドは、いまや執行部での彼の主な敵になった。二人が社交の場で会うと、ヒューバートの握手や、モノクルの後ろの目の光には暖かさがほとんどなかった。だが、フェビアンの政争は夏のあいだは休止になっていて、二つの家族が会う際は、議論になるような事柄に触れるのを避けることができた。彼は気づいたのだが、イーディスは会話がその方向に向かうと落ち着かない様子を見せ、すぐに話題を変えた。彼女は夫の性格に紛れもなく欠陥があったにもかかわらず、夫の知力には心《しん》から敬服しているようで、イデオロギー上の問題ではいつも夫に従っていて——例えば、女性参政権には反対していた——彼は、「ウェルズ委員会」(不愉快なことに、調査委員会はピーズによってそう呼ばれていた)が提案している基本理念《ベイシス》の変更について、ヒューバートがイーディスに密かに言っていることを、きわめて容易に想像することができた。二人が会うと、彼女はこれまで通りにこやかに挨拶し、彼が彼女の手にわざとらしく慇懃にキスをするか、「アーネスト」と呼びかけるかすると微笑んだが、以前と同じ親密さはなくなった。彼はその変化を残念がった。

しかし、ロザマンドとの関係は、反対の方角に発展した。彼がアメリカにいるあいだに、フェビアン協会の執行部は若いメンバーのための小グループを作り、彼らにとって特別に興味のある事柄について討論させ、論議させた。それは、いかにもフェビアン協会らしい気取ったユーモアを込めて、フェビアン育児室と呼ばれた(その名前が提案され承認された際の、自画自賛的忍び笑いは容易に想像できた)。ロザマンドはこの新しい団体の委員会の書記になった。それは表向きは「フェビアン協会の欠陥」の結びで彼の提案の一つに積極的に対応したものだが、実際には、主導権を握ったのは自分たちだと言われるようにして、協会の活動を支配し続けるための執行部の試みだった。だが、彼がアメリカから戻ってきてロザマンドとした会話がなんらかの証拠になるなら、それを望んだ彼らは失望することになった。

二人は、ブランド夫妻がある週末にロンドンからの何人かの客をもてなしていた際、「別の家」で会った。彼とジェインも、そのインフォーマルな茶会に招かれていたのだ。ロザマンドは新しい役目に就いたことで興奮し上機嫌で、男に対して自分が魅力があることに、いまやすっかり自信を持っていた。彼はロザマンドがセシル・チェスタトンにいちゃついているのを見ていた。セシルはG・K チェスタトンの弟で、兄ほど有名でも、愛想がよくもなかった。育児室委員会委員長の若いジャーナリスト、クリフォード・シャープが、その様子を非難するような目でちらり、ちらりと見ていた。すると彼女は彼がやってきたのに気づき、部屋の向こうから、にこにこしながら跳ねるように歩いてきて挨拶した。「お願いがあるんです」と彼女は言った。「秋に性と結婚について育児室で話して頂けませんか? 委員会は全員一致で、あたしがあなたにお願いするようにって言ってるんです」。彼は彼女に、十月にそのテーマで協会の総会で話すことになっているので、そのテーマは取って置くが、ほかのテーマなら喜んで話すと言った。「社会主義と芸術っていうのは、どうだろう?」彼女は少しがっかりしたように見えた。「あたしの友達はみんながっかりしますわ。あなたが女性抑圧と男女の関係についておっしゃっていることに、みんな大変感銘を受けているんです」。「そうね、そのテーマに、性と女性の隷属の関係について何か付け加えられるかもしれない」と彼は、にやりとしながら言った。「あら、素敵」と彼女は言った。「日程についてはあとでお知らせしますわ。ところで、彗星についての小説はどんな具合です?」

「ほとんど書き終わった」と彼は言った。「九月に出る。今、校正しているところなんだが、エピローグを付け加えたいんだ」

「去年、恋物語が入っているってウェル・ホールでおっしゃってましたけど、どんな恋物語なんです?」

彼はためらったが、頭の中はその本のことで一杯だったので、見目麗しい若い讃美者に話したいという誘惑に抗えなかった。「話しても、黙っていてくれるかい?」

「もちろん!」彼女は秘密を託されると思うと嬉しくなり、顔を紅潮させた。

彼は混んでいる客間を見回した。「ここでは話せない――喧し過ぎる。人に聞かれてしまう。庭に行こう」。二人は開いているフランス窓から、草の生い茂った庭に出て、巨大なタチアオイによって家から隠されているベンチに坐った。

「そう、主人公のウィリーは」と彼は始めた。「貧しい育ちの青年だ、事実、僕にかなり似ている、ネティーという美しい少女に恋をしているのだが、彼女はヴェロールというハンサムな若者と恋に落ちる。ウィリーは嫉妬に狂う。ヴェロールは裕福なので、彼の苦い気持ちには、性的嫉妬と同時に階級憎悪がある。彼は若い恋人たちを海岸まで追い――」

「なら、恋人同士なんですね? 結婚してないんですね?」とロザマンドは口を挟んだ。

「そう、恋人同士。彼らはそうした結び付きが非難されない、海辺の孤立した社会で暮らそうと、そこに行ったんだ。ウィリーは二人の居所を見つける。彼は拳銃を持っていて、二人を殺すつもりなんだ」

「あら!」ロザマンドは両手を握り締め、胸に押し当てた。

「追跡のクライマックスはイギリスとドイツの戦争の勃発に重なる。夜の場面があるんだ。大規模な海戦が沖で行われている――砲声が轟き、水平線に閃光が走る。彗星が下を照らしている。いつもより大きく、巨大で、海岸に不気味な光を溢れさせる。ウィリーは、二人の恋人が真夜中の海で泳ぎ、ぴったりした水着姿で、打ち寄せる波から出てくるのを見る。二人の若い肉体のすべての美しさが露わになる」。彼はあることを思い出し、話をやめる。水浴の描写は、メイ・ニズビットがサンドゲイトの海から現われた時の記憶をもとにしていた。そして彼は今、ロザマンドがあの日、ウェル・ホールの四阿《あずまや》の端で振り返って手を振った時、自分に誰を思い起こさせたのかを悟った。

「素敵」とロザマンドは囁くように言った。「情景が目に浮かぶ」

彼は要約を続けた。「気違いじみた嫉妬に駆られたウィリーは、手に拳銃を持って二人のコテージまで追って行く。すると、その途中、緑の蒸気の雲のようなものに不意に襲われ、意識を失って地面に倒れる。それが第一部の終わりだ。第二部は、爽やかな眠りのように感じられるものから彼が目を覚ますところから始まる。実際には、彼は何日も意識を失っていたんだ。彼は人が変わった。心は平安に満ちている。ごく素朴なもの――野の花、熟れた大麦の茎――が、彼を喜びで満たす。方々歩いてみると、地球に危うく衝突するところだった彗星が残した緑のガスの影響で、誰もが同じように変わっているのを見出す。そして、首相が足首を捻挫して溝の脇に坐っているのを発見する――あまりにも偶然の暗合だが、こうした類いの小説では許されるんだ――首相はいまや戦争の愚かさを悟り、戦争を終わらせることを誓う。そして、ドイツと休戦する手筈を整える。首相は世界政府の憲法を起草するための会議を招集する――」

「でも、ウィリーと、二人の恋人はどうなるんです?」とロザマンドは訊いた。

「もちろん、彼は二人に会う。そして、彼の嫉妬心は消えている。彼らはすぐに親友になる、三人全部。しかし、具合の悪いことがある。ウィリーとヴェロールは互いに好き合っている――でも、二人はネティーを愛しているんだ。二人は男同士で話し合い、どちらかが彼女を諦めねばならないことに同意する、そして明らかに、ウィリーが弱いほうだ。しかし、ネティーが言う、『なんで、どっちかの一人でなくちゃいけないの? あたしはあなたたち二人を、それぞれ別の理由で愛してるの。一人の女は一人の男に所有されるというほど、なぜ愛は排他的でなくちゃいけないの。なぜあたしたちは、三人の平等な者の一組になれないの』――そんな風な言葉だ」

ロザマンドは物語のこの展開に目に見えて興奮した。「つまり、自分は二人のものになると彼女は言っているんですか――あらゆる面で?」と彼女は目を大きく見開いて言った。

「そうなんだ――彼女はそう仄めかす。しかし、男たちはその可能性については考えられない。古い、男特有の所有欲が、あまりに深く二人に染み込んでるんだ。そこでウィリーは、悲しい気持ちで己が道を行き、人間の文明を作り直し、不潔な古い都市を壊し、明るい、清潔な新しい都市を作るという偉大な仕事に手を貸すことに身を捧げる」

「あら」とロザマンドは言った。「なんて残念なの。気の毒なウィリー」。彼女は握り合わせていた両手をほどき、膝に落とした。

「しかし彼は、アニーという素敵な女性に出会い、結婚し、子供を儲け、ネティーとヴェロールと一緒になり、その後ずっと、一種の大家族のように幸せに生きるんだ」

「それならば、それほど悪くない」とロザマンドは言って、微笑んだ。

彼はどう書くかまだ決めていなかったので彼女には言わなかったのだが、エピローグでは、ウィリーとネティーがついに恋人同士になるが、独占的にではなく、二組のカップルは、自由恋愛を普通のこととして受け入れるようになった世界で仲睦まじく一緒に住むことをはっきりさせるつもりだった。

「みんなとまた一緒になったほうがいいんじゃないかな」と彼は言った。「僕らが何をしているのか、みんな怪しむだろうからね」

「その意味がわかりませんわ、ウェルズさん」と彼女は色っぽく言った。

「もう僕をウェルズさんと呼ぶのをやめる潮時だと思うね、ロザマンド」と彼は言った。「僕の友人は、僕をH・Gって呼ぶんだ」

また、彼女の頬が喜びゆえに紅潮した。「ありがとう、H・G!」

ロザマンドを誘惑するのは、熟れた桃を木から捥《も》ぐくらいたやすいだろうという考えが彼の心に浮かんだ。

しかし彼は、その直観にもとづいてすぐに行動を起こすようなことはしなかった。事実、そんなことはまったくなかった。というのも、その後起こったことを誘惑とは言えなかっただろうからだ。彼自身が誘惑された対象でなければ。ロザマンドは、二人がそれから何度か会った際、自分は性愛をぜひとも知りたい、十分に思慮分別があり、尊敬できる知力を持つ、老成し、経験豊かな恋人に手ほどきしてもらう以上に願わしいことはないということを示す明確なシグナルを彼に向けて送った。彼はそれに応ずるのをためらった。ブランド夫妻との関係に内在する危険を意識していたからである。彼女は顔立ちのよい若い女で、ふっくらとして、健康的で、年頃だが、彼は彼女に抗し難い欲望は感じなかった。彼女はそのことを察したかのように、両親について驚くべきことを明かして、自分を興味ある人物に仕立てようとし始めた。

それは、ある日の夕方、スペード・ハウスで、彼女の目について彼が何気なく言ったことが引き金だった。彼女はジップとフランクと遊ばせるために、幼いジョン・ブランドをダイムチャーチから連れてきていた。そして彼らは一晩泊まった。少年たちが寝かされ、ジェインの監督のもとにディナーが用意されているあいだ、彼は自分とロザマンドのために大型グラスにマデイラを注ぎ、飲み物を持ってテラスに行こうと提案した。しかし、冷たい東風が吹いていたので、二人は庭の避難所（彼は今では物置兼書斎をそう呼んでいた）に移って坐り、太陽が西の海に沈んで行く様を、開いているドアから眺めた。彼女はグラスを陽光に翳し、ワインの美しい色について何か言った。「これは君の目の色だよ、ロザマンド」と彼は言った。「そうして、君のお母さんの」

「イーディスのこと?」と彼女は言った。「イーディスは、あたしの母じゃない」

彼はぽかんとして彼女を見た。「イーディスは君のお母さんじゃない?」と彼は鸚鵡返しに言った。「なら、誰なんだい?」

彼女はグラス越しに彼を見た。まるで、自分の言葉の効果に喜んでいると同時に怖れているかのように。「あたしが話したら、秘密中の秘密にしてくれなくちゃいけないわよ」

「わかった」

「アリス」と彼女は言った。

「ミス・ホートソン?」彼は唖然とした。「でも……君は彼女には似ていない。イーディスのほうに、ずっと似ている」

「それは知ってるの」とロザマンドは言った。「あたしが養女になった時、それはとても便利だった——同じ目の色、そのほか全部」

「で、君のお父さんは?」と彼は訊いた。

「ダディーよ、もちろん」と彼女は言った。

「ヒューバート！　こいつは驚いた……君はいつ頃から知ってたんだい?」

「あの人はあたしが十八の時に話してくれたの。そのあと、アリスが細かいことをたくさん教えてくれた」

そして、再び彼に秘密を誓わせてから彼女は話し始めたが、それはあまりに途方もない話だったので、彼女は作り話をしているのではないかと彼はしばらく疑ったが、間もなく、それが本当であるのを信じた。

「アリスは八〇年代初め、イーディスの友達だった」とロザマンドは話し始めた。「彼女はイーディスがよく書いていた女性雑誌で、雀の涙の俸給で働いていた。イーディスはフェビアンが生まれてからすぐ——あまりにもすぐ——妊娠したので、お産の時期が近づくと、イーディスの家事の負担を減らすため、アリスがダディーと彼女のところに来たの。悲しいことに、赤ん坊は死産だった。イーディスはひどく動顚した——アリスの話では、ダディーは、埋葬するために、哀れな小さな遺体を文字通り彼女から引き剝がさなくてはいけなかった——そしてアリスは家にそのまま滞在した、もちろん、ウェル・ホールではなく、ルイシャムにあった、ずっと小さい家に。もしかしたら、リーだったかもしれない。あの人たちは当時、いつも引っ越していたから……いずれにしても、その危機に、アリスはイーディスのとても大きな支えになった。でも間もなく、彼女自身、自分の危機に対処しなくちゃいけなくなった。彼女も身ごもったの——あたしを。彼女は父親が誰だかイーディスには言わなかった——ただ、とても結婚できそうにはない人とだけ言ったの。するとイーディスは、一種の家政婦として、ずっと一緒にいたらどうか、赤ん坊も一緒に住まわせ、自分とヒューバートがその赤ん坊を養女にして、自分の子供として育てると言ったの。そこで、そういうことになった。完璧な解決法に見えた。ダディーはそうすることを非常に喜んだ」

「当然だろうな」と彼は、ロザマンドがマデイラを啜ると、口を挟むのに抗えなかった。「それで彼は、ひどく厄介な状況から抜け出られたんだから。いつイーディスは本当のことを知ったんだい？」

「あたしが生後六ヵ月くらいの時だと思う。どうやら大変な喧嘩があったらしいの。でもイーディスは小さなあたしがすっかり好きになっていたので、あたしを手放すことができなくなっていた——少なくとも、それが彼女の話。ダディーが言うには、彼女はあたしを誰かほかの者に養女にしてもらうと脅したの。するとダディーは、あたしを手放すなら、自分も行くと言った。でもアリスは、彼が父親ではないかと、イーディスはずっと前から疑っていたと考えているわ。イーディスはダディーが女癖が悪いのを知っていたし、ダディーがアリスにあれこれ優しくするのをやめさせようとはしなかった——その逆だった、というのも、アリスにはイーディスが嫌った崇拝者がいたので、イーディスはダディーに、その男を追い払うよう仕向けた。彼女はまったく首尾一貫してないのよ、イーディスは」

「君のお父さんもだよ、ロザマンド、そう言わざるを得ないね」と彼は言った。「僕は彼が一夫一婦制を褒め称えているのを一度ならず聞いたよ」

「そう、あなたは正しい……」と彼女は言った。「二人とも矛盾だらけ。だから、いろいろあっても、まだお互いに愛し合っているんだと思う。なぜなら、二人は奇妙なやり方で愛し合っているのだから。でも、二人のあいだが緊張するたびに、あたしがアリスの娘で、イーディスの娘ではないという事実が古傷のように口を開けるの、そうして、いっそうとげとげしくなる。あたしの子供時代の思い出は、二人の喧嘩で一杯。イーディスは不意にわっと泣き出す、大抵、夕食のテーブルで。それから部屋を飛び出して自分の寝室に行き、ダディーは呻くように『おお、神よ!』と言って、イーディスを宥めに二階に行く」

「でも、君は子供の時は真相を推測しなかった」

「ええ。フェビアンが死んだ時でさえ——あたしは十三だった——そうして、イーディスがヒステリーを起こして叫ぶのを立ち聞きした、『なんでフェビアンでなければならないの? なんでロザマンドじゃなかったの?』」

「イーディスがそう言ったのかい。君にとってはひどいことだったろうな」と彼は、心《しん》から衝撃を受けて言った。

「確かにひどいことだったわ。でも、ダディーから話を聞くまで、その理由がなんだか、わからなかった」

「で、それで?」

「それで、ある意味で、自分はダディーのお気に入りだけど、イーディスには全然気に入られてないと、いつも直観的に感じていたわけがわかって、ほっとした。それは避け難いことだった——彼女は自分の子供に対するような気持ちをあたしに持ちうるはずがない。もし、あたしが何かの面でポールとアイリスに勝《まさ》っていたら、彼女が怒るのも当然。妙な話だけど、彼女はジョンに対しては同じじゃなかった。彼がずっとあとで生まれたからだと思う」

「ジョン?」と彼は怪訝そうに言った。

「ええ、ジョンもアリスの子なの」とロザマンドは落ち着いて言った。

「ヒューバートとの?」ロザマンドは頷いた。「これは驚いた」と彼は呟いた。

「あたしたちはとっても風変わりな一家」とロザマンドは言った。

彼がアメリカを旅しているあいだに何度も耳にした文句、「まさに然り《ユー・キャン・セイ・ザット・アゲン》」が頭に浮かんだが、口には出さなかった。その代わり、空いているほうの手を彼女の手に置き、それを握り締め、「可哀想な娘《こ》だ」と呟いた。

二人はしばらく黙って坐り、外の見事な光景を眺めた。縁が金色の濃い紫色の雲が、沈み行く太陽を遮った。妨げられた陽光が、泡立つ海に反射していた。すると、ディナー・ゴングの音がした。誰かが、たぶんジェインが、開いた窓のところで、それを持っていた。その音は東の風に乗って二人の耳に届いたのだ。

「家に入ったほうがいい」と彼は言った。

二人が立ち上がると、彼女の目が濡れているのに彼は気づいた。「可哀想な娘《こ》だ」と彼はまた言い、軽く抱擁して慰めてやろうと両腕を広げた。彼女は即座に彼の腕の中に倒れ込んだ。彼は、彼女が自分にしがみついた時、自分の薄い生地の夏用の上着を通して、彼女の乳房の柔らかく暖かい圧力を感じた。抱擁を終えるのに考えついた唯一の方法は、彼女の頬にキスをすることだったが、彼女は頭《こうべ》を巡らし、暖かい唇を彼の唇に押しつけた。

「愛しいH・G」と彼女は言った。「こうしたことを信頼できる人に話して、本当にすっきりしたわ」


秘密を守るという誓いはジェインには当て嵌まらないと彼は思ったので、ロザマンドがダイムチャーチに帰るや否や、庭の避難所で交わした会話から知ったすべてのことをジェインに話した。ただ、最後の抱擁の件は省いたが。彼はやや驚いたのだが、ジェインはイーディスの立場に同情した。「考えてみれば」と彼女は言った。「あの人がアリスの子供を自分の子供として育てるのに同意したっていうのは、心の広さを示しているわ……おまけに二番目の子をも。その夫婦愛人同居《メナージュ・ア・トロワ》は一種の自由恋愛にもとづいているんだわ――『彗星の日々に』の最後の、あなたの登場人物みたいに」。彼女は彼がその小説に付けたエピローグを読んだところだったのだ。

「でも、それは完全に変容した社会を前提にしているんだ」と彼は言った。「自由恋愛が広く受け入れられ、男女間のすべての事柄がオープンで公明正大になった場合の話さ。ブランド一家はその反対だ。ウェルズ・ホールは嘘の家だ――隠蔽と偽善」

彼はそれからほどなくウェルズ・ホールに次に行った際、そのことを強く感じた。ブランド夫妻は、娘のアイリスが恋人の公務員と婚約したことを祝って大がかりな夏のパーティーを開いた。ウェルズ夫妻は週末に泊まるようにと招待され、それに応じた。両者とも、いまや双方のあいだにある緊張した関係を隠すことに暗黙のうちに同意していた。表面上は楽しい会だった。午後の遅くに、陽光が古い家の蔦に覆われた壁と庭を照らし、夕暮れになると、開いた窓から光が流れ、木々から吊るしてある提灯の明かりが濠の水に反映していた。広間には、いくつもの銀の燭台のあいだに、立食の素晴らしい冷えた料理が並べられていた。それは、ブランド家がかなり多額の費用を払って雇った二人のコックによって調理されたものだった。そして客間は、ピアノとヴァイオリンの伴奏のダンスのために、すっかり片付けられていた。「素晴らしいじゃない！」とモード・リーヴズは彼に挨拶すると大きな声で叫び、目の前の光景を抱き取るかのように腕を大きく振った。彼はもちろん同意した。だが実のところは、ウェル・ホールは一年前とは異なり、彼にとっては、もはや牧歌的な半楽園には見えなかった。ロザマンドが真相を明かしてくれた結果、その場所と住人に対するそれまでの見方に過去の影が差し、住人を、もはや魅力的な変人ではなく、正道を外れた、危険なほどに無責任な人間に思わせた。例えば、思春期のフェビアンの死だ。それは、考えてみると悲劇的な事故ではなく、咎められるべき不注意だった。いかに小規模なものであれ、自分の息子の外科手術の予定日を忘れるとは！　フェビアンはその日、朝食をとっただろう――それも当然ではなかろうか？――手術前の通常のやり方に反して。彼はおそらく、クロロフォルムから醒めつつあった時に吐いて噎《む》せたのだろう。その時、彼は独りで、そばに誰もいなかった。一方イーディスは、疑いもなく自室で執筆していた、自分の物語の夢の世界に浸り切って。そしてヒューバートは、ひょっとしたら、アリス・ホートンと性交していたのかもしれない……

　彼がそこまで考えていると、アリス本人がやってきた。彼は濠を見渡すテラスに一人で立っていた。アリスは、家に入って立食に加わりたくないかと訊ねた。テーブルの周りに群がっている者が少なくなったら行くと、彼は答えた。彼女はそのままそこにいて話したいようなそぶりをした――彼はちょっと驚いた。というのも、これまでブランド家と付き合ってきたあいだ、彼女とは数語以上言葉を交わしたことが滅多にないからだ。彼女のニックネームが「マウス」なのは、ふさわしかった。というのも、彼女は背が低く（ブランド夫妻の横に立つと、とりわけ低く見えた）、物静かで、仕草が控え目だったから。彼は彼女ほど印象の薄い人物を知らなかった。ちょうど、家族のスナップ写真の端にいて、ややピントがぼけている人物のように。いまや彼は彼女の経歴のいくらかを知ったので、彼女は彼にとって非常に興味のある対象になったが、ロザマンドが話したメロドラマ的な話と、この小柄で、髪は灰色で、柔らかな口調の、ごく平凡な容貌の女と結び付けるのは難しかった。

二人は些細な話題についてしばらく喋った。すると、彼女はこう言って彼を驚かせた。「ロザマンドとあなたが大の友達になるのを見て、嬉しいですわ」

「そう、僕は、あー、彼女が物を書いているのを、全力で助けているんですよ」と彼はどもりながら答えた。実は、彼女はまだ、執筆中のどんな作品もまだ彼に見せず、彼も忙し過ぎて、見せるようにとは言っていなかったのだが。

「大層ご親切なことですわ。あの子がその方面で本当の才能があるのかどうかわかりませんけど、待ってみましょう。それとは別に、あの子が打ち明け話のできる、あなたのような老成した相手がいるっていうのは、あの子にとっていいことですわ」

「そうですか？」と彼は、彼女の話の調子と流れにすっかり戸惑って、ぎごちなく答えた。

「ええ。あの子はとても可愛らしく、人気のある娘《こ》で、若い男たちが群がって来ますけど、あの子はまだ、相手を決める気はないんです、それは実にもっともなんですが。わたしはイーディスとヒューバートが、あの子をアイリスのように安全な境遇に置くため、できるだけ早く結婚させたがっているんじゃないかと心配してるんです」

「安全な？」

「わたしの言う意味がおわかりでしょ？　堅実な、ということ。あの人たちは自分では自由気儘な生き方をしていますが、体面を保ちたいんです。若い男があの子に求愛するように仕向けるでしょうね。例えば、クリフォード・シャープ──あの方はあの子に夢中なんです」

「そうですか？」彼はそう聞いてちょっと嫉妬を覚えた。彼はシャープと少し話したことがあり、シャープは気難しい性格で、フェビアン協会で名を上げようという野心を持っていたが、独創性と魅力に欠けていた。

「あの子には自分を発見する時間が必要なんです、ある男の所有物にならずに一人前の女になる時間が」

「大いに賛成ですねえ」と彼は真摯に言った。

「ですからあの子が、相談に乗ってくれ、人生について話してくれる、あなたのようなお友達を持っているというのは、いいことなんです。あの子の近くにいる唯一の老成した人間は、ヒューバート。でもヒューバートは……」。彼女は溜め息をついた。「そう、ヒューバートはヒューバート」

その謎めいた言葉には多くの意味が含まれていたが、彼はその意味を取り出そうという勇気はなかった。ロザマンドについての彼女の言葉の調子は、それまで彼女の話には見つけることのできなかった、母親らしい懸念が現われていた。ロザマンドが、アリスと自分の秘密の関係を彼に明かしたことをアリスに話したのは確実のようだったが、万一違っているといけないので、彼は訊く勇気はなかった。

「そう、ヒューバートはヒューバート」と彼は、深く、そして共感をもって理解したというような調子で言った。

二人は、家の中から、開いている窓を通して聞こえてくるイーディスの声を耳にした。「マウス！　マウス！　誰かアリスを見なかったかしら？」

「行かなくては、ウェルズさん」と彼女は言い、夕闇の中を影のように、すっと姿を消した。

その晩遅く、彼はロザマンドとダンスをした——形式上、最初はジェインとイーディスとワルツを踊った。彼はロザマンドと別れる際、囁いた。「僕はあのパーゴラのベンチに坐って一休みする」。十分後、彼女もそこに来た。彼女は彼が名前を呼ぶまで、おずおずと近づいてきた。パーゴラの屋根を覆っている野茨を通して漏れてくる、靄のかかった半月の光で、物がやっと見えた。

「あら、下のここは暗いわね、H・G」と彼女は言って、彼の横に腰を下ろした。

「すぐに目が慣れるさ」と彼は言った。「僕はプライバシーが欲しかったんだ」

「あたしにまたキスができるように？」と彼女は悪戯っぽく言った。

「いや」と彼は言った。「話を人に聞かれないためだ。今夜、さっき、アリスとちょっと変わった話をしたんだ。アリスが僕に話したと言ったほうがいい。彼女は僕が知っていると思っているようなんだ——彼女が君の本当のお母さんってことを」

「ええ、あなたに話したってことを、あの人に言ったわ、もちろん、内緒で」とロザマンドは言った。

「そう思ったよ……認めているように見えた」

「そうなの、認めてるの」とロザマンドは言った。「あなたはダディーの平衡錘だって考えてる」

「平衡錘？」。彼はその晩再び、会話の基盤が足元で揺らぐように感じた。彼女が答えなかったので、彼は言った。「アリスは君のお父さんについて、クリプティックなことを言った」

「『クリプティック』ってどういう意味？」

「解釈しにくいって意味さ。彼女は言ったんだ、『ヒューバートはヒューバート』」

「ええ、ヒューバートはヒューバート」とロザマンドは言って頷いた。彼女は足を蹴って靴を脱ぎ、足をくねくねさせた。「足が痛いのよ。新しい靴なの」

「ロザマンド」と彼は優しく言った。「君が何を言っているのか、僕は知らなくちゃいけない」

長い間《ま》があってから、彼女は言った。「ただ、こういうこと。最近あの人は、あたしに対して大層愛情を示すようになったの、あたしの感じでは……父親以上のやり方で。あの人が何か淫《みだ》らなことをしたってわけじゃないけど……こういうこと、あたしにキスしたり、ハグしたりする時、あたしが小さい頃からずっと、いつもたくさんそうするんだけど、そう、きつ過ぎるくらい抱いたり、ちょっと長過ぎるくらい続けたりするの、殊にあたしたち二人だけの時は。落ち着かなくなるんだけど、どうやってやめさせたらいいのか、わからない。そのことを少しでもダディーに言えば、ダディーは猛烈に怒って、下劣な想像をしたと言って、あたしを詰《なじ》ると思うわ……ひょっとしたら、本当にあたしの想像かもしれない……」

「そのことをアリスに話したかい?」と彼は訊いた。

「はっきりとは話さないけど、あの人は知ってる、あたしにはわかる……あの人は何も見逃さない」

「なら、それは単なる君の想像じゃない」と彼は言った。

「ええ、あなたは正しいと思う」と彼女は言った。「でも、どうしたらよいのかわからない……まだ経験したことのない……経験していない娘だとしたら……わかるでしょ?」

「うん」と彼は言った。「わかる」

「人はセックスについてとてもたくさんのことを話し、本で読むけど、何を、誰を信じていいのかわからない、とにかく言葉は、それが実際にどんな具合か人に教えることはできない。それは素晴らしいものなの、それとも普通のもの?」

「素晴らしいものでもあり、普通のものでもある」と彼は言った。

それから二人は性愛について長い会話を交わした。その際彼女がもっぱら質問をし、彼がもっぱら答えた。ついに彼は自分で質問をした。「愛の営みをしてもらいたいって意味かい、ロザマンド?」

「ええ、H・G。あなたにしてもらいたいの」

「僕が君に恋していなくてもかい? 僕は君が好きだ、でも、君に恋してはいない」

「それは構わないの。あたしはあなたに恋している。あたしたち二人分たっぷり」

彼女はそう言って彼の両腕に身を投げ入れた。そして、その場で、あるいは屋敷の使われていない離れ屋で、彼が彼女の性教育を完成させると思っているようだった。しかし彼は彼女を落ち着かせ、慎重に事を運ぶように忠告した。ブランド夫妻は間もなくダイムチャーチに戻るので、二人が会っても安全な、その近くの場所を考えておく、そしてあとで知らせる、と言った。「でも、そのあいだに決心が変わったら、ただ――」

「変わらないわ」と彼女は言って、キスで彼の言葉を遮った。

3

新しい世紀に入って初めての夏、スペード・ハウスが建てられていた時、彼はロムニー・マーシュの北端にあるリムという村の下の平坦な野原にあるコテージを借りた。アーノルド・ハウスとその周辺があまりに騒がしく、落ち着かなくなったので、物を考え、書くために引っ込む所として。それは極貧の農場労働者のためのもので、ごく簡素な住まいだった。剝き出しの部屋が二つだけで、屋外便所と井戸があったが、彼の目的には適い、家賃は週にわずか数シリングだった。彼はそこにテーブル、それぞれ一脚の椅子、寝椅子、その他細々《こまごま》した物を入れた。それらは中古で捨て値で買ったものなので、そこを引き払った時は、そのまま置いてきた。彼はそのコテージで『月世界最初の人間』を書き始めた。月世界探検隊のただ一人の生き残りである、語り手のベッドフォードが地球に帰る時に乗った反引力の球体は、リム近くの海に水飛沫《しぶき》を上げて落ちる。ベッドフォードはそこのホテルで元気を回復する。花の香りが闇に漂うウェル・ハウスのパーゴラでロザマンドと話したあと、スペード・ハウスに戻った彼は、ある日、そのコテージを調べに自転車で出かけた。すると、コテージは無人で、家具はそのままだった。コテージの持ち主の農夫は、同じ妥当な条件で、それをまた彼に喜んで貸した。

それは、ブランド一家が「別の家」にいるあいだ、ロザマンドと密会するには理想的な場所だった。コテージは轍《わだち》の跡のある細いでこぼこ道の端にひっそりと建っていて、サンドゲイトからもダイムチャーチからも同じ距離だった。ジェインは、執筆するための隠れ家として彼がコテージを再び借りた時、別に驚かなかったが――彼女は彼が不意に家からいなくなるのには慣れていた――ある日、ロザマンドがそこに訪ねてきたと、彼がさりげなく言った時、その隠れた意味を即座に悟った。「自分のしていることがわかっているといいんですけどね」と彼女は言った。「よくわかってるとも」と彼は言った。彼はそれを、若い女の要求通りに教育を完了することだと考えていた。ブランド夫妻は、ロザマンドが最近、一人で自転車で田舎に行くのに熱心になったことに、なんの疑念も抱いていないようだった――それはつまり、イーディスが疑っていないということだった。なぜなら、ヒューバートは幸いロンドンに多くの時間いなければならなかったし、もしアリス・ホートソンが、何が起こっているのかに感づいたとしても、人には言わないからだ。コテージは愛の巣としては、きわめて快適とは言えなかったが、その田舎の素朴さが、二人の密会に田園的な天真爛漫な感じを与えた。寝椅子はやや湿っていたが、彼はそれを日の当たるところに引っ張り出した。すると、すぐに乾いた。屋根が一箇所漏ったので、雨が降った時はその下にバケツを置いた。二人はその水で体を洗ったが、井戸の水より軟らかく、温かだった。

愛の行為は、少しばかり個人教授めいていて、彼にとっては完全に我を忘れるようなものではない時があったけれども――ロザマンドは不適当な瞬間に、自分は「ちゃんとやっている」かと訊く傾きがあった――彼女の裸の姿は、精力旺盛な男なら誰をも興奮させるものだった。彼女の美しさはすでに真っ盛りで、官能的に完成していた。彼は盛りが過ぎないうちにそれを楽しむのは特権だと感じた。彼女は大抵、彼が着いたあとにやってきた。その際彼女は、顔を紅潮させ、息を切らせていたが、それは、自転車に乗ってきたせいか、あるいは、このほうがありうることだったが、恋人に密かに会う、一人前の女に自分がついになったことを意識して興奮し、気分が昂揚していたせいかだった。彼は、彼女がはにかんだ慎ましい乙女から、脱衣の儀式に大胆で自信のある女に、たちまちのうちになったことに驚き、楽しまされた。彼女は服を脱ぐのがすぐに彼より速くなった。スペード・ハウスから持ってきたリバティーの上掛けで覆われた、野暮ったい布を張った寝椅子に寄りかかりながら、彼女は焦げ茶色の目を、淫らな愛人の微笑と、不良女学生の微笑のあいだくらいのコケティッシュな微笑を彼に向けた。彼女の豊満で左右に大きく離れた乳房が、上半身から誇らかに盛り上がっていて、彼が昔、娼館の壁に懸かっているのを見た、ゴヤの『裸のマハ』を思い出させた。その年の夏、二人は六回ほど会っただろう。そして最後の時は、彼女は自分がちゃんとやっているかどうかということに気を使うのをやめ、紛れのない、制御できないクライマックスに達し、驚きと歓喜の叫び声を上げた。「あなたはあれは普通のものでもあり素晴らしいものであるっておっしゃった」と彼女は、あとで言った。「でも、あれは普通を超えて素晴らしかった」。彼は、うまくいった授業の終わりで教師が感じるような気持ちを抱いた。

寝椅子には、セックスをしたあと二人が並んで横になる余地はなかった。並んで寝るなどとは論外だった。そこで二人は抱き合ったままでいたが、ロザマンドは頭に浮かんだことをなんでも、ひとりごとのように、とりとめなく話した。時にはそうした話に、彼女の家族について、特にヒューバートについて、いっそう驚くべき新事実が含まれていた。ヒューバートは彼女の学校友達がウェル・ホールに泊まった時、その娘《こ》を誘惑したらしかった。「その娘は いくつだったんだい？」と彼は訊いた。「そう、十七だったと思う……すっかりダディーのせいでもないの。ジョージーナがダディーに気があるようなそぶりをしたの。でも、その馬鹿な娘《こ》はそのことを自慢し始め、やがて両親の耳に入ったの。両親はもちろん、かんかんになって怒ったけど、おおやけに騒ぎ立てるよりはもみ消したほうがいいと決めたわけ」。彼はヒューバートが淫乱であること、また、醜行を暴露され恥辱を蒙るのを避ける並外れた能力を持っていることの、またしても新しい証拠に驚いた。しかし彼は、それについて何か言うのを控えた。なぜならロザマンドは父を批判したがらず、父の女遊びを、本人が制御できない、人を惹きつける魅力のせいだと見なしているようだったからだ。「あなたが女でなければ、まったくわからない。ダディーは、自分はこの人にとって大事な唯一の人間なのだって感じさせる。アリスはあたしに、ダディーは完全に抗し難い人だといつも思っているって言った、母もそうだと、あたしは確信している。父母が結婚した時、母はポールを懐妊していた。アリスが話してくれたの」。ヒューバートの女遊びは、自分の女遊びにある程度似ているのに彼は気づき、落ち着かなくなったが、二人のあいだの大きな違いは、こういうことだと思った。自分は夫婦間の忠誠を信じているふりも、自分と寝た女をすべて愛していたというふりもしていない。自分はロザマンドの場合のように、女を追いかける者ではなく、女から追いかけられる者であることが多い。そして、ドロシー・リチャードソンの場合も。

八月に、ドロシーは思いもかけず、二人の休眠中の関係を自ら復活した。彼女は招かれもせずにサンドゲイトにやってきて、開口一番、自分の個人的サイコドラマにおける最新の危機について話した。彼女はもはや、恐るべき、かつ同情心に欠けたミス・モファットとはフラットを共有してはいず、新しい友達を作った。その友達はヴェロニカ・レズリー＝ジョーンズという若い女で、ドロシーと彼女はたちまち意気投合し、ヴェロニカは最近ドロシーのところに移ってきて一緒に住むようになった。ヴェロニカは男の恋人を持っていたが、自分は肉体的にドロシーにも惹き付けられるということをはっきりとさせた。そしてドロシーは、自分自身、生まれて初めて、自分も本物の性欲を感じていることに気づいて狼狽した――ヴェロニカに対して。

「僕に対しては本物の性欲を感じなかったって意味かい？」と彼は言った。

「そうねえ、ある程度は感じた」と彼女は考え込むように言った。「でも、今度とはまったく違う。あなたと一緒にいると、いつも自分を意識し、心はわたしの体を離れ、体の反応を観察する」

「そう、気づいていたよ」

「でも、ヴェロニカとだと……心身が蕩《とろ》ける。それは、自分を他者に溶け込ませたいという強い感情、まるで、わたしたちは双子か、何かの化身になったみたい――霊魂再来説を信じているわけじゃないけど」

「そうだろうと思う」

「とても混乱した気分」と彼女は言った。「それは、わたしがレズビアンって意味かしら？」

「それは、君が両性的だってことを意味してるのかもしれない」

「両性的っていうのは嫌」と彼女は、きっぱりと言った。「珍奇な人間にはなりたくない。その点では、レズビアンにもなりたくない」

「ヴェロニカと、実際に何をしてるんだい？」と彼は言った。

「抱き合う」と彼女は言った。「そして、話す。それだけ――今のところは」

その会話は、彼の庭の物置兼書斎で行われた。そこは、世俗的告解をするには適しているようだった。「そのことで、僕に何をしてもらいたいんだい？」と彼は言った。

彼女は顔をしかめた。「あなたはとっても冷たい。わたしを愛してないのね？」

「愛してるって言ったことはないよ、ドロシー」と彼は言った。「君が好きだ。君は魅力的だ。君を幸福にしようとした。でも、君は厄介な人間だ」

「だから、わたしに対する興味を失ったの？」

「むしろ、君が僕に対する興味を失ったと思ったよ」と彼は言った。

「いいえ、そんなことはない」と彼女は言った。「あなたには、あなたを知って以来、ほかの男を消してしまうところがある。今でもそう」

「だから……なんなんだい？」

「また、わたしと愛の営みをして」

彼女は彼に同性愛から救ってもらいたいと思っているようだった。そして彼は、名誉にかけて、少なくともその努力をすべきだった——いずれにしろ彼は、金色の和毛《にこげ》が粉を振りかけたように生えている彼女の小造りの体の快い思い出を持っていた。そして、その体を再び知る機会を歓迎した。そこで彼は、ロザマンドとの密会の合間に彼女と会った。時にはコテージで、時にはロンドンで。ある時、二人がタンブリッジ・ウェルズ近くの田舎を一日歩いていた際、彼の提案で、エリッジとフラントのあいだのどこかの羊歯《しだ》の茂みで愛を営んだ。彼はいつも、戸外で愛を営むことから特別のスリルを味わった——たぶんそれは、アダムとイヴの「妹背《いもせ》の四阿《あづまや》」についての思春期の妄想にまで戻るのだろう——彼とジェインが性的に不一致だという最初の徴候の一つは、ジェインがこの点で彼の言うことに従わなかったことだった。ウスター・パークの二人の庭の奥まった所でさえ。だがドロシーは平然として同意し、ズロースを脱ぎ、弾力性のある羊歯の上に広げたコートに横たわり、彼に向かって両膝を広げた。その間《かん》ずっと、自分が読んでいるロシアの小説について話した。二人の関係のこの新しい段階において、二人が出会う場所以外、何もあまり変わらなかった。ドロシーは愛の行為において、快楽に身を任せるのに前より努力をしたが、愛の行為が終わるや否や、疲れを知らぬ内省を続けるか、彼の唯物論的哲学を批判したり、彼のロンドン訛りの母音を正したり、さらには彼の散文の文体を批判したりするかして、彼に講義した。

「これを聴いてよ」と彼女は、ある日の午後言った。二人は今度は彼女のフラットのベッドにいた。ヴェロニカは、数日留守にしていた。彼女は彼の体越しにベッドサイドテーブルに手を伸ばし、彼が数日前に彼女に送った『彗星の日々に』の新刊見本を手に取り、縁無しの鼻眼鏡以外は裸のまま、印をしてある一節を声に出して読み始めた。それは、彼が書いていて特に喜びを感じた一節だった。アトラス・ハウスの食器洗い場を描写した箇所だった。「そこは〝洗い場〟で、食事のあとごとにする食器洗いで手が湿り脂っぽくなり、その空気の含んでいるものは、絶えず冷えてゆく湯気、そして、茹でたキャベツの記憶、深鍋や薬缶が一分ほど置かれた薄黒い染み、逃がし管の濾し器に挟まっているジャガイモの皮の切れ端、〝布きん〟と呼ばれる、まったく形容し難いほどおぞましい襤褸、皿洗い場という言葉を聞くと、それらがわたしの記憶に蘇ってくる。ひどい文章」

「何がいけないんだい？」

「一つには、あまりに長過ぎて、ごたごたしてる――〝脂っぽくなり〟は「なる」として、あたらしく文章を始めるべきだったわ。それに、嵌入類音がある――例えば、『形容し難いほどおぞましい《インディスクライバブル・ホリブルネス》』。でも、本当の問題は、『記憶』が二度繰り返されていること。最初の『記憶』は、次の長くて複雑な主節の主語だと思ってしまうんだけど、やがて述部に来ると、『わたしの記憶に蘇ってくる』なのよ。わたしたちは混乱してしまう。どうして記憶が記憶に蘇るっていうことがありうるのか？　そこでわたしたちは最初の『記憶』に戻り、結局、それが主語ではなく目的語、『含む』の非形而上的な目的語だってことを発見するわけ――『その空気は……茹でたキャベツの記憶を含んでいた』って意味になる」

「でも、『茹でたキャベツの記憶』というのは、いい文句だ」と彼は抗議した。

「それ自体はいいのよ」と彼女は厳しい女教師のように、鼻眼鏡越しに彼を見ながら言った。「でも、それは『絶えず冷えてゆく湯気』という非形而上的な目的語によって分けられているので、『含む』という前の言葉と、最初読んだ時は結び付けず、それは新しい節の主語だと思ってしまう。文法上の曖昧さが効果を損ねているのよ」

彼は彼女の手から本を取り上げ、自分でその一節を読んでみた。彼も彼女が正しいことを認めざるを得なかった。そして、今後は校正刷りを彼女に読んでもらい、訂正すべき箇所を言ってもらうかもしれないと思った。ジェインは彼よりも文法に詳しかったが、あまりに彼を尊敬していて、彼の作品をタイプしている時、文章については多くの提案はしなかった。彼は書くのが速く、言葉はペンの先から迸り出た。そして、例えばヘンリー・ジェイムズのように文体を彫琢するのに必要な忍耐心に欠けていた――ジェイムズの場合とは別の理由で、人は彼の迷路のような文章の意味を理解するのに一度ならず読まねばならなかったが。

ジェイムズはついにスペード・ハウスを訪れ、八月の週末に泊まった。「君の魅力的なホールに足を踏み入れるのをグロテスクなほどに延ばした歳月がついに終わるという感覚は、僕にとって喜ばしい」とジェイムズは、自分の到着時間を確認した際に書いた。ジェイムズはその前に、ウェルズ夫人に次のように伝えてもらいたいという手紙を彼に送っていた。「僕の食べ物を調理をするのは至極簡単だ、僕の食べられるものはごくわずかだからということ、僕はほんの少ししか食べないが、少々時間をかけて食べるということを、ウェルズ夫人によろしく伝えてくれたまえ」――それは、「フレッチャー法」に言及したものだった。つまり、固形の食べ物を嚥下する前に法外な時間をかけて嚙むというもので、アメリカのインチキ療法師フレッチャーという人物が推奨したのである。ジップとフランクは、機会があるとその食べ方をうっとりして眺めた。ジップはジェイムズを「卵男」と呼んだ。というのも、ジェイムズが朝食にとろ火で煮た卵を三つ食べたからである。またおそらく、ジェイムズがその頃、やや卵型だったからでもあろう。左右相称にカーブした太鼓腹、ひげを綺麗に剃った卵型の顔、禿げかかった広い前額。しかしジェイムズは愛想のよい優雅な客で、家の調度を、嘘にならぬように努めながら褒めた。「親愛なる友よ、君は借用した――または先取りした――僕の生国の家庭の室内デザインを。その俗悪さは避けつつ」。ジェイムズは彼の家を一巡したあとで、そういう意見を述べた。どの寝室にも付いている便所でさえ讃辞を呈された。それは、ほんのわずか、からかい半分だったが――「紛れもない衛生ユートピア！」

二人とも、つい最近アメリカを旅して回ったところで、二人とも、その経験にもとづいて間もなく本を出版するところだった。「君のは、もちろん僕のより遥かに売れるだろう」とジェイムズは溜め息交じりに書いている。そして、もっともながら、その予言通りになった。ジェイムズの著作、とりわけ、その頃出版した三つの主な長篇小説――『鳩の翼』、『使者たち』、『黄金の盃』――のがっかりするような売上げは、手紙に絶えず出てくる不満の原因だったが、二人の関係のある種のぎごちなさの原因でもあった。彼は『使者たち』を褒めた手紙に、気の利かぬ話だが、自分の短篇集の売上げに言及してしまった。するとジェイムズは、物悲しげに、ほとんど非難するような調子で返事を書いた。「僕の本は出てからひと月近く経つが、君の四千部には敵わず、四部売れたと思う」。彼は同情し、ジェイムズの作品がもっと理解されるようになるために、彼なりに努めた。例えば、アーノルド・ベネットに『鳩の翼』を強く薦め、『ブックマン』の「今年の推薦図書」の一冊に選んだ。しかし、ジェイムズが人気作家になる望みはまったくなかった。

ジェイムズは一年前、『キップス』を彼が満足するような具合に大いに褒め、ディケンズ、サッカレー、ジョージ・エリオットを凌駕すると言った。もっとも例によって、激賞の下に但し書きが仄見えるが。「僕は『キップス』について何が言えるだろうか、自分は駄弁を弄する用意があり、そうせざるを得ないと言う以外？　彼は傑作というより、まったくの生来の宝石だ——君はどうやってかは知らないが、観察と知識の神秘的な深みに真っ逆さまに飛び込み、それがどれなのか、どこにあるのか知らないが、ダイバーのこの丸い真珠を持ってまた上がってきた」。この比喩について考えれば考えるほど、それは作者の技巧を褒めてはいず、作者の成功を幸運に帰しているように思われた。それでも彼は讃辞に対して感謝し、ジェイムズが最後の数章のやっつけ仕事に文句をつけなかったことに少しばかり驚いた。彼が会話の中でそのことを言ってみると、客のジェイムズはちょっとばかり曖昧だった。ジェイムズは実際は終わりまで読まなかったのではないかと彼は疑った。それは構わなかった——彼自身、『黄金の盃』を最後まで読まなかったからだ。どうやら二人の多作の作家は、相手の書いたすべての言葉を読むだけの時間がなかったようだ。

　ジェイムズは実は、友人があまりに多くの時間を政治に浪費していることを心配していた。彼がフェビアン協会の「古老連中」との闘いについて詳細に説明すると、ジェイムズは最初おとなしく聞いていたが、間もなく退屈し、異を唱えた。「そういった委員会とか徒党とか、動議とか修正案とか、議論とか無味乾燥な報告書とかは、創造的衝動を殺すものだよ、ウェルズ」とジェイムズは断言した。

「芸術家の仕事は、自分の選んだ媒体において想像力を働かせることによって、集合意識を啓発し豊かにすることさ。それが芸術家の政治に対する適切な貢献だよ」

「芸術のための芸術？」と彼は訊いた。

「人生のための芸術さ！」とジェイムズは、切り札を出す男のような調子で言った。

「僕は世界を変えたいんだ」と彼は言った。「単に記述するだけじゃなく。人はどこかから始めなくちゃならない。僕はフェビアン協会を変えることから始めることにしたんだ」

　これから闘争しなければならないという最初の兆候は、九月に執行部のメンバーから手紙がどっと来たことだった。シャーロット・ショーは、自分は結局、調査委員会の報告書に署名できないと決めたと言ってきた。明らかに、夫からの圧力に屈したのだ。あなたは私を裏切ったとだけ、彼は短く返事を書いた。ピーズは、「靴のこの惨めさ」をフェビアン協会の小冊子として出すことは承認できない、もし、ショーとウェッブ夫妻に対する個人攻撃の部分を削除しなければ、と書いてきた。彼は修正削除を断った。シドニー・ウェッブはこういう手紙を寄越した。委員会の報告書には「興味深く、かつよく書かれている多くの箇所」があるが、協会がその提案を受け入れるとは思わない、なぜなら、その提案を実行するにはあまりに多くの費用がかかるし、報告書が提案している、執行部に代わって協会の活動のそれぞれ違った面を取り仕切る三つの「三人組」に喜んでなる執行部のメンバーはいないだろうから。みんなわかってくれるだろう、と彼は答えた。するとショーが、矢継ぎ早に二通の手紙を寄越した。そのどれも、シャーロットが離反したことについては触れていなかった。

一通目の手紙は、「靴のこの惨めさ」に関する論議で、ピーズの肩を持ったものだった。報告書を公刊する際、個人を揶揄した箇所は削除するつもりだと彼がショー自身に明言したことを思い出させた。彼は折れる決心をした。ショーが勧めているように、へりくだって即座にではないが。「ピーズに折り返し返事を出して――電報を打って――自動車に乗り、悔悟の印に帽子に灰を振り掛けて、自ら彼に話したまえ」。二通目は数日後に書かれたもので、そのあいだにショーが『彗星の日々に』を読んだのは、はっきりしていた。それは途轍もなく長い手紙で、いかにもショーらしい機知に富んでいた。彼はショーの皮肉に怯んだものの、ショーの雄弁を賞讃せずにはいられなかった。それは、手紙の宛先人の最近の無作法な振る舞いは、嫉妬に根差しているという、ふざけた口実で始まっていた。「遠慮なく訊かせてもらうが、ジェインは最近、いつにないほど不機嫌だろうか？　君がアメリカに行っていて留守のあいだ、古代ローマの既婚婦人（「貞淑な妻」の意。ジェインのこと）が、身近の天才の誰か（ショーのこと）に愛着を覚えてしまったということはありうるだろうか――名前は言わないけれども、例えば、もっと成熟した判断力、もっと堂々とした体軀、もっと愛想のよい性格、もっと彼女に明らかに傾倒している人物が、彼女の目に、君を不利な立場に置いてしまったのだろうか？」ショーはそれに続き、新しい小説の末尾に仄めかされている解決法を行動に移すことによって問題が解決できるかもしれないと提案していた。『彗星』の中のこの夫婦愛人同居《メナージュ・ア・トロワ》とは一体なんなのか？　それは何を意味するのか？　なんでその本はひどく唐突に終わるのか？　いくらか緑のガスを吸って率直になったらどうだろう。私はジェインに対する愛情を隠したことは決してない。もし、君の最近の行動を特徴づけている気難しさと不満が、シャーロットに対する隠れた情熱の徴候であるなら、男らしくそう言いたまえ。彼女は君に非常な関心を抱いている――その関心は、もし熱心に働きかければ、もっと深い感情に容易に熟するかもしれない」。ショーは自分の空想を相当の長さに発展させ、こう結論付けた。「単なる法的問題を私たちのあいだの障碍にしてはいけない。もし君がグループ結婚をしたいと思い、シャーロットを説き伏せることができるなら、そしてジェインが気にかけないなら（もし気にかけるなら、私は少なくとも彼女の父親役ができる）、私のほうには迷信がらみの問題などないので心配する必要はない」。この剽軽《ひょうきん》なシナリオは、フェビアン協会の中では、ショーの結婚は性関係のない結婚《マリアージュ・ブラン》だと広く噂されていたので、いっそう馬鹿げていたが、彼は小説が巻き起こすかもしれないスキャンダルをショーが警告しているのがわかった。そして、その手紙を読んでにやりとしたものの、そうなりそうな不安を覚えた。

　その手紙はそれに続き、フェビアン協会の全面的改革を目指す彼の運動を論じ、勝利に伴う欠点を巧みに指摘した。ピーズ以外のすべての古老連中が役職を辞任し、役職関連の仕事から自由になる口実を熱望しているというショーの主張を、彼は一瞬たりとも信じなかったが――彼らのほとんどは、自分たちの地位に強く執着していた――もし彼らが、彼に対する反感から一斉に辞任したなら、彼は厄介な運営上の責任を負わされるかもしれないというのは本当だった。そういう成り行きになるかもしれぬと彼を脅かしたあとでショーは、政治的説得術を学ぶことを強く勧めた。「君は委員会の習慣を身につけるべきだ……もし君が、少年時代に知った少しばかりの現実をもとに書きまくるだけの小説家ではないなら。私たちは誰でも、ディケンズの靴墨工場勤めと同じ経験をしている。そして私たちは、それに反抗してみんな社会主義者になった。しかし世間は、天才から、天才が経験したことだけではなく、天才が未来について予言することも聞きたがる」。彼はそれには心から賛同したが、献身的な委員会の人間にはなれず、革新的変化をもたらす手段としては、委員会をまったく信用していなかった。それゆえに彼は、『現代のユートピア』のサムライが享受しているような特権的権力を行使する、選ばれた三人組によって協会は運営されるべきだと提案したのだ。しかし彼は、ショーの論旨のすべては受け入れないにせよ、ショーがそれに使った時間と努力には感銘を受け、返事を書いた。「君の手紙はなんとも華麗だ。僕は頭を下げる。君は素晴らしい。驚くべきなのは、ある一点で、その素晴らしさが止まることだ。なぜ君は、僕がこうした事柄において、君の考えを完全に表明していることを悟らないのだろう？　三人組案に賛成してくれたまえ。（僕は決して選ばれないだろう）」。この最後の言葉は、予測であると同時に希望だった。彼は自分の役目は改革のための青写真を提供することだと思っていた。そして、役職の責任は負いたくなかった。もし三人組の一人に選ばれれば、もちろん一年か二年、重荷を背負わねばならないだろうが。

ショーが『彗星の日々に』はスキャンダルを起こすかもしれないとからかい気味に予言したことが、間もなく現実になった。『タイムズ文芸付録』の匿名の書評子は、小説の結末を要約したあとで、陰険な悪意を込めてこう書いた。「社会主義者の妻は、彼らの財産同様、共有になるものと思われる」。すぐにそれに続き、極右の『デイリー・エクスプレス』は『タイムズ文芸付録』の書評を引用し、それを、社会主義の究極的目的が自由恋愛だという証拠とした。その結果、自由恋愛を広めていると言って二人の聖職者が彼を非難した。それはまさに、彼がフェビアン協会を新しい世紀に導くための心構えをしていた時に行われた、歓迎すべからざる宣伝だった。彼はピーズに頼まれて講演をすることになっていた。題は「社会主義と中産階級」に決め、十月に講演をすることにした。そして、十二月の総会で、彼の委員会の報告を採用するよう、動議を出すつもりだった。フェビアン協会員は性道徳の問題について各人各様の考えを持っていて、その多くは、ブランド夫妻のように、その点では非因習的な生活をしていたが、全体的には、体面を保つのがいいことだと信じていた。主義としてそう信じていた者もいたが、その他の全員は協会の政治的任務が、もし乱交と伝統的結婚の破壊とに結び付けられれば、危うくなると恐れた。

彼はその恐れが理由のないものではないのを認めざるを得なかった。「自由」と「恋愛」は、英語において最も高貴で愛らしい言葉だが、一緒になると、保守的な新聞雑誌ばかりではなく、フェビアン協会が、なんとかその経済的窮状を救ってやろうとした、労働者階級と中産階級の下の多くの者を含む、英国の一般大衆にも衝撃を与え、彼らから怒りを買う、途方もない力を持つ言葉になった。彼の中の何かが、性の現状を偽善的に支持することに反抗し、抑圧的社会組織のほかのすべての面に戦いを挑んだが、彼は政治的実利主義についてのショーの訓戒を肝に銘じていた。どんな手が打てるか？　彼は厄介な問題を引き起こしたその小説のエピローグを、もう一度読んでみた。夢のような枠組みの物語の語り手は啓発されていない二十世紀初頭を代表する男だが、老いたウィリーに、結局ネティーと再び結ばれたことについて訊く。

わたしは、自分を戸惑わせたことについて質問するのに、微妙なためらいを感じた……「で、あなたたちは——？」と、わたしは尋ねた、「あなたたちは——恋人同士だったんですか？」

彼の眉が上がった。「もちろん」

「しかし、あなたの妻は——？」

彼がわたしの言うことを理解しなかったのは明らかだった。

私はまだ躊躇した。ひどく不躾なことを訊くのに戸惑った。「しかし——」と、わたしは始めた。「あなたたちはそのまま恋人だった？」

「ええ」。わたしは彼を理解したかどうか、非常に疑問だった。あるいは、彼がわたしを。

「そして、ネティーはほかの恋人を持っていたんですか？」

「あれほど美しい女だからねえ！　何人が彼女の美しさを愛したか知らないし、彼女がほかの者に何を見出したかも知らない。でも、われわれ四人は、あの時から非常に親しかった、わかるでしょう、われわれは友人、協力者、恋人の世界における個人的恋人だった」

「四人？」

「ヴェロールがいた」

すると、わたしの心に蠢《うごめ》いていた考えは邪悪で卑しいものであること、わたしの旧世界の奇妙な疑念、粗野さ、嫉妬は、これらのもっと立派に生きている者にとっては存在しないのだということを、わたしは突然悟った。「あなたたちは」とわたしはリベラルな精神を持とうとしながら言った。「一緒の家庭を作った」

「家庭！」彼はわたしをじっと見た……「わたしは忘れていた」と彼は言った。「あなたは旧世界が今でも続いているふりをしている。家庭！」

そしてウィリーが大きな窓をさっと開けると、未来の変貌した世界が現われる。そこでは、息苦しい個人の家庭などは、息苦しい伝統的な家族同様、時代遅れになっている。

この小説は疑いなくかなり革新的なものだ。それが、混交が広く認められているという事実を背景にした、グループ結婚を讃美したものなのを否定するのは無意味だった。彼にできるせいぜいのことは、エピローグを、社会主義者が作ろうと目指しているような、実際に達成できる社会の記述ではなく、完全に変貌した人間性の予言的ヴィジョンの記述だと規定することだった。したがって彼は、『タイムズ文芸付録』に載せる手紙の中でこう書いた。「拙著の意図は、対照の効果を挙げること、現在の生活について、強まる緊迫感をもって、暗い、絶望的な調子で現在の生活について語り、それから大きな解放感、射してくる光、夜明け、新鮮さ、自由と純粋さの感覚を得ること……目的は社会主義ではまったくなく、精神的に、道徳的に高められた人間の夢である。人間の変化ということを考えれば、世界に対し、『娶《めと》らず嫁《とつ》がせず』ということを請け合うのは、わたしの卑しい想像力ではなく、貴紙の書評子がたぶん敬うであろう権威である」。彼は新約聖書を引き合いに出したことがとりわけ気に入り、『デイリー・エクスプレス』にもっと強い調子の苦情の手紙を書いた際にも、それをまた使った。ドロシーは手紙を寄越し、『タイムズ文芸付録』の投書の文は非文法的だということ、自分は、友人が編集している『クランク』という小さな無政府主義者の雑誌に『彗星の日々に』の書評を書くつもりだと言った。

彼は自分のところに来る手紙やさりげない会話から、フェビアン協会の彼の敵が、彼の新しい小説によって巻き起こされた論争に、揉み手をしながら喜んでいるらしいのを知った。「それは、チビの成り上がり者に、あんまり自惚れるなということを教えるだろう」と彼らは心のうちで、または互いに言っていた。「会員は自由恋愛論者が協会を乗っ取る前に考え直すだろう」。だが、彼が十月の講演で、性と結婚についての自説を撤回するだろうと彼らが考えたとすれば、それは間違いだった。逆に彼は、こうした問題に関する現在の社会の混乱は、私有財産を廃止し、女性に平等の市民権を与えるというような社会主義的価値観と抱負にもとづいた、新しい性倫理を作る機会だと述べた。社会の基本的単位は「家族」だが、現在の国家においては、家族はその家長によってのみ代表されていて、家長と家族のほかの者たちとの関係は、所有の関係である。「今日の女性は慇懃に扱われているものの、その裏では、自分たちが実は現実の、あるいは将来の潜在的財産であり、自分をそういうものとして扱い、振る舞わねばならないのを、知的な女性なら誰でも知っています……社会主義は、責任を伴う女性の市民権、男性からの経済的独立、それに伴うすべての個人的自由に関連しています……」。「個人的自由」という文句は、自由恋愛を是認するぎりぎりの文句で、彼は自由恋愛という厄介な言葉を一度だけ使ったが、それは、自分をそれからあっさりと縁を切るためだった。「社会主義者はもっと率直に物を言っていれば、自分たちの言い分をもっと人に聞いてもらえたでしょう。彼らの言い分は途方もない誤解を生みました。とりわけ、社会主義は自由恋愛を暗に意味しているという誤解を。わたしは家族に対する社会主義の批判を、謙虚に、しかし完璧に述べ、因習的な関係に代わる社会主義的関係を提案すれば、現代において、非常な反応を引き起こすだろうと信じています」

　ロザマンドとフェビアン育児室の彼女の友達がその集会を精力的に宣伝したので、主に若い聴衆が大勢詰めかけた。少なくともその半分は女性で、彼が述べたヴィジョンに熱心に反応し、話している彼を微笑しながら見上げ、じっと聞き入り、頷いて賛意を示す顔に彼は元気づけられ、いつになくうまく話した。彼は結論付けた。「いまや沈黙と抑圧の中で、性に関する事実を『自分自身で見つけよ』と、はっきり言うのは、中産階級の女性と中産階級の男女の若者の心を捉え、新しい非常に強い関心を掻き立て、退屈し、争うあらゆる夫婦、不和の家族に、幅広い考え方を教え、社会主義運動を途方もなく拡大させ刺激するでしょう」

　講演が終わると、長い大きな拍手が起こった。ピーズとブランドと、ほかの古い会員たちは拍手せずに苦い顔をしていた。ウェッブ夫妻は礼を失しないように拍手をした。ほかにしようがなかったのだ。なぜなら、彼は一晩泊まるようにという二人の招待に応じていたからだ。彼は協会の用でロンドンに来ると、時々そうしていた。彼は演壇から降りると、興奮した賞讃者の群れに囲まれた。モード・リーヴズと娘のアンバーは、彼と握手をした最初の一人だった。「素敵、H・G！」とモードは言って微笑した。「そうよ、素敵、ウェルズさん」とアンバーは鸚鵡返しに言った。「本当に人を鼓舞したわ」。「君はケンブリッジにいるはずじゃないのかい、アンバー?」と彼は言った。彼女はいまや大学二年生で、容貌も仕草も驚くほど大人びていた。「このために来る許可を学寮から貰ったんです」と彼女は言った。「どうしても聞き逃したくなかったんです」。「アンバーはフェビアンの大学支部を作り始めたの」とモードは言った。「そうなんです、来学期、大学に来てお話しして下さいません、ウェルズさん」とアンバーは熱意を込めて言った。「協会の大宣伝になりますわ」。「アンバー! 今、そんなことでウェルズさんを煩わせてはいけません」とモードは叱った。「そうね、もし暇だったら喜んで行くよ」と彼はアンバーに言った。「その件で手紙をくれたまえ」。アンバーは勝ち誇ったように顔を輝かせた。「ありがとう!」人込みの後ろから、シドニー・ウェッブが彼の注意を惹いた。「これから辻馬車を捉まえる、ウェルズ」とウェッブは大きな声で言った。「あんまり長くそこにいるなよ——夕飯が僕らを待っている」

　人込みから離れた彼は、紳士用のクロークに帽子とコートと一泊旅行用鞄を取りに行き、その帰りにクリフォード・インの迷路のような廊下を歩いていると、ロザマンドが待ち伏せしていた。彼女は彼を明かりの点いていない無人の事務室に引き込み、熱烈に彼を抱擁した。「あれは本当に素晴らしかったわ、H・G!」と彼女は、二人が一休みした時に言った。「ありがとう」と彼は言って、彼女のふっくらした暖かい体をぎゅっと抱き締めた。二人が愛の営みをしてから大分経っていた。リムの近くのコテージは季節が変わると密会にはあまりに寒く、快適ではなくなった——彼は煙が出て好奇心の強い者の注意を惹くといけないので、火は燃やさなかった。そして、ロンドンで密かに会うのは、誰かに見られるおそれがあるので、あまりに危険だと彼女に言った。彼は実のところ、彼女が仔犬のようにひたすら慕ってくるのに次第に飽きてきたので、この情事が人目に立たぬうちに終わることを願っていた。だが、その時は講演の成功で有頂天になっていて、アドレナリンはまだ血管を走っていたので、ロザマンドと情熱的な性交をして興奮を発散するほど喜ばしいことはなかった。もしウェッブ夫妻が外で待っていなかったら、彼女をドアに押しつけるか、机の上に大の字に横にするかし、その場で性交したであろう。「今度はいつ愛し合うの?」とロザマンドは、彼の考えを読み取ったかのように溜め息交じりに言った。「わからない。考えておこう」。「コテージが寒くても湿っていても、あたしは構わない」と彼女は言った。「いや、僕は構うね」と彼はにこりとして言った。「いつか君を、本当に豪華なホテルに連れてってやろう。エジプト製のシーツが敷いてある四柱式寝台と大理石の浴室と、パイプ暖房のあるところに泊まるんだ」。「なんて素敵」と彼女は大きな声で言った。「どこの？」「君の好きなどこでも」と彼は向こう見ずに言った。「パリ？」「結構。パリだ」と彼は言った。「でも今は、ウェッブ夫妻がストランドで辻馬車を停めて僕を待っている。ひどく苛ついてるだろうな。君はここに数分残っていたほうがいい。お休み、ロザマンド」。彼は彼女にまたキスをして、暗い部屋の中に、悲しい思いをしている彼女を一人にした。

グロヴナー街にあるウェッブ夫妻の家は立派だが魅力のないタウンハウスで、壁紙は耐久性のある黒っぽい紙で、床には絨毯の代わりに麻のマットが敷いてあった。ビアトリスは彼の講演が非常に受けたことを祝ったが、夕食をとりながら、その講演に異議を唱えるのを控えることができなかった。夕食は背が高く口数の少ないスコットランド人の家政婦が供した、滋養分の多い軽い食事だった。ビアトリスは本心から、彼の意見に公平であろうとしたが、根深いピューリタニズム——あるいはそれは理想主義と呼ぶべきかもしれないが——ゆえに、尻込みした。彼女は同世代のほとんどの知識人同様、成人してから早々にキリスト教信仰を捨てたものの、肉体と精神の二元対立、肉体を怖れ、精神を重視する態度は依然として保持していた。彼女は今でも祈りを信じていた——誰に祈るのか、何を祈るのかははっきりしていなかったが。ある時、彼がこの点について問い質すと、彼女はマシュー・アーノルドの信条、「正しさに寄与するのは、われわれ自身ではない、永遠なるものである」を引用して答えた。そしてこの点では、彼女の祈りは有効だった。彼は床にマットを敷くことに至るまでのあらゆる行動の動機が、それほど正しさを意識したものである女を知らなかった。しかし彼女はごく知的で、彼が自由恋愛問題を一蹴した巧妙な誤魔化しを攻めた。

「実のところ、あなたの提案する『因習的な関係に代わる社会主義的関係』と、いわゆる自由恋愛との実際の行動に、何か違いがあるとは思えないわ」と彼女はデザートを食べながら言った。

「狭い意味の行動では、ないだろうね」と彼は認めた。「でも、その経験は社会主義国家においては質的に違うだろうね」

「どうかしら」と彼女は懐疑的な顔で溜め息をついた。「わたしが自由恋愛の魅力を感じないとは思わないでね。わたしがシドニー以外のほかの男を愛することができるだろうのはわかっている――」と言って彼女は、それは単なる仮定だということを示すために、にこりとしながら夫のほうをちらりと見たが、夫はトリークル・プディングの上に屈《かが》み込んでいた――「自分と同じ抱負を抱いている別の男と親密な関係を持つのは、知的な刺激になるでしょうね。たぶん、人間性の理解を深めるわ――」。

「そうさ、ビアトリス、請け合うよ」と彼は生意気に言った。

「でも、関係するカップルに対して教育的で、生命を高める影響を及ぼす違法の結び付きに対し」と彼女は真顔で言った。「唯一の動機が肉欲である百の――千の――違法の結び付きがある。人間は性欲に関してはひどく気紛れで非合理なので、それに対する伝統的な拘束を取り除いてしまう結果、どうなるか、わたしは心配。男も女も、肉体的願望と欲望を、人間性の精神的、知的面に従属させることによってのみ向上すると、わたしは信じてるの。それがわたしを支えている信念」

彼は肉欲を弁護したい誘惑に駆られたが、思いとどまった。「僕の新しい小説を読んだかい?」と彼は訊いた。

「いいえ」と彼女は答えた。「まだ読んでない。それについては読んだけど、もちろん」

「それで君は、その小説についてひどく歪んだ見方をしているんだ。あの小説の末尾のポイントは、僕らが自由恋愛と呼ぶものを享受している登場人物は、人類はこう進化してもらいたいと君が願っている、まさにその方向にすでに進化しているということなんだ。彼らは神みたいなものさ。もはや彼らにとってセックスとは、密かに行い、羞恥心に包まれている汚らしい、胡散臭いものではないんだ。それは神聖なものなんだ。愛する者に自由に与え、お返しに受け取る贈り物なんだ。それは人生において重要な位置を占めているが、人を支配したり、苦しめたり、人に取り憑いたりしない。人類全体の生活を完全なものにする仕事を自由に人に続けさせるものなんだ」

「なら、読まなくちゃ」とビアトリスは、感心した顔をして言った。

シドニーはそうではなかった。「トリークル・プディングをもっと食べるかい、ウェルズ?」とシドニーは訊いた。シドニーは彼が非現実的と呼んだその種の議論に、いつも飽きてしまうのだ。

ビアトリスは約束を守った。その月の終わりに、『彗星の日々に』を読んだという短い手紙を彼に送った。それを読んだビアトリスは、自由恋愛に対する考えを変えはしなかったが、女性は選挙権を与えられるべきであるということをついに確信し、穏健で、非暴力主義の婦人参政権論者たちの指導者デイム・ミリセント・フォーセットに手紙を書き、彼女を支持することを誓った。数日後に『タイムズ』に載った、デイム・ミリセントの投書がその情報をおおやけにした。彼は驚くと同時に喜んだ。驚いたのは、彼の小説には婦人参政権の問題はあまり出てこなかったからで、喜んだのは、それがフェビアン協会の長老派にとって相当の打撃になるからだった。モード・リーヴズは欣喜雀躍した。潮流が再び彼の有利に動き出したように思われ、十二月七日に予定されている総会を待ち望むような気分だった。そして、フェビアン協会の政治から一時逃れ、新しい小説を書き始めるために、一人でヴェネチアに行くことにした。野心的で半自伝的な、「イギリスの状況」小説で、『空費』という仮題だった。ヴェネチアを選んだのは、知人はそこに誰もいなかったし、十一月には観光客はいないだろうからだった。そしてジェインに、本当に緊急の場合以外、手紙や電報で邪魔されたくないと言った。彼はグランド・ホテルの最上階の部屋に泊まった。そこから、霧の立ち込める潟越しに、サン・ジョルジョとサルーテ聖堂が見渡せた。彼は中断せずに三週間、書き続けた。

家に帰ると、郵便物の恐るべき山と、留守中に出版された『アメリカの将来』の献本の入った小包が待っていた。彼はその本を、「D・M・R」というイニシャルでドロシー・リチャードソンに捧げた。そうすることが、彼が彼女を最近少々ほったらかしにしていた償いになるのを期待したのだ。ジェインは校正刷りに彼が挿入した献辞を見て驚いた。「なんで?」と彼女は訊いた。「ドロシーはアメリカのことは何も知らないのよ、アメリカには関心がないの」。「友情のためさ」と彼は言った。「イニシャルだから、誰も彼女だと気づきはしない」と彼は言った。「彼女のミドルネームがミラーだってことを知っている者はほとんどいない」。彼は手紙の山から、ドロシーの筆跡の封筒を見つけた。それに入っていたのは、彼の予期に反し、献辞の礼状ではなく、『クランク』から切り取った、『彗星の日々に』の彼女の無署名の書評だった。しかし、それはある意味で、一種の手紙だった。というのも、彼女を真剣に扱わないことに対する個人的恨みがそれには感じられたからだ。ドロシーはこう書いていた。いつの日か彼が偉大な小説を書くことを望む。その力があるのだから。しかし、この小説はそうではない。彼は成功するためには、全作品の女の描写の限界を克服しなければならない。それらの女たちはほとんど例外なく、「彼の学生時代の生物学博物館から持ってきた一つの標本で、それに様々な衣裳を着せ、髪を違った色合いにし、雀斑《そばかす》の割合を変え、きちんと分類された本能を与え、すべての女に一つの曖昧な微笑を浮かべさせている」。それはある本が、その本の著者の別の本に惚れ込んでいる者によって酷評された、文学史上最初の例だと彼は思った。彼は気難しいドロシーがさらに厄介なことを引き起こしそうだと感じた。

もっと歓迎すべき手紙がヘンリー・ジェイムズから来ていた。ジェイムズは『アメリカの将来』を賞讃していた――「今日は同書で興奮し、身をよじ、同書に熱に浮かされたように感動し、さめざめと泣く以外、何もしなかった（この最後の行為は、つまり、純粋な感情と興味の強烈さのゆえだ）」。ただし、例によって、絶讃したあと但し書きが付くが。「まず僕に飛びかかってくるのは、君と、君のきわめて驚くべき活動的で機敏な知的個性だ――それは、君の崇高にして英雄的なほどの生意気さと言ってもよいかもしれない。君は物事をあまりに単純化するという感じに、僕は抗うことは十分にできない（自分の望むほど）……」。そして例によって、悲しいことに、たまたま同一の主題を扱った、最新刊の自著『アメリカの風景』で、『アメリカの将来』と同じような反応が得られなかったことに対するジェイムズの無念の思いが述べられていた。「僕が思うに、率直に言って、君は――あるいは君の本は――あまりに騒がしい、まるで、急いで通り過ぎる君に向かって、アメリカが君に与えねばならぬあらゆるヒントを叫んでいて、君はそれについてのコメントを叫び返さねばならぬかのように。しかしまた、率直に言って、君が述べている事柄の多くを発言する正しい唯一の方法は、彼らに向かって叫ぶことだ――アメリカは叫ぶ国だ、そして僕の半音は、君の華麗なシンバルの響きに掻き消され、まったく聞こえないだろう」。ジェイムズ！　彼のような者はほかに誰もいなかった。

彼はこの手紙を読んで上機嫌になったが、ロザマンドから来た手紙で突然、その気分は吹き飛んだ。彼女は丸っこい女学生じみた手で、去る八月にコテージで会う手筈を整えるという、二人の関係を示す彼からの手紙をイーディスが見つけたと書いてきた。

あの人はあたしの書き物机の引出しを調べた際に――他人のプライバシーを侵害することにまったく

無頓着――あの古い手紙を見つけたのに違いありません。あなたが手紙はすべて破棄するようにと言ったのは知っていますが、あたしたちの愛の一種の証拠として、あたしが会っているのは夢ではない証拠として、あなたからの手紙を一通取って置きたかったのです……あたしは時々それを取り出し、眺め、キスをしました。幸い、それにはあまり露骨なことは書かれていませんでしたが、この前コテージで一緒に過ごした時、あなたは楽しかったということ、「次の水曜日」にあなたがそこにいるということが書いてあり、「愛を込めて、H・G」と署名してありました。もちろん、大騒動になりました、ダディーは激怒し、二人はあたしを厳しく追及し、あたしを泣かせましたが、あなたはあたしを誇りに思ってもよいでしょう、なぜなら、あたしたちが恋人同士だということは認めなかったから。あたしたちはとても親密な友情を結んでいること、あなたはコテージを執筆するのに使っていたけれども、時折会って話すのに便利な場所だったということ、アリスがあなたに、あたしたちの友情を認めているということを言いました。二人はあたしの言うことを信じたかどうかよくわかりませんが、この問題をさらに追及するのはやめることにしました。でも、あたしはここでは日陰の身で、二人は鷹のように見張っています、ですから気をつけて下さい。すべての愛を込めて、ロザマンド。

彼はそっと呪いの言葉を吐き、手紙を丸めて紙屑籠に投げ入れた。だが思い直して取り出し、皺を伸ばしてジェインに見せた。「こういう風なことが起こるんじゃないかと心配してたのよ」と彼女は言った。「わたしが警告しなかったなんて、あなたは言えないわよ」。「ああ、言えないし、言うつもりもない」と彼は言った。「でも、僕はどうしたらいいだろう?」「何もしないのよ」とジェインは言った。「もちろん、あの娘《こ》と会うのをやめる以外」。「うん、それは大した犠牲じゃない」と彼は言った。「あの娘《こ》が馬鹿なことをしないことを願うわ」とジェインは付け加えた。「今までのところは、あの娘《こ》はこの状況でとってもうまく振る舞ったようね」。「奇妙な具合に、楽しんでさえいるのかもしれないと思う」と彼は、期待を込めて推測した。「小説のヒロイン気分なのは、はっきりしてるね」。ロザマンドにとって、二人の情事を終わらせる、これが最上のやり方だろうと彼は思った。彼の関心が徐々に冷えていくよりも、恋が専横な両親によって邪魔されるという、劇的なクライマックスを迎えるほうが。

だが、手紙の山にあった、シドニー・オリヴィエからの手紙が、別の心配の種になった――そして、怒りの。オリヴィエはこう彼に警告した。「社会主義と中産階級」の講演が好評だったのに危機感を覚えたピーズとブランドは、総会への準備運動で、彼を妨害するための裏面工作を精力的にしている。そして、ヒューバート・ブランドはフェビアン協会の長老たちのあいだに、彼に関するスキャンダラスな話を広めている、すなわち、彼は旧友のシドニー・バウケットという人物を、その妻と姦通して裏切った、またヒューバート・ブランドは、最近、ウェルズが自分の娘のロザマンドをものにしようとしていたが、彼の卑劣な計画をなんとか挫くことができた。「人もあろうに、ブランドが君を放蕩者と非難するとは笑わせる」とオリヴィエは書いていた。「そしてもちろん、彼の申し立てになんらかの根拠があるのかどうか、まったく知らない。しかし、彼が何を企んでいるのか、君に警告すべきだと思った。ブランドが女誑《おんなたら》しなのは誰もが知っている、つまり、フェビアン協会の重要人物なら誰もが知っているという意味だ。それは非常に前からのことなので、酒に目がないのと同じように、少々憐れむべき性格だとして、われわれのあいだでは当然のことになっている。したがって、彼は無害な人間と見なされている。君は違う。君は重要人物だ。気をつけたまえ」

この手紙を読むと、彼はもっと大きな声で呪いの言葉を吐いた。シドニー・バウケット！　一体全体、ブランドはどうやってバウケットと知り合いになり、ネルのことでの昔の怨念を聞き出したのだろう？　たぶん、マンチェスターのホテルのサルーン・バーで偶然会ったのだろう。彼は何年も前、バウケットが北に移ったのを聞いた覚えがかすかにあった。ロザマンドについて言えば、いまや彼はなぜブランドが、彼とロザマンドが実際に恋人同士だという告白を彼女に無理にさせなかったのかがわかった――そうすることで、ウェルズが娘を誘惑しようと企てていたと、娘の名誉を傷つけることなくウェルズを非難することができるからだ。それは、ひどく具合の悪い状況だった。彼はバウケットについてのブランドの非難を否定することはできなかった、なぜなら、それは本当だったからだ。また、彼がロザマンドを誘惑しようとしたということを、二人の情事において積極的だったのは彼女だと、非騎士的に暴露せずに否定することはできなかった。彼は、二人の女は共に自分の自由意志で彼と寝た成人であるということを、自由恋愛論議を再燃させずに指摘して、自らの行為を弁護することはできなかった。

まさに翌日、彼はロンドンに行き、クレメンツ・インの寒々として湿っぽい地下室でピーズと対決した。「ブランドが僕についていろんな話を広めているそうだね」と彼は言った。「本当かね？　どんな話さ」とピーズは、机の後ろから慇懃に言った。「聞いてないなんてふりはするなよ」と彼は言った。「君が何に言及しているのか言ってくれなくちゃ、君の質問には実際、答えられないね」とピーズは言った。「言ってくれれば、誤解を解くことができるかもしれない」。「君は僕が何について話しているのか知っていると思うね」と彼は言った。「僕はただ、執行部の君や君の友達が公明正大でない戦いがしたいなら、していいと言いたいだけさ。僕はブランドの私生活について二、三のことを知っているけど、もし彼が僕を中傷するのをやめなければ、それを世間に広めるのを全然躊躇しない」

「ブランドはもちろんローマ・カトリック教徒だ」とピーズは言った。「ローマ・カトリック教徒は嘘である中傷と、本当である誹謗とを区別しているそうだ。誹謗のほうが大きな罪だって、彼は一度僕に言ったよ、なぜなら、正直に引っ込められないから」。ピーズはにやりと笑った。「面白い逆説だと思わないかい？」

二人はこんな風にさらに数分決闘をした。ピーズは彼が何を言っているのかわからないふりをして、彼の怒号を躱《かわ》したが、実は非常によく知っていることを匂わせた。ついに彼は罵り始めた。「君は呪われろ、ピーズ、君の友達も呪われろ。僕の両親が召使で、僕はパブリックスクールにもオックスブリッジにも行かず、話す時はいまだに母音がロンドン訛りなので、僕を見下しているのを知ってるんだ、君は僕を陰では『下品で下劣な小男』と呼んでるのを知ってるんだ——」

「請け合っていいが、僕はそうした類いのことは言ったことがない」とピーズは傲慢な口調で言った。

「言わなければ、そう思ってるんだ」と彼は言った。「僕は下品かもしれないが、下劣じゃない。正真正銘の下劣な男が欲しいんなら、ブランド以外に探す必要はない」。そう捨て台詞を残して彼は立ち去ったが、あまりいい気分ではなかった。鬱憤は晴らしたものの、その代償として、自分自身の弱さと自信のなさを暴露してしまった。やってきたのは間違いだった。

彼は出る際に本部を抜けたが、フェビアン育児室の掲示板の脇で、ロザマンドが若いクリフォード・シャープと話しているのを見た。彼女は彼を見て、蒼くなった。シャープは敵意に満ちた一瞥を彼に与えた。タイプライターのカタカタという音がゆっくりとなってから止み、タイプを打っている者が、興味を露わにして三人の出会いを眺めた。それは、フェビアン協会の下のほうまでゴシップが伝わっていることを示していた。彼は二人に堅苦しく挨拶をし——「お早う、ミス・ブランド、お早う、シャープ」——別の約束に遅れているようなふりをして、立ち止まらなかった。外では雨が降っていたが、彼は傘を持ってくるのを忘れた。クレメンツ・インのアーチ形の入口の下で、鉛色の空を見上げながらためらっていると、ロザマンドが衣擦《きぬず》れの音をさせながら彼の後ろにやってきた。「ねえ、H・G」と彼女は言って、片手を彼の腕に置いた。「あたしの手紙、受け取った?」「きのう」と彼は言った。「きのう、ヴェネチアから帰ってきたばかりなんだ」。「あなたが留守だってこと、知らなかったの」と彼女は言った。「とっても心配していたの。あなたは怒ってると思ってた」。「君に怒っちゃいない、ロザマンド」と彼は言った。「自分宛でない個人の手紙を読んだイーディスと、僕について悪意に満ちたゴシップを広めてる、君のお父さんに怒ってるんだ。それは、来週の総会前に一番望ましくないことだ」。「わかってるわ、ひどい話」と彼女は言った。「何をしたらいいかしら?」「そう、まず、公共の場所で、僕のあとを追いかけないことだ」と彼は不人情にも言った。「ゴシップを助長するだけだ」。「ご免なさい」と彼女は言って、今にも泣きそうな顔をした。彼は辺りを素早く見回して、誰にも見られていないことを確かめ、彼女の手を取った。「元気を出すんだ。威厳を保つんだ。僕らは恥じるようなことは何もしていない」。「そうね」と彼女は言って、強く頷いた。「ゴシップを無視するんだ、厚かましい質問には答えちゃいけない」。「わかったわ」と彼女は言った。「でも、あたしたち、また会えるんでしょ——二人だけで、という意味」。「会えないと思う」と彼は言った。「長いあいだじゃないが。こうしたことがすっかり済むまでは」。「そうしたら、パリに連れてってくれんでしょ?」「たぶんね」と彼は微笑しながら言ったが、それは彼女を月に連れて行くようなものだと内心は思った。「でも、約束してくれたじゃない」と彼女は言った。「そうかい? それなら、もちろん連れて行くさ、いつか」と彼は言って、彼女の手をぎゅっと握り、頰に軽くキスをした。それのみが、二人だけで話している怪しげな姿を人に見られぬうちに逃げ出す唯一の手段に思えた。

クリフォーズ・インのホールは総会にはあまりに狭過ぎたので、エセックス・ホールが借りられた。数百人の会員――彼がフェビアン協会で指導的役割を果たすようになってから相当増えた会員の三分の一以上――がホールの一階と二階に詰めかけた。辺りには興奮したざわめきが満ちていたが、やがて議長のH・ボンド・ホールディング氏という人物が小槌を振り下ろし、総会が始まった。二つの重要な文書が出席者全員に配られた。調査委員会（「ウェルズ委員会」の公式名）の報告書と、それに対する執行部の回答である。その報告書は、新しい基本理念《ベイシス》と、もっと能率的な指導体制を提案し、「浸透」という政策を攻撃し、協会は会員を大幅に増やして英国社会主義協会と改名し、ほかの似たような団体と合同して議会に議員を送るよう促したものだった。執行部の回答は（ショーの手が加えられているのがわかったが）、建設的意見は歓迎していたが、その野心的な提案を実行するための資金調達について疑念を呈していた。執行部は基本理念《ベイシス》の改定案に感心せず、「浸透」という原則を擁護し、議会選挙に直接介入するのは時期尚早だと考えた。ショーは調査委員会によって示された方向に向かって慎重に進むことを認めながら、積極的にはほとんど何物にも関わらない、長くて複雑な動議を提出した。

ウェルズ自身のスピーチは改正案についてのもので、報告書の「精神と目的」を支持し、それを実行するために新しい執行部を選ぶ選挙を求めた。厳密に言えば、調査委員会の委員長であるシドニー・オリヴィエが報告書について話すべきだったのだが、「社会主義と中産階級」についての十月の講演の成功でいい気分になっていた彼は、その役目を自分ですると言い張ったのだ。その後、彼の自信は揺らぎ、ショーが流暢なアイルランド訛りの滑らかな文章で話すのを演壇に坐って聴き、自分が話す番が近づいてくると不安になった。そして、演説者としての昔の欠点のすべてが、最悪の形でまた出てしまった。彼は聴衆と目を合わせないようにしながら、いわば口ひげの中でもぐもぐ言い、あるいは天井の垂木に向かって甲高い声を出した。メモを見ながらとちり、冗談を言おうとしてつっかえた。彼は聴衆の好意的な反応が次第に少なくなるのを感じ、なんとか挽回しようと一時間以上話し続けた。それは長過ぎた。話し終わると、十分に討論する時間がなかった。ウェッブは短いスピーチをし、会員たちは皆の信任を長年得てきた執行部と、実際に試されていない、経験皆無の新しい指導者のどちらかを選ばねばならないと言った。シドニー・スミスは、体質を改革しなければ、協会が「小さな、保守に凝り固まった学会」になる危険があると言った。議長は、今晩議論を終わらせるにはあまりに遅いので、議論は一週間延期すると宣言した。

彼は自分の演説がまずかったことで意気消沈し、あとでオリヴィエと、その他の委員会の同僚たちに詫びた。「絶望することはない」とオリヴィエは言った。「あれは君の最上のスピーチじゃなかったけれど、ウェルズ、すべてが失われたわけじゃない。協会にはいまや変革に飢えている大勢の若者がいるんだ」。ショーはあきらかにそう考えていた。なぜなら、翌週、もし執行部がウェルズの改正案によって敗れたなら、執行部は全員辞任し、「協会にとって甚大な影響」を及ぼすだろうというメッセージを全会員に回した。オリヴィエはそのメッセージを見ながら首を横に振った。「ショーは実に狡猾だ。君の改正案を執行部に対する不信任投票にしているんだ。会員たちは執行部全員を一挙に解任するような投票は絶対にしない。それは、大量親殺しみたいなものだ」

二回目の総会の前夜、彼はモード・リーヴズと話したが、彼女の話はオリヴィエの懸念を裏付けているようだった。彼女は議論の続きで最初に話すことになっていた。そして、自分は彼の改正案を採択することを促すつもりはなく、二つの相争っている派が妥協することを提唱するつもりだと、明らかにばつが悪そうに彼に警告した。「本当に申し訳ないけど、H・G」と彼女は言った。「協会を潰しかねない、不和を生じさせるような、ああした修正案に今ではなっているものは支持できないのよ」。「わかるとも、モード、気にするな」と彼は言った。「あら、気にするわよ」と彼女は言った。「あなたは女権運動のとても熱心な支持者なので、あなたを失望させるのは嫌なのよ。でも、ショーが言うには、ビアトリスが最近考えを変えたので、男女平等の市民権ということが、フェビアンを分裂させることなく基本理念《ベイシス》に間もなくほぼ確実に取り入れられる」。ならば、ショーは密かにモードに働きかけていたのだ、と彼は思った。そして、彼女はまた、自由恋愛の危険な支持者で、かつ最近のゴシップから考えると自由恋愛の達人でもあるとリーヴズが見なしている人物によって協会が乗っ取られるのを支持しないようにと、夫から個人的に圧力をかけられていると、彼は鋭く推察した。しかし彼は、彼女の立場の難しさに同情し、心配しないようにと言った。

「僕らが勝つだけの変化の追い風があると思う」と彼は言った。「負ければ執行部が一斉に辞任するとショーが脅しているのは、はったりだと思う」

総会の第二回が十二月十四日に始まったが、聴衆の数は前より多く、エセックス・ホールの空気にはいっそう興奮が渦巻いていた。モードが外交的で融和的な挨拶をしたあと、聴衆の何人かが改正案に反対し、執行部を支持する発言をした。その中にクリフォード・シャープがいた。シャープは以前は改革運動を支持していたのだ。また、その中にヒューバート・ブランドもいたが、彼は、青年の利益のために話すふりをしながら、実は私利に走っている中年の男たちについて、いくつかいやみを言った。しかし、報告書を賞讃するスピーチもあり、ホールの雰囲気は重要な投票の時間が近づくにつれ緊張した。

ショーが話すために立ち上がったのは九時だった。そして、オリヴィエが予告したように、直ちに問題を信任の問題にした。「もしウェルズ氏が改正案を引っ込めるならば、執行部は重要な提案について一つ一つ喜んで議論する所存です」とショーは言った。「しかし改正案は、報告書を受け入れることを、現執行部の解体に結び付けています――言い換えれば、解任を不信任と結び付けています――それは必然的にわれわれの辞任に導きます、一方、調査委員会はもし敗れれば、協会を再生させる努力を放棄するということを、やはり明確にしています」。ホールから改正案のその解釈に異議を唱える声がいくつか上がると、騒然とした。彼自身、さっと立って、何が起ころうと辞任する意図はないと言った。「それを聞いて大変嬉しい」とショーは、自分の仕掛けた罠に犠牲者が挟まれるのを見ている男のように、勝ち誇った様子で言った。「なぜならそれは、わたしが結果を怖れることなくウェルズ氏に激しく突っかかることができることを意味するからです。しかしこの集会は、執行部の消滅とウェルズ氏の無条件降伏のいずれかを、依然として選ばねばなりません」。そしてショーは露骨に感情に訴えるやり方で論争の全経緯を概説し始め、「ウェルズ氏」が自分の主張を通すために虚偽の陳述、捏造、個人攻撃の手段を使ったとして攻撃した。しかしそれは、にこやかに笑いながら、ショーのおはこである、一見楽々と浮かんでくる機知に満ちた言葉でなされたのである。聴衆は、今晩は結局、執行部は辞任せず、協会は取り返しのつかないような損害を蒙ることはないという安心感を覚え、ショーの話を楽しむことに決めた。ショーはある時点で、両者がほかのもろもろの義務に時間を取ら

は終わりになった。

れながら仕事をしていたことに触れて言った。「ウェルズ氏は委員会の審議中、アメリカについての本を一冊書きました。非常によい本でもあります。しかしわたしは、われわれの回答を起草しているあいだ、一つの劇を書きました」。ショーはいったん話を切り、高い天井をぼんやりと見上げた。長い間《ま》だったので、聴衆はショーが言うことを忘れてしまったのだと考えた。するとショーは言った。「紳士淑女諸君、わたしがここで一呼吸置いたのは、ウェルズ氏が、『そして、非常によい劇でもある』と言うことができるようにです」。聴衆から爆笑が起こった。それをウェルズ自身、話のわからぬ男に見られないよう、無理ににやりと笑って耐えた。その瞬間、その集会は真剣な議論の場から、演芸場のようなものに変わってしまい、元に戻らなかった。

ショーが盛んな拍手のうちに坐ると、議長はウェルズのほうを向いて言った。「ウェルズさん、この状況において、わたしに投票に進んでもらいたいでしょうか、それとも……」

彼はシドニー・オリヴィエをちらりと見た。オリヴィエは首を横に振った。「いいえ」とウェルズは言った。「改正案を撤回します」。すると、また長い拍手が起こり、総会

4

十二月十四日の総会の結果は、もちろん、彼個人にとって屈辱的な敗北だった。投票は行われなかったにしても。彼は辞任するつもりはないと演壇で宣言する羽目にならなかったにせよ、議論の結果でではなく、純粋に修辞的な手段によって敗北したことに嫌気が差し、辞任していただろう。彼の委員会の提案について、なんら重要な討論は行われなかったのだ。しかし、それがある意味で我慢をした一つの理由だった。協会の彼の味方の何人かもそう助言した。議論における彼の論敵であり、議論を矮小化した主な責任のあるショー自身さえ、それに賛成だった。総会の数日後、ショーは手紙を寄越した。自分の果たした役割については何も詫びていなかったが、彼にこう請け合っていた。「君は自分のゲームを入念に研究するか、わたしの言う通りにするかすれば、状況は容易に回復できる」。ショーは、協会の将来についての執行部の見解を討論するいくつかの集会が今後予定されていて、その際、ウェルズ委員会のメンバーは、自分たちの考えを修正した形で採用させることに成功するかもしれないと指摘し、三月の恒例の選挙で執行部の一員に立候補することを勧めた。彼は、議論の際に自分が用いた邪《よこしま》な策略で、いまだに傷ついている犠牲者に対し、建設的助言を与える男の冷静な厚かましさに怒っていいのか、感心していいのかわからなかった。

彼はしばらくのあいだフェビアン協会に背を向け、執筆に集中した。彼は『トーノ・バンゲイ』と改題された『空費』を書き継いだ。トーノ・バンゲイというのは特許の強壮剤の名前で、語り手の叔父はそれで束の間の財産を築いたのだ。この人物、エドワード・ポンデヴェロは彼自身の叔父ウィリアムズをモデルにしていた。ウィリアムズはウーキーの学校長で、イーディスとバーサの父親で、道徳上の盲点を持った、親切で愛想のよい人物だった。ウィリアムズは資格を偽った廉で起訴されるのを避けるために、急いで学校を閉鎖しなければならなかった。ポンデヴェロの無価値の強壮剤が驚くほどの成功を収めたのは、虚偽の宣伝と積極的な売り込みにすべてよるのだが、彼の性格の中には、壮大さに対する妄念が根を張っていて、それは、自分と妻のためのいっそう豪華な家を次々に手に入れ、建てるという行動となって表に出る。そして財政的バブルがはじけ、彼は破産し、彼を信用していた何千人もの小口の投資家を道連れにする。彼は、この小説の語り手である甥のジョージが、「人類の運命に関わった、最も場当たりで、巧妙で、無目的な富豪階級」と呼ぶものを作り出したエドワード王時代の特徴になりつつあった、新種の無責任な資本主義の権化だった。

　ウェルズはジョージという登場人物に自分自身の経験の多くを投影させ――大きなカントリー・ハウスの召使の子として育てられ、その卑しい境遇から、科学教育を受けて抜け出そうと苦労し、抑圧的で偽善的な社会において、性と結婚の問題を抱える――ジョージを最初から、アマチュアの小説家とすることによって、イギリスの状況について分析し、一般化する余地を自らに与えた。「お断りしておくが、本書は様々なものの塊のようなものになるだろう。わたしは自分の（および叔父の）社会に出た経緯を、わたしの物語の本筋として辿りたいが、本書はわたしの最初の小説にして、ほぼ確実に最後の小説なので、わたしの心を強く打った、あらゆる種類のもの、わたしを面白がらせたもの、わたしの得た印象も、それに入れたい――わたしの話には直接は少しも役立たないとしても……わたしは心にあるものを表に出すとするなら、寝そべり、もがき、評釈し、理由付けをしなければならない」。この言い訳がヘンリー・ジェイムズを満足させたかどうかは疑わしいが、彼は語り手の声の調子と質、社会構造の堕落と衰退の間断のないイメージが、この小説に統一感を与えると信じた。

　だが新年早々、彼は別の着想を得た。特異な経験と才能を持つジョン・ウィリアム・ダンという青年と知り合ったのだ。英国の将軍の息子だったダンは南アフリカで育った。そこで農夫の徒弟になり、ボーア戦争で英帝国義勇騎兵団に入り、その後イギリスに来て、航空技師としての訓練を受けた。ダンは海鳥を観察した結果にもとづき、後退翼を持つ革新的な単葉機を設計した。それに大いに感心した陸軍省は、ダンをオールダショットの研究班に雇った。彼らは試作品の製造を許可しなかったので、結局、ダンの着想は棚上げになってしまったが。彼はダンから、航空学における新たな発展と、それを戦争に応用する可能性について、多くの興味深い情報を得た――特に、フェルディナント・フォン・ツェッペリン伯爵の、ドイツにおける可導気球の硬式飛行船の発達に関して。その試作品は何度か失敗し墜落したあと、最近、八時間滞空することに成功した。「そうした飛行船は兵器の完璧なプラットフォームになる。そして、兵器の攻撃範囲はほぼ無限になる」とダンは言った。「つまり、ドイツはロンドンを自国から爆撃できるという意味？」と彼は訊いた。「やがて、ニューヨークも爆撃できるでしょうね」とダンは請け合った。

彼はその光景を頭から追い払うことができなかった。ニューヨークの誇らかな摩天楼が、空からの容赦ない爆撃によって崩壊し、どの街区も炎に包まれ、人々は通りでパニック状態に陥る……まもなく彼は、『宇宙戦争』と同じジャンルに入る小説の輪郭の構想を得た。それは、ドイツの帝国主義と、両国間の軍備増強競争を懸念している目下の英国人の懸念をうまく利用するものになるはずだった。両国は、いかにも両国らしく、明日の兵器ではなく、昨日の兵器で次の戦争をする準備をしていて、さらに大きな軍艦を、さらに数多く造っていた。もしダンのような人物と話をしたなら、空軍力が海軍力に取って代わる運命にあること、空軍力のスピード、機動力が、戦争の急速なグローバル化をもたらすことが明白なのがわかっただろう。彼は話の大筋を考えた。英独の戦争が、アメリカ、日本、その他の国々を急速に引き込む。そして主に空爆によって大都市が無差別に破壊され、ついに文明は完全に破滅するに至る。物語の連続性は、一人の登場人物、飛行船で密航するロンドン子の自転車修理屋が提供する。その男は、ドイツがニューヨークを奇襲し、修羅場を繰り広げる様を偶然目撃する。教訓は、例によって、新たに進歩した科学とテクノロジーを、破壊的な目的にではなく、善を行う目的に使うようにさせるのは世界政府のみだ、というものである。しかし彼を興奮させたのは、自己満足した、お馴染みの現在の世界が、前例のない力の破壊的衝撃のもとで崩壊してゆく黙示録的光景をまたも現出することだった。それは、古老連中と、その追随者に加えたいと思った暴力の、無害だが満足感をもたらす発散だった。

この新しい企てにすぐさま取り掛かったのには、世俗的理由もあった。彼の銀行の預金残高が危険なほど減っていたのだ。彼とジェインは派手に人をもてなすのが好きだった。二人はほとんど毎週末、家に一杯の客を招いた。食べ物と飲み物と、各寝室にパイプで制限なしに送られる湯の費用は嵩んだ。彼はスペード・ハウスの設備にテニスコートを加えているところだった。それには、相当の費用を掛けて敷地を広げ、均《なら》さねばならなかった。過去一年、フェビアン協会の仕事で、執筆に充てれば金になったであろう大量の時間を費やした。『トーノ・バンゲイ』は書き殴ることのできる本ではなかった。それは、古典になるような文学的小説を書くという、彼の最も野心的な試みだったが、まさにそのために、彼の水準からすると、比較的ゆっくりとしか進まず、出版されると、ベストセラーにはなりそうもなかった。こうしたすべてのことを考慮すると、『空の戦争』を、着想がまだ頭の中で沸き立っているうちに速く書かねばならぬ有力な理由があった。そこで彼は、粗筋を自分の著作権代理人のピンカーに送り、もし誰かが千二百ポンドの前金をくれれば、それを数ヵ月で書くことができると言った。そして、彼のいつもの出版社のマクミランは、そうした類いの金を出さないのを知っていたので、マクミラン本人に手紙を書き、これから書こうとしている小説は銭儲け仕事で、さほど有名でない出版社から出すつもりだと書いた。マクミランは異を唱えなかった。ジョージ・ベル&サンズが現金で前金を払った。彼は九月までに原稿を渡す契約を結んだ。

十二月の総会の結末に対する怒りとフラストレーションが治まると、彼はフェビアン協会に関する事柄に、用心深く関係し続けた。彼は今度の執行部の選挙に候補者として指名されることに同意した。モード・リーヴズは、ジェインも立候補し、自分がフェビアン内部で結成しつつあった女性グループに加わるように説得した。二月にモードは、女性も平等の市民権を持つべきだという考えを基本理念《ベイシス》に取り入れることを執行部に原則として同意させた。それは半年先の総会で裁可されることになった。彼女はジェインを、勝利を確実に勝ち取るために役立つ味方と見ていた。

同月、彼はアンバー・リーヴズが、ベン・キーリングという、トリニティー学寮の青年と一緒に始めたケンブリッジ大学フェビアン協会で話す約束を果たした。すでにキーリングは、協会の少々活気のない「町《タウン》」（大学町の大学人、すなわち「ガウン」ではない住民の住む所）の支部の会員だった。ウェルズは、彼女が強い印象を与える若い女に成長したことに、これまでになく感銘を受けた——怜悧で、言語明晰で、美しく、目が茶色で、ハート型の顔の鼻は筋の通ったギリシャ鼻で、濃い縮れた黒い髪をしていた。そのせいで家族のあいだではドゥーサという綽名を付けられていた。メドゥーサの短縮形である。彼女は講演の前にニューナム学寮の構内を彼と一緒に歩き回っていた時、自分は一生懸命勉強していると言った。そして、夏に行われる道徳科学の優等卒業試験《トライポス》の第一部で第一級をぜひとも取りたいと言った。第二部の試験を受けるのは一年後だった。「女性は学位を取るのを許されてないの、もちろん」と彼女は言った。「でも、男性と同じ試験が受けられ、あたしたちの成績は男性の成績と一緒に発表されるの。女性の成績がよいと、いつもわくわくする。男たちはひどく気分を害するわ」。「君が学位が取れないなんて、笑止千万だ！」と彼は憤慨した。「君はロンドン大学に行くべきだった」。「でも、ここほど素敵じゃないでしょ？」と彼女は、地味で優雅なホールを指差した。それらは赤煉瓦で造られたアン女王様式のもので、白い上げ下げ窓と切妻があり、芝生と灌木のあいだに広い間隔で建っていた。「いずれにしろ」と彼女は言い添えた。「家から離れたかったの」。「君の第三部はどうなるんだい？」と彼は訊いた。「第三部はないの。第二部でお仕舞い」。「なら、なんだってトライポスって呼ばれてるんだい？」「昔は三部に分かれていたんだと思う」と彼女は言った。「それは中世にまで遡るそうよ、学生は卒業した時、三脚のスツールを貰ったの、一本の脚は一年を表わすわけ」

　哲学の学位コースを、こんな風に謎めいた化石化した言葉で包むとは、いかにもケンブリッジ大学らしく彼には思えた。その場所全体は——彼は一晩泊まり、ちょっと探索した——惹かれる気持ちと反撥する気持ち、嫉妬と侮蔑の相反する強い感情を引き起こした。そこは、冬でさえ視覚的に魅惑的だった。学寮の見事な建築、その静かな中庭、古色蒼然とした修道院、川沿いの緑の裏庭《バックス》、堤に柳が生えている川、そのすべてが、何世紀もかけて熟成した雅びと美に溶け合っている。そして、玉石を敷いた町の通りを歩くと気分が引き立った。そこは、ごくはっきりと精神生活に捧げられていて、書店がふんだんにあり、講義に出るため急いだり、喫茶店で互いに喋ったり議論したりしている、ガウンを羽織った若者が群れていた。彼は自分の学生時代の環境と比べて、心の痛むような恨みと悔恨の念を覚えた。彼は学生時代、薄汚い、喧しい、冷淡なロンドンを毎日長い時間をかけててくてく歩き、サウス・ケンジントン師範学校の実利的な教室と実験室に行った。ここで学べたら、なんとよかったことだろう！　しかし、ここはもちろん、特権に浸り切った場所で、擬古的で廃れた用語や陳腐な文句をいまだに使っているというのは、変化を排除し、変化から身を守る手段なのだ。もし自分が権限を持っているなら、と彼は通りで見知らぬ者たちに道を訊いて午前を過ごしたあと思った、学寮の正面にその名前を掲げさせ、「Caius」（「カイアス」。学寮の名）を「キーズ」と発音するのを禁ずる法律を通すだろう。

　しかし彼が講演をした時には——それは「社会主義と中産階級」に関する彼の講演をさらに大胆に、さらに明確にしたものだった——部屋には大方が大学生の若者で一杯で、その多くは文字通り彼の足元に坐っていた――彼らの賞讃の気持ちと熱意によって、彼の敵愾心はなくなっていた。彼らの特権的な教育を受けなかったからといって、また、彼の声がロンドン訛りと声門閉鎖音の痕跡をとどめているからといって、劣等感や疎外感を感じる必要はなかった。彼らにとっては彼は天才、予言者で、個別指導教員《チューター》や教授よりもずっと幅の広い物の見方をし、自分たちがこれから入り、向上させようと目論んでいる現実世界をもっとしっかり把握しているのだ。彼らは、理性と科学的専門知識を適用して、政治的、経済的、性的改革をしようという彼の議論に熱心に聞き入った。もちろん、彼らは学生全員の代表ではなかった。すべての大学生が、そうした若者たちと同じように熱心で、考え深いわけではないのに、彼は気づいていた――ケンブリッジには尊大な顔つきの大勢の若者がいた。聞こえてくる彼らの会話は、耳障りなパブリックスクールのアクセントで交わされ、それは、彼らが理念よりはボート漕ぎや狩りに興味があることを示していた。ベン・キーリングは一度ならず、そのタイプの大学生にいじめられそうになった。しかし、こうした若い熱心なフェビアン協会員は、未来の希望だった――とりわけ、若い女性は。

彼女たちは、そのジェンダーと世代の最も輝かしい、最良の者で、女性が高等教育を受ける機会を得るために偏見と勇敢に闘った前の世代の女性たちから引き継いだ、女権拡張の旗を掲げていることを意識していた。ケンブリッジ・フェビアン協会、略称CFSは、設立当初から女性を平等のメンバーとして受け入れた最初の、ケンブリッジの協会だとアンバーは彼に言った。集会のあと委員会は、トリニティー学寮のキーリングの部屋での懇親的な夕食に彼を連れて行った。そこで彼は彼らの質問をうまく捌き、いくつかの逸話で彼らを楽しませ、殊に見事にやったと感じた。その晩の成功と、ロンドンからこの名士を連れてきたことで友人のあいだで得た栄誉に有頂天になったアンバーは、あとで盛んに感謝した。「本当に素晴らしかった、ウェルズさん」と彼女は言って、彼と握手した。「ぜひまたケンブリッジに来て下さいね、あたしたちが厚かましくお招きしたら」。「来ると思う」と彼は言って微笑した。「魅力的なものがたくさんある」。その一つがアンバーなのは確かだった。だが、一人の若い女性の崇拝者と、具合の悪いこんがらがった関係になることから抜け出したところだったので、もう一人のそうした女性に関わるつもりはなかった。たとえ、その女性がもっと美しく、ずっと知的であろうと。

実のところ、すでに彼は四つ年上の女、小説家のヴァイオレット・ハントと新しい関係を持ち始めたのだ。二人は多くの共通の文学上の友人を持っていて、同じ雑誌に寄稿し、そのため同じパーティーにしばしば招待されたので、しばらく前から互いに社交的に知り合っていた。一九〇六年の末頃、二人の出会いはもっと頻繁になり、もっといちゃついたものになった。二人とも人生の挫折から立ち直りつつあったところで――彼はフェビアン協会での敗北と、それに関連するロザマンドとのごたごたから、彼女は、最近、最初の恋人が死んだこと、二番目の恋人にふられたことから――二人とも後腐れのない新しい情事に慰めを求めていた。彼は新年早々、ソーホーのトリノで昼食をとろうと手紙で彼女を誘った。そこには二階に個室があった。「火曜日にひどく憂鬱な男に親切にしてほしい。一時にトリノに来てくれないか。僕はかなり滅入っていて、不機嫌で、萎えている……午後にはなんの約束もない」。彼女は返事にヒントがわかったことを示し、自分も午後は空いていると書いた。そのようにして、両者にとってしがらみのない、多くの楽しみをもたらした情事が始まった。

ヴァイオレットは水彩画家のアルフレッド・ウィリアム・ハントの娘だった。アルフレッド・ハントはラファエル前派と繋がりがあったので、画家のホールマン・ハントとよく間違えられた。長い顎と豊かな髪のヴァイオレット自身、ややラファエロ前派風だったが、その画家グループと、彼らの指導者ラスキンを知って育った。彼女は彼に話したのだが、十三の時、ラスキンの中年の頃に熱愛したローズ・ラ・トゥーシュが悲劇的にも病死した際、ローズの代わりに自分が結婚すると申し出た。「ママはわたしたちがよく知っていたラスキンに、その申し出について手紙で伝えたのよ、彼が面白がるだろうと思って。彼は感謝して、大真面目でそのことを受け取ったの――彼はそれについて考えてみる、あとでわたしたちに伝えるって言った。もちろん彼はとっても若い娘《こ》が好みで、ローズが成長するまで何年も待ったのよ、でも、わたしの場合は待つのはやめることにしたの」。それは、性交のあと、その目的のために借りたロンドンの部屋で、一緒に物憂げに横になっている時に彼を楽しませた数多くのエピソードの典型的なものだった。長年恋の冒険をしてきたヴァイオレットは、別室《カビネー・パルテイキユリエ》のあるレストランや、時間決めで喜んで部屋を貸すホテルや下宿屋、つまり、密通のための便宜を図る、首都の秘密のネットワークに関する彼の知識を大幅に増やした。「ケンジントンで罪のための便利な場所を知っているかい？」と彼は一度、自然史博物館で人と会う手筈を整えている時に、彼女に手紙で書いた。「もし知っているなら、ここに宛てて手紙で教えてほしい、もし抜けられたら電報を打つ」。彼は折り返し便で、サウス・ケンジントン地下鉄駅近くの特定旅館《プライベート・ホテル》の住所を受け取った。

二人とも自由恋愛を信じていたが、ヴァイオレットはもっと早くそれを経験していた。彼女はとりわけ一人の恋人、筋金入りの放蕩者で、かつて外交官だった、二流の文人のクローファードという男から手ほどきを受けた。彼女の話では、彼はまた根っからの下劣な男で、彼女を長年愛人代わりに使った。というのも彼は結婚していたからだ。そして妻が亡くなると、ヴァイオレットではなく、金持ちの別の女と即座に結婚した。そのことが起こってから数年経つのだが、捨てられ裏切られた心の傷は、明らかにまだ痛んでいた。二人がトリノで昼食を共にした時は、彼女は最初の恋人の画家ジョージ・ヘンリー・ボートンのことを嘆き悲しんでいた。彼も妻帯者で、彼女は十七の時に彼と激しい恋に落ち、彼を追い求め、ついに彼は彼女の執拗な熱愛に負けた。彼は結局、自分の結婚を救うために情事を終わらせ、彼女は悲嘆に暮れた。しかし、彼が最近死んだことで、彼に対する昔のすべての優しい感情が蘇り、誰かほかの者の腕に慰藉を求めた。

ヴァイオレットは「新しい女《ニュー・ウーマン》」だった。まだ、その言葉が作られる以前から。彼女はまだ若い頃から自分のエロティックな充足感を恐れもなく求め、偽善的社会が要求した代償を喜んで払う用意があった。彼女の小説は、似たような立場に置かれた似たような若い女の経験を扱ったものだが、彼女が従わねばならなかった性的慎みという規範のせいで、彼がいくつか読んだ彼女の小説は、棘になるべきものが抜かれてしまい、オスカー・ワイルドの劇を想わせる皮肉なエピグラム風のウィットによって埋め合わされている、恋の駆け引きの感傷的な物語になっていた。彼女の話では、ワイルドは若い頃の彼女の崇拝者で、一度、彼女にプロポーズするところだった。少々驚いたことに、ヘンリー・ジェイムズは彼女が年増になってからの友人で、彼女を何度かラム・ハウスに招いた。「わたしは彼の想像力を刺激するのよ」と彼女は説明した。「あの人はわたしがひどく堕落した生活を送っているのを知っていて、自分では怖くて調べられないロンドンの社交界の淫らな話をわたしから聞き出すの」。彼女は、ロンドンに自分を訪ねるようにという彼女からの招待を断った、「巨匠」からの、いかにも彼らしい手紙を引用した。「君はまさしく社交界だ、僕はますます一歩離れて観察するようになっている——自分が一人で紡いだ細い糸に、非常に太った蜘蛛がぶらさがっているような格好で、僕は世間からぶら下がっている」。二人はこの見事な生き生きした比喩に、一緒に笑った。「これはマックス・ビアボムに絵にしてもらう価値があると思わない?」とヴァイオレットは言った。「H・Jはわたしを〝偉大なる健啖家〟って呼んでるわ、なぜって、わたしが社交生活に貪欲だから、そうして、〝パープル・パッチ〟ともわたしを呼んでる。パープルのオーバーを着ていたことがあったから。でも、わたしの文章も当てこすっていたのは疑いないわ（「パープル・パッチ」は本来は「過度に華美な文章」の意）」。ヴァイオレットは小説において文才に溺れることがあった。彼女の小説のほとんどすべての文章は、言わねばならぬことに比較して少々長過ぎた。だが彼女が、かなり狭い範囲で発想が豊かだったのは疑いなかった。

　彼女は四十五歳で、若かりし頃賞讃された美しさを早くも失っていて、肌の衰えを隠すために厚化粧をしたが、体はまだスリムでしなやかで、彼が言うどんな体位でもベッドでとることができたし、彼にも新しいいくつかの体位をやってみせることができた。彼女はクローファードと何年か暮らしたおかげで、愛の技巧において、恥ずかしげもなく多芸ぶりを発揮した。そして、時間の余裕がある時は、彼をもう一度興奮させるために、口と舌を使うのをためらわなかった。「ヘンリー・ジェイムズが君を〝偉大なる健啖家〟と呼んでる本当の理由が、いまこそわかったよ」と彼は、彼女がそのサービスをした時に満足げに彼女を見ながら言った。彼女は笑いで噎《む》せそうになった。彼はベッドで笑う女が好きだった。ヴァイオレットは浮気《パッサード》の相手としては申し分なかった。ドロシー・リチャードソンと違って。

　彼はその後もドロシーと時たま、少々お座なりなセックスをした。そのあとで、彼女の抱えている情緒的、心理学的、哲学的問題について長々と論じ合った。彼女は依然として、禁欲主義者の恋人のグラードと、熱心な両性愛者のフラットの同居人ヴェロニカとの奇妙な三角関係から抜け出せず、また、自分自身の性の問題も未解決だった。彼はドロシーと関係を持たなければよかったと思い、関係を持った自分を責めた。彼は彼女に対する一種の治療をする責任を、それをするのに必要な時間も忍耐心もないのに引き受けてしまったのだ。目下、同時に書こうとしていた二つの作品に気を取られていたのは言うまでもないが、ロザマンドと密かに情交し、フェビアン協会の古老連中と論争していることでも気が散っていた。彼にとってセックスとは、理想的には、テニスやバドミントンのような気晴らしだった。満足のいくだけの量の仕事をし終えた時に、余分な精力を発散させるために、しばらくのあいだ精神ではなく肉体を行使する何かだった。しかしそれは、ドロシーが密会で必要としたものでもなく、少なくとも、望んだものでもなかった。サウス・ケンジントンの地下鉄駅近くのホテルで二人が会ったある日の午後、彼はそのことを彼女に話すことに決めた。そのホテルはヴァイオレット・ハントが推薦してくれた所で、便利だった。彼は部屋を予約した際、アイスバケットに一瓶のホック（辛口の白ワイン）を部屋に置いておくように注文した。いつもなら、彼は二人が部屋に入るや否や上着を脱ぎ、蝶ネクタイを外すのだが、その日は服を着たままで、二つある肘掛椅子の一つに坐るように彼女に身振りで示し、ワインの瓶の栓を抜いた。彼女は何もかも知っているという風な、ユーモアのかけらもない苦い微笑を浮かべた。

「あなたが何を言おうとしているのか、わかってるの」と彼女は言った。

「どういうことだい？」と彼は、二つのグラスにワインを満たし、その一つを彼女に渡した。

「これを終わりにしようって、あなたは言うつもり」

「そう、これは君を幸せにしていない、ドロシー、僕をも幸せにしていない」と彼は言って、もう一つの椅子に坐り、彼女に向き合った。「もちろん、僕らはこのまま友人同士でいられる――君と僕とジェインは。でも、事実を直視しよう。僕らのあいだのセックスは失敗だった。わからないんだ、それが僕のせいなのか、または……」

「わたしがレスビアンであるせいか？」

「わからない。君は実際はセックスに全然興味がないんじゃないかと思う時もある、それ自体に」

「わたしもそう思う時がある」と彼女は言った。

「そこだよ。お互いに会うのをやめるのが一番じゃないかな――つまり、こんな風に会うのを。僕らの昔のオープンな友人関係に戻ろう。恋人同士になろうとしたのは忘れよう」

「それは難しいかもしれない」と彼女は言った。「あのね、わたしは妊娠してると思うの」

「なんだって？」。彼は不意に坐り直した。そのため、ワインがズボンの脚にこぼれた。「確かなのかい?」

「まだ、お医者さんには行ってないけど。でも、もう二ヵ月なのよ、わたしのこの前の……わかるでしょ。かなり確か」

彼はそれが暗に意味することと、とるべき手段を、電光石火の速さで思い巡らした。それは自分の子なのだろうか? それは、ほぼ間違いない。彼はそのことを彼女に訊いて、彼女をひどく怒らせる危険は冒せなかった。いつ、そうなったんだろう?——どうやって? 彼はコンドームが破れたり、抜去で失敗したりしたことを思い出せなかった。もちろん、どんな方法も百パーセント信頼はできない……しかし、それが想像妊娠だとしたら? 彼女が一切を想像しているとしたら? 彼は彼女のところに行き、彼女の椅子の腕に腰を下ろし、片方の腕を彼女の肩に回し、額にキスをした。「ねえ、ドロシー」と彼は言った。「素晴らしいことだ」

「素晴らしい?」彼女は驚いたように言った。

「素晴らしいさ、君と僕が新しい生命を世に送るというのは。彼は非常に頭がいいだろう」

「彼?」

「もしくは彼女。もちろん、僕は君の必要とする一切の支援をする」

「母親手当てを下さるわけ?」と彼女は皮肉な調子で訊いた。

「その通り。あの嫌らしい言葉を使えば、君を正妻にはできないが……子供の養育に必要なものはなんでもあげる」

彼女はいまにも泣きそうな表情で、彼に向かって目をしばたたいた。「そのことで、あなたがそんなに優しいとは思わなかった」と彼女は言った。「ありがとう、でも、自力でなんとかやっていく」

「なぜだい? 君は裕福じゃないが、僕は裕福だ」

「わたしは独りでやっていきたいの」と彼女は言った。

「そう、今はそのことで論じ合うのはよそう。もう一杯ホックを飲みたまえ」。彼は彼女のグラスを、また満たした。「新しい生命に乾盃」

「あなたは凄い人ね」と彼女は言った。

「君は凄い女だよ」と彼は言った。「君の友達はどうなんだい? グラード氏とヴェロニカは——知ってるのかい?」

「いいえ、もちろん知らない、あなた以外、誰も知らない——今は。ベンジャミンはショックを受けるでしょうよ――おそらく、二度と口を利いてくれないでしょうね。ヴェロニカはたぶん喜んで、フィリップと結婚した時には、この子を養子にしてくれるわ」

「で、君はそれを望んでるのかい？」

「いいえ。自分の子が欲しいの」

「素晴らしい！」と彼は言った。

「素晴らしくは全然ないわ」と彼女は言った。「面倒な話。ジェインはなんて言うでしょうね？」

「ジェインは平気だろうな」と彼は言った。「僕に関する何事も、もはや彼女を驚かせない」

とは言え彼は、ジェインに話して、すぐにその推測を試してみるようなことはしなかった――それは賢明だったことが、あとでわかった。しばらくのち、彼はドロシーから、流産したという短い手紙を受け取った。「たぶん、それでよかったのでしょう」と彼女は書いていた。「でも、わたしは非常に具合が悪く、惨めな気分です。何週間も書いていず、ハーリー街での仕事をすっかり諦めようと思います。田舎に住んで、執筆したいのです」。彼は同情の手紙と小切手を彼女に送り、彼女が家で出来る校正の仕事を渡すと申し出た。二人はずっと友人でいたいということ、いつでもスペード・ハウスで彼女を歓迎すると彼は言った。彼女は実際に流産したのか、実は妊娠していなかったのかは、彼にはわからなかったが、二人の不満足な情事が、双方の同意にもとづいてついに終わり、スキャンダルが避けられたことで、彼は心《しん》からほっとした。彼の知る限り、ジェイン以外、二人の情事が続いていたのを知らなかった。ところが、事態のこの成り行きで覚えた安堵感は、新しいスキャンダルの種――あるいはむしろ、古いスキャンダルの復活――によって失われ、フェビアン協会との仮の和解が無に帰した。


彼とジェインは三月末に執行部の一員に共に選出された。彼は自分でも驚いたが、投票で四位で、シドニー・ウェッブ、ピーズ、ショーのすぐ次だった。そのことは、彼が十二月の集会で敗れたにもかかわらず、会員のあいだにまだ相当の支持を得ていることを示していた。新しい執行部は、彼とショーとウェッブから成る小委員会を作り、基本理念《ベイシス》を改正する仕事に再び取り組むことに同意した。彼は大急ぎで草案を作り、二人の同僚に送ったが、予想通り、彼および二人のあいだで揉めた。彼は事態が長く、おそらく果てしのない展開になることを覚悟した。そこで彼は草案をフェビアン・マニフェストの形にし、七十二人の古参会員に回したが、二十六人しか肯定的な反応を示さなかった。彼を最も強く支持したのは、若い会員だった。復活祭の休みでケンブリッジから来ていたアンバー・リーヴズは、二月の彼の講演がいかに見事だったかを誰彼なしに話し、秋にCFSの主催で講演をしてくれないかと彼に頼んだ。彼女がその依頼をし、彼がそれに応じたのは、フェビアン芸術協会の集会でのことだった。その会にはロザマンドも出席していた。振り返ってみると、アンバーが彼と一緒にいてすっかり寛いでいる様子をロザマンドが目撃し、強い嫉妬を覚えなかったかどうか、彼はいぶかった。二人の若い女は彼の考えを同じように賞讃していたが、アンバーは彼の考えについて、もっと明晰に、自分の幅広い知識に自信を抱いて論ずることができた。大学に行くことを考えるよう促されることのなかったロザマンドは、その違いを感じて嫉妬したに違いない。

それまではロザマンドは、二人についてのゴシップが次第に聞かれなくなるように、彼から一定の距離を置くことについて、非常に聞き分けがあり、人が群れている部屋で目が合った時に、時折意味ありげに微笑するか、握手する折に、彼の手をそっと握り締めるかで満足していた。彼女は二人の関係が、彼が望んだように、終わりになったのではないにしても、無期限に中断されていることを受け入れているようだった。二人がこの前、クレメンツ・インの拱道《きょうどう》の下で二人だけで交わした最後の会話の記憶が時折戻ってきて、彼はあの時の別れ際の言葉が軽率だったと考えて心配になった。しかしロザマンドから、パリに連れて行ってくれるという約束を彼に思い起こさせ、その旅はいつするのかと訊く手紙を受け取ったのは、フェビアン芸術協会の集会が終わり、アンバーがケンブリッジに戻ったあとだった。彼はナショナル・ギャラリーのコンスタブルの部屋で彼女と合う手筈を整えた。そこなら二人は、必要とあらば、偶然出くわしたふりをすることができた。彼には、彼女がこの計画のちょっとしたシャレードを楽しんでいるのがわかった。二人は驚いて嬉しそうに挨拶し、制服を着た美術館の館員が退屈そうに監視している部屋のベンチに坐った。しかし、彼女がパリに行くという考えをそんなに真剣に受け取るとは思わなかったと彼が言うと、彼女は愕然としたように見えた。「それなら、本気ではなかったの？」と彼女は言った。

「いや、あの時は本気だった。でも、約束というよりは願望だった。面白いだろうが、でも……そう、僕らがそうしている姿が、本当に想像できるかい？」

「ええ、できるわ」と彼女は言った。「そのことをいつも考えてるの」。彼女は力を込めて言った。監視員が二人の会話に興味を示し始めた。ウェルズは指を一本唇に当てた。彼女は低い声で話し続けた。「それは眠りに落ちる前に考える最後のことなの、目を覚ました時に考える最初のことなの。あたしたちが泊まるところはどんな所かあなたが言ったことを、ちゃんと覚えてるわ――大きな四柱式寝台のあるパリのホテルの部屋で、シーツはエジプト木綿で、浴室は大理石で、パイプ暖房にもなってる」

「そう言ったかい?」

「ええ」

長い間《ま》があった。彼女は懇願するように彼を見た。「なら、僕らはそうしたほうがいい」と彼は言った。彼女の顔が一瞬輝いた。それは、彼の無謀な言質に対する十分な報酬だった。

一体全体、自分はなんであんなことを言ったのだろう、と彼はあとで考えた。騎士的精神? 名誉? 憐れみ? 突き詰めて考えれば、おそらく虚栄心だろう。彼はもし約束を破れば、ロザマンドが自分を一生軽蔑することはわかっていた。そして彼は、二人のロマンスを続けたくはなかったが、そのことを知りながら生きていくのは嬉しくなかった。彼は二人の情事を、自分の良心の中で、こんな風に正当化していた。年上で、世故に長けた男である自分が、彼女に恋の手ほどきをし、そのあと適当な時に優雅に身を引き、彼女が同年代の人間との関係を深めさせてやる。別れは悲しいだろうが、恨みもつらみもないだろう。そうした結末にもっていける、今考えうる唯一の方法は、パリ旅行をすることだ。彼女にこんな風なことを言うのだ。「エキゾティックで、贅沢な環境で、恍惚とした愛の週末を過ごそう、それから、僕ら二人のために、恋人としては永遠に別れ、一緒にいた最後の完璧な時間の思い出で満足しよう」。それは、ヴァイオレットの小説の中の会話にひどく似ているが、うまくいくのは、ほぼ確実だ。

そこで彼は計画を練り始め、しばらくすると、その冒険を心《しん》から待ち望むようになり、それを計画した自分の腕前に、いささか満足した。彼はチャリング・クロスかヴィクトリアから出発し、ドーヴァーかフォークストーン経由でイギリス海峡を渡るという通常のルートではなく、大西洋横断の客船がシェルブールに向かう前に乗客を降ろすためにに停泊するプリモスから出発することにした。そうすれば、二人の知人の誰かに遭遇する率はずっと低くなるだろうし、旅はもっと長くなるが、もっと快適にもなり、数時間、キュナード汽船の一等の食堂と社交室でロザマンドをいっそう楽しませてやることができる。彼はハーバート夫妻という名でルシアーナ号の二人分と、パディントンからの臨港列車の切符を予約した。そして念のため、帽子とベールで変装するようロザマンドに助言し、彼自身は必要とあらばマフラーで顔の下半分を隠すつもりだった。その旅を記憶すべきものにするため、彼は費用を惜しまぬことにし、パリのリッツのスイートを予約した。そして、クレメンツ・インにあるフェビアン育児室の事務室を通してロザマンドに手紙を出した。彼女は彼のクラブに返事を寄越した。二人はある週末に会うことにし、アリバイを考えた。ロザマンドは気の合う元の学校友達を訪れるという口実を作った。彼はジェインに、『空の戦争』の取材のためにパリにちょっと行ってくると言った。それは、まんざら嘘でもなかった——物語のある時点で、パリの中心を空爆で破壊することを考えていたのだ。エッフェル塔の近くにいれば、その巨大な基部が吹き飛んだ場合、塔の一番壮観な倒れ方はどんな風かを想像するのが容易になるだろう。

大勢の人間のいる駅のコンコースでロザマンドに会うのを避けるため、二人は列車の中で会うことにした。そのために彼は、彼女に一等の切符と座席予約券と、辻馬車代を前もって送った。彼はパディントンに早めに着いたが、緊張していて、彼女が果たして現われるのか、あるいは瀬際になって怖気づいたのか不安だった。そして、ビュッフェに入り、カウンターでブランデーを飲み、気持ちを鎮めた。プリモス行きの列車が入ってくるや否や、彼は自分の座席に坐り、時折立ち上がって窓から首を突き出し、プラットフォームの端の改札口のほうを見た。改札口を入ってくる者は多くはなかった。彼は、たっぷり詰め物がしてあり、ボタンで留めた革の座部のある、スマートで新しいコンパートメントが、自分たち二人だけのものなのを願った。とうとう、遠くからロザマンドが近づいてきるのが見えた。彼女はベール付きの広縁の帽子をかぶり、明るい色の旅行用の服を着ていた。そして、彼女の旅行鞄を持ったポーターが先に立って歩いていた。彼は急いでコンパートメントに戻って座席に坐り、『タイムズ』に読み耽っているふりをした。その直後、ポーターの声がした。「着きました、ミス。婦人専用コンパートメントじゃなくて、ほんとにいいんすか? そこにお嬢さんの席を見つけるのは簡単ですぜ」。「いいえ、いいの。ここで十分」とロザマンドは、驚くほど確信をもって言った。ポーターはドアを開け、「失礼、旦那」と言ってコンパートメントに入り、ロザマンドの旅行鞄を荷物棚に載せた。ポーターがプラットフォームで彼女からチップを貰い、彼女に礼を言うのが聞こえたので、彼は新聞を下ろした。その時になって初めて彼は、開いたドアの輪郭の中で彼女を見た。彼女は、彼が彼女の手を握り、踏み段を上がってコンパートメントに入るのを手伝うと、笑った。「こんな天気のいい日に、なんでそんな厚いマフラーをしてるの?」と彼女は言った。「変装のつもりだったんだ」と彼は言って、それを外した。「でも、君は素敵だ」。その通りだった。ベールをさっと上げると、顔は輝いていて、頬は薔薇色だった。彼はもはや演技をしていなかった――彼女に対する強い欲望を覚え、この恋の逃避行を非常にうまく手配したことが誇らしかった。彼はドアを閉め、窓を上げ、プラットフォーム側のブラインドを下ろした。それから彼女を抱き、熱を込めてキスをした。彼女も同じように情熱的に応じた。二人は腕を互いの体に回し、革の椅子に坐った。「君が決心を変えたんじゃないかと心配し始めてたんだ」と彼は言った。「とんでもない!」と彼女は言った。「このことを何ヵ月も夢見てたの、そうして今、それが実際に起こっている、とても信じられない。考えてもみてよ、今夜、あたしはあなたと一緒にパリにいる」。「四柱式寝台に」と彼は言って、嬉しそうにまた顔を紅潮させた彼女にキスをした。彼はセーヌ川の左岸で買える古いエロティックな版画の恋人のように、鵞鳥の羽根枕のあいだでふざけ回っている自分たちの姿を鮮やかに思い浮かべた。なんといけない愉しみを味わうことか!

「君はウェル・ホールからなんの問題もなく抜けられたのかい?」

「まったくなんの問題もなく……誰も何も疑わなかった。あなたの指示は、とってもよかった! キャノン街で辻馬車を捉まえるのにちょっと苦労したの……」。彼女がここに来るまでの詳細について話している最中に、コンパートメントのドアが外から不意に開き、クリフォード・シャープが現われ、プラットフォームから二人を見上げた。二人はさっと離れ、跳び上がった。ロザマンドが先に口を利いた。「ク、ク、ク、クリフォード! 一体全体……?」シャープは満足げににやりと笑い、振り返って大声を出した。「二人はここにいる!」

そのあとに続いて起こったことは、ヴァイオレット・ハントの小説の場面にではなく、鉄道駅の書籍新聞雑誌売り場で売っている煽情的三文小説のクライマックスに似ていた。純潔な乙女を卑劣にも誘拐しようとしていた悪漢が、激怒した父親と、乙女の騎士的な崇拝者によって、あわやというところでやられるのだ。ヒューバート・ブランドが一つ目の巨人ポリュペーモスさながらにモノクルの奥からねめつけ、黒い口ひげを震わし、もじゃもじゃの白髪の下の顔を怒りで暗褐色にしていてドアのところに現われた時に、その手になかった唯一のものは、馬用の鞭だった。「降りるんだ、お嬢さん！」とブランドは噛み付くように言った。

ロザマンドはドアから一番離れた座席の隅に行き、体を縮め、首を横に振り、「嫌よ」と震え声で言った。

ブランドは彼女を列車から引きずり出そうとするかのように、コンパートメントに登ってきた。ウェルズは守ろうとするように彼女の前に立った。「邪魔だ、ウェルズ」とブランドは脅すように言った。「君の始末はあとだ」

「ロザマンドは成人だ」とウェルズは言った。「どこに誰と旅行をするのか、自分で決められる。君には彼女を自分の持ち物みたいに扱う権利はない」

「君には純潔な若い娘を誘惑する権利はない――あの娘《こ》の父親くらいの齢の妻帯者の君には」とブランドは言い返した。「先手が打てて、神に感謝するよ――これで二回目だ！　どいてくれ」

「ロザマンドと僕は、去年の夏、恋人同士になったんだ」と彼は言った。「彼女自身の願いと同意で――彼女に訊いてみてくれ」

ブランドは一瞬黙り込んだ。目はギラギラし、息遣いは荒く、がっしりした肩はこれから突進しようとする牡牛のように、きっちりしたフロックコートの下で上下した。クリフォード・シャープは開いた車輛のドアのところで依然として見張っていた。遅れて到着した乗客たちは、何かのドラマが進行中なのを察し、通りすがりに好奇の目でちらりと見た。

「それは本当なの、お父様」とロザマンドは彼の後ろから言った。

「なら、おまえは恥ずべきだ」とブランドは噛み付くように言った。「わたしの娘がこんな卑劣漢に名誉を汚されるとは思わなかったよ、こんな……卑劣漢に」。言葉を優雅に言い換えるという、彼のジャーナリストとしての才能は、一時的に失われてしまった。

「もちろん君は、純潔な振る舞いの手本を彼女にいつも示していたわけじゃなかろう、ブランド？」と彼は言った――それは軽率だった、なぜなら、相手は彼の上着の折り返しを摑み、彼を座席に投げ飛ばしたからだ。そして相手は彼を押しのけて通り、ロザマンドの手を摑んだ。

「やめて、お父様！　痛いわよ！」と彼女は、ドアのところに引っ張られながら叫んだ。彼がそれを邪魔しようとすると、ブランドは彼の胸にパンチを喰らわせた。彼はよろめき、座席に大の字になった。「あの人を殴らないで！」とロザマンドは列車から引きずり降ろされながら叫んだ。そして泣き出した。

「この娘の旅行用鞄を取ってこい」とブランドはシャープに命令した。シャープは素早く命令に従った。「このことについては、こっちから連絡する、ウェルズ」と彼は怒鳴るように言い、泣いているロザマンドを連れ去り、姿が見えなくなった。

息を切らしていた彼は、ゆっくりと立ち上がった。汽笛が鳴り、各車輛のドアがバタン、バタンと閉まる音がした。彼はなんとか棚から旅行用鞄を引っ張り下ろした。列車が湾曲した丸天井に煙と水蒸気の塊を出していた。プラットフォームのずっと向こうでは、ロザマンドが二人の男に付き添われて——というより歩かせられて——出口に向かっていた。彼女は振り返り、肩越しに絶望的で惨めな一瞥を投げたが、人込みの中に引っ張り込まれ、見えなくなった。哀れなロザマンド。夢からのなんと残酷な目覚めであることか。彼はベンチに坐り、落ち着きを取り戻そうとした。また、この馬鹿げていて、屈辱的なエピソードを、どうやってジェインに残らず打ち明けたものかと考えた。

彼が馬鹿な真似をした時はいつもそうなのだが、ジェインは穏やかにたしなめ、ストイックに赦した。だが彼女は、もう一つ、腹立たしい仕打ちをされた。イーディス・ブランドがヒューバートにそそのかされたのは疑いないが、彼に自分たちの娘を堕落させたのは妻のあなたの責任だという、ひどく無礼な手紙を彼女に寄越したのだ。「あなたがそのことを知っていたにせよ知っていなかったにせよ（あなたがなんの疑いも抱いていなかったとは信じ難い）、彼が習慣的に女遊びをするのは知っているはずで、あなたがそれを大目に見ているというのは、それをけしかけていることと同じことなのです」とイーディスは書いてきた。彼はジェインに、ヒューバートの習慣的な女遊び（イーディスがそのいくつかを知っていて、大目に見ていたのは確かだった）の例を挙げて返事を書いて反撃してもらいたかったが、ジェインは、泰然として黙っているのが最上の応答だと主張した。そして、それが正しいことがわかった。ヒューバートはパディントンのプラットフォームで、別れ際に脅し文句を言ったけれども、ブランド夫妻はその件については表立って騒ぎ立てないことにしたようだった。それは、ロザマンドの評判を守るためと、ヒューバートが反撃されると弱いのを自覚していたためなのは間違いなかった。彼とジェインは、おおやけにスキャンダルの嵐が起こるのを覚悟していたが、結局、起こらなかった。

だが、彼がその事件から受けた屈辱はくすぶり続け、どうして自分たちの計画がわかってしまったのか、不思議に思わざるを得なかった。彼はいくつかの疑いを抱いていたが、それについてロザマンドと話し合うことはできなかった。二家族間の一切の付き合いは終わっていたからだ。フェビアン協会の集まりでも、彼女はいつもシャープか両親に、用心深く守られていた。しかしブランド夫妻は、その年の夏、まだ「別の家」で多くの時間を過ごしていた。彼はロザマンドから、イーディスとヒューバートとアリスがヘイスティングズに遠出をするのがわかっている日に、ダイムチャーチで会いたいという手紙を受け取った。彼は自転車で出掛け、村から少し離れた海岸の奥にある、二人が知っている無人の漁師小屋で会う手筈を整えた。ロザマンドはいつもよりちょっと瘦せてみえたが、相変わらず健康そうで、頰は薔薇色だった。二人は優しく抱擁したが、それは情熱的なものではなかった。彼は、二人の情事が終わったことを彼女が受け入れていることに安堵感を覚えた。

どんよりと曇った午後で、その季節にしては肌寒かった。そのため、行楽客はまばらだった。彼は自転車を小屋の木製の壁に立て掛け、二人は引き潮のあとの固い砂の海岸を西に向かって歩いた。ロザマンドはブランドにウェル・ホール引っ張って行かれ、ブランドとイーディスに厳しく叱責された直後の日々はかなり地獄じみていたが、次第に事態は落ち着いてきたと言った。「残念だけど、ダディーはあなたをこれまで以上に憎んでる」と彼女は言った。「ダディーがあたしの品性を批判してた時、目糞鼻糞を笑うの類いじゃないのって、あたしは言った。ダディーは、あなたがあたしに向かって自分を中傷しているって確信している」

「中傷というのは嘘をつくことだ」と彼は、ピーズとの会話を思い出しながら言った。「僕が君に言ったのは、真実だけで、それも僕の知っていることの半分だけさ」

「そのほとんどは、あたしはもう知っている」とロザマンドは苦笑いをしながら言った。彼は、彼女が父の偽善性や暴力的扱い、さらには彼に襲いかかったことに、深い恨みを抱いていないようなのが不思議だった。「ダディーがあなたを傷つけたのでなければいいんだけど」と彼女は言った。そして、父の弁解をするかのように言い添えた。「父は自分の力を知らないようなのよ」

「しばらく痣が残ったよ」と彼は言った。

「あら、まあ。あなたはとても勇敢だと思ったわ、父に立ち向かうなんて」と彼女は言った。彼は少し気分がよくなった。

「どうして彼は僕らのパリ行きのことを知ったんだろう?」と彼は訊いた。

「わからない。言おうとしないのよ」

「シャープを疑ってるんだ」と彼は言った。「それでなければ、なんであの日、彼はヒューバートと一緒にいたんだろう?」

「ダディーが言うには、あとで後悔するようなことをしないように、クリフォードに一緒に行ってくれって頼んだの」

「僕を列車の下に突き落とすといった?」

ロザマンドは笑った。「そういったこと」

「君に宛てた僕の最後の手紙がフェビアンの事務所に配達された時、シャープは湯気で封筒を開け、僕らの手筈を知り、君のお父さんに告げたに違いないな」

「そうかもしれない」とロザマンドは言った。彼女はややばつが悪そうだった。「もちろん、クリフォードは昔からあたしにとっても執心で、あたしを庇うの。あなたとの関係を決して認めなかった」

「それは気づいていたよ」

「あたしは結局は、彼と結婚することになると思う」と彼女は言った。

「本当かい? なぜ?」彼はショックを受けた。シャープが嫌いだったからだ。シャープがフェビアン協会内で出世しようとするやり方には、あまりに計算高い何かがあった。育児室の責任者になり、変革を支持しているように見せかけながら、古老連中に対する信頼と尊敬の念は失わないのだ。シャープは、幸福な男でもなく、女を幸福にできる男でもなさそうだ。

「彼は頭がいいし、あたしたちは同じ考えを共有してるし、あたしを愛してる——愛してると言っている」とロザマンドは言った。「ダディーとイーディスは、あたしは彼と結婚すべきだと思ってる。アリスも」

「君には驚くね。アリスはいつか、君は急いで結婚すべきじゃないと思うと、僕に言ったよ。僕も賛成した」

「ええ、そうなの、ダディーはあたしがあなたと親しくなるようにけしかけたって、ひどくアリスに怒ってるの。あたしたちのあいだで起こったことで、アリスを責めてる。だからアリスは不興を蒙っていて、ダディーとイーディスの言う通りにしなくちゃいけないの。二人はあたしたちが恋人同士だったということを知りながら、クリフォードがまだあたしと喜んで一緒になりたがっているのは立派で、あたしは感謝して彼と結婚すべきだって思ってるわ」

「そいつは旧式な戯言《たわごと》だ！」と彼は言った。「それはよしたまえ」

「いずれにしても、急いではそうしないわ」

「まずお互いの裸を見なくちゃいけない」と彼は言った。ロザマンドは笑った。「クリフォードはそんな考えに仰天するわ！」

「なら、奴は君にはよくない」と彼は言った。

その瞬間、雲が束の間分かれ、明るい陽光がその隙間からサーチライトのように射してきて、静かな海に反射した。二人は立ち止まって、その光景を嘆賞した。「みんながヘイスティングズから戻ってくる前に戻ったほうがいいと思うわ」とロザマンドは言った。

二人は漁師小屋に歩いて戻ったが、ほとんど何も言わなかった。それぞれ、かつて共有した考えに耽っていたのだ。二人は別れしなに抱き合った。彼女は少し泣いた。

「いろいろありがとう」と彼女は言った。「面倒なことに巻き込んで、ご免なさい」

「世間の連中は僕が君を面倒なことに巻き込んだって言うだろうね」と彼は言った。

「わかってるわ。それはフェアじゃない。あたしをあんまり責めないでね」

「君を責めてなんか、まったくない。ロザマンド――一つ約束してもらいたいんだ」

「何を？」

「もし、立ち行かなくなったら、もし、困ったなら――僕に言ってくれたまえ」

「わかったわ、H・G、約束する」。彼女はもう一度彼を軽く抱擁してから、くるりと後ろを向き、海岸の一番上の柔らかい、乾いた砂の上をとぼとぼと歩いて行った。彼は、暗くなっていく海岸沿いの道をサンドゲイトに向かって東に自転車を走らせながら、革新的な考えを持ち、自由恋愛と女権を信じているロザマンドが、なんで抑圧的な家からすぐに出て行かないのか理解できなかった。たぶん、二十一になった時にそうするかもしれないが、なぜか彼は疑った。彼女は、ブランド夫妻がウェル・ホールにかけている奇妙で不吉な魔力から自由になるほど勇敢でも、利発でもないのだ。そこでは、すべてが見かけとは違い、事実と虚構、真実と嘘の区別が曖昧で、混乱している。彼女はいまだに、ヒューバートとイーディスに対する子供っぽい関係に囚われていて、ヒューバートを偶像視し、イーディスから拒否されていると感じている。彼はペダルを漕ぎながらロザマンドの窮状について思いを巡らせているうちに、とりわけ結婚相手を選ぶという問題で、両親の権威と社会の偏見に抗い、自分の信じている革新的な信念を実行に移し、独立を主張する若い女についての小説を書いたら面白いのではないかと思った。彼は家に帰ると、いくつかメモを作った。

シャーロット・ショーは、フェビアン育児室が夏季学校を開いているスノードーニア（ウェールズの国立公園）のランベッダーにある家に一緒に住もうという手紙を彼とジェインに寄越した。それは、フェビアン協会の最新の実験的試みだった。彼はロザマンドとシャープがそこにいるだろうと思ったので断ったが、招待を受けたことは喜んだ。その愛想のよい文面は、パディントンでのメロドラマの噂がショー夫妻の耳に入っていないことを暗に意味していたからだ。その印象は、数週間後にショーがひどく長い手紙を書いてきた時に裏付けられた。その手紙は、ウェールズの海岸でショーが友人のロバート・ロレインと泳いでいた時、二人は強い波に揉まれ、沖に流されてしまい、岸に泳いで戻れなかった話と、溺れると信じた時に頭に浮かんだことだけを書いたものだった。それは上出来の短篇小説のようだった――生き生きとし、人の心を摑み、きわめて面白かった。彼は返事を書いた。「無駄にした機会！　そこだよ、君は浮き上がるべきではなかったのだ。見事に人生を終わらせるためには、ちょっとした決心しか欠けていなかった。君はロレインのところまで泳いで行って、彼を抱き、一緒に海底に沈むべきだった――そうなれば、高貴な生命が一人の俳優兼支配人を救おうとする気違いじみた試みによって無駄になったわけだ。僕は二、三の一流の死亡記事を書き、君をアメリカおよびドイツと仲直りさせることもできただろう……」

サンドゲイトでのその年の夏は、彼の気に入ったように過ぎた。週日は懸命に仕事をし、大抵、週末には楽しい訪問客のグループをもてなした。今では気晴らしにバドミントンと水泳に加え、屋敷でできるようになったテニスをしたり、天候が荒れ模様の時は家の中でシャレードや即興の芝居をしたりして。訪問客が大勢の時は、彼らを村の下宿屋に泊めた。チャールズ・マースタマンという有望な自由党の政治家と、その魅力的な妻ルーシーも、そんな風にして泊まった。マースタマンはある期間、スラム街の共同住宅に実際に住んだ経験にもとづいた、『どん底』という、なかなか優れた都市の貧困を扱った本を出版した。そして、彼の作品の愛読者で、『キップス』を絶賛した書評を『デイリー・ニュース』に載せた。「わたしの名前がその小説に軽々しく使われているにもかかわらず」とマースタマンは、その書評に書いたが。それは、マースタマンという、かなり不快な登場人物を指していた。「いやあ、申し訳ない」と彼は言った。「実際は、最初の構想ではもっとずっといい人物だったんだ――彼がキップスを社会主義者にすることになっていた。でも、結末の構想が変わったのさ」。「本当は気にしてませんよ」とマースタマンは寛大に言った。「今、何を書いていらっしゃるんです?」彼が『トーノ・バンゲイ』の話をすると、マースタマンは強い関心を示した。彼は出版されたら至急一部送るとマースタマンに約束した。

リーヴズ夫妻が、魅力的なアンバーと彼女の妹と弟を連れてサンドゲイトにやってきて、やはり村に泊まった。彼らが来たということ、またアンバーが、彼女に魅惑されたジップとフランクに特にせがまれ、一人で数日スペード・ハウスに泊まる許可を両親から得たということは、リーヴズ夫妻がパディントン駅のエピソードを知っていないという、安心できる徴候だった。彼女はジップとフランクと、彼が考案した、積み木と玩具の兵隊を使うフロアゲームで何時間も費やした。彼女は彼と哲学の問題を論じる時と同じように、その遊びに没頭した。アンバーはトライポスの第一部で、望んでいた第一級を取得したので上機嫌だった。いまや父自身、彼女の学業成績を自慢し、アンバーがニューナム・ソサエティーで発表した「理想」についての小論文を読んだ偉大な古典学者ギルバート・マリーからの手紙を、札入れに入れて持ち歩いていた。それは、彼女の古典のチューター、ジェイン・ハリソンが彼に送ったものだった。「マリーが言ったことを聞くんだ」とリーヴズは、手紙を派手にさっと広げながら言った。

「『それは、私がこれまでに読んだ、その問題に関する最上の学寮の小論文のように思われます――つまり、若い人によって、また、非形而上学的観点から扱われたものとして、という意味です。彼女は、私たちの世代がやり終えたところから出発しているように思えます――それこそまさに、新しい世代がすべきことであるのに、ほとんどなされていないことなのです。あなたは、さぞお嬢様を誇りにしていらっしゃることでしょう』。そういうことさ！」リーヴズはそう付け加えて手紙を仕舞った。彼は、かつてはアンバーをケンブリッジにやりたがらなかったことを都合よく忘れたようだった。

その年の夏、ヴァイオレット・ハントは時折やってきた。二人は灌木のあいだや庭の四阿《あづまや》の中で、ほかの訪問客から隠れて急いでキスをしたり、体をまさぐり合ったりするという危険なゲームをした。彼は少々驚いたのだが、八月のある週末、ヴァイオレットがたまたまいる時に、ドロシーが招かれもせずにやってきた。ヴァイオレットは、ドロシーが月桂樹の茂みの葉のあいだや四阿の明かり採りから自分たちを覗いている、小さな鋭い目を見るのではないかと絶えず怖れている、と苦情を言った。「嫉妬する女は何をするかわかったものじゃないわ」と彼女は、それを聞いて彼が笑った時に言った。「ドロシーは君を好ましく思っていないかもしれないが、ヴァイオレット、君に嫉妬する理由はない」と彼は言った。「僕らはあの面では、すべて終わったんだ。僕らは今ではただの友達さ」

事実ドロシーは、自分の性の同一性の問題と、ヴェロニカとベンジャミン・グラードとのストレスに満ちた関係を、きわめてドロシー流の方法で、ついに解決したのだ。彼女はそのことを庭の四阿で二人だけで会った際に、彼に話した。ごく最近、ヴェロニカのフィアンセのフィリップ（彼女より相当年上の男）が心臓麻痺で急死したらしいのだ。ドロシー自身、流産のショックからやっと立ち直ったばかりだったが、その悲劇で悲しみに打ちひしがれたヴェロニカを支えた。そしてその間《かん》に、奇蹟とも言える妙案を思いついた。「ヴェロニカとベンジャミンは共にわたしを完全に所有したがっていた。けれどヴェロニカは、男の恋人のフィリップも欲しかった、そしてベンジャミンは、わたしたちが結婚した場合のみ、わたしを所有したがった、でもわたしは結婚したくなかったし、誰にも所有されたくなかった。だからわたしたちは、充足を求める、人を疲労困憊させる三角の闘いで動きがとれなかったのよ。でも、今、フィリップが死んだんで、不意に解決策が見つかったの。ヴェロニカはベンジャミンと結婚しなくちゃいけない――」彼女は、そう言いながら誇らしげに満面に笑みを湛えて彼を見た。「本当に？」と彼は微笑を押し殺しながら言った。「そうなのよ！　そうすれば、ヴェロニカとベンジャミンはわたしを精神的に所有することもできるし、お互いを肉体的に所有することもできる――それは三人の神秘主義的結婚よ」。「三位一体みたいなものかい？」と彼は危険を承知で言った。しかし彼女は、その類比に何も面白さを感じなかった。「その通り」。「で、彼ら二人は、その考えをどう思ってるんだい？」と彼は訊いた。「素晴らしいと思ってるわ」と彼女は言った。「実のところ、二人はもう婚約してるの」。「で、君はプラトニックな夫婦愛《メナージュ・》人同居《ア・トロワ》で、二人と一緒に住むのかい？」彼女は首を横に振った。「いいえ、安く暮せる場所をサセックスに見つけたの。親切にわたしの面倒を見てくれる、とっても素敵な人たちを見つけたのよ。そこでわたしはごくつましく静かに暮し、執筆するつもり」。彼女は、自分と同じような若い女の意識の忠実な記録になるような小説を書くつもりだと言った。「心理小説は男の作家の占有になっているのよ」と彼女は断言した。「ジェイムズやコンラッドのような最上の作家も含め、男の作家の誰も本当にわたしたち、つまり女がわかっていない。思考の流れに秩序を押し付けるのは、いつも男のアイディア。主節に最後の決着を付け、掉尾文の最後に終止符を打ったりして。わたしはもっと流動的で有機的なものが書きたいの、女が考え、感じるやり方で」。「幸運を祈るよ、ドロシー」と彼は本心から言った。それは、あまりうまくいきそうもなかった。

彼自身の仕事は捗り、九月初めに予定通り『空の戦争』を書き上げた。彼は『トーノ・バンゲイ』に再び取り掛かる前に、ジェインと一緒にスイスで骨休めの休日を過ごし、アルプスを歩いた。ジェインは小柄だったが敏捷に、元気に歩き、彼も敵わないくらいスタミナがあった。二人とも山と、清澄な空気と、無限の彼方に続いている、雪の積もった山頂の壮麗な景色、遥か下の谷間から聞こえてくる牛の首に吊るした鈴の音と教会の鐘の音によってのみ破られる平和な静寂、そうしたものが醸し出す健康で幸福な気分を愛した。こうした幸せで和やかな合間の、疲れ果ててはいるが幸福感に包まれた一日の終わりに、二人は家ではしばらくしなかったような夫婦の生活をした。

しかし、心を癒し、体を回復させるこの息抜きから彼が戻ると、『彗星の日々に』を巡る歓迎すべからざる論争が蒸し返されていた。ランカシャー州の来るべき十月の補欠選挙に立候補していた保守党の候補ウィリアム・ジョインソン・ヒックスの競争相手は、社会主義に共鳴していることを宣言していた自由党の候補だった。ヒックスは、社会主義者に投票することは、最後は性的混交に至る滑りやすい坂道を下り始めることになると有権者に警告する、下卑たパンフレットを配っていた。それには証拠として、社会主義のユートピアでは妻が共有になるという、『彗星の日々に』の『タイムズ文芸付録』の書評の一節を引用していた。この中傷は『スペクテイター』の「社会主義と性関係」という記事で、いっそう広まった。それを書いたのは編集長のセント・ルー・ストレイチーで、彼は保守党員の高邁なモラリストで、国家社会純潔運動の指導的人物だった。彼はこう書いた。「ウェルズ氏は氏の小説において、自由恋愛を、氏の考える再生した国家における性的結び付きを規制する支配的原理にしている。ヒロインの二人の恋人のどちらが幸福な男になるかということのロマンティックな難しさは、二人とも受け入れられることによって解決される。一妻多夫がこの場合の〝解決策〟である。他の場合の一夫多妻のように」。ウェルズは『スペクテイター』と、その話をいろいろに変えて繰り返した様々な新聞に、またも、うんざりするほど手紙を書く羽目になった。そして、一年前に使った、自作の小説の弁護の手段を再び使わざるを得なかった。それを繰り返してみると、われながらやや無理があった。数週間続いた喧騒のある時点で、彼はジョインソン・ヒックスを名誉毀損で訴えると脅す手段をとった。ヒックスは中傷的パンフレットが、自分の代理人で、いみじくもボトムリー（「ボトム」には「尻」の意がある）という男が作ったもので、自分自身は、当時『彗星の日々に』を読んでいず、『タイムズ文芸付録』の記事によったことを認めた。

　結局彼は、自分の評判に対するこの新たな攻撃をなんとか生き延びたと感じる程度の中途半端な詫びの言葉を、自分を非難した者からは貰い、支持する言葉を、同情してくれる者からは貰ったものの、動揺した。彼はパディントン駅での失態の噂が、途方もなく歪められ、尾鰭の付いた形で、結局はフェビアン協会と文学界に伝わっているのに気づくようになった——彼はロザマンドと一緒にフランスに住むために駆け落ちをするところだった、彼女はその際、少年に変装していた（あの官能的な胸を男物の服にどうやって隠すことができるというのか）、ヒューバートはパディントン駅のプラットフォームで、公衆の面前で彼を鞭で打った。旧友のグレアム・ウォラスに会った時のその態度の冷たさと、ある日、ストランドの反対側を通っていたシドニー・ウェッブに挨拶した時の、ウェッブの顔に浮かんだ嫌悪の表情は、二人がその噂話の幾分かを聞いたことを暗に語っていた。ショーは明らかに、彼とロザマンドとの情事の、さほど誇張されてはいないが歪められた話を聞いていて――彼はイーディスが話したのだろうと疑った――彼の無責任な女遊びによってフェビアン協会の公的イメージが傷つき、その使命が危うくなったと非難する手紙を寄越した。彼は返事を書いた。「君は僕を誤解している――僕の性格に対する君の全体的評価において、という意味ではない――ブランド事件においてだ。しかし、君は勝手な解釈をしている。君が状況のすべてを知っているわけではないということは考えられる。しかし、ブランド夫妻は呪われよ！　事件の真相を歪め、僕を不利な立場に置いたのは、終始、あの嘘だらけの忌々しい一家だ。君は全然わかっていない、君は今度の件で僕を判断した、そういうわけだ！」

ショーがヒューバート・ブランドの誠実さと、ロザマンドという「無垢な可愛らしい人」に対する騎士的な庇護的態度を弁護しようとする返事を寄越すと、彼は腹を立て、怒りに満ちた返事を書いた。

君のことを考えれば考えるほど、君がなんという紛れもないヴィクトリア朝中期の馬鹿者かという気持ちに襲われる。君は無考えのお喋りな老嬢の叔母のように理念を弄ぶが、ブランド事件のようなことになると、意識的な上流階級の本能と、雌鶏並みの判断力を示す。君はブランドについて感傷的に昂揚した調子で書き、奴の美しいロマンティックな性格を僕に説明する――あたかも、僕が奴を骨の髄まで知っているのではないかのように。君はロマンティックな作り話を発作的に作ることにかけて、親愛なるブランド夫人に劣らないかもしれない。そして、「無垢な可愛らしい人」についての、ああした駄弁だ。彼女はあんな両親のもとで育ったのだから、無垢でいられたわけはない。

事実は、君が薄っぺらな知識人で、精神が欲深く、君には理解できない世界で漂い、陽気に喋っている。君は僕とは違い、欲望、挫折、恥辱、憎悪、愛、創造的情熱というものを、血肉で知ってはいない。君は老嬢的判断を下した、この事件の正邪を理解していないし、理解もできない――君が自らの虚栄心で駄目にしてしまったフェビアン協会の目的が理解できないように。

さあ、みんなを楽しませ続けてくれたまえ。（ショーは、面白いが浅薄な作品を書いている、とウェルズは言っている）

彼はその手紙を投函した瞬間に、その節度のない調子を後悔した。赦してもらうことも、撤回することも容易ではないことを言ってしまったのだ。そして、ショーと気楽にまた付き合えるようになるには長い時間がかかるだろう。そのことは残念だったが、彼は自分のテントの外の暗闇で敵が取り囲み、謀《はかりごと》を巡らし、ゴシップを飛ばし、噂話を広めているという感覚に襲われていたのだ。そのため、ショーの二通目の手紙で堪忍袋の緒が切れたのだ。彼はケンブリッジの若いフェビアン協会員のあいだにいる時だけ、その有害な雰囲気から自由になったと感じた。彼らは、たとえ彼とロザマンドとの情事について知っていたとしても、それを表に出さず、それは自分たちとは無関係だと見なしていた。彼らはもちろん、彼に対する新聞の非難中傷について知っていたが、彼を、抑圧、無知、二重基準にもとづいた古い性倫理に大胆に疑問を投げかけた英雄、殉教者と見なしていた。十月に彼が行った三つの講演は、社会主義に対する自分の解釈を要約した一種の個人的信条で、聴衆の数は多く、好評を博した。「それを出版なさるおつもりなんですか、ウェルズさん？」とアンバー・リーヴズは、彼が最後の講演を終えたあとで訊いた。「じっくり考えることが、とってもたくさんありましたもの——ぜひ活字で読みたいですわ」。「そう、短い本にしたらどうかって考えたんだ、時間があれば」と彼は言った。「素敵！」と彼女は言った。「なんていう題ですの？」「『最初と最後のもの』というのを考えてたんだ。どう思う？」「完璧！」と彼女は言った。「待ち切れませんわ」

二人が別れる前、彼女はジェインによろしくと言った。そして、夏にスペード・ハウスを訪ねた際とても楽しかった、とりわけ、子供たちとしたフロアゲームが、とも言った。「あれから僕は新しいのを発明したんだ」と彼は言った。「君が一人でまたうちに来るって話は出なかったかね？」「ええ、出ました」と彼女は言った。そして、彼女の目の輝き具合から、彼女が彼の記憶を蘇らせようとしているのがわかった。「クリスマス休暇には行けると思います、クリスマス当日以外は」と彼女は言った。「それは結構」と彼は、真剣な顔をしている彼女に向かって微笑みながら言った。「ジェインにそのことを思い出させよう、ジェインは君に手紙を書くだろうよ」。「ありがとう！」と彼女は有頂天になって言った。彼女は実際非常に魅力的な少女で、美人で怜悧であるのを少しも鼻にかけなかった。彼女が素直に自分を賞讃してくれていることに喜ばないなどということは、彼にはできなかった。スペード・ハウスで一家全員で彼女をもてなし、彼が発明した新しいゲームを披露するのが待ち遠しかった。だが、もちろん、二人の関係については、非常に慎重でなければならない。非常に慎重で。

5

親愛なるH・G様

お手紙とウェルズ夫人のご好意、まことにありがとうございます。あなたからお手紙を頂くのは大変な喜びで、数日のあいだ、わたしを一生懸命に勉強させます。わたしは精神科学をかなり熱心に勉強していますが、フェビアン協会では非常に真面目に働いています。わたしたちはとうとうフェビアン協会とS・L・Pとを提携させましたが、大学全体は上を下への大騒ぎでした。男たちは学生会《ユニオン》で社会主義的動議を提出し、わずか100対70で敗れたことにひどく喜んでいます。わたしは目下、大学当局の覚えがめでたくありません。公開集会で革命的なことを言ったからです――あなたが講演なさるはずだった集会です。わたしはあまりに怯えていて、自分が何を言ったのかわかりませんが、二人のシャペロンがわたしを睨みつけていました。けれど、男たちは喜びました。ところで、キーリングさんが言うには、もしあなたが来学期いらっしゃらなければ、あなたはスカンクだと言っています。もしいらっしゃらなければ、わたしはひどく惨めになり、トライポスで落第するでしょう。あなたからお手紙を頂くのをどんなに嬉しく思っているのかがおわかりなら、またいつかお手紙を下さい。

敬具

アンバー・リーヴズ

「アンバーは君がよろしくって言ったことに感謝してるよ」と彼は、その手紙を読み終わると言った。

「封筒の宛名の手に見覚えがあると思ったわ」とジェインは言った。「読んでもいいかしら?」

「もちろん」。彼は朝食用テーブル越しに手紙を彼女に渡し、彼女が手紙を読んでいるあいだに、二枚目のトーストにバターとマーマレードを塗った。外は灰色の二月の朝で、風が吹きすさび、雨粒を間歇的に窓ガラスに打ちつけ、握った砂利をぶつけるような音を立てたが、食堂は暖かくて居心地がよかった。

ジェインは手紙のある箇所でくすくす笑った。「シャペロンにショックを与えたって書いてあるけど、何を言ったのか、ぜひ知りたいわね」

彼も知りたかったが、そう言う代わりに苦情を洩らした。「ケンブリッジでは、女子学生がシャペロンなしではどこにも行けないなんて馬鹿げてるよ、講義にさえも」

ジェインは手紙を読み終え、彼に返した。「この娘《こ》はあなたに恋してる、もちろん」と彼女は言った。「あなたにそれがわかるといいんですけどね」

彼は考え込みながらトーストをむしゃむしゃ噛んでから答えた。「そう思うかい？」

「最後の数行でよくわかる。本当を言うと、あの人がクリスマスのあとここに来た時に、それがわたしにはわかった」

彼は手紙の末尾を、もう一度ちらりと見た。「でも、僕は彼女と愛の営みはしなかった」

「あなたは自分を〝H・G〟と呼ぶようにとあの子に言った」とジェインは言った。「それはあの子にキスをするのと同じよ」

彼はにやりとした。「彼女は手紙を〝親愛なるH・G様〟で始めている。それはちょっと面白い。〝親愛なるH・G〟というのは、あまりに厚かましいと思ったに違いない」

「でも、あの子は〝ウェルズ様〟という堅苦しい書き方には戻らなかった」とジェインは言った。「あなたは覚えておくべきだわ、わたしがあなたの若い女の崇拝者の心が手に取るようにわかるってことを。わたしもそこにいたんだから」

「僕は思わせぶりなことはしていない。実際にはあの公開集会には行かなかったことで、そう思わせないようにしたんだ」

「アーノルドの劇に行きたかったからだけでしょ」

「うん、アーノルドは旧友だ」と彼は言った。

「わたしに説明することはないわ」とジェインは言った。

アーノルド・ベネットの劇『キューピッドと常識』は、彼の小説『ファイヴ・タウンズ（イングランド中部の陶磁器工業地区）のアンナ』を劇にしたもので、一月末にロンドンでステージ・ソサエティーによって二回公演された。そして、二人が行くことのできた、ただ一回の公演は、彼が出席するかもしれないと半ば約束した、ケンブリッジ・フェビアン協会の公開集会の日とかち合った。彼にはその劇が観たい職業的かつ個人的理由があった。彼とアーノルドには、創作劇を共作しようという、ずっと前からの、しかしまだ実現していない計画があったのがその理由だが、少しばかり後ろめたくもあった――いや、正確には後ろめたさではなく、ケンブリッジに行く約束を反故にしたことに対する残念な気持ちだった。なぜなら、アンバーが彼に失望したと考えたくなかったのだ。そこで彼は、その償いに、彼女に二通の手紙を矢継ぎ早に送った。そして今、もっと手紙が欲しいという、この切ない訴えかけの手紙を受け取ったのだ。それは、欠席したことによって何を逃したかを、人をじらすように仄めかしていた。ベネットの劇は楽しいものだったが、アンバーの革命的なスピーチを聞くことにはまったく比べられなかった。

彼女から手紙を受け取ったことで、彼の思いは午前中ずっと乱れていたが、二度目の郵便で来た、ケンブリッジからの別の手紙が気持ちを落ち着かせた。「こいつは偶然だ」と彼は、手紙をさっと読みながらジェインに言った。「僕がケンブリッジで会ったルーパート・ブルックという青年で、アンバーのフェビアン協会の友人の一人が、キングズ学寮の彼の部屋で、何人かのグループに話をしてくれと言ってきたんだ。彼は非常に有望な詩人だと言われてるんだ。確かに、その通りの人物に見える。行こうと思う」

「その時間が割けるの?」とジェインは訊いた。

「こうした若者はその価値がある。彼らは将来の希望だ。彼らと話すことで、僕自身、何かが学べる」。そこで彼はルーパート・ブルックに承諾した旨の返事を書き、向こうが申し出た日の一番早い日を選んだ。すると数日後、ペンブローク学寮のジェフリー・ケインズ氏という人物から似たような招待を受けた。それは、その前の約束とうまく合わせることができ、数日滞在することになった。

彼は一冊の本を完成させたあとはいつもそうなのだが、落ち着かない、熱に浮かされたような気分だった。そして、そうした類いの気晴らしを求めていた。彼はついに『トーノ・バンゲイ』を書き終えた。ともかくその終わりまで到達し、結びの言葉を書いた。「私は自分自身を外側から、私の国を外側から見るようになった――なんらの幻想も抱かずに。われわれは何かを作り、そして過ぎてゆく。われわれはみな、何かを作り、そして過ぎてゆく存在だ」。ジェインは最終章をタイプしていた。彼はそれに目を通してから、いくらか書き直し、タイプを打ち直すだろうが、実際には作品は完成していた。それは、『イングリッシュ・レヴュー』という仮題の新しい文芸誌に連載されることになっていた。彼はヘファーとコンラッドと一緒にその雑誌を作ることを計画していた。そして、収益の分け前を貰う条件で、いくらかその雑誌に投資した。創刊の理念は、真に「現代的」な新しい作品に舞台を提供することで、フォーディーはその雑誌を成功させるセンスと人的繋がりを持っていた。『トーノ・バンゲイ』の第一回分を載せるのは、創刊号にとって理想的な目玉だということで、全員の意見が一致した。それは、大勢の読者を持つ、定評ある著者による野心的、実験的作品だったからだ。彼は、次の小説は一年前から漠然と抱いていたテーマにもとづくものにしようと考えていた。そのテーマとは、若い女が両親と社会の非難にめげずに大胆に独立を図るというものだった。彼はその小説に、最近次第に戦闘的になってきた婦人参政権運動という、時事的問題を取り入れようと考えていた。しかしその企ては、まだ試験的な、メモ作成の段階だった。その間《かん》彼は、前年の秋にしたケンブリッジでの講演を補筆して、『最初と最後のもの』にしていた。

彼はケンブリッジに行った時にアンバーに何度か会ったが、彼女は以前にも増して魅力的になっていた。彼女は利発で言語明晰で美しかったが、彼が一番感心したのは、何物も怖れないことだった――それはまさに、彼が次の小説のヒロインの性格と考えていたものだった。彼女はあらゆるものに疑問を抱き、何物も当然とは受け取らなかった。そのことは言わずもがな、彼女の親代わりの立場にある者たちを心配させた。彼はケンブリッジ滞在の最後の日の午後、ニューナム学寮に彼女を訪れ、ギルバート・マリーに彼女の小論文を送ったチューター、ミス・ジェイン・ハリソンに紹介された。「わたしたちはアンバーを非常に高く評価してますの」と彼女はアンバーが数分間、二人の話の聞こえないところに行った時に彼に小声で言った。「でも、あれほど頑固でないといいんですが。天使も踏むを恐れるところに勇んで踏み込む傾きがあるんです（元の諺は「天使も踏むを恐れるところ愚か者は勇んで踏み込む」）」。「でも、彼女は愚か者じゃない」と彼は敢えて言った。「ええ、もちろん、わたしは諺を雑に使ったんです」とハリソンは、やや顔を赤らめながら言った。「わたしたちみんな、彼女がダブル・ファーストを取ることを願ってるんですの、その資格がありますから」

アンバー自身は、優秀な学生が傲慢と思われないように、自分が好成績を収める見込みを低く見る、例のやり方はしなかった。逆に彼女は、もし第二部で第一級を取らなかったらカム川に身を投げて死ぬと言った。彼女はニューナム学寮で、彼を家族の古い友達だと紹介してから、クラフ・ホールの彼女の部屋で彼に紅茶を出すのを許された。彼女の部屋はベン・キーリングの部屋より狭かったが、明るくて快適で、チンツのカーテンが掛かっていて、壁紙は花模様だった。本と雑誌が至る所に山積みになっていて、壁には社会主義運動のポスターが貼ってあった。彼女は詰め物をした肘掛椅子に彼を坐らせ、自分は暖炉のそばの革張りの円形長椅子《プーフ》の上にしゃがみ、トースト用フォークの先にマフィンを載せてこんがり焼いた。

「第一級を取るのが、なんで君にとってそんなに重要なんだい？」と彼は尋ねた。

「一つは虚栄、一つは男たちを苛々させるため」と彼女は言った。「でも、ロンドン・スクール・オヴ・エコノミックスの大学院で研究したいからでもあるの」。彼女は興味深い論文のテーマを考えていた。それは、社会奉仕における動機の問題だった。政府や地方自治体におけるそうした分野、すなわち貧民救済、地域社会の健康といった分野で働くことを選んだ人々の動機は何か？　それは理想主義なのか専門職業意識なのか？　彼らは理想的社会はこうあるべきだというヴィジョンに衝き動かされたのか、または、大衆の生活状態を向上させようとする実際的な関心に衝き動かされたのか？　それは、フェビアン協会の真髄に非常に近いテーマだった。哲学的であると同時に道徳的、心理学的な可能性に満ちたテーマだった。

「君はウィリアム・ジェイムズの最新の本、『プラグマティズム』を読んだかい？」と彼は訊いた。

「いいえ、でも是非読みたいわ」と彼女は熱を込めて言った。「わたしはシラーの『ヒューマニズムの研究』が好き。あの人はジェイムズの大の信奉者」

彼はオックスフォード大学の教員のF・C・S・シラーの著作を知っていて、一九〇三年にオックスフォード哲学協会で小論文を読んだ時、本人に会った。そのため、シラーの話になれば、お手の物だった。「そう、二人には共通点がたくさんある。しかし、〝ヒューマニズム〟という言葉は使い古され、乱用されている言葉だ。シラーにはあまり役立っていないと思う。ジェイムズの〝プラグマティズム〟のほうが正確だ」

「そのことについて、話して」と彼女は言って、トースト用フォークを脇に置き、彼に向き合った。

「そう、彼は第一章で、動機を分析するための有用な道具になるような区別をしている、つまり、タフな心の持ち主と、優しい心の持ち主を区別してるんだ」

アンバーはにこりとした。「哲学の言葉じゃないみたい！」

「しかし、僕はウィリアム・ジェイムズのそこが気に入ってるんだ――彼は難解な概念をわかりやすくするために普通の言葉を使ってるんだ」

「弟とは違うのね、弟は普通の概念をわかりにくくするために難しい言葉を使ってる」とアンバーは言った。

　彼は笑った。「まさに然り！　アーノルド・ベネットは君に賛成するだろうね。ジェイムズはたくさん読んだのかい――ヘンリーのことだけど？」

「あんまり読んでない、正直なところ」と彼女は言った。「少女時代に読んだ『デイジー・ミラー』と、短篇のいくつかはよかったけど、『鳩の翼』は読もうとして半分で諦めたわ」

「そりゃ残念――最後の部分が一番いい。あの作品に長たらしくて退屈な箇所があるのは認める」

「わたしには全篇が長たらしくて退屈に思えたわ」と彼女は言った。「わたしはあなたの小説のほうがずっと好き。いったん読み始めると、途中でやめたくなくなる」

「ありがとう、アンバー」と彼は言った。「でも、アーノルドにも言ったんだが、『鳩の翼』には僕にはできないところがあるんだ、そうして、彼にも」

「問題は、そういうところを書くだけの価値があるかっていうこと」

「うん、それがいつも問題だ。それは、後世の者だけが明確に答えられるのさ。しかし、『プラグマティズム』についてだが……」

　彼女は、二つの基本的な精神構造をジェイムズが区別していることについて、彼が概説するのを注意深く聞いていた。優しい心の持ち主は合理主義的、理想主義的、楽天的、宗教的、一元論的、教条的である。タフな心の持ち主は経験主義的で、唯物論的で、悲観的、非宗教的、多元論的、懐疑的である。観念論的哲学者とキリスト教の護教論者は代表的な優しい心の持ち主である。科学者と技術者はタフな心の持ち主である。「君は社会奉仕をしている人間を、そんな具合に分類できるかもしれない」と彼は結論付けた。

「ええ、それはうまくいくかもしれないわね」と彼女は、考え込むように言った。「ありがとう。でも、あなたはどっちかしら？」

「そう、基本的にはタフな心の持ち主さ。科学教育を受けた者の大半はそうさ。でも大事なのは、どっちも片方だけでは不満足だということだ。ジェイムズが言うように、まったく正しいのだが、優しい心の持ち主は近頃、弱い立場にある、もっぱらダーウィン説と自然科学の進歩のせいで。しかし、タフな心の持ち主だけだと、やがては純粋の唯物論に至る。それは人間の精神を満足させない、なぜなら、それは死に至るだけだからだ——個人の死と、結局は地球の死に。だから、なんの希望もない。優しい心の持ち主は、何らかの形で超越的なものを提供する——神、絶対的精神、個人的不死……」

「でも、そうした考えはなんの論理的基盤も持ってない」とアンバーは反論した。

「その通り。でも、僕らはそれを一蹴することはできない。人生を意味のあるもの、目的を持ったもの、希望に満ちたものにする、なんらかの非唯物論的原理がなくちゃいけない。ジェイムズは言うんだ、プラグマティズムは、ある考えを抽象的にではなく、その実際的結果で評価する。例えば、それは人間の生活の向上に貢献するか、しないか。社会主義は、そのプラグマティックな試験に堂々と合格する」

「それはタフな心と優しい心の両方なの？」

「その通り」

「それは大層興味深いわ。できるだけ早く『プラグマティズム』を読まなくちゃ」とアンバーは言った。

「ウォラスがL・S・Eで君の面倒を見てくれると思うね」と彼は言った。

「わたしは論文のことで、あの人に話したことがあるの——クリスマスのパーティーで——でもあの人は、それは、わたしのような若い女には、少々野心的な企てだって思った。本当にあの人を感心させるには、第一級を取る必要があるの」

「僕がすでにいかに感心してるかを彼に話しておこう」と彼は言った。

彼女は顔を赤らめ、目を伏せた。二人のあいだに、不意に性的感情に満ちた沈黙が訪れた。彼は、優れた情報源になるマクリアリーという保健官を知っている、その時が来たら君を紹介しようと言って沈黙を破った。「ありがとう、H・G！」と彼女は言い、大きな黒っぽい目を、また彼に向け、微笑した。彼女は落ち着きを取り戻していた。「とっても親切ね」

彼は夕方、ロンドンへの帰途、性的感情に満ちていた、あの瞬間についてじっくりと考えながら、列車の窓にぼやけて映っている自分の顔を通し、ケンブリッジシャーのぼんやりと見える平坦な畑を眺めた。アンバーが自分に恋しているのは疑いない。問題は、自分が彼女と恋に落ちたかどうかだ。彼の性生活は、目下、休止状態だった。それは驚くべきことだった。なぜなら彼は、『トーノ・バンゲイ』のような大作を書き上げたあとは、通常、鬱積していたものを性行為によって発散させていたからだ。だが、ヴァイオレット・ハントとの情事は終わっていた。彼女はヘファーとの情事を始めていて、それは事実、みんなの話では真剣な関係だった。そして、実に皮肉な話だが、ある意味で彼がそれに責任があった。彼女は彼にいくつかの短篇小説を見せた。なかなかいい、彼女の長篇小説より正直であって、冗長ではないと彼は思い、『イングリッシュ・レヴュー』に載せるためにヘファーに見せたらどうかと言った。ヘファーはそれらの短篇小説が気に入り、二人は会った。そして今では、どうやら互いに惚れ込み、結婚したがっていた。ヘファーに別居している妻がいるのは残念なことだったが、二人がやがて解決策を見つけるのは疑いなかった。彼は二人の幸せを願った。ヴァイオレットに対してなんの嫉妬も後悔の念も感じなかった。二人の情事は自然に終わっていたからだ。そういうわけで、彼は女友達に関しては手持ち無沙汰だった。いくつかの新しい浮気《パッサード》をする機会に遭遇はしたが、それを実現する気にはなれなかった。彼は自分の考えがそのほうにさ迷って行くたびに、アンバーの姿がひょいと頭に浮かんだ。彼女は友達と一緒に笑ったり、議論したり、スペード・ハウスの遊戯室の床に跪いて子供たちと玩具の兵隊のための砦を作ったり、または、人に見られているのに気づかずに本を黙って読み耽っていたりした。そして今、もう一つの姿が加わった。アンバーは手にトースト用フォークを持ち、哲学について話しているのだ。彼はアンバー・リーヴズとすでに恋に落ちていないとしても、危険なほどその淵に近づいているのは確かだった。

彼女は彼が家に帰った直後に手紙を寄越した。その中に、いかに自分が自室での二人の話を楽しんだか、彼が支持してくれ励ましてくれたことを、いかに感謝しているかについて書いていた。彼はその手紙に対する返事と、その後の手紙の中で、高徳者ぶって自分の気持ちを抑制し、彼女の幸福に対して叔父あるいはチューターのように心配しているという調子を維持し、ケンブリッジにまた行く新しい口実を見つけようという誘惑に抗った。その代わり、フェビアン協会の政治に短期間首を突っ込んだ。三月に彼とジェインは執行委員に再選された。彼はちょっと驚いた。というのも、過去一年、どんな集会にもほとんど出席しなかったからだ。だが一般の会員はそのことを知らず、相当数の会員が、彼をまだ自分たちの代弁者と見なしているのは明らかだった。彼は会員の忠誠心に責任を感じ、基本理念《ベイシス》という、盛んに嚙まれはしたものの、今では乾いている骨を再び拾い上げた。もっぱらモード・リーヴズのおかげで昨年の九月に承認された、女性の平等の市民権についての追加条項は別にして、基本理念はもとの形と依然として変わっていず、一年前、それを変更する仕事を託された、彼とショーとウェッブから成る小委員会は何も達成していなかった。したがって彼は新しい別の草稿を書いたが、かなりそれが気に入った。そしてそれを、二人の同僚に送った。だが両者から、その文書には賛成できない多くの箇所があるが、今はほかのこと——ウェッブの場合は救貧法改正——で十分な返事ができないという手紙を貰った。彼は怒りの手紙をウェッブに送った。「君たち二人は、僕がこれまで会ったことのないほどの、まったく耐え難いエゴイストで、狭量で、疑い深く、人の邪魔をする人間だ」。ウェッブはその手紙をショーに渡したらしく、ショーは庇護者めいた、辛辣な説教臭い手紙を彼に送った。「君がまだ習得していない、公的生活の一つの技術がある。君は私生活の技術の達人だが」。この手紙を読んで彼は、執行委員の再選の候補者になるのを許さなければよかったと思った。彼は古老連中から、クラスの後方にいる、見込みはあるが傍迷惑な幼い生徒のように扱われることに、事実、うんざりした。それ以上だった。彼はフェビアン協会を脱会する決心をしたが、単に拗ねているかのように見えないよう、その潮時を見計らうことにした。

四月初旬、ジェインはモード・リーヴズから、アンバーについて心配しているという手紙を受け取った。アンバーは復活祭の休暇で家にいるが、近づいてくる試験のせいで神経が緊張していて、あまり食べもしないし、よく眠りもしない。「わたしはあの子の面倒をもっと見なければならないと感じますが、問題は、わたしは婦人参政権のために非常にたくさんの講演をする予定があり、国中を駆け回っているので、一度に数日家を空けますし、ウィルはもちろん、いつも仕事に忙殺されています。わたしはあの子があなたとH・Gと一緒にいるのが好きなのを知っているので——あの子はクリスマス後にお宅を訪問したことを大変喜んでいました——あの子をまた数日預かってはもらえないでしょうか。海の空気を吸い、あなた方と一緒にいることは、あの子にとって大変いいことに違いありません」

「なんと言ったらいいかしら?」とジェインは、その手紙を彼に見せて言った。

「もちろん、招待するんだ」と彼は言った。「好きなだけ泊めてやるんだ。子供たちも喜ぶだろう」

「そうして、あなたもね、H・G?」

「もちろんだとも。僕はアンバーに会うのはいつだって嬉しい。君も、だと思うけど?」

「ええ、わたしはアンバーがとっても好き。娘がいたら、アンバーみたいだったらいいと思う」

「なら、決まりだ! 彼女を来させるんだ——誰もが幸せになる」


やってきたアンバーは、母が言ったような、神経が参っている兆候を見せなかった。盛んに食べ、ぐっすり眠り、いつものように潑剌としていた。午前中は、彼が仕事をしているあいだ「復習」をし、午後は彼と散歩に行った。それは復習よりいいとは言えぬにせよ、復習と同じくらいよいと、彼女はジェインに言った。二人は本や理念について話したからだ。事実、二人の会話は、日が経つにつれ次第に個人的で親密なものになった。彼女は彼に、自分の子供時代のこと、ニュージーランドで戸外の空気を吸って育ったあとではロンドンがなんと嫌だったかということ——「自由もないし、海岸もないし、煤だらけの煉瓦の建物の通りが延々と続くだけ——について話し、肉体的にも情緒的にも驚くほど温か味に欠けていた家庭生活について語った。「肉体的にも」というのは、モードもペンバーも若い頃はクリスチャン・サイエンスの信者だったので、精神は物質を支配する力を持っているという信念をすっかり捨て切れず、家族の誰かが風邪を引いている時でさえ、冬でもずっと家の窓を開け放っていたからだ。また、娘たちが初潮を迎えても特別に扱われもせず、生理中でも甘やかされもせず、逆に、どんな天候でも、特に長い距離を勢いよく歩かされた。アンバーはそれを別にばつが悪そうなそぶりもみせずに話し、彼がショックを受けたかどうか知ろうと、ちらり、ちらりと彼を見た——もちろん彼はショックを受けなかったが。だが、彼女の率直さと、それが彼を信頼しているのを暗に意味していることに感銘を受けた。

アンバーがそんな風に思い出話をした時、二人は足元の小石をギシギシ踏みながら海岸を歩いていた。モードが女権拡張運動に関わっていることは、彼女を物分りのよい母親にはしなかったらしい。「ある時わたしが、お母さんはわたしを本当には愛していないと不平を言うと、母はわたしの頰を張り、自分には恩知らずの子供たちのことで大騒ぎをするより大事なことがあるって言ったの。母は女権拡張について進歩的な考えを持っていたけど、わたしの場合もベリルの場合も、成長期の問題についてあまり助けてはくれなかった。わたしたちのどちらにも、母はセックスについて話すのはばつが悪かったわけ――わたしたちが父の書庫を自由に使い、知りたいことはなんでも調べられるので、それで十分って思っていた」

「で、そうしたのかい？」

「ええ、もちろん。でも、百科事典や医学教科書は、事実を教えてくれるだけ」

彼女は立ち止まって向きを変え、何か（たぶん魚の群れだろう）の上で舞い上がったり舞い降りたりしている鷗の動きを眺めた。

「ああしたものは、愛については教えてくれない」と彼女は言った。「欲望については教えてくれない」

「そうさ、そのためには小説を読まなくちゃいけない」と彼は言った。

「でも小説家は人が本当に知りたいことを教えてくれない――そうするのを許されてないのよ」

「その通りだ」と彼は言った。「結局は自分で見つけなければならない」

「そうしたいわ」と彼女は言った。「でも、難しい」

二人は話しながら、互いの顔を見ようとしなかった。二人の関係は、無意識の感情でゆっくりと満たされていき、それがいまや縁から溢れ出そうになったボウルに似ていた――それは表面張力によってまさしく凸《とつ》状になっていて、あと一滴加わるだけで、全部が止めようもなく流れ出るのだ。

その時は、二日後に来た。二人はスペード・ハウスで事実上、二人切りになった。ロビンズ夫人が病気だったので、ジェインはパトニーに見舞いに行き、一晩泊まることになっていた。二人の少年は、彼とアンバーと召使たちが面倒を見ることになった。アンバーは代理母の役割を熱心に果たし、少年たちを大いに嬉しがらせた。だが、少年たちを遊ばせ、食事を与え、風呂に入らせ、ベッドに寝かせ、物語を読んでやり、お休みのキスをしてから客間に戻ると、彼女は沈んでいて、物思いに耽っていた。穏やかな春の晩で、彼は自分たちの夕食をとる前に庭に出てみようと言った。二人は芝生の上をぶらぶら歩き、四阿《あづまや》の前の庭のベンチに腰を下ろした。そこからは、漣《さざなみ》で皺が寄り、沈みゆく太陽のオレンジ色の光に染まっている海面が見渡せた。彼はオルトリンガムの補欠選挙を会話の話題にした。その日の午前、そのことを考えていたのだ。ウィンストン・チャーチルは最近、自由党政権の商務相に任命されたので、議員法規により、いったん辞職して再選挙に臨まねばならなかったが、対立候補は、前年の彼の敵、保守党のジョイントン＝ヒックスと、労働運動の極左である社会民主党の支持を受けていた、アーヴィングという社会主義者の候補者だった。アーヴィングは当選の望みはまったくなかったが、進歩派の票を割るおそれがあった。ウェルズは選挙区のオルトリンガムに公開状を書き、長い目で見れば、チャーチルに投票するのが、社会主義の大義のためには一番いい方法だと社会主義者に訴えるつもりだった。そして、その計画についてアンバーの意見を聞きたかった。

その計画は、フェビアン協会のあいだに物議を醸しそうだった。議会選挙では、すべての社会主義の候補者を支持するのが協会の公式の政策だったからだ。それは、いつもだったら彼女の関心を強く惹くような話題だったが、彼の説明に対する彼女の反応ぶりは鈍く、心ここにあらずで、退屈しているとも言えた。「どうしたんだい、アンバー」と彼は言った。「今夜は、いつもの君じゃない」

「そう？」と彼女は言った。

「そうだよ。間もなく家に帰らなくちゃいけないからかい？」

「いいえ、そうでもないの」と彼女は言った。

「例の試験のことを心配しているからかい？　君は実際、心配する必要はないんだ」

「ええ」と彼女は言った。「くだらない試験なんて、どうでもいいの！」

彼は会話がどこに向かって行くのか本能的に悟ったが、訳がわからないという風に、無理に笑った。「いやあ、それは初耳だ！　なら、なんなんだい？」

長い間《ま》があってから、彼女は彼を見ずに、小さな声で言った。「わたしは恋してるの、本当に知りたければ言うけど」

「わかった」。さらに長い間があってから、彼は言った。「で、誰に恋してるんだい？」

「あなたによ、もちろん！　あなたに！」彼女は向きを変え、彼の首に両腕で抱きつき、啜り泣きながら彼の胸に顔を押し当てた。

彼は彼女を両腕でそっと抱き、彼女の体を自分の体に初めて押しつけ、彼女の薄い服の下の熱を感じた。「なんで泣いてるんだい、アンバー？」

「わたしはあなたを愛してるんだけど、あなたはあたしを愛してないから」。彼女は顔を依然として彼のワイシャツの前部に押し当てたまま、不明瞭に話した。

「でも、僕は君を愛してる、アンバー」と彼は言った。

「父親のように、っていう意味……」と彼女は呟くように言った。

「いいや、恋人のように」

彼女は起き直り、彼をまじまじと見た。「本当に？」

彼は答える代わりに、彼女にキスをした。

「夢を見てるのかしら？」と彼女は目を開けた時に言った。

「いいや」と彼は言って、またキスをした。

「でも、ジェインはどうなの？」と彼女は言った。「あなたはジェインを愛してる」

「そう、僕はジェインを愛してる、ジェインも僕を愛してる、けど、愛にはいろんな種類があるんだ、アンバー。君は『現代のユートピア』を読んだ、『彗星の日々に』を読んだ、君は自由で、健康的で、生きる力となる性関係についての僕の意見を知っている。ジェインも同意見だ」

「ということは……あの人は気にしないって意味？」

「彼女は気にしない」と彼は言った。

それにもかかわらず、彼はジェインの留守に、彼女に知らせずに、この家でアンバーと男と女の関係になってしまうことにためらいを覚えた。その代わり、一種の婚約の儀式として、その夜、愛の営みはせずに、一緒に裸でベッドで横になっていようとアンバーに言った。「君はそれ以上は行きたくないと、そのあとで決めたらば、そう言わなくちゃいけない、僕は理解する」と彼は言った。「あら、そんなことはないわ」と彼女は言った。「でも、それは素晴らしい考えだと思うわ。それはとっても……とっても……素敵！」

彼は住み込みの一人の女中が寝に行き、ぐっすり眠ったのを確かめてから、アンバーの部屋に行った。アンバーは真っ暗闇の中で、シーツの下ですっかり目を覚まし、裸で待っていた。二人は抱き合い、互いに腕を回して横になり、盲人のように互いの体をまさぐり、優しく撫で合った。それは、きわめてエロティックな経験だった。「それはあなたの……？」とアンバーは囁いた。「それは僕の勃起したペニス」と彼は言った。「血の柱、自然の驚異の一つ、水力工学の奇蹟」。「とっても大きい」と彼女は言った。「痛いかしら、あなたが……？」「最初は少し痛いかもしれない」と彼は言った。「ともかく、気にしないわ」と彼女は言った。「わたしの中にそれが欲しい。あなたにわたしの中に入ってもらいたいの」。彼は若い時だったら、彼女の願いにすぐに応えるのを控えるのは難しかったろう、ばつの悪い射精を避けるためだけにも。しかし四十一歳という齢では、彼は性的反射作用をある程度制御することができるようになっていた。「僕もそうしたいのさ、ダーリン」と彼は言った。「でも、待てば、そのことが起こった時、それはいっそう甘美になる」

数日後のある日の午後、ソーホーで借りた部屋で、そのことは起こった。二人が体を動かすたびにベッドは軋り、ビュンと音を立てたが、みすぼらしい設備は問題ではなかった。アンバーは素晴らしかった。薄いカーテン越しに洩れてくる昼間の光の中で、彼女の体は、スペード・ハウスで彼が闇の中でまさぐった時に期待したように見事だった。格好がよいがしなやかで、デルタ状の濃い黒い陰毛が、乳白色の肌を引き立てていた。彼が挿入すると、彼女は苦痛と快感の混ざった叫び声を上げげた。彼が射精すると、彼女はすぐに、またしたがった。彼は男の生理に対する彼女の無知に微笑した。「残念ながら僕の齢では――実際はどの齢でも――中休みが必要なんだ」と彼は言った。「今は眠ろう」。二人は目を覚ますと、もっとゆったりした方法で交わり、彼女は歓喜に満ちたオルガスムスに達した。「君には恋に対する生来の適性がある、アンバー」と彼は、二人が満ち足りて幸福な気分で並んで横になっている時に、お世辞抜きで言った。

「ドゥーサって呼んで」と彼女は言った。「親しい友達はわたしをドゥーサって呼んでるの」

「わかった――ドゥーサ。僕は君のメドゥーサの髪を愛《め》ずるね――二つの場所の」。彼は彼女の恥丘を撫ぜた。彼女は忍び笑いをした。「君は僕をこれからなんて呼ぶ？ 〝H・G〟はベッドの中じゃあ、ちょっと堅苦しい」

「あなたを〝マスター〟って呼ぶわ」と彼女は言った。「若いサムライが師に向かって言うように。気に入るかしら、マスター？」

返事代わりに彼は向きを変え、彼女にキスをした。気に入らぬわけがない！ 彼女の口にしたその言葉は、彼のぐんにゃりしたペニスを再び勃起させるに十分だった。

彼女の復活祭の休暇の残りの期間、二人はあらゆる機会を捉えてソーホーの下宿屋で会って愉しく性交した。夏学期で彼女がケンブリッジに帰った時、彼女にそこで会う、完璧な口実が出来た。ベン・キーリングが、サー・シドニー・オリヴィエ（ジャマイカ総督に任命されたので、サーが付くようになった）の栄誉を讃えて非公式のディナー・パーティーを開くことになったのだ。オリヴィエの妻と二人の上の娘も招《よ》ばれたが、その一人、マージャリーはニューナム学寮にいて、アンバーの友人だった。彼もアンバーもその催しに招かれ、彼は彼女をエスコートして、そこに行くことにした。彼はお茶の時間に間に合うようにニューナム学寮に着き、学寮内で得た信頼される立場を利用し、若い愛人とクラフ・ホールの彼女のベッドで交わった。その際、彼女の出す恍惚の声が、階段を通りかかったり、空いた窓の下の庭にいたりする処女や老嬢の耳に入らないよう、彼女の口をふさいだ。「僕の手を噛むんだ、僕を噛むんだ」と彼は声を歯のあいだから押し出すように言った。彼女はそうした。オリヴィエ一家のためのパーティーに出た誰であれ、近くで見れば、そのために出来た親指の腹の凹みが数時間後にもまだ消えていないのがわかっただろう。彼とアンバーは遅く着いたのですでに食事は始まっていて、喝采で迎えられたが、彼はオルトリンガムの有権者に公開状を書き、それが最近発表されたので、少々からかわれた。テーブルの席が全部ふさがっていたので、アンバーと二人で皿を膝に置き、窓台に坐って自己弁護をせざるを得なかった。一座の者は、今では彼がケンブリッジにいることに慣れていて、二人が一緒にやってきても眉を上げなかった。オリヴィエだけが不審げな、ほんの少し警告するような表情で、彼とちらりと目を交した。

翌日彼は、アンバーが精神科学協会で小論文を発表するのを聞きに行った。彼女はその中で、大好きな哲学者シラーの主張をさらに展開し、AはBであるか、さもなければBではないという想定に異議を唱え、実際には何物も永遠で固定されてはいないと言った。Aは常に多少ともBになりつつあり、逆もまた真なり。ある物について考えることができるようになる前に、しばらく、その物を静止させねばならないのは人間の精神のみである。彼は賞讃の念と同時に、官能に身を任せてから、認識論の問題の明晰な分析になんの苦もなく移れる、この比類のない者を自分が所有していることに対する誇りを抱いて、うっとりとして聴き入った。会が終わってから、彼女は列車に乗る彼と一緒に駅まで行き、列車が来るのを待ちながら、プラットフォームの上をあちこち歩いた。プラットフォームはロンドンを差している長い指のようだった。二人は誰かに見られるといけないので、腕を絡げたり手を繋いだりしたいという誘惑になんとか抗った。

「今度はいつ会えるかしら、マスター?」と彼女は訊いた。

「マスター」という言葉は、彼女の口から発せられるたびに、彼の心の慰めになったが、彼女の発した質問は、彼を悩ました。「わからないな、ドゥーサ」と彼は言った。「人に妙に思われずに、そうたびたびはケンブリッジに来られない。それにともかく、君は第二部のための勉強をするべきだよ」

「ここにいるより、あなたと一緒に勉強したい」と彼女は言った。彼女は数分間、考え込むように黙っていたが、ある計画を思いついた。試験を受ける学生には、もう講義もチュートリアルもなく、学生は自分で自由に試験の準備ができる。「その結果、ニューナムは一年のこの時期には精神病院みたいになるの。女子学生は心配して気が狂ったみたいになるか、勉強し過ぎるかで、そこら中で神経衰弱患者が出るの……それは感染する。どこかの田舎のコテージで勉強をしたほうが遥かにいいって両親を簡単に説得できるわ。あなたは、そこでわたしに会える」

「そう、試してみる価値はある」と彼は言った。

リーヴズ夫妻が同意することはないように彼には思えたが、家に帰ってみると、彼の要求した前金で『トーノ・バンゲイ』の出版を引き受けたという手紙がマクミランから来ていた。彼は、運が向いてきたので、アンバーの策略もうまくいくかもしれないという気がした。彼はジェインに、新しい小説に取り掛かるために、間もなく一週間、どこかに行くことを考えていると言った。

「それでアンバーも一緒になるの？」と彼女は言った。

彼がアンバーと性的な関係を持っていることが、二人のあいだであからさまに口にされたのは、それが最初だった。ジェインは四月に母を見舞って家に帰ってくるとすぐ、二人のあいだに新しい関係が出来たのを、はっきりと悟ったが。「そう願うよ」と彼は言った。

「あの人は試験の準備をしなくちゃいけないんじゃないの？」

「そう、まさにそれが問題なのさ」。彼はアンバーが両親に言おうとしていることを繰り返した。「僕は小説を書き、彼女は復習をする」。彼女が疑わしそうな顔をしたので、彼は付け加えた。「彼女はそのほうが勉強にずっと集中できるんだ、ジェイン。彼女は僕に首ったけなのさ。そうして、僕も彼女にそうなんだ、正直に言うと」

「わかってるわ」とジェインは言って溜め息をついた。「そうなるのがわかっていた。わたしには止められないのはわかっていた」

「なんで止めたいと思うんだい？　彼女は愛らしい娘だ。

君は彼女が好きだ。彼女は君を崇拝していて、君を傷つけるようなことをするつもりはない。彼女は、このことが僕らの結婚生活に影響を与えないってことを完全に理解している」

「モードの手紙を読むと、わたしたちがモードたちの信頼を裏切ったような気分になるわ」

「馬鹿な！　君は善良な妖精の手紙のことを言ってるんだね？」モードは、アンバーがサンドゲイトから家に帰ったあとで、大袈裟な感謝の手紙を寄越した。「アンバーによくして頂いて本当にありがとうございます。あの子はずっとよくなりました。あの子はあなた方二人を崇敬していて、帰ってきて以来、ほかのことは何も話しません。元気一杯で、自信に満ちてケンブリッジに行きました。あの子がすべての望みを叶えることを願っています。あなた方はすべてのこうした若者にとって、善良な妖精です」

「そう、あの手紙」

「僕らはアンバーを、僕が誘惑するために、ここに招いたわけじゃない。彼女がここに来てもいいかとモードが訊いてきたんだ――アンバーに促されたのは違いないけど。アンバーは君が九三年に振る舞ったのとまったく同じように振る舞った、君がイザベルと僕を、週末にパトニーに招いた時だ。招いた彼女は恋に落ち、当の男を追いかけた」

「それは正確じゃない」とジェインは言った。「イザベルはあなたをわたしと共有するつもりじゃなかった。その点になれば、わたしも」

「だから、みんなひどく苦しんだわけだ」と彼は言った。「僕らはあれから大人になった。嫉妬心を克服した」

ジェインはちょっと考えていたが、諦めたように肩をすくめた。「そう……ただ、慎重にしてね、H・G。慎重な上にも慎重にやるって約束してね」

「約束する」と彼は言ってジェインを軽く抱擁し、キスをした。「君と僕とアンバーは例外的な人間なんだ。僕らはこれをうまくやることができる」

彼は翌朝早く目を覚まし、庭の物置に行って執筆した。『最初と最後のもの』の最終章を書いているところだった。それは性と結婚に関する章だった。彼は書いた。

教養のある普通の女、教養のある普通の男は、ある特定の親密な人物、自分自身のものである特別の唯一の恋人に出会い、その恋人を所有するという考えに、等しく取り憑かれている。そして、男であれ女であれ、第三者が関係すると、プライバシーと信頼感と所有意識が耐え難いほど失われると考えている。しかしそれは、月並みな言い方だが、三角の相互関係を結ぶことのできる例外的な人間が存在する可能性を排除するものではない。私は、もし三人の人間が自由意志で望むなら、社会に受け入れるにはまったく不都合で、絶対にうまくいかないと人々が考えるかもしれないグループ結婚を、禁じたり、厳しく、かつ敵意をもって扱ったりすべき理由はないと思う。

アンバーの計画は、彼女が言った通りうまくいった、「夢のように」。エッピング・フォレストの架空のコテージは、一週間架空に借りられ、架空の仲間の学生と共有されることになった。一方、二人はテムズ河口のロンドン子の楽しいリゾートであるサウスエンド゠オン゠シーで見つけた部屋に泊まった。そこでは、貸間の女主人たちは寛容だった。二人とも午前は沈黙を誓って、それぞれの仕事をした。午後には、天気がよければ、二人は本を持って海岸に下り、泳いだり、彼女がL・S・Eで書こうとしている画期的な論文について話したりした。夕暮れには二人は再び数時間仕事をし、それから近くのカフェかレストランに行き、それからベッドに行った。二人はそこに泊まっているあいだ、毎晩愛の営みをした。そして最後の朝、そこを去る時、二人の手荷物が約束の時間より早く到着した辻馬車のところに持って行ったあと、二人は踊り場で逡巡し、目に同じような淫らな考えを浮かべて見つめ合い、部屋に戻って最後の素早い性交をした。

アンバーがケンブリッジに戻って試験を受けているあいだは、貞潔な中休みがあった。そのあと、彼女は試験の結果を待っているあいだ自由になり、時折ロンドンに戻った。彼はピムリコのエクルストン広場の寝室・居間兼用の貸室を借りた。そこはソーホーよりも健康的な場所だった。そこで二人はほとんど毎週会い、昼間、性的快楽に耽った。時には、彼女が両親に対する口実が見つかった時は、夜もそうした。彼女は彼の望み通りのパートナーだった。セックスの肉体的解放感を率直に楽しみ、自分の快楽を声で表現し、抱擁の仕方に驚くほどに運動競技の要素を持ち込んだ。彼女の話では、それは、ほかの解放された若いケンブリッジの女たちと一緒に、日本人が指導する柔道教室に入ったおかげだった。彼女は彼の下に横になった時は、なんの苦もなく自分の踝《くるぶし》を彼の項《うなじ》で交差させることができた。また、両足を固いマットレスにしっかり着けて、絞った弓のように背中を反らせ、彼の体をぐっと上げるほどに力があった。二人が田舎に散歩に行くと、戸外で自発的に性交をしたいという彼の気持ちを彼女が共有しているのを知って、彼は喜んだ。二人は雑木林の中、干し草の山の下、教会の墓地で交わった。一度は、教会の鐘楼の中でさえ交わった。人に見つかるという危険が、彼が自分たちの「罪」と冗談半分に呼んでいたものに、いっそうの刺激を与えた。

もしそれが罪だったのなら、それは神に罰せられないもののようだった。というのも、アンバーは七月にダブル・ファーストを授与され、ケンブリッジその他のお偉方から祝われたからだ。その月の終わり頃、彼女はスペード・ハウスに泊まりにやってきた。それは、ウィリアム・ジェイムズをもてなすという懸案の実現と時を同じくしていた。ウィリアムは娘のペギーと一緒に、ライに兄を訪ねることになっていた。ヘンリーは親戚の者が泊まりに来ると、いつも独占したがった。彼らが文学関係の友人たちと誰彼見境なく付き合い、家族の秘密を洩らしてしまうのを嫌ったのであろう。しかし、弟と姪を二、三日解放するのには同意した。「ちょうど君の娘くらいの齢のミス・リーヴズという人物が僕らの家に泊まっている」とウェルズは、手筈を確認するためにウィリアム・ジェイムズに宛てた手紙に書いた。「彼女は最近、ケンブリッジで精神科学のトライポスの第二部で第一級を取るという、束の間の悪名を得た。そして、あまりに教養があるのでヘーゲル風に話すことができる」。彼は約束の日にアンバーと一緒に、賃貸自動車でウィリアム・ジェイムズと、その娘を迎えに行った。二人がラム・ハウスに着くと、二人の兄弟が笑劇《ファルス》風の口喧嘩をしている最中だった。ヘンリーは真っ赤になって怒っていて、ウィリアムは守勢に立っていたが、頑固だった。ウィリアムはG・K・チェスタトンの著作を讃美していたが、そのチェスタトンが隣の家に泊まっているのを発見したのだ。そして、好奇心を抑えることができず、梯子を塀に立て掛けて、『ノッティング・ヒルのナポレオン』や『木曜日の男』の著者が新鮮な空気を吸いに外に出ているところを見ようと、隣の庭を覗いていたのだ。ヘンリーは弟がその驚くべき無作法な真似をしている現場を見て、梯子を直ちに外すよう庭師に命じた。「礼儀に適っていない——言ってやってくれないか、ウェルズ、隣人をスパイするのは英国では礼儀に適っていないと」

「僕はスパイなんかしてやしない、ヘンリー」とウィリアムは穏やかに言った。「塀に生えてる蔓を刈り込んでいるふりをしてたんだ——だから剪定鋏を持っていた」

「しかし、君は庭師じゃない、ウィリアム。君は僕の弟で客だ、それは適切じゃない――まったく受け入れ難いとまで言いたいね――少なくとも、この国では――紳士が、あー、あー――その――その……」(ヘンリー・ジェイムズは適語《ル・モ・ジュスト》を探していた)「隣人のプライバシーを侵すのは。そうじゃないかな、ウェルズ?」

「それは少々奇矯だと考える者もいるかもしれないが、たぶん、チェスタトンは違うだろう、彼自身、いささか奇矯なところがあるから」と彼は、当たり障りなく言った。

「なぜG・Kを招《よ》ばないのさ?」

「彼を知らないからさ!」というのが返事だった。「僕らは互いに紹介されてない」

このアメリカ人の国籍離脱者ほどイギリスの伝統的な礼儀作法を細心に守る男はいなかった。しかし、さらに憤慨したあと、ヘンリー・ジェイムズは落ち着き、ウィリアムとペギーを彼に委ねた。一同は賃貸自動車で出発したが、ライの外の海岸通りを、紛れもないギルバート・チェスタトンの姿が彼らのほうに向かって歩いてくるのが見えた。背が高く、肥満していて、服装がだらしなく、コートの前が開いていてひらひらしていて、脂じみた巻き毛がパナマ帽の下から食《は》み出ていた。妻と散歩をしていたのだ。彼は車を止め、一同を紹介し、話が弾んだが、チェスタトンはいつか晩に訪ねてくるようウィリアムに言った――「お兄さんも連れてきたまえ」。一同はまた出発したが、ウィリアムは、ヘンリーが腹を立てることができないようなやり方でチェスタトンと知り合いになれたことに喜んでいた。

一同がそうやって興奮している最中、アンバーは賞讃すべき態度を保っていたが、たった一日で、それほど多くの著名な作家に会えたことで、わくわくしていた。ウィリアムは彼女に対して親切で、ダブル・ファーストを取ったことを祝し、大学院での研究テーマについて彼女に質問し、F・C・S・シラーの長所と限界について彼女に話させた。哀れなペギー・ジェイムズは才気煥発なアンバーのおかげで、やや影が薄くなってしまった。二人の若い女はスペード・ハウスに滞在中、表面的な親しさを辛うじて保った。ペギーは目立たないものの、容姿端麗で知的だったが、内気で控え目だった。彼はウィリアムから、彼女が最近、神経を病んだことを知った。それは、約十五年前に亡くなった、ジェイムズ兄弟の神経衰弱気味の姉、アリス伯母の遺伝だった。ペギーは今では治ったものの、生気に欠けていた。泳ぎもテニスもせず、バドミントンをやってはみたが、人を戸惑わせるだけだった。彼女はアンバーと少年たちがフロアゲームをするのを興味深げに見ていたが、加わろうとはしなかった。哀れな少女は、実際、何事にも消極的で、将来、「老嬢」になる運命であるのがはっきりしていて、健康と自信と生きる意欲に溢れているアンバーの近くに彼女を置くのは残酷に思えた。

その年の夏と秋、アンバーは彼にとって理想の乙女に思えた。ほとんど神話的な人物だった。人の姿、または動物か鳥の形をとって、人を恍惚とさせるために、乞われてオリンポス山の高みから降りてきた、古代ギリシャの神々のような。ほぼ毎週、彼女はエクルストン広場の愛の巣か、機会があればどこであれ、喜んで恍惚感に身を委ねた。そして彼はその合間に、そうした情熱的な密会の記憶あるいは期待を胸に秘めながら、仕事がいっそう捗った。彼女は彼の肉欲だけではなく、創造的、知的野心をも刺激した。彼女は彼を「マスター」と呼んだが、彼女が彼の単なる生徒ではなく、協力者にもなる日を彼は待ち望んでいた。彼女は彼のノンフィクション作品にしばしば欠けていた哲学的厳格さを与え、社会学的調査のようなものをしてくれるだろう。彼には、それをする時間も忍耐心もないのだから。そして彼女はその年の夏、短篇小説を書いた。それは、結婚していかに多くの自由を失ってしまったかに気づいて愕然とする若妻についての話だった。それは、彼女がその種の物が今後書けることを、はっきり示していた。それを発表しようという彼の努力は水泡に帰したが。二人が一緒に仕事をすれば大きなことができるだろう、と彼は思った。自分は人生において、ついに一種の安定を得たように思えた。仕事、愛、家庭が、自分とアンバーとジェインのあいだで、完璧なバランスを保つようになったのだ。重要なのは、もちろん、二人の女のあいだに嫉妬心がないことで、実に仲良く一緒にやっていた。彼はジェインがいる時はスペード・ハウスでアンバーと愛の営みをしないということが暗黙の了解になっていた。一方アンバーは、家事においてのジェインの「主権」を侵すような真似はせず、目立たないように役に立つことをした。

ある時、彼とアンバーは、エクルストン広場の部屋のベッドで、非常に満足のいく快楽を味わい、互いの幸せを祝っていたが、彼はなんで彼女が自分に恋していると告白する気になったのかと訊くと、彼女は興味深い答えをした。「ジェインが留守で、わたしたちがジップとフランクの面倒を見なくてはならなかった。わたしは一日だけジェインの代わりになり、あなたと一緒にいて、召使に用事を言いつけ、子供たちを寝かせ等々《などなど》……わたしはあなたと結婚していて、あなたのものになっていて、あなたの日常生活の一部であるのはどんなだろうと、不意に沁々《しみじみ》思ったの……でも、ジェインが翌日戻ってくるので、翌々日はわたしは家に帰らねばならず、あなたを手にする希望はすべて捨てなくてはならないと思った。なぜなら、わたしたち二人が、あなたを違った形で手にできるってことが思い浮かばなかったから。だから、わたしはひどく絶望し、あなたが庭でウィンストン・チャーチルのことを話し始めた時、耐え切れなくなり、あなたに恋してるって言ってしまったの。それが終わりだと思ったので」。「そうではなくて、それは始まりに過ぎなかったんだ」と彼は言い、彼女にキスをした。

彼は新しい小説のヒロインにアンバーの実にたくさんのものを投影した。若いキャサリン・ロビンズも素材の一部で、ロザマンドの少しもヒロインの描写に取り入れたが、アンバーは画家のモデルのように、執筆中、彼の想像力に常に存在した。

アン・ヴェロニカ・スタンリーは二十一歳半だった。髪は黒く、眉は美しく、肌は綺麗だった。彼女の容貌を造った力は、その仕事を愛して時間をかけ、その容貌を繊細で見事なものにした。彼女はほっそりし、時折、背が高く見えた。そして、ほとんどいつも機嫌がよい者のように、軽快に、楽しそうに歩き、振る舞った。そして時たま、少し背を屈《かが》め、うわの空になった。唇は満足感と、ほんのかすかな微笑の影の表情を浮かべて結ばれていて、挙措は控え目だった。だが、その仮面の後ろでは、彼女はひどく不満で、自由に生きることを強く求めていた。

彼は個人的解放を求めるアン・ヴェロニカの闘いを、アンバー・リーヴズの場合より難しいものにした。アンバーはニューナム学寮に入る以前からも、父は公務に没頭し、母は進んだフェミニスト的信条を持っていたことを利用し、相当程度の自由を得ていた。そしてニューナム学寮に入ると、家から離れていることを最大限に利用し、その自由を増やした。ヴェロニカはそれほど幸運ではなかった。彼女は非常に因習的な男鰥夫《やもめ》の父に頼っていて、父の未婚の妹の監視の目のもとで家で暮している。二人とも、彼女が世間を広く知ろうという試みと、異性と付き合うことを邪魔する。二人のブルジョワ的偏見と上品ぶりに従う息苦しい生活から逃れるには、反抗するしかない。物語の初めで、アン・ヴェロニカは仮装舞踏会に出ようとするが、道徳的理由で父が許さなかったので、郊外の家から逃げ出し、ロンドンの中心部の一部屋を借りる。そして、生物学を勉強するためにサウス・ケンジントンの帝国科学コレッジに入る。そこで彼女はケイプスという生物学の講師に出会い、恋に落ちる。ケイプスも彼女に恋するが、離婚に応じない妻と別居しているので、彼女の気持ちに応えるのを躊躇する。彼はそれまで妻を裏切ってはいたが。一方彼女は、父のお気に入りだった、マニング氏という柔弱な三文詩人に求婚されるが、拒絶する。また、ラミジ氏という口先の上手い道楽者に言い寄られるが、抵抗する。彼は学費を援助するという名目で彼女に金を貸し、巧みに彼女を弱い立場に置く。

彼はラミジという人物を作るのを楽しんだ。ラミジは、多くの面で彼にとっては不利になるような自画像だった。「女性経験は、心を乱したり、我を忘れたり、興味深かったりする記憶に残るものだった。それぞれの女性経験は、おのおの違っていて、どれも独自の性格、際立った新鮮さ、際立った美しさを持っていた。彼はこのとりわけ関心を惹く事柄、個性に対するこの素晴らしい探求、真剣な気持ちで始まり、至高の、最も情熱的な親密さにまで高まっていく愉しい可能性を度外視して、どうして人が生きていけるのか理解できなかった」。彼はもし挑まれれば、まさにこんな具合に自分自身の女遊びを正当化しただろう。しかし彼はラミジを、純真なアン・ヴェロニカを食い物にする悪漢として物語の中で描くことによって、この小説を実話小説として読もうとする者を戸惑わせること、および、この小説の中で彼の真の分身であるケイプスの性格を、ラミジとは対照的にヒーローとして、もっと伝統的な名誉ある、人に受け入れやすいものにすることを狙った。そうした読者をいっそう混乱させるために、彼は一人の脇役を投入した。それは著名な著述家で、フェビアン協会の論客「ウィルキンズ」だった。それはH・G・ウェルズと同一人物なのは明らかだった。

ロンドンでたった一人だったアン・ヴェロニカは、熱烈な婦人参政権論者で、「進歩的」思想のあれこれを齧っているミス・ミニヴァーという女と知り合う。ミス・ミニヴァーは彼女をいくつかのグループ——婦人参政権論者に加えフェビアン協会員、トルストイ主義者、服装改革と食物改革の支持者——に紹介するが、ミス・ミニヴァーが進歩的人間は愛を「一般化する」と断言した時、アン・ヴェロニカは男の愛は欲しくないのかと訊いて、ミス・ミニヴァーにショックを与える。

ミス・ミニヴァーは悪意に満ちていると言ってもいいくらいの目付きで眼鏡越しに友人を見たが、「いいえ！」と、やがて言った。その声の何かが、ガットが弾力を失ったテニスのラケットを思わせた。「わたしは、尊敬できる知力を持った男に、まだ会ったことはないわ」

「でも、もし会ったら？」

「想像できない」とミス・ミニヴァーは言った。「考えてみるといいわ、考えて」――声が沈んだ――「おぞましい下品さを！」

「どんな下品さ？」

「あらまあ、ヴィー！」。その声は非常に低くなった。「知らないの？」

「いいえ！　知ってる。でも、わたしたちみんな、下品さについては、ちょっと嘘をついてるんじゃないかしら？　わたしたち女はみんな、って意味だけど。実際わたしたちは肉体は醜いってふりをしている。実際は、肉体はこの世で一番美しいもの」

「いいえ」とミス・ミニヴァーは、激越な調子で叫んだ。「あなたは間違ってる！　あなたがそんなことを考えてるなんて思わなかった。肉体、肉体！　おぞましいもの！　わたしたちは魂なの。愛はもっと高いレベルで生きてるの」

この会話は、アン・ヴェロニカに対するミス・ミニヴァーの影響力が終わったことを意味した。ヴェロニカはケイプスに恋した理由の一部が、彼の肉体に強く惹かれたことなのに気づいた。彼が顕微鏡の前に坐っていた時、「彼の耳、首の筋肉の肉付き、額から垂れている髪の質、額のちょっと向こうに見える瞼の柔らかなかすかな曲線を彼女は意識するようになった」。そして今度は、彼女は服を脱ぎ、鏡で自分の姿を見た時、己が美しさと魅力を意識した。

彼は八月末までに、そのあたりまで小説を書き進めたが、そのあとの構想は十分に出来ていた。アン・ヴェロニカは戦闘的な婦人参政権運動に身を投じ、逮捕されて投獄されるが、自分は実際には殉教の女たちには属していない、なぜなら、彼女たちは男を憎んでいるが、自分は憎んでいないから、という結論に達する。彼女はラミジの罠から逃れるために父のもとに戻らざるを得なくなるが、結局は、逡巡するケイプスを説き伏せ、一緒に逃げることによって誇らかに独立を宣言する。彼は、ケイプスが「君の欲しいのはなんなのだい？」と単刀直入に訊き、彼女が「あなたよ！」と答える場面を、非常にはっきりと頭に描いていた。そして二人は、幸福感を喚起する、彼のお気に入りの場所、スイスの山に出掛ける。そして、牧歌的で、抑制のない蜜月を享受する。九月十五日、彼はその小説が「わたしがこれまでに書いた最上の恋愛小説」だという手紙をマクミランに書き、それを見たいという気持ちを煽った。

　翌日、彼はついにフェビアン協会を脱会した。彼はフェビアン協会をアン・ヴェロニカの目を通して書いたが（エセックス・ホールでの協会の大集会に出た彼女は、「個人的で些細な事柄と、議論の余地がないほど立派な理想主義的献身の奇妙な混交に強い印象を受けた」）、それは、フラストレーションと摩擦を経験することなしには協会内部で仕事はできない、という彼の考えを裏付けていた。そして心の奥に、もはやフェビアン協会の集会に出ず、協会の仲間と付き合わなければ、アンバーとの関係を隠すのが容易で楽になる、という気持ちもあった。彼はピーズに手紙を書き、執行部と協会から抜けるが、会費だけは払い続けるつもりなので、催し物と発行物に関する情報は受け取りたいと書いた。彼はやめる理由として、母親手当てを基本理念《ベイシス》に入れることを協会が拒否したことを挙げたが、個人資産と資本を補償するという原則を認めなかったことをも嘆いた。それは、英国で社会主義を整然と進めるには不可欠だと彼は信じていたのだ。英国の中産階級を社会主義者に変える機会が訪れると、と彼は書いた。「われわれは理論において分裂し、行動において優柔不断だった。われわれがいまや、われわれすべてが心に抱いている集産主義の理念を広め、精緻なものにするために求めなくてはならないのは、ほかの手段、ほかの方法である」。彼の辞任は即座に認められ、クレメンツ・インから漏れた安堵の溜め息はサンドゲイトでも聞こえたほどだった。フェビアン主義に幻滅し、『現代のユートピア』のサムライのような、権力はあるが献身的なエリートを作ることによって社会を変革しようとする男についての新しい小説を書く構想を彼がすでに持っていることを知れば、古老連中は彼の辞任をさほど喜ばなかっただろう。月末までには、彼は凄まじい創作エネルギーを傾注して『アン・ヴェロニカ』を書き上げ、マクミランに送った。

　十月中旬、マクミランは手紙を寄越した。「残念ながら、きわめて慎重に検討した結果、『アン・ヴェロニカ』の出版はお引き受けできないということになりました。いくつかの理由を挙げることもできますが、出版業者が文学批評をすることに貴殿が立腹なさるのを承知していますので、それは差し控えます」。彼はその理由が文学批評ではないのを確信していた。その理由を聞き出すため、マクミランの批評をぜひ伺いたい、参考になるのは間違いないのでと、へりくだった返事を書いた。マクミランは数日後、それに対し、次のように書いてきた。「それは非常によく書かれていて、魅力的なところが大変多いと思われますが、弊社の本を購入する大衆にとって筋がきわめて不愉快であろう方向に展開しております」。その反応はまったく予期しないものではなかったが——その小説が物議を醸すのは必至で、マクミランは気質が慎重で保守的だった——彼は、ヒロインの生気に満ちた誠実さと、肉体的情念の煽情的描写のない点が、マクミランの疑念を克服するだろうと期待していた。

　出版を断られたのには失望したが、その作品に対する彼の自信は揺るがず、失望感は長続きしなかった。まさに同じ日、彼はスタンリー・アンウィンから手紙を受け取ったのである。スタンリーは叔父のJ・フィッシャー・アンウィンの出版社に入ったところで、「未来に投機をする気持ちがある」と言い、ウェルズ氏はまだどこの出版社とも契約をしていない新作を書く計画はあるだろうかと尋ねた。まさしくウェルズ氏にはその計画があったので、折り返し返事を書いた。「大変結構です、目下手元にある私の小説のアメリカ、英国、英語版の植民地でのすべての権利（連載および本）に、いくら頂けるでしょうか。その題はアン・ヴェロニカとなるはずです。それは、エネルギッシュな現代の若い女が婦人参政権運動をし、両親と喧嘩をする、恋愛小説になる予定です。今年の末までには、交渉するにふさわしい状態でお送りできるでしょう……」。彼は続けて、自分のほかの何点かの出版物の素晴らしい売行きと、近々出る『空の戦争』が大評判になりそうなことを自慢した。「一九〇九年十月一日に千五百ポンド支払うという明確なオファーをして頂ければ、アン・ヴェロニカは貴殿のものです。代理人を通すのは省略しましょう」。彼はいつも、著述業の財政面の交渉に関わるのを楽しんだ（母は彼が商売で成功することを願っていたが、それがたぶん、その唯一の例だろう）。彼はその小説が実際には書き上がっていて、すでに別の出版社から断られた事実を、手紙の時制を巧みに変えて、アンウィンから隠したことに満足感を覚えた。彼は重大な欺瞞行為をしたという後ろめたさは感じなかった。考えてみれば、その小説にもう少し手を入れる必要があるからだ。彼の自己宣伝は速やかに功を奏し、すべての条件を満たした契約が結ばれた。

フィッシャー・アンウィンからの僥倖な申し出とその後の結果は、職業上も個人的にも、相当の期間享受した純粋な幸運の最後のものだった——その後間もなく、息子たちのために貴重な家庭教師を得たことを勘定に入れなければ。いずれにしても、それはジェインがミス・マチルデ・マイヤーに、ロンドンでほかの数人の候補者と同時に面接した際の判断力にも負っていたが。いまや、それぞれ七つと五つになっていたジップとフランクは、乳母のジェシーに任せるには大きくなり過ぎていて、彼とジェインが忙しい仕事の合間に与えてやれるものより、もっと規則的な教育をしてやる必要があったが、彼もジェインも、息子たちをイギリスの気紛れな私立学校に早くやろうとは思っていなかった。二人はまた、息子たちは外国語を幼い頃から学ぶように仕向けなければならないと思っていた。幼い頃が外国語を学ぶ能力の最高の時だからだ。スイス人のミス・マイヤーは英語だけでなくフランス語とドイツ語も流暢に話したので、その仕事には理想的だった。彼女は雇い主のウェルズ夫人が有名な作家の妻だとは、スペード・ハウスに行き、女中が庭からジェインを連れてくるあいだ、彼の本と、彼の額入りの写真が並んでいる部屋に通されて待っているまで、まったく知らなかった。ミス・マイヤーはそれまでボグナーの退屈な女学校で教えていたので、彼らの家庭の一員になった幸運に驚いている様子をすっかり失うことはなかった。そのことは雇用関係を気安いものにした。ミス・マイヤーは容貌は申し分なかったが、彼にとっては、セックス・アピールにまるで欠けていたという事実同様。彼女の指導を受けた少年たちは、二つの新しい言語で急速な進歩を遂げたので、その二つの言語が混ざった自分たち自身の「方言」を使い始めた。しかし、週単位でフランス語とドイツ語を交互に息子たちに教えるようにと彼がミス・マイヤーに言ったため、その問題は解消した。

一方、『イングリッシュ・レヴュー』の発刊はうまくいかなくなり始めた。ヘファーが救いようのないほど実務の才能がないのが明らかになったからだ。彼は帳簿をつけず、手紙に即座に返事を出さず、貰った原稿を失くし、約束を破った。幸い、ウェルズは危ういところでヘファーの無能ぶりに気づき、共同編集者になることと、その雑誌に投資することをやめたが、『トーノ・バンゲイ』の連載権を、連載中の雑誌の売上げの二〇パーセントを貰うという条件でヘファーに渡していた。ヘファーの編集では、雑誌がなんらかの利益を上げることがなさそうで、ヘファーの金持ちの友人からの借金でのみ発行できるのが、はっきりしてきた。『イングリッシュ・レヴュー』の創刊が遅れるということは、『トーノ・バンゲイ』が本になるより先に少なくとも連載の第一回の発表が遅れ、結果的に、本の形での出版が新年まで延期されざるを得ないことを意味した。こうした苛立たしい事柄が、第一級の純文学小説家として真剣に世に受け取られることを期していた彼の前途に、不吉な雲のようにかかっていた。そしてそれは、アーノルド・ベネットがその年の秋、ついに本当の傑作『老妻物語』を発表したことで、いっそう耐え難いものになった。

二人の友情には常に競争の要素があったが——二人ともかなり貧しい家庭の出身の非常に人気のある作家で、批評家に絶えず二人一緒にされ、比較された——二人は必ずしもいつも本心からではない讃辞を交えて、互いの作品を陽気な調子で批評することによって、ライバル関係を友好的なものに保っていた。だが、この場合は批評の余地はなく、彼の讃辞は本物だった。「それは、今年僕の見た最上の本だ——ほかに二、三冊の非常によい本があったのだが」と彼はベネットに書き送った。「そして僕は、仮に君がこれ以上ただの一行も書かなくとも、今、腹痛止め水薬みたいな駄作を読まされている、すべての傑出した批評家から尊敬の念を得るのは確実だ。それはあらゆる点で高いレベルにあるので、どこから褒めていいのかわからない……それにしても、その造詣、細部、精神！　最初から最後までなんの瑕疵もない」。ベネットはそれに対し、もっと簡潔に、ややわかりにくい書簡体で返事をした。「君の言葉になんと答えたらいいだろう？　それによって僕の胸に相当の感情が生まれた！　また疑いもなく、君の胸にもある種の感情が生まれたに違いない、君はそうした手紙を頻繁には書けないのだから！」それは本当だった。嫉妬心を抑えるのに、彼はいくらか努力をしたのだ。彼は同じ月に出た『空の戦争』を、その年に出版された非常にいい本の一冊とは見なしていなかったし、ベネットが非常にいい本と思ってくれるとも期待していなかった。その小説は、彼が望み、期待した通りのものだった。売行きはよく、大衆紙には好意的な書評が載り、高級紙にはやや見下したような書評が載った。『トーノ・バンゲイ』は『老妻物語』に比肩しうるものと彼は思っていたので、どじなヘファーに連載権を渡したことを深く悔やんだ。

不満を抱きながら彼は、自分の人生に関わっている二人の女にそれぞれ違った慰めを求めた。ジェインにはヘファーの義務不履行について文句を言うことができた。それに関連するすべての要因――財政、広告、売上げ、批評家の反応――を彼女は理解してくれ、自分の心配に同情してくれるという自信をもって。一方、本の出版に関してほとんど経験も興味もないアンバーからは、時折激しい性愛行為をすることによって、安堵感と解放感を得た。それは依然として素晴らしかったが、それがもたらす性交後の平穏は束の間のもので、アンバーのふとした会話からわかったのだが、彼女の研究があまり捗っていないという事実は糊塗できなかった。彼女はL・S・Eの大学院に入ったが、それは彼女がケンブリッジで享受した生活とは非常に違う、孤独なものだった。ケンブリッジでは講義とチュートリアルがたっぷりあり、課外活動が盛んで、ニューナム学寮の教員たちが学生を厳しく指導し、仲間の学生から絶えず刺激と心の支えを得た。今は彼女は、両親や妹と弟がそれぞれの用で出掛けている時は、大きな寒々としたケンジントンの家に一人でいるか、大英博物館の円形閲覧室にいるかだった。円形閲覧室では、本がぎっしりと並んだ壁と、巨大なドームを支えている柱廊によって、また、床の中心に同心円に並んでいる、舗装用敷石くらい重い、巨大な革装の目録によって、さらに、彼女の周りの机を占領し、心得顔で熱心に本を読み、忙しげにメモをとっている研究者たちの勤勉さによって、鼓舞されるよりは威圧された。彼女を担当した指導教員――ウォラスではなく、L・S・Eで最近、社会学の初代教授に選ばれた傑出した人物、L・T・ホブハウス――は、彼女の研究にあまり関心を示さず、研究上の助言をほとんどしてくれなかった。ホブハウスは自分がコメントをするために、研究計画の概要と見本の一章を書くよう彼女に指示した。しかし彼女は、その課題に身を入れて取り組むことがあまりできなかった。

その代わり、彼女の人生の主な関心は二人の情事で、その秘密を秘めておくことができなかった。彼は母に打ち明けたいという彼女の気持ちを理解し、同意した。モードは女性の自立を原則として信じているので、自分の娘の自立も認めると信じて。アンバーはいまや二十一で、道徳的にも法律的にも自由意志で行動できるのだ。アンバーによると、モードは彼との関係を打ち明けられて動揺し、考えうる結果を恐れたが、二人の関係を既成事実としてしぶしぶ受け入れ、ペンバー・リーヴズに知られないようにするのに協力した。二人の関係が夫にまったく知られることなく、結局は終わることを願って。事実、モードがアンバーの行状を隠すのに力を貸さなければ、リーヴズに疑念を起こさせないようにするのは難しかったろう。モードは、アンバーの行状について何か知っているということを認めようとしなかったが。ごくたまにウェルズとモードが同席すると、モードは彼に対して礼儀正しく友好的だったものの、二人だけで話すことになる機会を慎重に避けた。ジェインも同じ経験をした。「わたしが何も差し向かいで話そうとしてたんじゃないの」とジェインは、二人がそうしたパーティーから戻ってきた時に言った。「それどころか、あの人がわたしを無視するんじゃないかって恐れていた――こういう場合、大抵の母親がそうするように。でも、あの人は曖昧に微笑しただけで、誰かほかの人が来るまで、漫然と喋り続けたわ」。彼は、モードが娘の情事とその余波を、クリスチャン・サイエンスの信者が病気とその徴候を、無視していれば消えてしまう非現実の幻影として扱うような具合に扱っているという説を持っていた。

アンバーがほかの者にも打ち明けたということを彼が最初に知ったのは、シドニー・オリヴィエからだった。シドニーは十二月に休暇でジャマイカから家に帰ってきていた。彼とシドニーはリフォームで会って昼食をとった。シドニーは会話の冒頭で、さりげないいつもの口調で、「で、アンバーはどうしてる？」と彼に尋ねた。

「アンバー・リーヴズ？　元気だと思う」と彼は、しどろもどろに言った。「どうして訊くんだい？」

オリヴィエはオックステールのスープのボウルの上に屈《かが》み込みながら、皮肉っぽくにやりとした。「このところ、君は彼女と非常に親しいそうだね」

「誰が君にそう言ったんだい？」と彼は小海老のテリーヌを忙《せわ》しげに食べながら言った。

「娘のマージェリーさ、アンバー自身から聞いたんだ」

「そうかい」と彼は狼狽しているのをなんとか隠そうとして言った。「アンバーはひどく軽率だ。マージェリーは信頼を裏切らないと信じるよ」

「少々手遅れだ、残念ながら、ウェルズ」とオリヴィエは言った。「アンバーが打ち明けた相手はマージェリーだけじゃない。教員《ドン》だって知ってるんだ。君たちの情事についての臆測が学寮全体に飛び交ってる」

「くそっ！」と彼は静かに言い、シドニーの言葉を立ち聞きした者はいないかと、近くのテーブルをちらりと見た。彼は、アンバーが自分とエクルストン広場で密会していた合間に、時折旧友に会いにケンブリッジに行くのを知っていた。どうやら彼女は、自分のスリリングな情事を自慢することに抗えなかったようなのだ。

オリヴィエはスープを飲み終え、きちんと刈って整えた口ひげと頬ひげをナプキンで拭いた。「五月に君がアンバーと一緒にベン・キーリングの部屋に入って行ったのを見て、何かあるんじゃないかって思ったよ。君はクリームを舐めた猫みたいに見えた」とオリヴィエは言った。「四人の娘の父親としては、僕の卑しい部分は、君の半分くらいの齢の美人で才能のある若い女を君が物にしたことにある種の賞讃の念を覚えている。けど、大いに非難すべきだ――非難している！　どうやるんだい？」

「君に知ってもらいたいんだ、オリヴィエ」と彼は真剣な顔で言った。「これは軽い気持ちの誘惑じゃないんだ。僕らは深く愛し合ってるんだ。ジェインはそのことを全部知っていて――」

オリヴィエは眉を上げた。「ジェインは知っている？　彼女は気にしないのか？」

「彼女とアンバーは実に仲がいい。僕らは個人関係において、いわゆる〝進歩的〟人間が、信じていると公言してはいるが、あまりに臆病で実行できないことを行動に移してるんだ」

オリヴィエは首を横に振った。「幸運を祈るよ、ウェルズ。でも、君はたった一人で片手間じゃ性革命が起こせるとは思わないね」。彼は少し間《ま》を置いてから、皮肉な口調で言い添えた。「もし〝手〟というのが、このコンテキストに使えるなら」

このニュースは、彼が待ち望んでいた昼食を台無しにしてしまった。彼はジャマイカの社会的、政治的、経済的問題についてのオリヴィエの説明が理解できなかった――事実、その説明にほとんど注意を払っていなかった。彼は別れても礼を失しない時間になるや否や、アンバーがいることを願って大英博物館に急いだ。閲覧証の期限が切れていたので更新しなければならなかった。そのあと閲覧室に入り、彼女を探した。高い窓の外では明かりが薄れかけていた。霧の深い日で、霧が巨大なドームの中に流れ込み、暗さがいっそう増していた。そのため、彼がアンバーを捜してうろついていると、いくつもの机のランプが、三日月状の街路と円形広場から成るミニチュア都市の街灯のように見えた。彼はついにアンバーを見つけた。彼女は厚い本を自分の前に広げ、ぼんやりと空《くう》を見詰め、鉛筆を嚙んでいた。彼が彼女の肩に触るとぎくりとしたが、彼だとわかると顔を輝かせた。そして、彼の渋面を見て蒼褪めた。「なんなの？」と彼女は言った。「二人で話し合おう」と彼は、近くで本を読んでいる者たちから咎めるように見られているのを意識し、囁いた。そして、彼女が本をまとめ、係のいる机に持って行くのを待っていた。それらの本は、彼女のために翌日まで取って置かれるのだ。

　いくらかプライバシーが確保できる場所に行こうと、彼は柱で支えられた広いポルチコの端に彼女を連れて行った。気の滅入るような湿っぽい天気の午後なので、煤で汚れた羽根の数羽の鳩が威張って歩いている以外、人気はなかった。彼はベンチに彼女を坐らせ、彼女の軽率さを責めた。

「一番親しい数人の友達に話しただけ……それと、二、三人の教員《ドン》」。彼女は抗弁した。「みんなに秘密を誓わせたわ」

「ああ、そうかい、もちろん、彼らは彼らの友人に話した時、秘密を誓わせた、等々」と彼は言った。「君は噂が燎原の火のようにケンブリッジに広まるってことを、もう知るべきさ。なんで君は、まだあそこでそんなに多くの時間を使うのかわからないよ」

「ロンドンでは淋しいから」と彼女は言った。「わたしたちは時たましか会えないし、それに耐えなきゃいけないんだけど、そのほかの時は誰かと話さなくちゃいけないのよ、友達のほとんどはケンブリッジにいるのよ」

　彼は自分たちが最初の恋人同士の諍いのほうに向かっているようなのを意識したが、自分を抑えることができなかった。「わかった。でも、なんで僕らのことを話すんだ？」

「それがわたしの人生で一番大事なことだからよ」と彼女は大きな黒っぽい目を彼の目に向けて率直に言った。即座に彼の心は溶け、彼は彼女を抱き寄せ、キスをした。

　少し睦まじく話し、もう一度キスをしたあと、彼は言った。「君が時折淋しくなるっていうのは気の毒だ、ドゥーサ。ロンドンには友達がいないのかい？」

「リヴァーズだけ」と彼女は言った。「本当の意味で話せる友達っていう意味なら」

「リヴァーズ？」

「リヴァーズ・ブランコ・ホワイト」

「ああ、あの男か！」彼は、その若いフェビアン協会員を知っていた。ケンブリッジ大学にいた感じのよい人物で、目下、法曹学院の一つでディナーをとっているところで（法廷弁護士になるためには、所属する法曹学院で十二回正式なディナーをとらねばならない）、法廷弁護士になる準備をしているが、彼は質問した時、女性の友達のことを考えていた。「君は彼をよく知ってるの？」

「とてもよく」とアンバーは言った。「ケンブリッジでわたしが二年目の時、わたしと結婚したがった」

「なんだって？　君はこれまでそのことを言わなかったじゃないか」

アンバーは肩をすくめた。「その理由が見つからなかったから。ずっと昔のことに思えるわ――わたしはその頃、違った人間だった」

「でも、君は断ったのか？」

「そういうわけでもないの。わたしたちはそのことについてよく話し合い、それはいい考えじゃないって結論を出した――その通りだった。わたしたちは二人とも若過ぎて、未熟だった――わたしは間違いなく。リヴァーズはわたしより幾つか上。もう卒業していて、リンカンズ・インに入る前に法律を勉強していたの。でも彼はわたしに恋し、ケンブリッジを去る前に婚約しないと、わたしを失うんじゃないかって心配したの」

「君は彼に恋してたのかい？」

「そうだと思ってたんだけど、実際は彼と寝たかっただけだと思う。もちろん、わたしたちがそうしたら、それは賢明なことかもしれない」と彼女は言って、何かを思い出したかのように、にこりとした。「でもわたしは、そうしようと言ったら彼がショックを受けるのを知っていた。リヴァーズはあまりにも因習的で騎士的なので、自分からは言い出せなかったのよ。彼はわたしたちが婚約してない時にキスをすることに後ろめたささえ感じていたの」

どんな種類のキス？　と彼は訊きたかった――情熱的なキス、口を開けてのキス、舌をのたくらせてのキス、体を押しつけ合ってのキス、四肢を絡ませてのキス……？　彼は不意に激しい嫉妬心に襲われたが、それがわかっては恥ずかしいので、その代わり、些細な質問をした。「彼はなんでその滑稽な類義語反復の名前を持ってるんだろう、興味があるから訊くんだけど」

「先祖にホワイトっていうアイルランド人がいたの、彼は十八世紀にスペインに移住し、名前をブランコ（「ブランコ」はスペイン語で「白」の意）に変えたの、でも、リヴァーズの曽祖父のヨーゼフ・ブランコは一八一〇年頃にスペインを去ってイギリスに住み、ブランコ・ホワイトって名乗ったの」

「学童の綽名みたいだな」と彼は馬鹿にしたように言った。「その点では、〝リヴァーズ〟も、かなり変わってる」

「一家でよく使われているクリスチャンネームなのよ、あの人の二つ目のクリスチャンネーム。実際は〝ジョージ〟って命名されたの」

「君はまだ会ってるのかい？」

「ええ、何度も。わたしたち、時々地下鉄に乗って終点まで行き、田舎を散歩するの」

彼は目を瞠《みは》った。「なんでそのことをこれまで言わなかったんだい？」

ドゥーサは長い睫毛《まつげ》の奥から狡《ずる》そうな、猫のような目でちらりと彼を見た。「嫉妬するんじゃないかと思ったのよ」と彼女は言った。

「ふん！」彼は横を向き、いまやガス灯で照らされている中庭を見やった。どのガス灯も輝く霧の光背を持っていた。閉館の時間が近づいてきたので大英博物館から出た来観者と学者は、幅の広い石段を降り、グレート・ラッセル街の門のほうに向かっていた。学者はブリーフケースを持っているのでわかった。「嫉妬しなくちゃいけないのかい？」と彼は訊いた。

「もちろん、そんなことないわよ！　わたしはあなたに恋してる。リヴァーズはそれを知ってる」

「君が彼に話したのか？」彼はさっと向きを変え、咎めるように彼女に向き合った。「僕らのことも話したのか？」

アンバーはまたも自己弁護をするような顔をした。「やむを得なかったの」と彼女は言った。

「なぜさ？」

「また、愛の営みを迫るのをやめさせるため」

「なら、彼はまだ君に恋してるんだね？」

「ええ、そうだと彼は思ってる。でも、わたしたちの友情は純粋にプラトニックなの」

「君に関する限りは、おそらくそうだろう。でも、彼はどうなんだい？　君と僕の関係を、彼はどう考えてるんだい？」

「非としてる、もちろん、でも――」

「非としてる！　そうだろうとも！　僕が彼の立場だったら、僕を殺したいね！」

アンバーは笑った。「それは心配することはないわ！　彼は法律家」

「笑いごとじゃない、ドゥーサ」と彼は真剣な口調で言った。「彼は文字通りに僕を殺そうとはしないだろうが、たくさんのダメージを僕に与えることはできる。君のお父さんに話すとしたらどうだろう？」

「話さないわよ。わたしが話す前に、秘密を誓わせたから――わたしのケンブリッジの友人たちと違って、あの人は誓いを真面目に受け取る」

「ふん！」と彼は再び鼻を鳴らした。

「わたしのことを怒ってるの、マスター？」と彼女は小声で言った。

「そうとも、怒ってる」と彼は言った。「ああした連中が僕らのことを知れば……遅かれ早かれ、厄介なことが起こる」

「ご免なさいね、マスター。でも、わたしはあなたを愛してる――大事なのはそれだけ、でしょ？」

そのあと、ドゥーサを一頭立て箱馬車に乗せてエクルストン広場まで連れて行き、彼女が耐えうる限りの激しい情熱をもって性交することによって、嫉妬心と疑念を鎮めること以外、何もなかった。馬車の中で彼は、自分がまさに何をしようとしているかを、彼女の耳元で囁いた。そして、彼女が興奮と怖れとで戦《おのの》いているのを感じた。彼女は健気に彼と闘い、そのあと二人は、互いの引っ掻き傷や嚙み痕にそっとキスをし、赤ん坊のように寄り添って寝た。彼女は、千人に一人の若い女だ。

彼は、ロンドンの噂好きの人間が今、自分の名とアンバーの名を結び付けるのに忙しいのを、ほとんど疑っていなかったが、どんな噂も彼の耳に直接入ってこなかった。クリスマスから新年にかけて首都を離れていたからだ。休暇は彼が玩具の兵隊のために考案した新しい戦争ゲームで活気づいた。息子たちは、今では玩具の兵隊の立派なコレクションを持っていた――制服を着た騎兵隊と歩兵隊の全軍あるいは少なくとも大隊。ハムリー玩具店で買える、最近考案された玩具の後装砲は、十二フィートまでの射程距離内で慎重に狙いをつければ、小さな発射物で数人の兵士を同時に倒すことが実際にできたので、この種の遊びの可能性を途方もなく高めた。彼は与えられた時間内で各自順番に機動作戦をし、砲撃するというゲームを考案した。それを終わりまでするには数時間かかった。そして、ジップとフランク同様、大人もそれにすっかり夢中になった――事実、子供以上に夢中になった。ジェインは夫と男の客を捜しに行った際、彼らが屋根裏の遊戯室で腹這いになり、積み木やボール紙や常緑樹の小枝で造られたミニチュアの風景（川は青のチョークでリノリウムの床に描かれていた）の周りで玩具の兵隊を押しながら、ルールについて大声で論じ合っている姿をよく見たものだった。ジップとフランクは単なる見物人になっていた。

一月にルーシーと一緒に村に泊まりに来たマースタマンは、そのゲームにすっかり夢中になり、ルールを少し改良して貢献した。マースタマンは『イギリスの状況』という題の新しい本を書き始めるためにサンドゲイトに来たのだ。そして、『イングリッシュ・レヴュー』に連載された『トーノ・バンゲイ』を読んで非常に興奮した。「それはまさに、僕が書きたいような小説だ」と彼は言った。「差し支えなかったら、その本から大量に引用したい」。彼はマースタマンに、別れ際にその新刊見本を渡した。そして、まもなく満足のいく返事を受け取った。「ぼくはロンドンに戻る列車の中で、それを読んだ。自分は傑作を手にしていることを知ったので、大声を出してそれを振りかざし、乗客を戸惑わせるのを、やっとのことでこらえた」。ビアトリス・ウェッブは、一部貰った旨の手紙には、それほど感激したことは書いてなかった。そして、自分は『空の戦争』のほうが好きだと言った。それはひねくれた判断だった。そのため彼は、ウェッブから貰った『救貧法委員会の少数派報告書』の第一巻を一蹴した。彼女とシドニーは、数年かけてそれを書いたのだ。「君はそれが『多数派報告書』（救貧法を再検討するための委員会は合意に達せず、一九〇九年、二種類の報告書を発表した）とどう違うのか、まったくはっきりさせていない。そして、君たちの言い分は少しも人を納得させない。おそらく僕はあまりに期待し過ぎたのだろうが、君たちが何をしていると考えているのか、さっぱりわからない」と彼は書いた。それに対し彼女は、皮肉な返事をした。「なんと興味深い手紙でしょう――それをわたしの日記にその名誉にふさわしいように祀りましょう」。ややしゅんとなった彼は、返事を書いた。「おそらく僕の手紙は少々狭量だったろうが、君たちの立派な仕事を、君が僕の仕事を扱ったように傷つけさせるように、また、わざと非同情的になるように仕向けた君の態度は、あまりにひどかった」。そして彼は、彼女が『トーノ・バンゲイ』についての評言を詫び、二人がまた連絡を取り合おうとさえ申し出た返事を寄越したことに、ほっとした。彼はウェッブ夫妻に二度と関わるつもりはなかったが、和解は歓迎すべきことだった。それは、ウェッブ夫妻が彼とアンバーの関係について耳にしたとしても、騒ぎ立てるようなことはしないのを暗に意味したからだ。

『トーノ・バンゲイ』が二月についに出版された時の書評は、毀誉褒貶相半ばした。彼を一番喜ばせたのは、なんと、『デイリー・テレグラフ』に載ったものだった。「大変な間違いをしているのでなければ」と匿名の書評子は書いていた。「『トーノ・バンゲイ』は現代の最も重要な小説の一つであり、作家なら誰であれ、自分自身の世代に伝える勇気を持っている、同時代の生活の危険と危機の最も誠実で、最も怯まぬ分析の一つである」。ベネットも『ニュー・エイジ』で、当然ながら賞讃した。『スペクテイター』は、彼自身と彼の著作に敵意を抱いていたことを考えると、彼が予期したよりはよかった。彼の「性問題を退屈に、くどく繰り返す点」を嘆きはしたが、「ウェルズ氏が、ロンドンの壮麗さ、あるいは汚さによって、また、古代以来の川(テムズ川)の魔力に心を動かされて雄弁になっている文章」を褒めた。「現代の商業とジャーナリズムの冒険の気違いじみたゲームのロマンティックな面、無価値な商品を騙されやすい大衆に押しつけ、素早く富を得る巧みな方便――それはすべて、きわめて気迫を込めて描かれている」。彼は『デイリー・クロニクル』の書評子がヒューバート・ブランドなのを見ると、酷評されているのを覚悟した。だがブランドは、したたかなジャーナリストで、個人的な敵意はまったく示さず、かつての讃美者が、この本には退屈し失望したという調子で書いたほうが、もっとウェルズが傷つくのを知っていた。ブランドはこう書いた。この小説は「混沌としているとは言わぬまでも、かなり支離滅裂である……ペンをあちこちさ迷わさせるというウェルズ氏の習慣は段々甚だしくなっている。われわれに『恋とルイシャム氏』をくれた芸術家は間もなくいなくなるであろう。われわれはひどく劣ったスターン(『紳士トリストラム・シャンディーの生涯と意見』の作者)を持つことになろう」

彼はこの小説に精魂を傾け、成果に期待と不安を抱いていたが、その出版は竜頭蛇尾に終わった。異口同音に傑作と評価されもせず、多方面から駄作と決めつけられもしなかった。その小説に対する彼の自信は批判によって揺らぎはしなかったが、時が経つうちに、そうした批判は徐々に応えてきた。その間《かん》、彼は『アン・ヴェロニカ』に手を加え始めた。とりわけ、エピローグを付け加えた。その中でのアン・ヴェロニカとケイプスは、駆け落ちをしてから四年後で、ロンドンに戻り結婚していて(ケイプスの妻は離婚に同意した)、裕福で(彼は脚本家として成功した)、アン・ヴェロニカとついに和解した彼女の父のスタンリー氏とその妹に自宅でディナーを御馳走する――アン・ヴェロニカは妊娠している。それは、かなり無理をしたハッピーエンドで、貸本屋に受け入れてもらえるかどうか、フィッシャー・アンウィンが抱いていた心配を解消するためのものだった。そして彼は、そのことを特に誇りにしていなかったが、最後の頁でアン・ヴェロニカに長いスピーチをさせることで、良心の咎めを和らげた。その際彼女は、これから送ることになる、体裁を重んじる裕福な生活に対する一種の危惧を覚え、夫に訴えかける。「わたしたちは年をとっても、金持ちになってさえ、わたしがお互いの歓び以外何も望まなかった時のこと、お互いのためにすべてを賭けた時のこと、人生を覆っていたすべてのものがなくなり、人生が光と火に思われた時のことを忘れないでしょう。なんの虚飾もなかった！　そのことをすべて覚えているかしら？……決して忘れないって言って！」

新年の最初の頃、彼は依然としてロンドンでアンバーに会った。また、スペード・ハウスに時折彼女を招《よ》んだ。しかし、なんの噂も非難の言葉も耳に入ってこなかった。彼は十二月に彼女の軽率さを知った際、自分は過剰反応をしたのではないかと感じ始めた。だが二月の終わりに、突如驚くべき事態になった。ある晩、ケンジントンの郵便局から一通の電報を受け取った。「父、知ル。会イタシ。ドゥーサ」。彼は返電を打った。「明日、午前十一時、エクルストン広場」。その夜はよく眠れなかった。

アンバーはフラットの鍵を持っていたので、彼が着いた時には、ガストーブの前で体を縮めて待っていた。煤で汚れた窓の外は、空が一面雲に覆われた寒い日で、性欲の満足（大抵はその目的でそこに来るのだが）が約束されていないと、見慣れた部屋がわびしく、陰気に見えた。二人は抱擁した。彼女は離したくないかのように彼にしがみついたが、やがて二人は坐り、彼女は何が起こったのかを話した。

「リヴァーズが父のところに行って、わたしたちが恋人同士だって話したの」

「な、なんだって？　でも君は、奴に秘密を誓わせたじゃないか！」

「わかってる」

「チビのくそったれ野郎！」。その罵りの言葉は、飲み込もうとする前に口から出た。「下品なことを言ってすまない、ドゥーサ、でも、実になんとも恥知らずだ。奴は誓ったんだ」

「誓ったとも言えないの」と彼女は気弱そうに言った。「約束のようなもの。それであの人は、きのう、その約束を破るって、わたしに警告したの。もちろん、わたしは破らないでって頼んだんだけど、わたしが〝破滅させられる〟のを傍観していて、それを止めるのに何もしないのに我慢できなくなったって言ってるの。まだわたしを愛していて、もしわたしがあなたを諦めれば、結婚したいって父に言うつもりだって言ったの。だから約束を破ってもいいって考えてるようなの。どんな状況でも、あなたと結婚しようとは夢にも思っていないって言ったんだけど、駄目だった。あの人は父の事務所に真っ直ぐ行き、話したの。もちろん、家で凄まじい光景が展開された。父はベリルとフェビアンに自分の部屋に行くように命じ、母とわたしを書斎に入れ、ドアに鍵を掛け、一時間、わたしたち二人に喚き散らした。哀れな母は涙を流した。父は言ったわ、わたしは一家の名誉を汚し、母はわたしの不行跡を黙認して自分を欺き、わたしたち二人ともニュージーランドの女性の名を汚した。父があなたについてなんと言ったかは、言わない……」

「想像できるよ」と彼は、むっつりした顔で言った。「君はなんて言ったんだい？」

「もちろん、あなたを弁護した。わたしは言ったの、あなたを愛している、お互いにそうだって。ジェインはそのことを知っていて、喜んでるとも。わたしたち三人は非常に特殊な関係にあり、その関係は未来の世代の手本になるだろうと、わたしたちは思っているって言った。それから、わたしは二十一だから、自分の生き方については自分で自由に決めるとも言った」

「で、それに対してお父さんはなんて言ったんだい？」

「わたしを家から追い出し、遺言から外すって脅かした、まるでヴィクトリア朝のメロドラマの人物みたいに。母は、あなたがスキャンダルを起こしたいんなら、それが一番いい方法ねって言ったの。そうしたら父は少し折れ、母がわたしをケンブリッジに行くようけしかけたって言って、母を責めたの、わたしが道徳的に堕落し始めたのはケンブリッジに行ったからだって言った。それから父はリヴァーズを盛んに褒め始め、リヴァーズは大変立派な若者だ、父のチャーミングな表現では、わたしが〝疵物《きずもの》〟であるにもかかわらず、まだわたしと喜んで結婚すると言ってくれているのだから、わたしは非常に幸せだって言った。それから、もしわたしに良心のかけらでも残っているなら、ほんの少しでも自分と家族のことを考えるなら、リヴァーズのプロポーズをすぐに承諾するんだ、そうすればスキャンダルは避けられるだろうし、わたしを許すだろうって、父は言ったわ」

「で、それに対して君はなんて言ったんだい？」

「リヴァーズと結婚する気はない、たとえあの人が地上で最後の男だとしても、と言ったの。それは実際は本当じゃない、わたしはあの人が好きだし、あの人は自分の主義に従って、自分で正しいと思うことをしてる。でも、あなたとわたしのあいだには何物も入らせないってことを、はっきりさせたかったの」

「そうだよ、ドゥーサ」と彼は言って手を伸ばし、彼女の手を包んだ。「入らせないさ」


二人はその日の午前、結局は愛の営みをした。いつものように歓喜に身を委ねるといった風にではなく、別れない決心をした証拠のように、ただあっさりと、ほとんど悲しげに。しかし、その後の数日、数週間、彼は事態の結末について、それほど自信が持てなくなった。ペンバー・リーヴズは、アンバーが自分の恋愛を自分の胸に秘めて置くことができなかったように、怒りを内に秘めて置くことができなかった。彼は様々な筋から、リーヴズが「悪党のウェルズ」に娘を誘惑された、復讐してやると友人たちに言っていることを聞いた。高等弁務官は彼を撃つ目的で拳銃を手に入れたと言われていた。そして、ぞっとするような話だが、二人が属しているサヴィル・クラブ（彼をその会員に推薦したのはペンバー・リーヴズだった）の弓形張出し窓に昼食の時間ごとに坐り、装塡したリボルバーを手に悪党が現われるのを待っているということだった。会員たちはひどく心配し、彼にクラブを辞めるように懇願した。それはすべて見え透いた戯言《たわごと》だった。なぜなら、彼は賢明にも、前年の夏にサヴィル・クラブを辞めていたからだ。だが、その噂には確かに信憑性があった。そして、アンバーにとっては事態はひどくストレスに満ちたものだった。哀れな娘は、ブランコ・ホワイトと結婚するか、あるいは、ジェインと離婚したあと自分と結婚してくれと彼に迫るか、どっちかにせよと、父から強く圧力をかけられていた。「それでなければ」と父は彼女に向かって怒鳴った。「おまえはまともな階層からは爪弾きになる」。娘の情事が世間に知られたことに動揺したモードは、自分がそれに荷担したことに後ろめたさを覚え、フェミニストの大義は棚上げにして夫の側に立ち、ブランコ・ホワイトの長所を強調した。もっとも、アンバーはウェルズと直ちに縁をすっかり切れば、まだ世間に対し恥をかかずに済むということをモードは認めたけれども。「でも、わたしはあなたを諦めることができないし、あなたにジェインと離婚してもらいたくない――そんなことは一瞬たりとも考えられなかった」とアンバーは、その問題について何度も話し合っているうちに、泣き叫ぶように言った。「どうしたらいいかしら？」家を出て、自分が家賃を払うから、フラットに一人で住んだらどうかと彼は提案したが、そこから浮かぶ人物像は、彼女にとっては気持ちのよくない愛妾のステレオタイプにあまりにも近かった。

三月下旬のある日、アンバーはリフォーム・クラブにいる彼に電話をしてきて、すぐにエクルストンの部屋に来てくれと言った。ひどく興奮しているような声だった。「決心をしたのよ、マスター」と彼女は言った。

「どんな決心だい、ドゥーサ？」

「来てよ」と彼女は言って、電話が切れた。

彼は辻馬車に乗ってピムリコに行った。別れなければならないと彼女は言うのではないかという怖れで、心が一杯だった。

ドゥーサを失うということ、あの愛らしい、欲望を唆る、知的な女を失うということ、裸の彼女を二度と抱けなくなるということ、そしてさらに、彼女が裸でブランコ・ホワイトに抱かれ、踝《くるぶし》を相手の項《うなじ》のところで組み合わせているところを想像するというのは、ただもう耐え難かった。しかし彼は、部屋に入り、彼女が彼に向かってにこりとして両手を差し出すのを見ると、彼女の決心は、彼の怖れていたものではないことがわかった。だが、それは衝撃的なものだった。

「子供を頂戴！」と彼女は言った。

「子供？　なぜだい？」と彼は言った。

「もし、わたしが妊娠すれば、誰もわたしをリヴァーズと結婚させることはできないわ。あの人はわたしを受け入れないだろうから。もし、わたしがあなたの子を産めば、何が起ころうと、あなたの何かをいつも持っていることになる」

「ドゥーサ、君は素晴らしい！」と彼は言って、ほっとして幸福感に包まれながら彼女を抱き、その考えの無謀なロマンティシズムに、うっとりとなった。彼はその子を養子にし、たぶんジェインの子のふりさえするという計画を、早くも立て始めた。アンバーは、仲間、秘書、協力者として自分たちと一緒に住むのだ……ブランド夫妻がそうやってうまくいったのだから、自分たちもうまくいくはずだ。

そういうわけで、二人はすぐさまその場で、そうし始めた。どんな避妊の予防手段をとらなくてもいいので、性交はいっそう楽しかった。そしてついに、二人のあいだにゴムの薄膜なしに一つの肉体になった。アンバーはクライマックスに達すると大声で叫んだが、そのあと、彼の両腕にぐったりと抱かれながら言った。「妊娠したのは確か」。彼は笑った。「聖母マリアしか、そんなに早くはわからない」と彼は言った。「からかってもいいけど」と彼女は落ち着いて言った。「わたしのずっと奥で、それが起こったって感じるの」。「そう、確実にするために、僕らはできるだけ何度もやろう」と彼は言い、翌日、フラットで彼女と会う手筈を整えた。

翌日の午後、彼のほうが先に着いた。そして、彼女が広場の角を回ってやってきて、フラットのある建物に近づいてくるのを窓から見ていた。彼女は急いでいたが、動作と表情は、真剣というよりは不安げだった。彼女が部屋に入ってくると、彼女が歓迎できないニュースを持っているのを、彼は即座に悟った。

「怒らないって約束して」と彼女は言った。

「今度は何をしたんだい、アンバー」と彼は言った。

「ドゥーサ」

「何をしたんだい、ドゥーサ?」

「今朝、リヴァーズに会ったの」と彼女は言った。「あなたの子を宿してるって、あの人に言ったの」

「だけど、ドゥーサ!」と彼は叫んだ。「君にわかるはずがない――一ヵ月かそれ以上、わからないものなんだ。一体全体、なんだってそんなことを言ったんだい?」

「確かだって、きのう言ったでしょ、でも、間違っていたとしても、遅かれ早かれ本当になるわ。あの人に話すのに何週間も待つのは嫌だった。早く片を付けたかったの――つまり、わたしと結婚して、わたしをあなたの手中から救い出そうという滑稽で騎士的な計画にっていう意味。あなたに妊娠させられたって言えば、あの人は嫌気が差してたじろぐのは確かだと思った」。彼女は話の途中で意味ありげに間《ま》を置いた。

「つまり、たじろがなかったのかい?」と彼は言った。

「ぞっとしたような顔をして、あなたについて何か言ったわ、繰り返さないけど。しばらく何も言わずにあちこち歩いていたけど、やがて言ったわ、それで事態が変わることはないって。あの人は依然としてわたしを愛していて、わたしと結婚したがってる」

「そうかい?」と彼は、むっつりとした顔で言った。この青年のしつっこさに、少し脅威を感じ始めた。

「だからあの人は、父に話すと言ったの」

「まずいなあ！」と彼は呻くように言った。

「わたしが恐れてるのは、家名を傷つけないために、父がわたしを無理にリヴァーズと結婚させようとすること。もちろん、父にそれができるってわけじゃないけど……でも、修羅場になるでしょうね、母は父を援護するでしょうね、そうするのは、わかってるのよ。わたしたち、どうしたらいいかしら？」

彼はしばらく考えた。「僕らはどこかに隠れるのがいい」と彼は、やがて言った。「捕まらないところに逃げよう。そこで僕らは落ち着いて、どうしたらいいかが考えられる。しばらく、フランスに行こう」

アンバーの顔は輝き、両手を打ち合わせた。「フランス！　なんて素敵な考え」

ジェインは例によって頼もしかった。戸惑い、やや懐疑的だったけれども。「あなたはアンバーとフランスに駆け落ちをするのね。あの人は赤ん坊を宿してる」と彼女は、彼が二人の計画を話した時に言った。「それはいい考えかしら、H・G？　それで事態がよくなるかしら？」

「僕らは〝駆け落ち〟してるんじゃない、ジェイン、言葉の普通の意味で」と彼は言った。「僕らはしばらくのあいだ二人だけになって、静かに物事を考えたいのさ。アンバーは僕が君と別れるのを望んでいない――彼女はいつも、それをきわめて明確にしている」

「ええ、それは知ってる。わたしはアンバーを信頼してるし、彼女が好き。でも、赤ん坊は何かを解決するかしら？　それとも、もう一つの問題になるだけかしら？」

彼はアンバーの重大な決心の論拠の正しさを説明し終えると（彼が細かく説明すればするほど、それは自分の耳にさえ論拠薄弱に響いた）、彼女は首を横に振って言った。「そう、あなたたち二人は気が狂ってると思うわ、でも、あなたたちは決心したのね。わたしに何をしてもらいたいの？」

「砦を守っていてもらいたいのさ。執筆しに出掛けてるって人に言うんだ。どこかは言っちゃいけない」

「どこに行くつもり？」

「ル・トゥーケを考えたんだ」と彼は言った。「あそこなら、必要な時はいつでもブーローニュからすぐに戻れる」

6

ブランコ・ホワイトは、ペンバー・リーヴズに、あなたの娘は妊娠していると、すぐさま告げるわけにはいかなかった。高等弁務官が公用でロンドンを離れていたからである。そこで二人には、フランスに出発する計画を練るのに二、三日あった。アンバーは旅行用鞄に荷物を詰め、ヴィクトリア駅で彼に会うために、誰にも見られずにケンジントンの家を出た。駅で彼女は、自分はしばらく恋人と「外国に行く」が心配しないように、また、居所を探さないようにと書いた、短い手紙を投函した。それから二人はフォークストーン行きの臨港列車に乗り、そのあと船で海を渡ってブーローニュに行った。数時間後、ロンドンの代理店を通して二ヵ月借りた、ル・トゥーケの郊外の休暇用の家に着いた。それは、実物大に膨らんだ人形の家のようで、下見板は白で、鎧戸は赤く、小さなベランダが付いていた。パ・ド・カレの海岸線に沿って延びている、草に覆われた砂丘によって、家は海風から守られていた。引き潮の時には海はほとんど見えず、固く詰まった砂の宏大な平地が現われた。子供たちはそこで凧を揚げ、若者は車輪付き砂上ヨットを慣れた手つきで走らせた。二人は海辺を遠くまで散歩し、満潮の時は冷たい海で勇敢に泳ぎ、家の暖炉の火の前で互いの体をタオルで拭き、そのあと、暖炉の前の敷物の上で愛の営みをした。夕方には、二人は町に行ってビストロで食事をし、時には、夜の空気が温暖な時は、彼は彼女の腰に手を回し、彼女は頭を彼の肩にもたせて砂丘に坐り、二つの灯台の光線が海面に掃くように当たり、波頭を照らし出す様を眺めた。

それは一種のハネムーンだったが、すべてのハネムーン同様、それは終わらねばならなかった。また、事実、牧歌的で魅惑的な空気を自分たちは吸っているというような最初の頃の気分は、一週間も続かなかった。二人がここに来たのは、もっぱら、結局のところ自分たちの将来について重大な決断を下すためだったが、話し合えば話し合うほど、ある計画に二人が同意ができなくなるように思えた。ブランドを手本に目立たない夫婦愛人同居《メナージュ・ア・トロワ》で暮らすという彼の考えは、よく考えてみると、実行不可能だった——二人の情事はすでにあまりに広く世間に知られているので、それはうまくいきそうもなかった。彼はロンドンで彼女と子供を別の家に住まわせ、世間の非難には勇敢に立ち向かうということにしたかったが、アンバーはそれは子供にとってよくないと言った。一方彼女は、フランスで幼児とだけで暮らし、彼が時折訪ねてくるという暮らしなど考えられなかった。彼もそんな淋しい、制約された暮らしを彼女にさせたくはなかった。彼はアンバーが、ジェインと離婚してもらいたくないと絶えず言ってくれることに感謝した。なぜなら、それは彼がためらう解決法だったからだ。だが、状況次第で二人はそうせざるを得ないという考えが、時折彼女に浮かばないとすれば、それは驚くべきことだろう。すべての計画を駄目にしてしまう要因は子供だということが、彼にはますますはっきりしてきた。もちろん、アンバーが妊娠しているかどうかは確かではない。もっとも彼女は、そうだと確信し続けてはいるが。そして、もしコンドームをこのままずっと使わなければ、彼女はやがては妊娠すると思わざるを得なかった。またコンドームの使用は、実際、今となってはほぼ確実に空しいことであると同時に、彼女の崇高なロマンティックな行為を拒否し、気持ちを傷つけることになるだろう。

この問題についての話し合いが行き詰まったことで、二人一緒の日々の生活に次第に生じてきたちょっとした緊張感と焦燥感が増大した。彼は自分の身体的安楽の面倒を、ジェインが黙って手際よく見てくれることに慣れていた。スペード・ハウスでは、食事はいつも決まった時間に供され、常に口に合い、滋養に富んでいた。彼の衣裳箪笥には、洗濯をしたばかりのワイシャツとリンネルの下着が必ず補充されていた。小人数の召使によって、火は焚かれ、ベッドは設えられ、靴は磨かれ、衣服にはアイロンが掛けられた。彼は今の状況で、そうした仕事のいくつかは引き受けるつもりだったが、全部ではなかった。だがアンバーは、家事にまったく疎《うと》かった。彼女の話では、モードは生まれてこの方、食事を作ったことが一度もなかった。なすべきもっと重要なことがあると考えていたのだ。したがって娘たちに家事を仕込まなかった。アンバーは卵をちゃんと茹でることさえできず、彼の好みには固過ぎるか柔らかか過ぎるかだった。また、自分の下着は洗ったが、彼の下着を洗うのは、ぶっきら棒に断った。アイロンの掛け方を知らなかった。彼女のフランス語は食べ物を買うには立派なものだったが、買ったものを持ち帰ると、どうしてよいのかわからなかった。二人が洗濯物を集配してくれる町の洗濯屋を見つけ、さらに、毎日家に掃除に来てくれ、昼食を作ってくれる女を雇うと、事態はややよくなった。町には夕食をとるのにふさわしい然るべきレストランがたくさんあったが、目玉焼きとベーコンのない、コーヒーとロールパンだけの朝食は、一日を始めるにはわびしいものだった。慣れない仕事をし、生活に必要な設備の不備を補うのに非常に多くの時間を使ったので、彼は本来の仕事がほとんどできなかった。そのことが、彼を神経質にし、苛立たせた。

ジェインは毎日、郵便物を彼に転送したが、それは、彼が捨てた複雑な社交上の、また職業上の生活を思い出させた。そして彼は、いくつかの魅力的な招待をしぶしぶ断らざるを得なかった。二人がル・トゥーケに逃げる前に彼が出ることにしていたのは、アナトール・フランスの栄誉を讃えて四月中旬に催されることになった昼食会だった。それは、イギリス人の崇拝者たちのグループが彼の六十五歳の誕生日を祝って企画したもので、ウェルズはどうしても出席すると言い張った。彼の計画は、昼食会の前日の午後に海峡を渡ってフォークストーンに着き、その晩はスペード・ハウスに泊まり、翌日の午前の昼食会にふさわしい服装をし、身繕いをし、昼食会のあと、ロンドンからル・トゥーケに真っ直ぐ戻る、というものだった。帰宅するというのは奇妙な経験だった――非常に楽しい反面、心が乱れた。ロンドンに行く前に完全な英国風朝食をとることを含め、家庭の安楽を享受するのは大いに嬉しかったが、息子たちが彼の帰宅を喜び、彼がほんのわずかしか滞在しないことを知って失望したことに、後ろめたさを覚えた。息子たちにお休みを言う際、息子たちのベッドの端に腰掛け、ちょっとしたユーモラスな「ピクシュア」を万年筆で描いてやった。それは、その日の日中に起こった出来事か、あるいは、「鰐に食べられない法」とか「よいパパと悪いパパ」のようなお気に入りのテーマのヴァリエーションを描いたものだった。ジップがその晩要求したのは「よいパパと悪いパパ」だった。彼は二人の息子のそれぞれに、ル・トゥーケの玩具の砂上ヨットを買ってきた。そしてサンタクロースのように、子供たちへのプレゼントの重みで押し潰されそうになっている男として「よいパパ」を描き、二人の息子に背を向け、玩具の兵隊で遊ばせない男として「悪いパパ」を描いた。息子たちは面白がっているふりをしたが、二人とも、「よいパパ」はいつも家にいるパパで、「悪いパパ」はいつも留守のパパだと思っているのが、彼にはわかった。

テムズ川を見渡すサヴォイの個室で開かれたアナトール・フランスのための昼食会は、つつがなかった。彼は一同が着席する寸前に着くよう、わざと少し遅れて行った。「駆け落ち」の噂を耳にしたかもしれない穿鑿好きの客から個人的な質問をされないためだ。しかし、彼の姿を見てびっくりしたような者は誰もいなかった。そのため彼は、当座は自分はゴシップの対象ではないと思った。アーノルド・ベネットもいたが、彼は紳士用クロークで、アンバーについてアーノルドに打ち明け話ができた。「君は危険に生きるのがいいと思ってるんだね、H・G?」とアーノルドは、「君はそれがいいんだろうが、僕は嫌だ」という口調で言った。「僕は生きるのがいいって思ってるのさ」とウェルズは、無理に快活に言った。

そのあと、ル・トゥーケでは必要のない一番いいスーツから普段着に着替えるためにサンドゲイトに戻り、もう一晩泊まることにした。彼は翌朝帰るという電報をアンバーに打ったが、朝食(卵、ベーコン、キドニー、トマト、マッシュルーム……)のあと、息子たちは勉強を一日休みにし、勉強部屋の床で戦争ゲームをしてくれとせがんだ。彼はその願いに応じた。午後まで続いたそのゲームは、ジェインとあまりにプライベートな話をするのを避け、家庭の安楽を楽しむ時間を延ばす方途だった。ジェインは当然ながら、フランスでは物事はどうなっているのか知りたがったが、賢明にも、彼に無理に話させるようなことはしなかった。彼は漠然と一般的な言葉で話しただけで、アンバーとの暮らしの問題や不便さは大したことがないように思わせ、これまでのところ、将来に対する満足な計画は立っていないということを隠した。しかし彼は、そのどっちの点でも、彼女は騙されなかったのではないかと思った。

彼は晩にル・トゥーケに戻ったが、アンバーは思っていたよりもずっと長く一人にされたことに機嫌を損ね、腹を立てていた。そして数日後、彼がレディー・デズバラの家での週末の泊りがけのパーティーにぜひとも行きたいと言うと、彼女は食ってかかった。

「なら、あなたはわたしと一緒にいるより、レディー・デズバラと一緒にいたいのね?」と彼女は言った。

「そんなことはない、ドゥーサ」と彼は言った。「アスキスとバルフォアの二人が来るって、彼女が仄めかしたからさ——首相と前首相が。とりわけロイド・ジョージの予算案がまだ決定していないから、二人が一緒に来るっていうのは魅惑的だ。歴史を立ち聞きするチャンスだ。君も連れて行けたらいいと思うよ」

「なんで駄目なの?」

「なぜか、君はよく知ってるじゃないか、ドゥーサ。馬鹿なことを言うんじゃない。招待されているのは、僕とジェインなんだ。もし僕が君と腕を組んで現われたら大変なスキャンダルになり、レディー・デズバラを当惑させる」

「なら、ジェインを連れて行くつもり？」

「彼女は行きたがらないだろう」と彼は言った。実際は、連れて行けるかどうか考えていたのだが。「彼女はこういう大掛かりなカントリー・ハウスでのパーティーには尻込みするんだ」

「で、あなたが貴族のあいだで楽しんでいるあいだ、わたしはどうすることになってるの？」

「うん、君の論文を書いたらいい」と彼は言ったが、それはまずかった。その言葉で、論文の作成が少しも進んでいないことを思い出させられたアンバーは、いっそう腹を立てた。

「わたしの論文？　わたしの論文？」と彼女は、ほとんど叫ぶように言った。「フランスの海辺のリゾートでどうやって論文が書けるの、本もなければ、まともな図書館もないのに」

「君は何冊か本を持ってくるべきだった」と彼は言った。

そして諍《いさか》いは、期間が未定の外国旅行に急に出掛けることになった時、旅行用鞄に何が入れられるか入れられないかという、詰まらない議論に堕した。最後にはアンバーが泣き、彼は意地の悪いことを言ったことを詫び、パーティーへの招待を断ることを約束した。二人は愛を営むために早めにベッドに行くことで仲直りをした。

翌日、彼がベランダで本を読んでいると彼女がやってきて、月経が一週間遅れているので、妊娠しているのは確かだと言った。「そんなに早くわかるのかい？」と彼は、本から顔を上げながら言った。「わたしはいつも、時計のように規則正しいの」と彼女は言った。「嬉しくないの？」「もちろん、嬉しいとも、ドゥーサ」と彼は言った。「あんまり嬉しそうじゃないわね」と彼女は不機嫌そうに言った。昨夜の優しさは、どうやらすっかり忘れられたらしかった。「もし本当なら喜ぶよ」と彼は言った。「ジェインは相当進んだ段階にならないと、僕に何も言わなかったというだけさ」。「あら、いかにもジェインらしい」とアンバーは言った。「いつも、とても思い遣りがある。たぶん、あなたの気持ちを乱したくなかったのでしょうね。こんな些細な理由で読書の邪魔をしてご免なさいね」。彼女はさっと家の中に入った。彼は将来に対する不安で一杯になった――自分たちは三週間しか一緒に暮らしていないのに、すでに絶えず口喧嘩をしている。そして、アンバーは初めてジェインに対する嫉妬心を少し露わにした。それは非常に心配な徴候だ。しかしどうやったら、体面を汚すことなく、またアンバーを傷つけることなくこの関係から抜け出せるだろうか。彼はこの問題を考えるために、一人で海岸に長い散歩に出掛けた。彼にわかる限り、一つの解決法しかなかった。

五月の初め彼は、ジェインと緊急の用事について相談し、息子たちを安心させるため、またイギリスに戻らねばならないと言った。アンバーはしぶしぶ承知し、彼を見送るため、ル・トゥーケとブーローニュの港を結ぶ電車に一緒に乗った。そして、定期船が出航すると、埠頭から淋しそうに手を振った。彼はすぐにサンドゲイトには行かず、ロンドンに向かった。そしてヴィクトリア駅からタクシーでリンカンズ・インに行った。そこにブランコ・ホワイトの事務所があるのだ。ブランコ・ホワイト氏は今、法廷にいるが、一時間かそこいらで戻ってくると彼は言われた。彼は待つと言い、一時間半待った。時折、事務職員は好奇の目でちらり、ちらりと彼を見た。どうやら彼の名前に気づいていたらしかった。またおそらく、彼の名前に関連したスキャンダルを知っていたのだろう。ブランコ・ホワイトは一方の手に膨れ上がったブリーフケース、もう一方の手に書類を小脇に抱えて外側の事務所に入ってきて、彼が立ち上がるのを見ると、ぎくりとした。「数分間、話せませんか――二人だけで」と彼は言った。ブランコ・ホワイトは頷き、「どうぞ、こちらに」とぶっきら棒に言い、剝き出しの踏み板が磨り減った狭い階段を先に立って小さな事務所まで登った。そこは机と、その両側に向かい合って置かれた二脚の椅子がやっと置かれていた。ブランコ・ホワイトは椅子の一つに積んであった訴訟事件摘要書をどけ、そこに坐るように彼に言い、自分も机の向こう側に坐った。ブランコ・ホワイトはハンサムでもなく醜くもない平凡な顔立ちの蒼白い青年で、黒っぽい髪を中央から均等に分け、マカッサル油で撫でつけていた。長めの顎は決断力を現わしていた。「どんなご用でしょう、ウェルズさん」とブランコ・ホワイトは言った。

「わたしを憎んでいると思いますが」と彼は始めた。「無理もありませんよ――わたしがあなたの立場だったら、同じ気持ちでしょう」

「あなたを憎んじゃいませんよ」とブランコ・ホワイトは平静に言った。「あなたを咎めてるだけです。アンバーに対するあなたの振る舞いは恥ずべきものでした。しかし、あなたを憎んじゃいない。法律家は憎んじゃいけないんです――判断を歪める」

「そう、わたしもあなたの公平無私に倣いましょう」と彼は言った。「この数ヵ月、あなたに対して厳しい感情を抱いていたことを認めるのにやぶさかではない。もしあなたが、彼女の打ち明けた秘密を守るという約束に反して、リーヴズ氏のところに行って、わたしとアンバーのことをすべて話したのでなければ――」

「わたしは自分の義務と見なしたことをしたまでですよ」とブランコ・ホワイトは言った。

「その通り。ともかく、わたしはここに、あなたを非難しに来たんじゃない。済んだ事は仕方がない。大事なのは将来ですよ」

彼には言うべきことを用意する時間がたっぷりあった。ブランコ・ホワイトには信じ難いかもしれないが、自分はアンバーを、例のメロドラマ的な言葉の意味で誘惑したのではない、つまり、年配の男が若い娘の純真さにつけこむといったような。自分は心《しん》から彼女と恋に落ち、彼女も心から自分と恋に落ちた。自分の妻は二人の関係を知っていて、三人とも本当の友達だ。二人の愛情が脅かされているように思えた時、身ごもることによって、その愛情を確固としたものにしようと考えたのはアンバーだった。今となっては手遅れだが、それは悪い考えだった。彼女が妊娠しているかどうかは、まだ完全に確かというわけではないが、おそらく十中八九そうだろう。二人はこの状況を誰にも邪魔されず静かに考え、将来の計画を立てようとフランスに行った。二人はそれに失敗したと自分は認めざるを得ない。英国の社会は、自分とジェインとアンバーが試みたような人間関係を容認する段階に、まだ来ていないと結論せざるを得ない。アンバーと、その子供にとって唯一の安全な将来は、結婚だ。自分はすでに結婚していて妻と子供があり、別れるのは忍びないから、アンバーと結婚できない。

「もっと前にそのことを考えるべきじゃなかったのですか？」とブランコ・ホワイトは口を挟んだ。

「たぶん」と彼は自己弁護をしたい衝動を抑えて言った。「問題はこういうこと。わたしはまだアンバーを愛しているが、その愛を表わす一番いい方法は、彼女を行かせることに思える――彼女を大事にし、守ってくれる男のもとに」

「わたしのことですか？」

「その通り」

ブランコ・ホワイトはしばらく黙っていてから、言った。「わたしはアンバーを愛している。最初に会った時からずっと愛している。彼女があなたと嘆かわしい関係を持っているにもかかわらず、何度か結婚を申し込みました。彼女はいつも断った」

「それが一番いい方法だということを彼女に納得させることができると思います」と彼は言った。「もし、あなたにまだその気があるなら」

「あります――もし子供が産まれたら、わたしの養子にします」

「あなたは立派だ」

「もちろん、彼女があなたとの関係を終わりにするという条件でですが」

「もちろん」と彼は言った。

二人は実際に握手こそしなかったが、彼が立ち去った時、それが二人の了解事項だった。

彼はその夜をスペード・ハウスで過ごし、アンバーと大陸で数週間暮らしたのは完全な失敗だったということ、彼女はブランコ・ホワイトと結婚すべきだと思うということをジェインに話した。「わかったわ」と彼女は落ち着いて言った。「君は驚いてないようだね」と彼は言った。「あなたのするどんなことも、もう、わたしを驚かせないわ、H・G」と彼女は言った。「でも、ブランコ・ホワイトはあの人と結婚するかしら？」「するとも。僕は今日の午後、彼に会いに行ったんだ」と彼は言った。「問題はアンバーを説得することだ」

彼は翌朝、フォークストーンから船でブーローニュに行き、ル・トゥーケのヴィラに着くと、アンバーが客間の前のシェーズロングに毛布を掛けてもたれ、殉教者めいた表情を浮かべていた。彼女は真夜中に、暗闇の中を手探りで便所に行こうとし階段から転げ落ち、怪我をしたのだ。彼女は赤ん坊の命を危険に晒したのではないかと恐れ、家の掃除と料理をする女のマリーが来るまで、階段の一番下の踏み段に寄り掛かっていた。その話を聞いてひどく心配になった彼は、すぐさま医者を呼んだ。医者はアンバーを入念に診察し、彼女はなんら重大な怪我はしていないし、もしいるとしても、胎児が影響を受けたということは非常に考えにくいと言った。医者が行ってしまうと彼は、マリーが来たら、なぜすぐさま医者を呼んでもらわなかったのかとアンバーに訊いた。マリーがよい医者を呼ぶとは思えなかったから、という返事は説得力がなかった。とりわけ、彼自身が呼んだ医者は、マリーが勧め、連れてきた医者だったからだ。彼がそのことを指摘するとアンバーは、自分の窮状に同情する代わりに、無意味な質問をして苦しめると言って、彼を詰《なじ》った。階段での事故は、実際は些細なものだったのだが、それは、ともかく留守にしていた彼のせいだと思わせようと、アンバーはできるだけドラマティックなものに仕立てたかったのではないかという疑念を、彼は抑えることができなかった。「あなたは、本当はわたしのことはどうでもいいのね」と彼女は文句を言った。「あなたは好きな時にイギリスに戻って、わたしを夜、ここに一人ぼっちにする。フェアじゃないわ。親切ではないのは確か」

「済まない、ドゥーサ、でも、僕はここで亡命者みたいに暮らすわけにはいかないんだ」と彼は言った。「イギリスには面倒を見なくちゃいけない家族と仕事がある——時には戻らなくちゃいけないのさ」

「なら、ここにいる意味はないわ」

言ってはならないことが言われた——幸い、アンバーによって。二人はしばらく黙ってそのことを考えていたが、やがて彼は言った。「あんまりうまくいってないな」

アンバーは、ゆっくりと頷いた。

「なら、戻ったほうがいい」と彼は言った。

「だけど、何に？」と彼女は叫んだ。「どこに？　あなたにとっては〝戻る〟って言うのは簡単だけど、わたしはあなたとジェインと一緒には暮らせない、いつまでもは。それに、家には帰れない——今となっては絶対に帰れない。ロンドンの狭苦しいフラットで独りで暮らし、あなたが〝家族と仕事〟から割ける時間にやってくるのを待つなんて嫌」と彼女は、彼の言葉を辛辣に繰り返して続けた。「わたしが妊娠してるのが人目に立つようになって、外に出て人に会うのを恐れるようになる、無視されたり、もっと悪いことには、同情されたりするかもしれないから。わたしはどうしたらいいと思う？」

「君はブランコ・ホワイトと結婚できるだろう」と彼は言った。

彼女はまじまじと彼の顔を見た。「本気じゃないんでしょ？」

「本気だとも。きのうロンドンで彼に会ったんだ。彼は実に真面目な青年で、今でも君と結婚したがってる」

アンバーは頭をぐっと反らせ、ややヒステリックに笑った。「あらまあ、本当なの？　なら、あなたは彼に会いに行き、わたしを彼に返すって言ったわけ？　わたしに相談もせずに。女性の権利の偉大な擁護者、父権制家族の恐れを知らぬ批判者が、厄介な愛人を、彼女が愛してもいない騎士的弁護士に押しつけて片付けるつもりになっている。あなたは奨励金として持参金をくれることにしたわけ？それとも、もうお金は渡したの？」

彼はこの種の長広舌は予期していた。そして、彼女の怒りと侮蔑の言葉を辛抱強く聞き、彼女が精力を使い果たすのを待った。彼女が憤然としながら勢いよくあちこち大股で歩いたり身振りをしたりするのを見て、少なくとも彼女がなんら重大な怪我をしていないのを知って安心した。それから彼は、ブランコ・ホワイトを夫にするという考えに対する彼女の抵抗を、徐々に弱め始めた。わかった、君は僕らがお互いに愛しているようには彼を愛していない、しかし、情熱よりは愛情の上に築かれた幸福な結婚は数多い。例えば、自分の結婚がそうだ。それに君はリヴァーズが好きで、自分に対する彼の愛情と忠誠心を高く評価していると、一度ならず認めた。彼は誠実で責任感のある立派な若者で、弁護士として成功する見込みが十分にある。それに彼は、子供を自分の子供にして養うつもりでいる――それが大事なことだ。同じことをしようという男は、イギリスには彼しかいない。ウェルズはこんな調子で二時間以上話し続け、アンバーのあらゆる反論を撃破し、ほかのどんな解決法も不可能だということを証明し、ついに彼女は疲れ果て、シェーズロングに倒れ込んで目を閉じて言った。「わかったわ、わたしの負け。あなたがわたしを厄介払いしたがってるのは見え透いている」

「それは本当じゃない、ドゥーサ」と彼は言った。

「ええ、そうよ。わたしはリヴァーズと結婚するって彼に言って」

それは、ひどく長い議論の中で、彼にとって一番辛い瞬間だった。彼は彼女を抱き、今でも君を愛している、君を諦めるのは、これまでの人生で一番辛い決断だったと言いたかったが、そんなことを言ったら、再び和解し、再び情熱的に交わり、二人は出発点に戻ってしまうのではないかと恐れた。そこで彼は心を鬼にして言った。「いつ彼に会う？」

「早ければ早いほうがいいわ」と彼女は、将来の姿を遮断するかのように目を閉じて言った。

彼は町に行き、ブランコ・ホワイトに宛て、アンバーが彼と結婚することを承諾した、ついては、あす彼女は正午にブーローニュから出る定期船に乗るが、フォークストーンで彼女に会えないだろうかという電報を打った。彼は同日の夕方、返信を受け取った。「アンバーニ税関デ会ウ、特別婚姻許可ヲ申請中」。

彼は翌日の午前に、アンバーをブーローニュまで送り、船に乗るのを見送った。空一面が雲で覆われ、五月にしては肌寒かった。港の向こうの海は陰気な灰色で、白波の斑点が付いていた。アンバーは不安か、つわりで、数時間前にとった朝食を吐いたので蒼白い顔をしていた。そして、自分の罪を船酔いでも罰せられないことを願うと言った。明らかに彼女は、なんであれ抱いていた感情を、ドライで皮肉なウィットの後ろに隠すことにしていた。彼は別れ際に彼女よりも自分のほうが取り乱してしまうような気がした。彼は彼女を一等のラウンジの隅に坐らせ、乗客係から借りた膝掛けで快適にした。船の合図の汽笛が鳴った。「船から降りたほうがいいわよ」と彼女は言った。「わたしをフォークストーンの税関の上屋《うわや》で、売られた花嫁のようにわたしをリヴァーズに渡す羽目になったら滑稽よ」。彼が別れのキスをしようと身を屈《かが》めると、彼女は唇ではなく頬を差し出した。「さようなら、ドゥーサ」と彼は言った。「無事な旅を祈る」。「さようなら、マスター」と彼女は言った。とうとう、その呼び方に優しさが感じられた。彼は泣き出して醜態を晒す前に急いで立ち去った。

彼は港の近くの店でコニャックを一瓶買い、その晩は意識を失うまで飲んだ。それは滅多にしないことだった。翌朝、マリーが客間に入ってきたので目を覚ました。彼は客間のシェーズロングに、服を着たまま眠り込んでしまったのだ。彼は日中、頭痛と心痛とで惨めな気分だったが、午後遅く、氷のように冷たい海で泳ぐと、気分が幾分よくなった。その夜は、アルコールの助けを借りずにかなりよく眠れた。しかし、アンバーなしの暮らしの計画を立て始めたのは、翌日、ブランコ・ホワイトから短い電報を受け取ってからだった。「昨日、ケンジントンノ登記所デ結婚シタ」

まず彼は、すぐにジェインと息子たちを、借りているヴィラに呼んだ。ジップとフランクは思ってもみなかった海辺での休日に大喜びだった。彼は息子たちを海岸沿いの散歩に連れ出したり、引き潮で出来た水溜りの小海老を捕ったり、息子たちに商店や氷菓子屋《グラシエ》でフランス語の練習をさせたりするのを楽しんだ。マリーは別の本物のマダム・ウェルズがいることを知ってややショックを受けたが、家族構成の変化に即座に順応し、ジェインが家事の手配の仕方を非常によく心得ている人物なのに気づいた。幸い、すべての家庭の心配から解放された彼は、新しい小説に取り掛かった。それは、『キップス』にやや似たタイプの喜劇的な小説で、政治も性問題も大きな理念も関係のないものだった。主人公は妻の尻に敷かれた、あまり教育を受けていない、うだつのあがらない、小さな町の店主で、やがて、ほとんど偶然に、自分の運命に抗う。その小説はこう始まる。

「穴《ホウル》!」とポリー氏は言ったが、次は変えて、非常に強く力を込めて言った。「オウル!」彼は間《ま》を置き、今度は彼にしかわからない奇妙な文句を発した。

「おお! ひでえ、愚劣な、ゼーゼー言う穴!」

彼は二つの擦り切れたような牧草地のあいだの踏み越し段に坐っていたが、消化不良にひどく苦しんでいた。

この小説は、彼のここ数年の私的、公的生活のすべての関心事からの一種の逃避だった。自分が経験した、苛立ちと失望の経験を、解放的で、生命を昂揚させるコメディーに変えたのだ。彼は書きながら盛んに忍び笑いをしたことだろう。しかし、不意にアンバーを思い出し、自分が失ったものを思って感極まり、涙で頬を濡らしながら滑稽な場面を書き続けたことだろう。

日が経つにつれ彼は、スペード・ハウスに戻り、そこでの慣れた生活に再び戻りたくないという気持ちが、ますます強くなった。そこは、自分とアンバーとジェインとの「三角の相互関係」という素晴らしい実験に失敗したことで、永遠に損なわれてしまったのだ。アンバーを諦めるのは必要だったのだが、それは消極的な成果、一種の敗北だった。新しい場所で新しい生活を始める必要があった。彼はある晩、自分の計画のあらましをジェインに話した。自分たちはロンドンに移らねばならないだろう。そこが二人にとって住むべき場所なのは自明だ。自分は、惨めな南東鉄道でロンドンに通って時間を無駄にするのに嫌になっている。自分は文学界の中心にいたいし、ジェインは好きな演奏会や美術展に簡単に行ける。「でも、子供たちは海と田舎を恋しがるわ」と彼女は言って反対した。「あの子たちはあそこでとっても幸せで健康」。「ハムステッドに家を持とう」と彼は言った。「ヒースに近いところだ——新鮮な空気と散歩の場所がたっぷりある——そうして、新しい地下鉄駅に近い——ウェスト・エンドまで、たった二十分。申し分なし!」いまや大恋愛は終わってしまったので、首都が提供する浮気《パッサード》の機会に、もっと楽に慰めを見出せるだろうということは言わなかった。

彼が何かをしようと決心した時はいつもそうなのだが、ジェインは自分の疑念は脇に置き、ロンドンのほうがサンドゲイトを凌ぐ魅力があるということを、息子たちに言い聞かせる役目を果たした。彼は事を進めるのが待ち切れず、ヴィラの借用期間が切れる前に家族全員をスペード・ハウスに連れて帰った。彼は、ヘンリー・アーサー・ジョーンズがフォークストン・ホテルにしばしば滞在するのを知っていた。ジョーンズは非常に実入りのいい劇を書くのに、そこが適している場所だと思っているようだった。したがって、南岸の同じ場所に自分の家を持つという考えに惹かれるかもしれなかった。そこで彼はジョーンズに手紙を書いた。「君が僕の家を買うことを考えてくれるのではないかという気がしたのだ。驚かないでほしい!しかし僕は、なんとしても一刻も早くここを離れ、ロンドンに住みたいと、しきりに思っているのだ。それは、僕らのような気質の人間に影響を与える、ほとんど感知できない諸々《もろもろ》の理由からだ。したがってこの家は、非常に安く売られるおそれがある」。ヘンリー・アーサーはその餌に食いついた。売買は思ってもいなかったほどに円滑に進んだ。彼とジェインはハムステッドで売り家を探した。彼はチャーチ・ロウにある一軒の家を選んだ。そこはジョージ王朝のタウンハウスが建ち並ぶ優雅な通りで、村の大通りからセント・ジョン教区教会まで続いていて、便利なことに地下鉄の駅に近かった。彼が選んだ家の構造は――地階が台所で、一階の二部屋がアコーディオンドアで仕切られ、二階にもう二部屋あり、その上の二つの階が寝室だった――彼が過去においてしばしば批判したものだった。彼はそれを選んだ際、持論と矛盾するのを意識したが、それは自分の人生で、まったく新しい章を始めたいという気持ちの一部だった。彼はサンドゲイトで典型的な現代的な家を建て、何年かそこに住むのを楽しんだが、いまや別の何か、由緒ある、古い、格式のある何かが欲しかった。最盛期には非常に多くの有名な住人のいたチャーチ・ロウと、境内にジョン・キーツの記念碑と、ジョン・コンスタブルとジョージ・デュモーリエの墓がある教会自体、彼が望んだような雰囲気を持っていた。彼は召使たちを地階の台所で働かせ、いくつもの階段を登らせることに良心の痛みを感じたが、そこを現代化し、そうした家なりにできるだけ住みやすくする計画を持っていた。寝室はスペード・ハウスより少なかったが、以前より泊める客は少ないと思われた。サンドゲイトに来た客の大半はロンドンから来たからだ。こんな風にして彼は、自分が抱いていた疑念、あるいはジェインが口にした疑念を鎮めた。彼の付け値は受け入れられたが、彼はその家をジェイン名義で買った。財産の問題に関して妻より夫のほうが通例権利を持つということをやめたのだ。少なくとも、彼はジェインにそう言った。しかしそれはまた、もし「逃亡本能」に再び取り憑かれた場合、彼女の家は安泰だと知って、気持ちが楽になるからでもあった。その家は八月まで即時入居可にはならず、まだ六月だったが、彼は早く引っ越したいという気持ちを、自分たちは最後の一夏を海辺で過ごせるのだと考えて抑え、『ポリー』の執筆を続けた。

すると、驚くべき事態になった。ある朝、封筒の筆跡がお馴染みのアンバーのものである手紙が来たのだ。彼はアンバーが去って以来、彼女のことはまったく考えないようにしていた。もし彼の心が、ある思い出や偶然の連想に触発されてその方向に向かうと、無理矢理別の事柄に心を向けた。特に彼は、彼女とブランコ・ホワイトが何をしているだろうか、どこに住んでいるだろうかとか密かに考えることを、自らに厳しく禁じた。そして、そのことに関する情報は、外からは何も届かなかった。ジェインは、「アンバーはどうしているかしら?」と何気なく言ってはいけないことを学んだ。彼は二人の情事にピリオドを打ったと思っていたが、彼女の筆跡を見ただけで心臓の鼓動が速くなった。封筒を破って開け、中の短い手紙を読んだ。それには、自分はリヴァーズと結婚したが、一緒に住んではいない、その理由は複雑過ぎて手紙では説明できないと書いてあった。さらに、自分はハートフォードシャーの友人のところに一時いるが、もし、すっかり話を聞きたければやってくるように、とも書いてあった。自分は間違いなく妊娠していて、つわりに悩まされているが、そのほかは元気で、あなたもジェインも元気なのを願う、と続けていた。

手紙は「親愛なるマスター」宛で、「ドゥーサ」と署名してあった。

アンバーがブランコ・ホワイトと一緒に住んでいないというニュースは、彼に理不尽な、衝撃に近いような満足感を与えた。しかし、なぜだろう? 彼はその手紙をジェインに見せた。「あらまあ、二人はもう別れたのに違いないわ」と彼女は言って、溜め息をついた。「アンバーは次々に危機を生きてるようね」。「会いに行くべきだろう」と彼は言った。「それは賢明かしら?」とジェインは言って、手紙を彼に返した。「賢明かどうかは、どうでもいい、何が起こったのか知らなくちゃいけない」と彼は言って、あす会いに行くという電報をアンバーに宛てて打った。

彼女は古い学校友達の家族と一緒にヒッチンの近くの村に滞在していた。両親は(友人は留守だった)は警戒するような、やや咎めるような顔で彼を出迎え、アンバーが待っている客間に案内した。彼女は驚くほど元気に、そして、いつものように美しく見えた。彼は、自分がいわば彼女を体の中からすっかり追放してしまったのではないことを即座に悟った。彼女は彼の体と血と脳髄の中に、ウイルスのように存在しているのだ。彼はアンバーの友人の両親がいるので、彼女を抱擁したいという衝動を辛うじて抑えた。天気のよい日で、二人はフランス窓を通って、造園された庭に出て、庭の奥の樫の木陰にあるベンチを見つけた。そこで彼女は、事の顚末を話した。

それはドラマと、小説の読者でも信じられないような紆余曲折に満ちていた。彼女がブーローニュで彼と別れた時の冷静な態度は見せかけだったのだ。実際には意気消沈していて、その気分は、定期船がイギリスに近づくにつれ、絶望感へと深まった。自分は何をしているのか、愛していない男と結婚する、それも別の男の子供が子宮にいるというのに? それは、自分に対しては言うまでもなく、リヴァーズに対してフェアだろうか? 彼女は自分の人生と、多くの者の人生を取り返しのつかぬほど駄目にしてしまったと感じた。彼女は海に身を投げ、一切を終わらせようという気に強く駆られた。「わたしはそうできるかどうか確かめようと、実際に船の手摺りに登ろうとしたの、でもスカートがきつ過ぎた。わたしは自分の虚栄心によって自殺から救われたわけ」と彼女は苦笑いをしながら言った。彼女が片足を低いほうの手摺りに掛け、スカートをなんとかしようとしているところをスチュワードが見つけ、彼女を安全な所に連れて行った。スチュワードは彼女をキャビンに入れて鍵を掛けてから間もなく紅茶を持って戻ってきて、船が埠頭に着くまで彼女に話しかけた。「あの男に感謝したいね」とウェルズは言った。「褒美を与えたい。なんという名前だった?」「知らないわ」と彼女は言った。「でも、とっても感じがよかった。わたしを叱りもしなかった。こう言ったわ、『なんであれ、気が滅入っている時に思われるほど、実際は悪くありませんよ、お嬢さん』。それから、自分の家族のことを喋ったわ」

彼女は下船するために甲板で並びながら、ひょっとしたらブランコ・ホワイトも考え直し、出迎えに来ていないのではないかと思った——しかし、税関の上屋の端にいた、いつものように律儀に。黒っぽいスーツを着、山高帽をかぶり、きっちりと巻いた傘を手にしていた。まるで、リンカンズ・インから出たところのように。彼は恥ずかしそうに挨拶し、彼女の頬にキスをし、船旅はどうだったかと尋ねた。彼女は航海の途中で海に身を投げるところだったということは話さなかった。二人が彼女のポーターのあとから臨港列車のほうに歩いて行きながら、彼は翌日午前十一時にケンジントンの登記所で結婚する手筈を整え、今夜、彼女のために近くのホテルを予約したと言った。彼女は急な話なのでびっくりし、なぜそんなにすぐなのかと訊いた。「遅らすのは意味がない」と彼は言った。「君のご両親は、僕らが結婚すると言えば喜ぶのはわかっているけど、前もってそのことを言えば関わりたがり、その間《かん》、君が一緒に住むことを望むだろうな。そうしたいかい?」「嫌よ」と彼女は、きっぱりと言った。「なら、あしたしましょう」。「僕らはちゃんとしたハネムーンは延期すべきだろうな、残念ながら」と彼は神経質そうな微笑を浮かべて言った。「でも、僕はあす——金曜日——休みなんだ、だから、少なくとも長い週末は過ごせる。ヘンリーの近くのテムズ河畔のホテルを予約した。それから、僕の事務所の勅撰弁護士の一人が、大変親切な話だけど、ブルームズベリーの彼の仮寓《ピエタ・テール》を使っていいと言ってくれたんだ、僕らがどこかを見つけるまで」

二人のコンパートメントにはほかの乗客がいたので、それ以上、ごく月並みなことしか話せなかった。事実、二人は車中ではほとんど黙っていた。リヴァーズが自分の手際のよさに目に見えて気をよくしていたが、アンバーは自分の決断の結果が初めて現実のものになったことに、ぞっとしていた。「ハネムーン」という言葉で、全身が不安で貫かれたようだった。リヴァーズとセックスをするのがおぞましいわけではなかったが、それがひどく間の悪いものになるのに決まっていた。二人とも、彼女がきのうまで別の男の愛人で、おそらくその男によって妊娠させられているのを意識しているからだ。彼女はリヴァーズが性的経験をしていないのではないか、十中八九、童貞ではないかという強い疑念を持っていた——だから、初夜をどう過ごしたらよいのか? 自分が彼を助け、自分の慎みのなさで彼にショックを与える危険を冒すべきなのか、あるいは、彼が拙い努力をして屈辱的な思いをするのを放っておくべきか？　それは考えるに耐えないことだったが、ケンジントンのホテルに入るまで、そのほかのことはほとんど考えられなかった。そして、その時までにはどうすべきか決めていた。

彼は別に居間がある狭いスイートを彼女のために予約していた。彼女はそこにティーを注文した。そして、旅行用の服を着替えるあいだ待つようにと、彼に言った。それから紅茶を飲み、スコーンを食べながら、彼女は率直に宣言した。自分はあす、彼と結婚するが、条件が一つある、子供が産まれるまでは――「アン・マリアージュ・ブラン」と言おうとして、恐るべき地口（リヴァーズの姓ブランコにひっかけた地口）を口にするのはやめた――床入りを果たしていない結婚にする。それ以外の何もかもはしたなく、淫らだろう、自分を一人の男から別の男に渡される娼婦のような気分にさせるだろうから。けれども、九ヵ月かそこいらの純潔な親しい関係が過ぎ、子供が産まれ、彼が寛大にも申し出てくれたように、その子を自分の子にしてくれたあと、二人は本当の結婚生活が送れるようになる。彼女は、彼がその条件を拒否するものと、すっかり予期していた、また、それを半ば望んでいた。しかし、彼女は驚いたが、彼は目に見えてほっとしながら、その条件を歓迎した。彼はどうやら同じような考えを持っていたらしく、彼女の言ったことにすべて同意した。彼はハネムーンの週末をキャンセルし、二人は借りたフラットに直接移った。「でも、純潔な親しい関係は実際にはうまくいかなかったの」と彼女は言った。「二週間も続かなかった」

アンバーはその取り決めに満足していたが、リヴァーズは次第に満足しなくなった。彼にもよく理解できる理由から。あの魅力的な女のごく近くに暮らし、狭いフラットを彼女と共有し、いかに彼女が慎重でも、服を脱いだり着たりする姿を垣間見、しかも彼女と愛の営みができないというのは、耐え難いほど辛かったに違いない。最初リヴァーズは、慎ましく抱擁したり愛撫したりしてよいという許可を貰ったが、彼がそれ以上のことを欲しがる兆候を見せると、彼女は抗い、約束を破っていると詰《なじ》った。彼がこういう状況は耐え難いと言うと、彼女はそれなら赤ん坊が産まれるまで別々に暮らさねばならないと言った。彼はその解決策を受け入れるのを渋ったが、彼がそのことについて考えているあいだに、彼女はハートフォードシャーにいる友人に手紙を書いた。友人はここに彼女を招待した。フラットの借用期限はまもなく終わることになっていたが、幸い彼らは、まだほかの住まいの契約をしていなかったので、彼女は旅行用鞄に荷物を詰め、自分はここを出るとリヴァーズに言った。それが、これまでの彼女の話だった。

「リヴァーズはどこにいるんだい？」と彼は尋ねた。

「法曹学院の独身者用の部屋に戻ったわ」と彼女は言った。「あの人は先週、ここにわたしを訪ねてきた。ご両親に会いに行ってたのよ、そうして、自分たちは結婚したけど、お互いに同意して別々に暮らしてる、赤ん坊が産まれるまでって言ったのよ」。彼女はまだ見た目にはそれほど変わっていない腹を撫ぜた。それは、最後の文句を口にした時の、優しい、無意識の仕草だった。「ご両親は、あの人がわたしを正式の妻にしたことを喜んだわ、もちろん。でも、わたしたちが別居しているあいだ、わたしが独りでどうやって暮らしていけるのか、ちょっと心配したの」

「で、一体どうやって暮らすんだい、ドゥーサ？」と彼は言った。

彼女が彼をハートフォードシャーに呼んだのは、彼からその点について助言と助力を得たいためだったのが、間もなくはっきりとした。彼女は迷惑をかけずに、これ以上友人の家族の家に滞在することはできなかった。ごくわずかな金しか持っていず、子供を産む準備をするための適当な住居を借りる金はなかった。そして、父から貰っている、ささやかな手当てを増額してくれと頼めば、父の権威のもとに再び戻ることになってしまう——あるいは、手当てがまったく貰えなくなる危険を冒すことになってしまう。リヴァーズはロンドンのどこかに部屋を見つけてやろうと言っているが、それは、また彼のすぐ近くにいて、緊張感が増すという、いわば大事に至る小さな発端になるのを彼女は恐れた。

「君は好きなだけ僕らのところに泊まったらいい」と彼は言った。

「ありがとう、でも、それはいい考えじゃない」と彼女は首を横に振りながら言った。「もしそのことがリヴァーズとわたしの両親の耳に入れば——必ず入るだろうけど——大変な騒動が起こる。あなたは約束を破ったとリヴァーズは言うわ、当然。わたしが本当に願ってるのは、田舎での自分の住まい——この村のようなどこか、わたしはここが好き。リヴァーズが訪ねて来られるけど、そうしばしばは来られない所」

「僕に任せるんだ」と彼は言った。

彼はそれからの数週間、自分は作家ではなく不動産屋ではないかと感じる時があった。自分の家を売り、ハムステッドにある家を買う手配をし、アンバーのために田舎のコテージを見つける、という仕事を同時にしているのだ。「それは時間と脳味噌を食う」と彼は新しい友人のエリザベス・ロビンズに手紙を書き、三つ目の仕事に関して援助を求めた。彼女は著名な女優で、ヘンリー・ジェイムズの友人だった。ジェイムズの最初の劇で主役を務めたが、その頃は、フェミニストの小説家、劇作家としてのほうが知られていた。彼は最近ディナー・パーティーで会い、彼女がロンドンの近くの田舎に不動産を持っていることを知ったので、アンバーのために適当なコテージを見つけるのを手伝ってもらうことにしたのだ。ミス・ロビンズは彼と文通をしているうちに、彼が家の世話をしてやっている若い女と彼の関係の真相を知ると、自由恋愛を激しく非難し、縺れた関係を断つように勧める手紙を寄越した。彼は怒って返事を書いた。「君は肉体と血と苦痛と理解をほかの人間と共有するというのはどんなことか、これまでの人生で経験したことがあるだろうか？　人はそれから免れることはできない」。彼がそんな風に憤激したにもかかわらず、あるいはそれゆえに、エリザベス・ロビンズはその後間もなく、ブライズにある自分の所有するコテージを貸そうと申し出た。ブライズはケイタラム近くのサリー州の青草の茂る所にある、ウォルディンガム村の外れの小村だった。彼はそれを見に行った。それは完璧だった——屋根は藁葺きで、開き窓の枠は鉛で、塀で囲った庭には果樹があった。彼はエリザベス・ロビンズに手紙を書いた。「僕は君に怒りの無礼な手紙を書いた。君の足元で頭を下げる。（しかし君は、僕については間違っていた。）僕はアンバーをブライズに入れる」。七月の初め、アンバーはそこに移った。彼は六ヵ月の借家権（更新可能）の代金を払い——赤ん坊は新年初めに産まれる予定だった——必要ならば、彼女の生活費を補うため、ペンバー・リーヴズからの手当ての補助をすることを引き受けた。

「あなたは正確に何をしようとしてるの？」とジェインはある日、彼が賃貸借の契約書を眉をひそめながら読んでいるのを見ながら言った。「若夫婦を助けようとしてるのさ、もちろん」と彼は言った。「非常に不安定な状態を、いくらか安定したものにしようとしてるんだ」。それはある程度本当だったが、コテージの問題で主導権を握ることによって、アンバーをブランコ・ホワイトに譲った際の条件に盲点があるのに気づいたのも事実だった。ブランコ・ホワイトは彼が介入してきたことに腹を立てたが、アンバーが了承するような別の家を提供する資力がなかった。二人の結婚は床入りが果たされていず、アンバーは彼の子供を産むために夫と離れて暮らしていた。それは彼に、彼女に会い続ける道義上の権利を与えた。そして、将来どんなことが起こるのか、誰にもわからなかった。もし、ドゥーサとブランコ・ホワイトが共に望むなら、離婚は容易だったろう。そして、もし彼女が、自分で言っているほどに田舎暮らしが好きなのなら、たぶん、自分の家にいて彼の愛人になるというのは、前とは違い、彼女にとってそれほど考えられないことでもないだろう。彼は七月末アーノルド・ベネットに宛て、ロンドンで上演されたばかりのベネットの新作劇を祝ってから、陽気な調子で書いた。「ところで、子供熱愛事件はまだ終わっていないことを知れば、君は興味を抱くだろう。二人の主要人物は、二人を結びつけている愛情と思い出の網を過小評価したように思われる。申し分なく賞讃すべき夫は、結婚しているので、夫の役を演じようとしている。激しい感情の嵐がそのために起こった。僕は公平に見て、彼に離婚の理由を与える必要があると思う――そして僕が、公然とアンバーと田舎のコテージに住むのが。僕が君の自制を大いに要求するこうした事柄を話すのは、君が誰にも言わないのを知っているからだ」。しかし八月に彼は、ミス・ロビンズを安心させるために書いた。「離婚はないだろう――それについては非常に満足のいく取り決めがなされた。僕はブライズに何度も行き、ブランコ・ホワイトは週末に来るということになった。誰もが表面は互いに親しく、思い邪なる者に災いあれ《オニ・ソワ・キ・マル・イ・パンス》、だ。アンバーはブライズで非常に幸せそうだ」。彼はわざわざこう書き添えた。「目下彼女は、旺盛な母性愛を満足させるために、二匹の仔犬と僕の二人の小さい息子を持っている――一方、僕らはハムステッドに移る」

ミス・マイヤーを付き添わせてジップとフランクをアンバーのもとに二週間やり、彼とジェインはサンドゲイトからの引っ越しの手配をするというのは、非常に便利なだけではなかった――それは、性関係に対する彼らの進んだ態度を世に宣伝するための最良の方法だった。そうした取り決めを堕落していると見なした人々は、少年たちの滞在が終わりに近づいた頃にアンバーがジェインに宛てた手紙を読み、その文面に緊張感、敵意、嫉妬心がまったく見られないのに気づけば――それどころか、二人の女のあいだには寛いだ愛情が終始感じられる――自分たちの考えを変えざるを得なかったであろう。ジェインは朝食の時に、その手紙を彼に渡した。「最愛のジェイン、息子さんたちのこと、大変ありがとう。二人は申し分なく素晴らしく、二人が行ってしまうのでひどく悲しい気持ちです……わたしは息子さんたちから、たぶんまた来たいと言わせせようとしました……家の問題がすっかり片付いたら、すぐにお出で下さいませんか？……ウッド・ミルンの靴墨でひとこすりすると、靴は何日もピカピカなのを知っていましたか？　わたしの机の上にある、頭書つき請求書用紙から、そうだということを知りました。このヒントはあなたに役に立つのではないかと思ったのです……親愛なるジェイン、四人のために人は一週間につき何を用意したらいいのでしょうか？　リヴァーズとH・Gと訪問客が来るのです」。彼はもしアンバーとジェインの交わした手紙を全部『タイムズ』に載せることができたら、自由恋愛と、自分たちがそれを実践していることに関する論争は、孔の明いた風船のように萎《しぼ》んでしまうと時折思ったが、それは不可能なので、エリザベス・ロビンズのような、尊敬されている有力者の支持を得るのに全力を尽くした。だが、彼がアンバーと一緒にフランスに駆け落ちしたこと、彼女が妊娠したこと、彼女が急いでブランコ・ホワイトと結婚したこと、その後のことに関する噂や報告が伝わるのを止める手立てはなかった。とりわけフェビアン協会内では。そこで彼は、思いつく限りの理解してくれそうな者に、話を自分に有利なようにして書いた手紙を送った。

リーヴズ夫妻は娘が結婚したことでほっとしていたが、その安堵感は、娘を誘惑した男が依然として娘に会っていて、娘が借りたコテージの家賃を払っているということを知って、たちまち雲散霧消した。フェビアン協会の中では、リーヴズ夫妻に同情する者が多かった。古老連中は彼を協会から追放できないのを残念がった。彼はすでに協会員ではなかったからだ。しかしピーズはジェインに宛て、彼女のよく知っている状況（それは協会の名誉を傷つけようとしている）に鑑《かんが》み、執行部の今の地位を退くよう求める、厳しい手紙を書いた。ウェッブ夫妻はそうした状況にとりわけぞっとし、干渉し始めた。シドニーはあまりに腹を立てていて自分では書けなかったので、ショーを仲介者として使って、怒りを掻き立てる自己弁護的手紙を嘆き、彼にとって名誉ある行動は、外国に一年間行く口実を見つけることだと断言した。しかしショーは、シドニーを不愉快にさせたであろう、洗練された、一歩離れた調子でそのメッセージを伝えた。「ウェッブは君が手紙で煽動的行為を続けていることにひどく腹を立てている。君が西洋の結婚習慣に水を差すのをやめるよう、東洋に一年行ってもらい、そこの結婚習慣について本を書いてもらいたがっている」とショーは書き、彼が今もアンバーとブランコ・ホワイトと関係を続けていることについては、驚くほど同情的だった。「運がよければ、若夫婦がそうした傑出した人物と友情を結ぶのは、まったく正しいことだ。そしてAは御しがたいお転婆なので、面白い連中と付き合うのを大目に見る以外に、彼女にひどく無謀極まる冒険をやめさせる方途はない。だから君が、ウェッブの計画の否定的部分（もう手紙は書かない）には従い、アジアに関する部分は無視すれば、事態はごく順調に進むだろう、ゴシップの有無にかかわらず」。彼はロザマンド事件の時の説教とは非常に違う調子の手紙をショーから貰ったことに喜んだ。「我が親愛なるショー、時折君は困難に向かって立つだけではなく、その上に飛翔さえする。僕はこの二年ほどの僕らの文通から、君が撤回してもらいたいと思うものをなんでも撤回する……事態はほぼ君の推測通りだ。アンバーはウォルディンガムのプライズに小さなコテージを持っている。B・Wはロンドンで働いていて、暇な時にそこに行く。僕は彼が好きだ。そして僕は恥も知らずに彼女に惚れていて、そこに実に何度も行く。リーヴズ夫妻はそれがどのくらいか知らないが、もしリーヴズが知ったら大変なことになる」。ペンバー・リーヴズは、「悪党のウェルズと、その情婦」（彼はどうやら、友人との会話では二人をそう言っていたようだ）に、これまで以上に憤激した。事実、リーヴズにいささか同情しないというのは難しかった。ニュージーランドで政界に復帰するという希望を失ったリーヴズは、その年の初め高等弁務官を辞任し、ロンドン・スクール・オヴ・エコノミックスの学長の地位に就くことを受諾した。ところが就任早々、学内全体が、同校の最も有名な大学院生である、自分の娘を巡るスキャンダルで騒がしいのに気づいたのだ。

今度は、ショーが自分の味方なのでウェルズは安心した。とりわけ、ビアトリス・ウェッブが介入し始め、九月初旬、アンバーに命令口調の手紙を書いたからだ。「あなたは幸福な結婚と、H・G・ウェルズとの友誼の継続のどちらかを選ばなければなりません——それも、すぐに」。驚いたことに、ビアトリスは二人の情事について、ごく最近耳にしたばかりのようだった——シドニーはできるだけ長くゴシップが彼女の耳に入らないようにしていたのに違いない。彼女は彼と自分たち夫婦の友情は終わったと宣言し、彼に対する猛烈な中傷運動を開始した。そのことを彼は、休暇でジャマイカから家に戻っていたシドニー・オリヴィエの家に、ある日泊まっていた際に発見した。朝食の時、郵便物を開けていたオリヴィエは、一通の手紙を読みながらくすくす笑い、その手紙を彼に渡した。「君を笑わせるようなことが書いてある、ウェルズ」。それは、彼を笑わせなかったが、ウェッブ夫妻の署名のある回状で、ビアトリスが書いたのは明白だった。それは、「十五歳から二十歳までの娘を持つ私たちのすべての友人に」に宛てたもので、純潔な少女に関して、H・G・ウェルズが略奪的習慣を持っていることを警告していた。彼は直ちにシドニー・ウェッブに宛て二通の怒りの手紙を送り、名誉毀損で訴えると脅した。ショーによると、それを読んだシドニーは怖くなり、ビアトリスに中傷の手紙を書くのはやめるように言った――しかし、その件に関わるのはやめるようにとは言わなかった。

九月末頃のある日、彼がブライズのコテージに着くと、アンバーは彼に会った途端、「ビアトリスがきのう、ここに来たわ」と言った。

「本当かい？　なんて言った？」

「あなたとの関係をすべて断って、リヴァーズの妻として生きるか、それが嫌なら、わたしの家族と暮らすべきで、こんな風に変則的にあなたと会い続けるなら、わたしはやがて世間から爪弾きされ、おそらく、小説によく出てくる、身を落とした女になってしまう。そう、あの人はそんな風にははっきりとは言わなかったけど、要するにそういうこと」

「ビアトリス・ウェッブはオールドミスの魂を持った、おせっかい女で、もう一人のオールドミスと結婚してるんだ」と彼は憤然として言った。「彼女は母になる期待で輝いている君を見ると、嫉妬と敵意しか感じないんだ。彼女はどんな用で来たんだい？」

「そう、わたしが呼んだの、本当を言うと」

彼はまじまじと彼女を見た。「一体、なんだってそんなことをしたんだい？」

「わたしはウェブ夫妻が好きだった。わたしは少女だった頃、あの二人に大きな影響を受けた。とりわけ、ビアトリスに心酔していた。先日、わたしに助言をしてくれた手紙を貰って、ちょっと感動したの。わたしたちがどんな風に物事を見ているのか、説明したかったんだけど、無駄だった」

「もちろんさ」

「でも、あの人は心からわたしを助けたがっていた。家族のもとに帰るつもりはないって言ったら、和解の手筈を整えてあげるって言った。本心から」

「ビアトリスは僕らを助けることはできない――彼女は、本人さえ本当には信じていない基盤の上に作られた、厳格な道徳的枠組みに囚われてるんだ」

「あの人は言い続けた――『でも、どっちか選ばなくちゃいけないわ、あなた――ブランコ・ホワイトかウェルズか――二人ともというわけにはいかない、世間が許さないでしょう。もし夫が欲しければ、戻って夫と一緒に暮らすのよ。ウェルズが欲しいなら――わたしはそうだとは想像できないけど――あなたは夫と離婚し、ウェルズは妻と離婚しなくちゃいけない』。わたしは言ったの、『今は両方とも持ってる、リヴァーズとH・Gを。そうして、一緒にとてもうまくやっている』。すると彼女は言ったわ、『あなたの夫は、その状態をいつまでも続けることを認めてるって言うんじゃないでしょうね?』わたしは言ったの、『わたしたち、あの人に望みを持ってるの』。彼女はどうしようもないというふうに両手を挙げた――それとも、降伏して」

彼は笑った。「でかした、ドゥーサ!」

実のところ、今の状況に対するブランコ・ホワイトの見方は曖昧だった。ウェルズ自身とアンバーの関係は、今では純潔なものだということが三人のあいだで了解されていて、そのことが、彼が自己正当化の手紙を友人や敵に送った理由にもなっていた。彼とアンバーは、彼女がコテージに住むようになった最初の頃、誘惑があったにもかかわらず、その約束は破らなかった。また、彼女の腹が膨れるにつれ、それは問題ではなくなった。妊娠は彼女を奇妙な具合に一種の処女に戻した。少なくとも貞潔な状態に。彼女はコテージに処女王のように君臨した。彼とブランコ・ホワイトは、彼女につききりでご機嫌を取る廷臣だった。彼女がその役割をかなり楽しんでいるのは明らかだった。彼女は一人でいる時は小説を書いて時間を潰した。さらに、エスターから主婦としてのいくつかの仕事を習い始めさえした。エスターは彼らが地元で雇った非常に有能な料理人で「お手伝い」だった。ブランコ・ホワイトは彼に対し、二人がコテージで稀に一緒になると、丁寧で控え目に友好的だったが、二人は個人的な事柄を論じるのは避け、政治について話した。主にロイド・ジョージの「民衆予算」を巡っての政府と上院の闘争について。それは国体の危機になりそうな問題で、国中が沸いていた。ブランコ・ホワイトは仕事をしている際に、盛んにゴシップを飛ばされ、大いに注目されたに違いないが、それを考えると、賞賛すべき威厳と自制心をもって行動したと言うべきだった——しかし、赤ん坊が産まれたあとどうするつもりなのだろうか？　彼とアンバーが純理論的に論じた暮らし方、つまり、彼女はブランコ・ホワイト夫人としてブライズに住み続け（体面上、一人の女の付き添いと一緒に）、彼と夫が、それぞれ別な時間にそっと訪れるという暮らし方を、ブランコ・ホワイトが了承するとは想像しにくかった。ブランコ・ホワイトが『彗星の日々に』の結末に似たような将来を考えているとは彼には思えなかったが、その点を聞き質《ただ》したり、三人がブライズで作ったデリケートなバランスを崩す危険を冒したりする気にはなれなかった。

彼は『アン・ヴェロニカ——現代の恋の物語』の新刊見本をコテージに持ってきた。それは、フィッシャー・アンウィンがそのシーズンの目玉として出版する予定のものだった。彼は不安を感じながらそれをアンバーに渡した。彼はそれまで、いかなる形であれ、それを彼女には見せなかった。ジェインが自分の作品を最初に読む特権を持っていると感じていたからだ。ジェインは校正刷りを読み終わると言った。「これは、あなたとアンバーの話だと受け取られるのを知ってるの？」彼は自分が注意して作った現実とフィクションの違いを指摘して、その予言を否定した。「アン・ヴェロニカはアンバーよりずっと郊外で育つし、遥かに世間知らずだ。彼女はケンブリッジじゃなく、ロンドン大学に行き、哲学じゃなく生物学を学ぶ——」。「それは単なる細部よ」とジェインは言った。「誰だって、それは見抜ける」。「それに、ケイプスより遥かに僕に近い、あるいは、人が考える僕に遥かに近い二人の登場人物がいる」と彼は続けた。「そうして、ケイプスは最後には妻に離婚されるが、僕らは離婚しない——絶対に」。そして彼は、その点を強調するかのように彼女にキスをした。彼女は喜んだ。それでも、その会話は彼を不安にした。彼は心の底では、自分がこの小説をアンバーに見せなかったのは、もし彼女が見れば、とても応じられない変更と削除を要求するのを怖れたからなのを知っていた。最近彼女は、その本に対する好奇心を露わにしているので、彼は彼女に見せるのをもはや延ばすことができなくなった。彼女は、赤味がかった茶色の布で優雅に装丁され、文字と装飾に金箔が使われている表紙の本を取り上げ、「とうとうね！」と叫び、偶然、献辞の頁を開けた。「A・Jに」。「誰なの？」「もちろん、アンバーとジェインを合成したものさ」と彼は言った。アンバーはにこりとし、ベッドに持って行って、眠りに落ちるまで読むつもりだと言った。

翌朝彼女は、本を手に、蒼白い寝不足の顔をして、朝食に遅く降りてきた。一晩中、坐って読んでいたのだ。「アン・ヴェロニカは、わたしよ」と彼女は咎めるように言った。「これは、わたしたちの話」。「いや、違う、アンバー」と彼は怒ったように言い、ジェインに対して使ったのと同じ論法で、そうではないことを納得させようとしたが、ジェインの場合と同様無駄だった。フィクションは生活からのみ作られ、れっきとした小説で作家の多くの経験を含んでいないものはないが、そうかと言って、フィクション全体を伝記として扱っていいわけではない、ということを人が理解していないのに、彼はいつも苛立った。「でも、人は半分でも手掛かりがあれば、そう思う。あなたはそれ以上の手掛かりを与えた」とアンバーは言った。「〝アン・ヴェロニカ〟という名前さえ、わたしの名前の綴り変え《アナグラム》みたい」。「でも、そうじゃない」と彼は衒学的に指摘した。「ごく近いわ」とアンバーは言い返した。「それに、彼女は柔術のコースをとる！　わたしのケンブリッジの友達はみんなそれに気づくわ。なぜそんなことを書いたの？」「わからない」と彼は弱々しく言った。「それに、今がこれを出版する最悪の時なのよ！」と彼女は言った。「わたしたちの関係に世間の目を惹いてしまうのに決まってる」。もちろん、彼女の言う通りだったが、これまで彼は、火を見るより明らかなその事実を、意識から払い除けようとしてきたのだ。「とめられないの？」と彼女は言った。「残念ながら駄目だね、ドゥーサ」と彼は言った。「手遅れだ。本はすでに書店の倉庫にあり、書評用の本もすでに発送された。僕らは難局に備え、嵐が通り過ぎるのを待たなくちゃいけない」

そして、まさに嵐が起こった。ゆっくりとではあったが。『タイムズ文芸付録』と『アセニーアム』に載った『アン・ヴェロニカ』の早い書評は好意的だったが、R・A・スコット＝ジェイムズが『デイリー・ニュース』に書いた書評は、今後起こることを警告していた。「小説としては見事で、面白い」と彼は書いた。「しかし周知のように、ウェルズ氏は小説を自分の見解を表明する媒体として使っている。ウェルズ氏の心理は、その根本において間違っていると私は主張する。彼は現代社会に対して、また、発展の機会の欠如に対して抗議する点では正しいが、その悪の原因は、満たされぬ性的衝動ではない。それは単なる徴候である。ある強い性的情念を煽ることによって物事を正すことはできないだろう」。それは公正な指摘で、無責任な発言ではなかった。しかし、『T・Pのウィークリー』（急進的議員T・P・オコナーが創刊した週刊誌）の筆名「ジョン・オ・ロンドン」による書評は、もっと大衆迎合的で、論争的路線をとった。「そういうわけで、『アン・ヴェロニカ』は今年の冬、英国の娘たちによって読まれ、話されるのは間違いない。私に言えるのは、英国の娘たちが動揺しないことを望む、ということだけである。ウェルズ氏の小説が相当の害をなすのは、火を見るより明らかである」。英国の娘たちが誘惑に直面すると、既婚の恋人にアン・ヴェロニカが言った言葉を引用してその通りに振る舞うことを、ジョン・オ・ロンドンは怖れた。「あなたをわたしのものにするのが一番大事、ほかのどんなことも、それを相殺《そうさい》することはないの。道徳は、それが解決した時にのみ問題になるの。結婚できなくても、まったく構わない、わたしは何も少しも怖れていない——スキャンダルも、困難も、闘いも……むしろ、それを望んでいるの。本当に望んでいるの」

振り返ってみると、このスピーチは将来の災いになりかねないものに見えた。彼とアンバーには、いまや耐えねばならぬ多くのスキャンダル、困難、闘いがあった。二人のどちらにとっても、それは愉快なことではなかった。その小説は貸本屋から禁書にされ、全国社会浄化運動、キリスト教女子青年会、マザーズ・ユニオン、少女共済会から非難された。それは説教壇から弾劾された。ある司教座聖堂参事会員は宣言した。「わたしはあの本をわたしの娘の手に渡すよりは、ジフテリアもしくは腸チフスに感染した家に娘を送ったほうがよい」。『彗星の日々に』向けられたのと同じ世間の非難が、今度は『アン・ヴェロニカ』に向けられたが、同書の中心的な恋愛事件は、作者が目下関係している恋愛事件に密接に照応しているという噂によって煽られ、非難の激しさが増した。アン・ヴェロニカは離婚したケイプスと合法的に結婚し、父と叔母と和解したという風に彼が書き直した結末は、道学者の憤激を鎮めることにはならず、文芸批評家から、こじつけとしてしばしば批判された。そのため今になって彼は、もっと正直であって、主人公たちを内縁関係のままにしておかなかったのを悔いた。

こうしたすべての論議は、もちろん、売上げには有利に働いた。フィッシャー・アンウィンの一同は、貸本屋の禁書になったことを補ってあまりあるほど注文が次々に来たので、両手を擦り合わせて嬉しがった。しかし、本の売行きが好調であることは、彼自身の不快な気分を埋め合わせなかった。彼は自分が友人にとって、同情の対象、当惑の原因になり、彼らが自分を避けていることを意識した。社交上の催しに招かれることは少なくなり、クラブに顔を出すと、遠くから見えた会員たちは、彼が目を離した隙に、不思議にも視界から消えるように思えた。彼の間違いでなければ、ある日リフォームで、ヘンリー・ジェイムズも姿を消す術を使った。そして、そのあと、『アン・ヴェロニカ』を贈ってもらったことに対する礼状を寄越した。その中でジェイムズは、その小説を褒めかつ貶《けな》す文章を長々と書いていたが、それはいつもよりわざとらしかった。「君の全描写においてなされている事柄の量は、僕の最も生き生きとした賞讃の念を掻き立てる――その結果僕は、伝えられた感情および受けた衝動の力のもとで、共鳴と同意をもって、夢中になることができた。あたかも、君の〝手法〟とその他の五十の事柄が――それは起こってくる鋭い質問という意味だ――僕をひたすら受身の、説き伏せられた、挑戦しない、何も問わない状態にしたかのようだった(だが、そういうことはない――いや、ない!)」

彼の古い仇敵、『スペクテイター』の編集長ジョン・セントロウ・ストラッチーは、『アン・ヴェロニカ』について、もっとはっきりとした意見を持っていた。十一月末まで表明しなかったが。その書評は無署名だったが、ストラッチーの高圧的な非難の文体は、その題、「有害な本」とそれに続く文章から間違えようがなかった。

　本書がわれわれの心に掻き立てる憎悪と憤激は、健全で健康な国家にとって不可欠の、個人の自制心を損なうであろう影響に対するものである。同書は実際、女性の名誉などというものはない、もしくは、あるとしても、それは弱い誘惑に対する防波堤でしかないということを教えている……もし、動物的欲望あるいは肉欲が十分に人を夢中にさせるものであるなら、それに従うべきである。自己犠牲は夢であり、自制は幻想である。そうしたものは、ウェルズ氏の想像力の泥のような世界には存在しない。彼の世界は、義務や克己の光によって照らされていない、かさこそ音を立てて走る白貂《しろてん》と白鼬《しろいたち》の社会である。

ストラッチーは、アン・ヴェロニカの行動を弁護するかもしれない者を、サミュエル・ジョンソンを引用することで一蹴して文を結んだ。「会話の中でボズウェルは、夫を裏切った女を詭弁的な弁解で擁護した。ジョンソン博士は、短いが不滅の言葉で遮った――『君、美徳と悪徳とを混ぜることに、心を慣らしてはいけない。その女は——だ、それだけのことだ』」。

彼はその書評をアンバーの目から隠しておきたかったが、次に彼女を訪ねた時、ある匿名の人間がブライズのコテージの「居住者」にそれを送ったことを知った。彼女は彼にそれを見せようと、すでに手に持っていた。「もう見たよ」と彼は言った。「低劣だ」。「最後のダッシュのところは、なんていう言葉かしら?」と彼女は、客観的に興味があるふりをして言った。「〝淫売〟だと思うな」と彼は言った。「でも、ストラッチーは偽善者なんで、印刷しなかったんだ」。「わかったわ」と彼女は、ほんの少し顔を紅潮させて言った。数分後彼女は、疲れたと言って自分の部屋に行ったが、明らかに動揺していた。彼はその書評を送ってきた悪意のある人物を呪った。最初はビアトリス・ウェッブを疑ったが、封筒の筆跡をよく調べてみると、ヒューバート・ブランドの筆跡のように思われた。ブランドはビアトリスから住所を教えてもらったのだろう、そして、その小説が悪評を蒙っていることにほくそ笑み、その特に作者を傷つける書評をアンバーにどうしても見せたかったのだろう。奇妙な偶然から、『アン・ヴェロニカ』の出版が、彼とアンバーとの情事のスキャンダルが大変なことになった、まさにその時に、ロザマンド・ブランドはその月、ついにクリフォード・シャープと結婚した——ひょっとしたら、それは偶然ではなかったのかもしれなかった。ひょっとしたらロザマンドは、ウェルズとアンバーが社会的破滅に向かって進んで行く姿を見て怖くなり、両親が好意を持っている男と結婚したのだろう。だが、それは奇妙な反復だった——彼の二人の若い愛人が、同じ年に、忠実な若者と結婚するというのは。

彼はヴァイオレット・パジェットから手紙を貰った。彼女は彼の長年の友人であり、彼の作品の愛読者で、「ヴァーノン・リー」という筆名で小説等を書いていた。彼が巻き込まれているスキャンダルの噂を耳にした彼女は、心配した手紙を寄越した。彼は状況を率直に要約した返事を書き、こう結んだ。「ほらご覧! 君が一瞬たりともそれを許さないのを、僕は知っている——誰も許さないようだ。僕は妻と別れるつもりはない。妻の人生は僕の人生の上に築かれている。また、僕を必要としている息子たちとも別れるつもりはない。また、自分の考えや、恋人と会うのをやめるつもりはない。僕はともかく、僕の友人にして子供である恋人と会うつもりだし、彼女を無理矢理〝本物〟と結婚させようとしているしつこい連中から、全力で彼女を守るつもりだ」

彼はこの手紙を書いてほっとしたが、それを読み返しながら、自分の挑戦的な姿勢がいかに非論理的で非現実的かということを痛感した。ともかくその手紙を送ったが、闘いに疲れを覚え始めた。キャンキャン吠える猟犬に囲まれ、血を流して疲労困憊している、絶体絶命の牡鹿のような気分だった。彼はアンバーもジェインも疲れ始めているのではないかと思った。二人ともそれを認めなかったけれども。ジェインはブライズにアンバーを訪ねなかったが手紙は出し、赤ん坊用の衣服を買い、彼がそれを持って行った。彼らがロンドンに移ったのは幸いだった。サンドゲイトでは、ジェインは地元のゴシップの対象になっただろうから。ハムステッドの隣人たちはさほど穿鑿好きではなかった。あるいは、都会的な挙措の裏に好奇心を隠した。だが彼は、ジェインのロンドンの友人と知人の何人かが彼女を「外す」ことにしたり、彼女の招待を断る口実を見つけたりしているのに気づき、後ろめたさを感じた。

アンバーはと言えば、妊娠して日が経つにつれ、いっそう受身に、物思いに沈むようになり、生まれてくる子供のことばかりを考え、麻酔薬を与えられたかのように、コテージの中をゆっくりと歩いた。時折、彼の手を取り、赤ん坊が蹴っているのを教えようと、腹の上に置いた。彼は指先で、スモックを通して、凸状の腹部を優しくぐるぐると撫ぜた。近頃では、それが二人の愛の営みの限度だった。「男の子が欲しいかい、女の子が欲しいかい」と彼は、十二月初めのある日の暗い午後、暖炉の前のソファーに二人で坐っている時に訊いた。

「どっちでもいいの」と彼女は言った。

「女の子だといいね」と彼は言った。「君くらいに勇敢で美しい娘が欲しい」

彼女は微笑した。「で、なんていう名前にする?」

彼はしばらく考えてから、「アンナ・ジェイン」と言った。「〝アンナ〟は、混乱を招かずに、アンバーに一番近いからさ――」

「そうして、アン・ヴェロニカに?」と彼女は口を挟んだ。

「たぶん……、〝ジェイン〟は、彼女は今度の一連のことで頼もしかったからさ」

「いいわよ、もし女の子だったら〝アンナ・ジェイン〟っていう名前にしましょう」とアンバーは言った。「もちろん、リヴァーズが賛成すればの話だけど」

「もちろん」と彼は言った。だが、ブランコ・ホワイトが優先権を持っていることを思い出させられると、気が滅入った。彼は黙って彼女の腹を撫で続けた。

「あの人は、きのうここに来たわ」と彼女は、間《ま》を置いてから言った。

「そうかい？　彼は週の中頃には大抵来ない」

「わたしを連れ戻したがってるの」と彼女は言った。

「そうかい？」と彼は、それを聞いていかに心が乱れたかを気取られないようにしながら言った。「で、君はそうしたいのかい？」彼はマッサージをやめた。

「わからない」と彼女は言った。「赤ん坊のためにそうすべきだって時々思うの。あなたもリヴァーズも来ない時は、わたしはここでとっても孤独」

「君が赤ん坊をここに連れてきた時は、ちゃんとした子守女が来るように手配するよ」と彼は言った——彼女が赤ん坊を産むために、彼の費用で個人産院に行くということは、すでに決まっていた。

「ありがとう、H・G、でも……赤ん坊だけのことじゃないの」と彼女は言った。「リヴァーズはこんな風にずっと続けるつもりはないの。あの人はきのうこう言った、『この馬鹿げたことは、君が赤ん坊を産む前にやめるべきだ』」

「そうかい？　奴は不意に威張り始めたんだな。君はそれに対してなんて言ったんだい？」

「あなたはあの人と話さなくちゃって言ったの」

「リヴァーズはいくらだって僕に話してもいい」と彼は言った。「でも、僕に君を諦めさせることはできない」

「どうやって？」

「リヴァーズはできると思っているようよ」

「わからない」と彼女は言った。


翌日彼がハムステッドから戻ると、ブランコ・ホワイトから手紙が来ていた。それには、事務所で会いたいと書いてあった。それは実際、願いというよりは命令だった。そして、会えるいくつかの日と時間が書いてあった。彼は一番早い日を選び、翌日、不吉な予感を覚えながら地下鉄でリンカンズ・インに行った。アンバーが話したような、また、彼の手紙に表われていたような、自信に満ち、自己主張をするブランコ・ホワイトは、まったく新しい人物だった。そうなる、ある理由があるに違いなかった。

彼は事務所に着くと、二人がこの前話し合った、階段の一番上のごたごたした事務所ではなく——それがいかに昔のことに思えたことか——磨かれた黒っぽい木の長方形の大きなテーブルと、数脚の背の真っ直ぐな椅子のある会議室のような所に通され、数分待たされた。彼が手持ち無沙汰で両手を組んで親指同士をくるくる回し、法律関係の本がぎっしり並んでいる、正面がガラスの戸棚を眺めていると、両手にいくつかの淡黄色のフォルダーを持ってブランコ・ホワイトが現われ、「お早うございます」と堅苦しい調子で言って、テーブルの向かいの椅子に坐った。ブランコ・ホワイトはテーブルの磨かれた面にフォルダーを置き、手で四角に整え、「お出で頂いて感謝します」と温かみのまったくない声で言った。「長くはお引き止めしないと思います。おわかり頂けるでしょうが、わたしはアンバーの夫を自分で代弁する弁護士として話しているのです。ブライズでのシャレードは長過ぎました。アンバーはわたしの妻として、わたしのところに戻らねばなりません。あなたは最少三年間、彼女に会わず、連絡もしないという誓約書に署名しなくてはなりません。それをここに持っています」。彼はフォルダーの一つをテーブルの向こうから、すっと滑らせた。

「アンバーが自分で決めることだ」とウェルズは、フォルダーに手を触れずに言った。「わたしはそんな誓約書に署名なんかしない」

「それなら、名誉毀損であなたを訴えます」とブランコ・ホワイトは静かに言った。「ここにあるんです」——彼は残りのフォルダーを軽く叩いた——「あなたの小説のアン・ヴェロニカという人物はアンバーのポートレートで、明白に名誉毀損になるポートレートだと認める、非常に尊敬されている方々の宣誓供述書があるんです。あなたは『スペクテイター』の書評——『その女は淫売だ、それだけのことだ』——と、ほかの新聞雑誌の似たような批評をお読みになったはずだ」。弁護士は無表情だったが、目には誇らしげな光が宿っていた。

彼はせせら笑いをしようとし、怒鳴り散らし、嘲り、ブランコ・ホワイトに法廷で会おうと言い、誓約書の入っている、開けていないフォルダーをテーブルに残したまま部屋を出た。しかし、心の中では、自分が負けたことを知っていた。アンバーが証人として出廷を求められることなしには、名誉毀損の訴訟に抗弁できる手立てはなかった。彼はアンバーにそんな苦しみを味あわせることはできなかった。たとえ彼女が出廷すると言っても。彼はリンカンズ・インから直接ブライズに行き、ブランコ・ホワイトの最後通牒のことをアンバーに話した。

「彼がこういうことをするのを、君は知ってたのかい？」

と彼は訊いた。

「正確には知らなかったけど、一か八か事に決着をつけようとしてたのは知ってる」と彼女は言った。

「で、君は彼のもとに戻って、僕を諦めたいのかい?」

「あなたを諦めたくはないわ、マスター」と彼女は言った。「でも、たぶん、わたしたちには選択の余地がないと思う。わたしたちは行き止まりに来ちゃったのよ。素晴らしい冒険だったわ、あなたに会えなくなるのはひどく淋しいけど、わたしたちの子供のためには、それが一番だと思う——ジェインのためにも、なぜって、あの人をこれ以上、恐ろしいゴシップや中傷に晒すのはフェアじゃないから」

アンバーは泣き始めた。彼は彼女の体に腕を回し、自分も泣いた。


彼は事の進行を遅らせ、誓約書の条件について文句を付け、三年を二年に短縮させ、個人産院の費用を持つという申し出を撤回したが(ペンバー・リーヴズが支払いをしなければならないだろう)、十二月半ばに誓約書に署名した。その頃には、アンバーはコテージを去り、ロンドンの個人産院に入り、子供の誕生を待っていた。法的な取り決めは新年初めまで発効しなかったので、彼はそこに彼女を訪ね、一緒に近くのハイドパークに散歩に行った。しかし、それが彼の最後の挑戦的な意思表示だった。彼は二人の別れは避け難いという事実から気持ちを逸らすため、新しい家での家族の最初のクリスマスの準備に没頭した。十二月二十二日にジェインはクリスマス前の昼食パーティーの手配をした。招いたのは、アーノルド・ベネット、ロバート・ロス、コンスタンス・ガーネット、シドニー・ロウ夫妻、ウィリアム・アーチャー——それに、メイ・ニズビットだった。彼らは休暇には、昔からの仕来りで、相変わらず彼女を招いた。ヘンリー・ジェイムズも招待されたが、本当とは思えない理由で断った。スキャンダルの広がりつつある漣《さざなみ》に不安になったのは疑いない。彼はアーノルド・ベネットに早めに来るように言い、書斎に連れて行き、この九ヵ月の経緯をすべて話した。「そんな緊張に君がどうやって耐えたのか、僕にはわからないね」とアーノルドは、話を聞き終えると言った。「僕もさ」と彼は率直に言った。「精神的に参りそうになった時もあったよ、実際」。「しかしもう、すべて終わった、ほっとしてるに違いないな」。「無感覚になったみたいだ」と彼は言った。だが、陽気なふりをし、昼食パーティーを盛り上げることがなんとかできた。

翌日、ヴァイオレット・パジェットから、彼の挑戦的な手紙に対する返事が来た。いつもながら、この婦人の言うことは思慮深く、示唆に富んでいた。彼女が思うには、彼の話は「容易に理解でき、容易に同情でき、容易に許せるのですが、わたしの奥深く染み込んでいる考えのいくつかと衝突するのです。女として、女たちの友人としてのわたしの経験から、若い女は、いかに多く読み、考え、話しても、また、いかに進んで、ある責任を負うつもりでいても、自分が何をしているのか、既婚の女や年長の女ほどは理解できないし、経験を積んだ男は若い女を誘惑してはならない、また、若い女が自分に恋するように仕向けてはならないという不文律は正しいということを、わたしは確信しています」。ヴァイオレットは上品ぶった女でもピューリタンでもなく、レスビアンで、その事実を友人たちから隠さなかった。その彼女がそんな風に考えたのなら、彼とアンバーが、人間関係における大胆な実験を成功させる見込みは、実際、まったくなかっただろう。ヴァイオレットはこう付け加えていた。「この話全体で、本当に興味深く思われる人物は、あなたの奥様です。わたしが心配しているのは、奥様の将来、奥様の幸福です」。彼はその気持ちに感謝した。情事の結末に彼が見ることのできた唯一のよいことは、長い闘いが終わったことに、ジェインが密かに、そして誇らしげにではなく、安堵していることだった。

大晦日に彼は、アンバーが女児を無事に出産したという知らせを受け取った。彼はそのことを手紙でヴァイオレットに伝えた。

親愛なる友よ、
今朝、僕の小さな娘が生まれた。君は親切至極な手紙をくれた。僕は、まだ僕のものだと言っている君の友情に、必死に縋りついている。アンバーと僕にとって、完全無欠な弁解はないと思う。僕らは楽しく、情熱的だった——僕らは非常に真剣に愛し合い、二人とも生きることに法外なほど貪欲だったということ以外、なんの言い訳もない。いずれにしろ、いまや僕らは、非常に多くのことに耐えなくてはならない——その最悪のものは、別れだ。僕らは、もっぱら妻と息子たちを愛するがゆえに、そうしている。
新年おめでとう
H・G・ウェルズ

第四部

1

――あんたがとうとうアンバーを諦めざるを得なかった日、大晦日に――一九一〇年の最後の日に――彼女が出産したというのは、不思議なほど適切だ。それは君の人生の一つの章の終わりを物語っている。

――そして、フェビアン協会とわたしとの繋がりが終わったことを物語っている。

――あんたはすでに一九〇八年に辞めていたが。

――わたしは方針の問題で辞めたんだ。しかし終始、いわゆる性問題の方針が、ショーは除いて、古老連中とわたしの争いの原因だった。ロザマンドとの情事に続くアンバーとの情事が、彼らの非難を激しいものにした。それがおおやけになると、彼らはわたしに完全に背を向けた。英国を社会主義に変えるために彼らに協力するという可能性は、もはやなくなった。

――でも、長い目で見れば、その可能性はあっただろうか？

――今になって考えれば、おそらくなかっただろう。しかしわたしたちは、友好的で穏当なやり方をし、空しい陰謀や中傷に多大な時間と精力を無駄にしなければ、協力できたかもしれない。

――『自伝の試み』の中であんたは、その責任の一端は自分にあると書いている。「思い起こすと、わたしの人生のいかなる時期も、フェビアン協会のコップの中の嵐の時ほど、その際の自分の間違った判断、突発的な衝動、まったく許し難い虚栄心を強く自覚して、心が疼く時期はない」

――確かにわたしも悪かった。しかしわたしたちが諍いをしたのは、女が性的に解放されるのはよいことだとわたしが信じていて、その信念にもとづいて行動したからだ。自らスキャンダルを求めたわけじゃない。自分と結婚していない女との関係を自慢はしなかったが、そうした情事が自分の過ちのせいではなく世間に知られるようになった時は、私は否定もしなかったし、詫びもしなかった。ピーズやブランド夫妻やウェッブ夫妻のような人間をひどく驚かせ怯えさせたのは、わたしのあけすけな態度と厚かましさと、ジェインがわたしを支持した事実だった。しかし、もちろん、『自伝』には、そのことについておおっぴらには書けなかった。

——あんたが自由恋愛に対する信念を正直に実践しようとしていたのを認めるとしても、著名なフェビアン協会員の生娘《きむすめ》を相手にそうしたのは、少々まずかったのではないだろうか？

——わたしが追いかけたのではない。女たちがわたしを追ってきたのだ。わたしは女から言い寄られて断ることはできなかった——断るなんて、わたしの性格じゃない。

——フェビアン協会のあんたの反対者に、彼らの娘の処女を奪うことで復讐していたのだろうか？

——ロザマンドとの情事では、そういう意図が少しあったのかもしれないと思う。それは、ピーズとブランドとシドニー・ウェッブが、わたしの協会改革の試みを妨害し始めた直後に始まった。わたしは抗いようもなく彼女に惹かれたとは言えない。彼女の性教育を偽善的な父親の目と鼻の先で引き受けたことには、一種の満足感があった。しかし、アンバーとの場合は純然たる恋愛関係だった。わたしは彼女と別れざるを得なくなったあと、ひどく彼女が恋しかった。

——彼女たちは両方とも、あんたの齢の半分くらいの、非常に若い女だった。あんたを非難する者の観点からこの問題を見てみると、あんたの情事は彼女たちを途轍もない情緒的重圧のもとに置き、両親から長いあいだ切り離し、完全に大人になる前に複雑な成人の人間関係の中に投げ入れ、人を傷つけるゴシップとスキャンダルの対象にした。それは、彼女たちにとってフェアだったろうか？

——そう、わたしに言えるのは、二人のどちらも、わたしを少しも恨んでいないということだけだ。戦争が始まる寸前にアンバーから手紙を貰ったが、そういうことが書いてあり、非常に嬉しかった。

彼は特に貴重な私信を仕舞ってあるファイリング・キャビネットの中を捜し、「ブランコ・ホワイト、アンバー」のところにファイルしてあったその手紙を、すぐに見つけた。一九三九年八月二十五日付のものだった。彼女は出版されたばかりの『人類の運命』を一部送ってもらった礼を書いていた。

最愛のＨＧ、わたしたちは昨夜ウェールズから戻ってきました。すると、あなたの本がありました——それはわたしたちを考えさせるもの、天の賜物でしょう。わたしたちの現在の生活が、わたしたちすべての者にとって終わりかけているように見えるこの時期には、人の考えは過去に遡ります。そして、たとえあなたに感謝する本がなくとも、あなたに感謝する手紙を書くべきだったと思います――ずっと昔にあなたがわたしにくれたものは――わたしには完璧なものに見えた希望、あなたの精神の影響、そしてアンナ・ジェイン――それ以来、ずっとわたしを支えてくれていますす。わたしは一瞬たりとも、それらが代償を払っただけの価値はなかったと感じたことはありません。

――寛大な言葉だ。

――アンバーは非常に寛大な人間だ。

――彼女はもし二十四になる前に、あんたによって姦通、出産、結婚に導かれなかったら、あるいは押しやられなかったら、もっと傑出した人生を送ったかもしれないとは、あんたは考えないのかね？

――彼女はあれ以来、充実した人生を送った。

――しかし、彼女はその世代の最も優れた学生の一人だった。あんたと関係して脇道に逸れなかったら、輝かしい学者の道を歩んだかもしれない。

――ケンブリッジではみんながそう言ったのを知っている。たぶん、今でもそう言っているだろう。しかし、ケンブリッジの連中は、そこは知的世界の中心だといつも考えているが、実はそうではない。アンバーは非常に立派な仕事をしてきた。彼女はモーリー・コレッジの哲学と心理学の講師の職を見つけた。そこで、通常の大学のコースからは除外されているが知識に飢えている、普通の男女の成人――とりわけ女性――に教えた。

――価値のある業績だが、実際には彼女の潜在能力を十分に発揮したものではない。

――アンバーは本当の意味で独創的な哲学者や社会科学者になれたとは思わない――彼女は学生の時にピークに達する者の一人なんだ。他人から与えられるヒントや助言を即座に取り入れ、一見見事な新しい何かにまとめるが、本物を作り出すのに必要な持続力と自信に欠けているんだ。彼女は『人間の仕事と富と幸福』に寄稿してよい仕事をしてくれたが、それは本質的に第二次的資料の巧みなダイジェストなんだ。

――彼女の小説はどうなんだね？　彼女はあんたと別れたあと、数冊出版した。

――まずまずの出来で、その一つ、一九一四年に出た『ある婦人とその夫』は実際によかった。成功した実業家の甘やかされた中年の妻の話で、彼女は自分の生活の質の基盤になっているのが賃金奴隷だという事実に不意に気づく。しかし、ほかの小説はかなり紋切り型だ。結局彼女は、自分自身の個人的経験に直面し、それを探求する勇気に欠けていた。

——たぶん、ブランコ・ホワイトにばつの悪い思いをさせたくなかったのだろう。

——たぶん。しかし、本当の小説家になりたいのなら、そんな類いの躊躇をしてはならない。わたしはこれまで、何人もの者にばつの悪い思いをさせた。

——その通りだ。アンバーを含め。

——彼女はアン・ヴェロニカの件では許してくれた。しかしブランコ・ホワイトは、彼女が小説で彼をモデルにすれば、彼女を許しただろうとは思わない。結局、女の小説家は、結婚を第一に考えるか、職業を第一に考えるか、どっちかを選ばなくてはならない、とりわけ子供がいたら

——アンバーは結婚を選んだ。

——その不運な出だしを考えると、驚くほど長くもっている。

——その通りだ。離婚法が緩和された時に、ブランコ・ホワイトが離婚委員に任命されたというのは皮肉だ。彼は今ではクロイドンの市裁判官（都市部の四季裁判所で裁判をした非常勤の地位。一九七一年に廃止）だと思う。法律家としては栄光の地位ではないが、堅実な地位だ。彼は廉直な男だ。

——彼はあんたを赦したかね？

——そうは思わない、本当には。しかし、ついにわたしと握手するのに同意し、二〇年代に、イーストン・グリーブのフラットで開いた、少々惨めな昼食パーティーに来てくれた、そして、ジェインが死んだあと、彼とアンバーに社交の場で会うのが楽になった。

——あんたはロザマンドには社交の場で会わなかった。

——そう。

——彼女はあんたとの情事のあと、かなり不幸な人生を送った。

——わたしを責めないでくれ——彼女をクリフォード・シャープと無理矢理結婚させた、彼女の両親を責めてくれ。彼はアルコール依存症になった——『ニュー・ステートマン』の編集長の職を失い、別の編集長の職も全うできなかった。彼と結婚することに対してわたしが警告したことを、ロザマンドは覚えていたよ。

彼はロザマンドから来た数通の手紙を「ブランド」のと

ころにファイルしている。便利なことに、「ブランコ・ホワイト」の隣だ。彼は一月二十九日付の手紙を取り出す。年は書いてないが、一九二九年頃に違いない。彼女は煙草の箱に入れるピクチャーカードに、彼の肖像を使う許可を求める手紙を寄越したのだ。シャープはニューヨークにいて職を探していた。彼女は英国にいて、ひどく困窮した暮らしをし、債権者を追い払い、広告代理店でパートタイムで働いていた。「不思議なことですが、わたしがにっちもさっちも行かなくなった時は、あなたに知らせるという、二十五年前にダイムチャーチの海岸でした約束を覚えているのです。その時あなたは、クリフォードはわたしにはよくないだろうと言いました。あなたはなんと恐ろしいほど正しかったことでしょう！　もちろん、そんな約束はどちらの側にもなんの意味もありません。わたしはそれを覚えていて、あなたはたぶん覚えていないということ以外」。

――もちろん、わたしは覚えていた。

――あんたは許可を与えたんだね？

――それと、小切手を。彼女はどんな金も要求しなかったが。アンバーも、わたしたちが別れたあと、アンナ・ジェインのためにも、自分自身のためにも金を要求しなかった――そうしてくれたらよかったのにと思う、なぜなら彼女は、あとでわかったのだが、第一次世界大戦の初め頃、ひどく貧しかったから。彼女たちは二人とも真っ正直で、高潔な若い女で、心《しん》からわたしを愛してくれ、金銭上の義務云々で愛情を汚すのを望まなかった。

ファイルには、何年も前に来た、ロザマンドからの別の手紙があった。それは、ウィリアム・オーペンが描いた彼の肖像を見たので書かれたものだった。「クリフォードが先日の夜帰ってきて、『タトラー』の頁をわたしの鼻先に突きつけ、『さあ、H・Gだ』と言いました。その通りでした。オーペンは恐ろしく上手です。彼は本来のあなたをすべて捉えています。これまで、誰もそうした人はいません。これは、忘れ難く、愛しいことを書く、本当のH・G、人が愛し、いつも愛した、誤解できなかったH・Gです。これは、かつてのわたしのH・G、わたしの心の奥では依然としてわたしのH・Gです。そう書くと、わたしの心の奥気に見えます。本当は逆なのですから。この前の冬、一つの発見をしました。わたしは病気で五ヵ月臥せっていました。自分は回復しないのではないかと思っていましたが、少しよくなった時、あなたの初期の本を再読しました――

十九か二十《はたち》の時に読んだすべてのものを。そして、〝ロザマンド〟としてわたしが考えた事柄は、単に、H・G・ウェルズを作り上げている何かなのに気づきました。そして、〝わたし〟というものが全然ないこと、自分のものだと思っていた考えや感情は、すべてあなたの中に見出せることに気づき、衝撃を受けました」。

――彼女がそう言ってくれるのは嬉しいが、彼女が自分自身について、それほど弱い感覚しか持っていなかったのは気の毒だった。彼女はある時点で、イカサマ師ウスペンスキー（一九四七年に没したロシアの神秘思想家）の弟子になった。

――彼女も小説を書いたのではなかったのかね？

――そうさ。非常に奇妙な小説を。『石の家の男』。ヒロインは十二歳の少女で、探偵小説家と純真な恋に落ちる。彼は過去に女に裏切られたので女を憎んでいるが、ヒロインの愛に応えている自分に気づく。大詰めで、もう一人の少女が児童虐待者に殺害される。そして探偵小説家は彼を殺して、ヒロインが成長した時に戻るつもりで、警察の手を逃れて世界を回る。それは、イーディスの児童向け物語のように始まるが、やがて成人向けの暗い何かになっていく。ロザマンドは表題紙に自分の名前を、なんと「ロザマンド・E・ネズビット・ブランド」と記した。

――母の名前で売上げが伸びると期待したのは疑いない。

――残念ながら、そんなことはなかった。

――それ以外にもっと小説を書かなかったのだろうか？

――書かなかった。残念だ、というのも、『石の家の男』はよく書かれているところもあるからだ。

――少々悲しい話だ、彼女の人生は。

――イーディスのブームが去ったあとは、一家の歴史は悲しいものだった。彼らは豪勢に人をもてなすことに金をすべて浪費したので、彼女の小説の売上げが落ちると、一家は困窮し、「別の家」を売らねばならなくなった。イーディスは、シェイクスピアは実はフランシス・ベイコンだったという説に取り憑かれるようになり、たくさんの時間をそれに無駄に費やし、ブランドは目が見えなくなり始め、そのため彼の稼ぎも減った。一九一四年に死んだ時は全盲だった。

――梅毒のせいだと、あんたは思うかね？

――彼が送ったような生活を考えると、そういう考えが浮かんだ。

――梅毒の存在が、自由恋愛に反対する最も説得力のあ

る論拠だ。

——予防措置を講ずれば、必ずしもそうではない。わたしはいつも、慎重にすべき時は、コンドームを使った。しかしブランドは使わなかった、彼の馬鹿げた宗教に反したからさ。

——あんたは彼が死んだあと、イーディスに会ったのかね?

——彼女は一年後、戦争の真っ最中に突然手紙を寄越し、自分は収支を合わせるために、ウェル・ホールの門のところで野菜を売ると書いてきた。それが、わたしがロザマンドと関係して以来、彼女から来た最初の連絡だった。その手紙は失くしてしまったが、彼女の書いていたことは覚えている。「喧嘩にはタイムリミットというものがあるべきだと思わないかしら?」彼女はわたしに訪ねてきてもらいたがっていたのだと思う。

——で、訪ねたのかね?

——いや。パディントン駅での事件のあと、彼女がジェインにひどい手紙を寄越したことを、わたしは忘れることも、赦すこともできなかった。わたしは丁重に返事を書き、遅蒔きながらヒューバートの死を悼んだが、会おうとは書かなかった。聞くところによると、彼女は数年後、再婚した。

——船員だったんだね?

——船員のようなものさ。トミー・タッカー。彼はウリッジ・フェリー担当の造船技師で、「スキッパー」として知られていた。子供たちは彼を少し身分が低いと考えていたと思うが、彼女が一九二四年に死ぬまで面倒を見た。二人は戦後、ウェル・ホールを売らねばならず、ダイムチャーチ近くのロムニー・マーシュにある、改造した空軍の仮兵舎に住んだ。二人はそれを「ロング・ボート」と「ジョリー・ボート」と呼んだ。

バータ・ラック(一九七八年に没した英国の女流恋愛小説家。「バータ」は「ロバータ」の愛称)は、イーディスが死んでからの話を彼にした——栄光の時代にウェル・ホールにしばしば招《よ》ばれたのだ。イーディスはラックがロマンティックな小説を書き始めた頃、力を貸した。二人は何かについて喧嘩をし(人はイーディスとよく喧嘩をした)、十五年間音信不通だったが、ある日バータは、イーディスが重病だという手紙を受け取った。そこで、見舞いに行った。スキッパーは、「ロング・ボート」(あるいは「ジョリー・ボート」だったかもしれない)のドアを開けると、「お乗り頂きありがとうございます!」と言った。

イーディスは、貧乏ながら体裁を繕っている、風変わりな家に住んでいるので、まるで彼女自身の物語の中に入ってしまったようだったとバータは言ったが、作者はハッピーエンドを密かに用意していなかった。彼女は肺癌で死にかけていたのだ。そして、バータを見て大層嬉しがり、また友人同士になった。バータは彼女が死ぬまで数度見舞い、本を読んでやった。バータの話では、最初は『ジェイン・エア』から読んだが、二度目は、イーディスが『キップス』のある章を読んでくれと頼んだ。彼はそのことを聞き感動し、彼女が、喧嘩にはタイムリミットがあるべきだと書いてきたのを機会に仲直りしなかったことを悔いた。

——あんたは一九一〇年以降、変わったと多くの者は思った——ちょっと非情になったと。外見は陽気で社交的だが、いっそう利己的に、いっそう打算的に、いっそう人を赦さなくなった。

——わたしは非情にならざるを得なかった。それまでの一年間、アンバーとの情事を巡って極度のストレスを受けていた。おおやけにも個人的にも中傷され、誹謗され、結局は彼女を失った。わたしは新しい人生を始めようと、家族全員でロンドンに引っ越した。わたしは自分の考えを公共のものにする手段として、フェビアン協会を使うという希望を捨てた。その後は、わたしの本が唯一の手立てになるわけだった。わたしは一人だった。非情にならざるを得なかった。

新たな十年間で最初に出版された本は、一九一〇年の春に出た『ポリー氏の人生』だった。それは、それまでの数年間、彼が巻き込まれた性的スキャンダルとイデオロギー上の論争の、目に見える痕跡がまったくない小説だった。ポリー氏とその他の主要登場人物は、すべて中産階級の下の人間で、貧しい教育しか受けていず、性的にうぶか、冒険心に欠けているかだった。たぶんその理由で、この小説は受け取られ方がかなり控え目だったのだろう。まるで書評子が、論議を呼ぶような内容がないことに戸惑ったか失望したかのように。この小説はきわめて徐々に、彼の最も人気のある小説の一つになった。それは、『キップス』のような初期の作品に先祖返りしたものと、批評家には見なされた——ある程度、その通りだった。だが、この喜劇的な牧歌的作品は、読み方を心得ている者には、甚だ破壊的なメッセージを伝えていた。すなわち、人は法律と社会のルールをすべて破っても、その後ずっと幸せに暮らすことができる、というメッセージを。ポリー氏は不毛な結婚生活と報われない商売から、自殺をし、その際、自分の寡婦が保険金を受け取ることができるよう、店に放火することによって逃れようとする。しかし彼は、その作戦に失敗する。自殺し損ね、自分の店と同じように流行らない何軒かの店も燃やしてしまい、それらの商店主はありがたく保険金を受け取り、彼は燃えている建物の一つから老婦人を救出して英雄になる。彼は貰った保険金の大半を懐中にし、妻を捨て、浮浪者のような暮らしをするが、やがて、川辺の旅館の母親のような女主人のもとで半端仕事をする、純潔な話し相手になる。そして、女主人に取り入って店主になろうとする、激しい気性のライバルの男と闘い、幸運と策略とで勝つ。大団円では、ライバルはポリー氏の服を盗むが、誤って溺死してしまい、その死体はポリー氏のものと認定される。その結果ポリー氏は、余生を新しい名前で旅館で暮らせるようになる。一方、彼の妻はまたしても保険金が貰える。それは彼が書いたものの中で最も不道徳な物語だが、英国の大衆は非難めいたことはまったく言わずに、それを受け入れた。なぜなら、それにはセックスに関する言葉は何もなかったからである。

だが、『ポリー氏の人生』と平行して書いていた次の小説『新マキャヴェッリ』は非常に違った本で、遥かに挑発的な作品だった。それは『トーノ・バンゲイ』の、饒舌で散漫な、第一人称の文体で書かれていて、語り手の人生と、イギリスの状況の幅広い概観とを一緒にしたものだったが、政治的傾向がずっと強かった。この小説は事実、過去十年、彼が政治と関わって味わった失望感に深く根差していた。主人公のリチャード・レミントンはケンブリッジ大学で政治学を学び、ロンドンで急進的なジャーナリストになった。そして、指導的政治家の妻になる野心を持っていた女、マーガレットに出会い、結婚する。そして自由党から立候補し、当選する。まもなく自由党と労働党に失望したレミントンは自らの理想国家――「憐れむべき貧民も、憐れむべき金持ちもいず、渓谷と川の只中で、武装し、秩序立ち、訓練され、目的意識を持ったような我が国、イギリス」――は、現代社会の車輪を実際に回す、力のある実業家を募集し、その中の理想主義的な者を説得し、献身的指導者のサムライ的エリートを作ることによってのみ達成できると考えた。その目的のために彼は保守党に鞍替えし、進歩的な保守党員グループを結成し、自分たちの出版物、『ブルー・ウィークリー』を発刊した。その際、魅力的で、因習に囚われない、イザベル・リヴァーズという若い女に協力してもらう。その頃までには、彼は性的に自分を満足させず、政治観も共有していない妻と別居していて、間もなくイザベルに恋するようになり、イザベルも彼に恋するようになる。二人の情事がスキャンダルになると、彼の人生は危うくなる。そして、彼の名声を救うため、イザベルは尊敬はしているが愛してはいない男と結婚しようとする。結局二人は別れるのに忍びず、「僕の精神とすべての野心のだらしのない母」であるロンドンを去り、リグリアの海岸に行って暮らす。そこでレミントンは、自分を亡命したマキアヴェッリになぞらえ、自伝を書く。

物語の後半で、ウェルズはアンバーとの関係のドラマを再現したが、フィクションの自分を、「恋こそすべて、世界を失うも悔いなし」(ジョン・ドライデンの劇の題名)の伝統に則《のっと》ってもっと悲劇的な主人公に見せることによって、自分たちの実際には竜頭蛇尾に終わった結末を書き直した。最初の部分で彼は、フェビアン協会員に対する恨みを晴らした。とりわけ、アルティオラとオスカー・ベイリーという人物を作ることによって。二人はグロヴナー街にあるウェッブ夫妻の家にそっくりの家で、政治サロンを開く。

彼女は背が高く、堂々とした体軀で、黒い絹の服を着、赤いビーズのネックレスをして見事だが、少々だらしがない。目は黒っぽいが深みはなく、澄んで固い声は、その特徴が目に見えるほどである。鼻は鷲鼻で、真っ直ぐな黒い髪は、疾風に吹かれた鷲の頭部の羽根のように乱れ勝ちだ……オスカーは妻のような立派な容貌を持っていないが、事実に対する実に驚くべき記憶力と、詳細な分析が得意である。彼は間もなく、そうした能力に与えられる限定的な栄誉を得た。そして、もしアルティオラに遭遇しなかったなら、終生、そこでとどまっていただろうと思う……

こうした特徴が、シドニー・ウェッブとビアトリスのポートレートだと人にわかるだろうということに彼は疑念を抱いていなかったが、皮肉を和らげ、二人が名誉毀損で訴えることがないようにするため、二人について、特にビアトリスについて嬉しがらせるようなことを書いたと確信していた。そして彼は、その小説の結末の部分がアンバーとの情事のクライマックスに密接に並行しているのを否定できなかったが、イザベルについて書いたことはアンバーに対する一種の恋文で、アンバーは怒るよりも、それを大切にするだろうと思った。細部は二人で一緒に送った生活から採られたもので（例えばイザベラがレミントンを「マスター」と呼ぶ習慣のようなもの）、彼女しかわからないだろうと彼は思った。そして彼は、名誉毀損で訴えると彼を脅して決定的な争いに勝ったブランコ・ホワイトが、得るものがわずかなのに、また名誉毀損で訴えると言って、世間で評判になるという不愉快な思いをする危険を冒すことはないだろうと思っていた。

ところが出版社は、その本に対して異常なほど臆病だった。マクミランは作者の説明にもとづいて出版契約を結んだのであって、校正刷りが出るまでその作品を読む時間がなかった。その校正刷りを読んだマクミランは、語り手が自分の性生活について率直に話すのに身がすくみ、その小説を断る理由を、『アン・ヴェロニカ』の場合の二倍も見つけた。マクミランは『新マキアヴェッリ』を手離そうと、話をまずハイネマンにもちかけ、次にチャップマン・アンド・ホールにもちかけたが、両者とも名誉毀損で訴えられることを怖れて断った。彼がアンバーにその小説の校正刷りを送り、彼女が自分もブランコ・ホワイトも法的措置をとるどんな理由も見出せないという、協力的で好意的な手紙を寄越したあとでさえも。結局、文学的に優れてはいるが危険な本の出版を専門にしていると言っていいジョン・レインが、その小説の出版を引き受けた。そして、一九一一年一月に発行した。二人とも自分たちの正しさを証明した。なんの名誉毀損の訴訟も起こされず、ビアトリス・ウェッブはその本に感銘を受け、自分とシドニーの戯画化は「悪意的だが、なんとも犀利」だと言ったのを彼は間接的に聞きさえした。

その小説は一九一〇年の後半に『イングリッシュ・レヴュー』に連載された時、かなり注目を惹いた。そして一九一一年一月に出版されると、方々で書評が出た。それは概して、感銘深いが欠点のある小説だと受け取られた。それぞれの批評家によって欠点は各様に指摘されたが。それは、物語の構成がしっかりしていないこと、主人公が政治的、社会的問題について退屈な長談義すること、実在の人物を悪意的に描いていること、主人公の抱える性問題に過度の注意を払っていること等々だった。ヘンリー・ジェイムズは、末期の病気に罹っている弟のウィリアムのそばにいるために行っていたアメリカから手紙を寄越した。それは、讃辞を装った彼独特の説教だった。「人生に対する君の深い感情、厚い世界を、それほどに大きく嚙み砕くことのできる君の能力。その一方、言ってみれば、君は夥しい数のものを味わい、かなりの量の涎を垂らす――これは僕にとっては、君の稀有で、見事で、賞讃すべき能力の発揮そのものだ。そのため人は、疑念を抱かず率直に、作品の効果、感情の喚起、悪霊に駆られたような全体的な動きの面で、一体、人はもっと欲しいと思うだろうかと自問する」。しかしもちろん、ジェイムズはもっと欲しがった――あるいはむしろ、より少ないものを。より少ない材料と、より完璧な形を。「僕は君が自分の大義に対し、いつもの、散漫なもの、即興的なもの、安っぽいもの、安易なものを高く評価する呪わしい自伝的形式を再び酷使することによって害をなしたと忠告する。まさしく忠告するのだ」。彼はヘンリー・ジェイムズと議論する気になれなかった。ましてや喧嘩をする気には。というのも、年上の作家のジェイムズを尊敬していたからだし、最近ウィリアムが死んでジェイムズが悲しんでいることに同情していたからだ。そこで彼は、ジェイムズの批判に対して、その批判を讃辞として受け取るという、H・Jと同じ策略を用いて応じた。「それが愛の折檻である限り、僕はその鞭に全面的に賛成で、キスをする。君は僕の本に感じた汚濁した混乱、ひずみ、乱暴さ加減を非常に美しく表現しているので、それはほとんど長所に思えてしまう」

それにもかかわらず、彼は将来書くつもりの小説は、ほぼ『新マキアヴェッリ』と同じ類いのものになるだろうから、文学的フィクションの決まった批評基準には合わないのを意識した。したがって彼は、これまでとは違った種類のフィクションのためのマニフェストを出すのが当を得ていると感じ、タイムズ・ブック・クラブに対する、「小説の範囲」と題する公開講演を、その演壇として使った。そして自分を、性格と個人関係の小説に取って代わる作品を目指す、新しい運動の実践者の一人とした。「わたしたちは政治的問題、宗教的問題、社会的問題を扱うつもりです。わたしたちは自由な裁量が許され、なんの規制もない、この新分野以外では、人間を描くことはできません……わたしたちは、事業、財政、政治、先例、見栄、礼節、無作法について、千の見せかけ、一万の欺瞞が、わたしたちの冷たく、明晰な解明という風の中で萎むまで書くつもりです……それをなし終える前に、わたしたちは小説の範囲の中に、すべての生活を取り入れているでしょう」。この講演は、アーノルド・ベネットによって『ニュー・エイジ』に報じられた。ベネットはもし問われたなら、彼が名前を挙げたであろう、その新しい運動に加わる可能性のある唯一の人物だった。ベネットはやや軽薄に、「大衆の中の、貸本屋を利用する本好きの階級……千人の女とバーナード・ショー氏」がそうした小説の読者だと書いたが、彼の論旨には賛成で、その記事は講演にとって貴重な宣伝になった。

『新マキアヴェッリ』は、もう一人の重要な女が彼の人生に関わってくる機会あるいは口実になった。エリザベス・フォン・アーニム伯爵夫人である。彼は一九〇七年以来、彼女とちょっとした知り合いになった。その年、フェミニスト作家で、「女流芸術家および作家」のためのライシーアム・クラブをロンドンに設立し、非常な成功を収めたコンスタンス・スメドリーが彼女を彼に紹介した。彼は以前から、作家としての彼女の名声をよく知っていた――それも当然だった。『エリザベスとそのドイツの庭園』は一八九八年の文学上のセンセーションを巻き起こした。短くて粋なこの物語は小説として出版されたが、自伝であるかのように読まれた。それは匿名で出版されたという事実によって、じれったいほどに謎めいたものになったが、小説では終始「怒れる男」と呼ばれる、プロイセンの貧乏青年貴族と結婚した、あまり幸せではない英国人の、または少なくとも英語を話す女の物語で、彼女は一年そこそこの間隔で三人の娘の母親になる。その三人は、「四月の赤ん坊、五月の赤ん坊、六月の赤ん坊」と言及されている。エリザベスは都会のアパートに住む退屈さから逃れるため、ポメラニアにある、夫の所有するなおざりにされた、不毛の田舎の所有地で多くの時間を過ごすようになり、あまたの障碍や支障をものともせずに、避難所として美しい英国風庭園を造り、そこで様々な客をもてなす。そして、そうした客の自己中心癖、無神経さ加減が、ジェイン・オースティン流の微妙な皮肉をもって観察されている。この本は抗し難いほど面白かった。とりわけ、夫の家長的偏見に勇敢に抵抗する語り手を愛した女性には。しかし、英国の男性の読者も、ドイツ人の風習に対する悪戯っぽい諷刺が気に入った。男女とも、彼女の園芸の仕事を抒情的に、喜劇的に描写した箇所を楽しんだ。この作品の著者が謎だということが、作品の魅力をいっそう強めた。それは、たちまちそのシーズンのベストセラーになり、最初の一年で十一回版を重ね、二年目にさらに十回版を重ねた。そして（彼は信頼できる筋から知ったのだが）、やがて作家は一万ポンドの印税を手にした。ジェインはその本に魅了され、彼にも読ませた。彼は一気に読了し、気が利いているが取るに足らないと言った。その判定には職業的嫉妬が混ざっていた。というのも、同書の売上げは、同年に出版された『宇宙戦争』の売上げを比較的少ないものに思わせたからである。

彼が作者に会う頃には、作者の正体は広く知られていた。彼女はその後数冊の本を出したが、最初の本ほど成功しなかったものの、無視できるようなものでもなかった。そして、伯爵の子をさらに二人産んだ。しかし彼は伯爵夫妻に初めて会った際、「怒れる男」は病気と財政難で衰弱し、エリザベスが一家を取り仕切っていて、主要な収入源だと推測した。彼女は小柄で、何人も子供を産んだにもかかわらず、均斉がとれていて、然るべき所で凹凸にカーブを描いていた。顔立ちは美しくも月並みに可愛らしくもなかったが、感じがよかった。彼が予想した通り、彼女は楽しい話し相手だったが、真の知性と思いがけぬ才能――例えば音楽家としての――が、世間話をしているあいだにもちらりと見えた。彼は小柄な伯爵夫人が好きだったが、彼女が泊まっていたライシーアム・クラブで一緒に昼食をとろうと招待されると、丁重に断った。大方はフェビアン関係の事柄だが、時間と手間をとるあまりに多くのことがあって、この新しい付き合いを深めることができなかった。その後、コンスタンス・スメドリーはどうやらエリザベスに促され、手紙を寄越した。それには、エリザベスが彼に断られたことに傷ついたが、依然としてしきりに会いたがっている、たとえそれが、特にその目的のためにイギリスに旅をすることを意味しても、と書いてあった。彼はエリザベスに手紙を書き、意図せずに失礼なことをしたのを当たり障りなく詫び、いつでも機会があればサンドゲイトに訪ねてくるようにと言った。

エリザベスは早速その機会を見つけた。その年の夏、彼女は独創的なツアー休暇を過ごすために子供たちをイギリスに連れてきた。それは、馬の曳くジプシーのキャラバンを借り、南東の州を回るというものだった。そして彼女は、その経験をもとに本を書くつもりだった。その夏の休暇は、誰の記憶にもないほどの雨に祟られ、一行はリーズ城で雨宿りをしているあいだに、車でスペード・ハウスに昼食をとりに行った。そのあとエリザベスの子供たちはジップとフランクとフロア・ゲームをし、大人たちは喋った。ジェインとエリザベスは意気投合した。フォン・アーニム一家に不便な思いをさせた悪天候は、その休日にもとづいた小説、『キャラバンで旅をする人々』の偶発的コメディーの材料になった。その小説は一年ほどのちに出版されると大好評で、文学好きの連中のあいだで、それを真似することが流行った。

彼は一九一〇年まで、小柄な伯爵夫人については何も耳にしなかった。その年、彼女の夫が死に、彼女が文筆生活を続けるために子供を連れてイギリスに来たということを彼は人伝てに聞いた。その年彼女は、『プリシラは逃げる』という、フェミニスト的感覚の劇曲を書いて、多才ぶりを発揮した。その劇は初日に大成功を博し、ヘイマーケット劇場でロングランになった。彼は自分の限られた経験から、また、アーノルド・ベネットの戯曲での数々の試みを通して、それが瞠目すべき成果なのを知っていた。そして、大衆の嗜好に媚びることなく、それを刺激する伯爵夫人の終始一貫した能力に感嘆せざるを得なかった。一方、エリザベスは『新マキアヴェッリ』が、『イングリッシュ・レヴュー』に連載されていた時に読み、手放しで賞讃した。「あなたの素晴らしいマキアヴェッリに大変な喜びを感じたことで、あなたをお煩わせするのをお許し下さい」と彼女は、連載が終わった時の十一月に書いた。「あなたのように物事を理解した人はいませんでした――ほかの人々はただ推測し、理屈を並べるだけです――あなたは知っているのです――なんという詩情、心の痛む、わびしい真実――人が読みたがる、あなたによって書かれたものは、未来の話なのです――おぞましい普通の歳月が過ぎ去った時に起こったことなのです」。彼女はまた彼に会えることを望んで手紙を結んだ。彼は自分の本を大いに褒めてくれたことに感謝する旨の短い手紙を書いた。追伸に、次の週のある一日、たまたま暇ならば、喜んで昼食をご馳走し、ハムステッド・ヒースに散歩にお連れしたい、というのも、ジェインがデヴォンにいる旧友を訪ねるので、自分は話し相手が必要だから、と記した。彼女は折り返し、都合が悪いという連絡がなければ次の火曜日にお邪魔すると返事をし、その言葉通り彼を訪ねた。

彼は昼食をとるためにハムステッド・ヒースの近くの村の旅館に彼女を連れて行き、そのあと、天気がよかったので、ヒースで長い散歩をした。彼はその日の午後、彼女について多くのことを知った。彼女が驚くほどあけすけに自分の人生について話したからだ。彼女はオーストラリアで、裕福な海運商の娘のメアリー・ボーシャンとして生まれた。父は第一世代の移民で、彼女がたった三歳の時に家族をイギリスに戻した。彼女ときょうだいは、イギリスと、しばらくのあいだだがスイスでよい教育を受けたが、彼女の野心と望みは、若い女にしてはフェミニズムに影響されない、きわめてありきたりのもので、よい結婚をすることが目的だった。そのために父は彼女をヨーロッパ大陸の周遊に連れて行き、そこで、親娘《おやこ》はヘニング・アウグスト・フォン・アーミング゠シュラーゲンティン伯爵に出会い、感銘を受けた。伯爵の母方の祖父はフレデリック大王の甥で、伯爵は妻を亡くしたばかりだったので、新しい妻を探していた。

「それはひどい間違いで、すべてわたしの責任だった」と彼女は、パーラメント・ヒルに立って、粉炭の層の下でくすぶっている巨大な暖炉のように、石炭の煙で覆われているロンドンの平野を見下ろしながら言った。「そう、それは一つには、ダディーがヘニングの貴族的な見かけを見抜けなかったせいもあるのだけれど、妹と、父が養子にしたわたしの従妹がすでに結婚していたので、馬鹿な話だけど、わたしは売れ残りになるのをひどく怖れていた、それに当時は、それはちょっと魅惑的な結婚に思えたの。ヘニングのために弁護すれば、彼は疑念を抱いていて、ためらった――わたしは二人が結婚せざるを得ないようにするため、ちょっと誘惑した。わたしたちは彼が実は文無しだってことを知らなかった。わたしは確かに、ドイツの主婦《ハウスフラウ》に何が期待されているのか、その人生がどんなにわびしいか知らなかった。そう、それがどんなものかは、『エリザベスとそのドイツの庭園』から少しわかるわ。でも、実際にはもっとひどかった――ヘニングはあの本を出していいって言う前に、たくさん削除させた」

「どうやって彼を誘惑したんだい？――失礼だが」と彼は訊いた。

「ヘニングはしばらくイギリスにいて、わたしと結婚すべきかどうか迷っていた。そこでわたしは、ある週末、名ばかりのシャペロンと一緒にゴーリング゠オン゠テムズのホテルに泊まっているってことを教えた。彼は誘いに乗った。わたしは窓の下にひたひたと寄せている波の音を聞きながら処女を失ったの。それが、その時の経験の唯一のロマンティックなこと」

「でも君はそのまま結婚した」

「そうせざるを得なかったの。結婚生活の肉体的面は必ずよくなるはずだと思った――けど、そうはならなかった。それは彼にとっては数分の快楽で、わたしにとっては九ヵ月の妊娠だった。彼は絶えずわたしを妊娠させた、どうしても息子が欲しかったから。わたしは絶え間ない出産から一休みするためにナッセンハイデに住んだ――それが、あの本に出てくる屋敷――なぜなら、彼はそこが本当は好きではなく、わたしたちのベルリンのアパートで暮らすほうが好きだったから。そして、彼は愛人を持った」

「それで君は庭園に慰めを見出したんだね」

「それについて書くことのほうにもっと。あの本の庭園はほとんど空想、実は——庭園について読んだ人は実物を見るとひどくがっかりした。わたしは本当の愛を知らずに生きることを甘受した。そして、そういう女は多いけど、文学的創作に充実感を求めた」

「でも、いまや君は自由に本当の愛が見つけられる」と彼はにこりとしながら言って、きわめて催眠作用があると言われていた青灰色の目を彼女に向けた。

彼女はその視線を冷静に落ち着いて受け止め、謎めいた微笑を浮かべた。「ええ、そうだと思う」と彼女は言った。「ちゃんとした相手が見つかれば」

彼は彼女をハムステッド地下鉄駅まで送って行き、さようならを言う際、彼女の手を取ってしばらく握っていた。

「僕らはまた会わなくちゃ」と彼は言った。

「ええ、そうしたいわ」と彼女は言った。「今、ヘイズルミアの妹と一緒に住んでるんだけど、ロンドンのフラットを探してるの」

「ヘイズルミア！」と彼は叫んだ。「その近くに高級下宿《ゲストハウス》のある農場があるんだ。僕は時々、仕事をしにそこに行く。またそこに行くことを考えているのさ」。実のところは、その考えは咄嗟に浮かんだものだった。

「もしそうなら……必ず教えてね」

「教えるとも」。彼は彼女の手を唇まで持ち上げ、キスをした。「さようなら《オー・ルヴォワール》」

「オー・ルヴォワール」。彼女は微笑し、改札口のほうに歩み去った。彼女のきりっと締まった尻が、ぴったりあったコートの下で揺れた。

翌朝、彼はジェインに宛て、急いで手紙を殴り書きした。「きのう午後一時に、僕と昼食を共にし、散歩に行こうという楽しい提案を持って、明るい小柄なフォン・アーニム伯爵夫人が不意に現われたことで、仕事と人生の重さが大いに軽減された。彼女は非常に上手に話し、新マキアヴェッリを暗記している。彼女は素敵な小さな友達になると思う」。彼はこう付け加えるのが賢明だと考えた。「彼女は自由に喋るが、彼女のモラルは厳しい（彼女は悲しい経験から赤ん坊が出来るかもしれないような関係は考えもしないことを学んだ）」。彼はその手紙を投函したあと、付け加えた文は、おそらく賢明でもなんでもなく、ジェインは、彼の考えていることを即座に察するだろうと推測した。

彼はチャーチ・ロウ一七番地の家に住むようになってから間もなく、その家を購入したのは間違いだったのに気づいた。家は彼らの目的には小さ過ぎた。そして、仕事をするには辺りは喧しく、落ち着かなかった。召使たちは一日中階段を登り降りし、もし誰かが客間に入ってくると、書斎にいて、アコーディオンドア越しにその音が聞こえた。ほかの欠点もあった。庭は高い塀で囲まれていて、バドミントンをするには狭過ぎ、ジェインが何か植えても育たなかった。絵画的な古い教会と教会墓地が近いということは、家を買った時は、その価値を高めるように思われたが、週日には、葬式と埋葬が行われているあいだ、喪のための黒い飾り物で装われた霊柩車が家の玄関の前に頻繁に停まり、通りにメランコリックな雰囲気を醸し出した。だが、彼の一番の不満は、仕事をするための静かな、隔離された場所がないということだった。そのため彼は、グレート・ポートランド街の東のなんの変哲もない一帯にあるキャンドーヴァー街の小さなフラットを借りた。それには、不動産業者が「キチネット」と呼んだおざなりのキッチンと（彼は滅多に使わなかった）、狭い浴室と、一つの机、一脚の安楽椅子、一台のソファーベッドがやっと入る大きさの居間が付いていた。そのベッドは、公式には彼が必要な際にはうたた寝をし、晩に人と会って、ハムステッドまでの地下鉄の最終列車に乗り遅れた場合に寝るためのものだった。しかしそれは、アンバーを失った悲しみを癒そうと、彼が様々な女といちゃつくためのものでもあった。そうした女たちは、彼が遭難信号を送った昔の恋人か、あるいは、パーティーやカフェか、文学と芸術の関係者がよく行くレストランで知り合った新しい女で、彼女たちは同情心から、あるいは昔のよしみで彼と寝た。または、彼の本を愛読しているために、または単に、素敵な昼食をおごってもらったお礼に彼と寝た。彼はジェインとの約束で、そうした仮初《かりそめ》の情事を彼女に報告する必要はないと思ったが、彼女は、彼がキャンドーヴァー街で過ごす時間がすべて仕事に捧げられているわけではないと疑っているに違いなかった。そして、自分が彼女に対して包み隠さず話していないことが、彼の心をやや乱していた。彼はエリザベスの中に、ジェインに話してもばつが悪くならないし、ジェインが喜んで受け入れる関係が結べる可能性を見た。彼はハムステッド・ヒースでのエリザベスとの会話から、彼女自身恋人を探していて、適当な候補として彼に狙いをつけたことに、ほとんど疑いを抱いていなかった——自分が賞讃できる知力を持ち、性欲は伝説的だが、彼女を妊娠させたがらない男。

したがって彼は、ジェインに話したところでは、新しい小説に取り掛かるので「気を散らされずに」仕事ができるよう、ヘイズルミアの近くのクロチェット農場で客用の続きの間を二週間予約した。それは、一人の男と一人の女のもう一つの話で、どちらも、狭量で物質主義的な社会が二人の前に置いた障碍のすべてを乗り越え、個人的充足を見出そうと苦闘するが、今度は二人は、その過程で姦通をする必要を見出さない。なぜなら、二人は物語のごく早い段階で結婚し、やがて、その結婚の中に救済を見つけるからである。

その小説は、実際に『結婚』と題されることになっていた。それは一つには、自分は結婚という、あの崇められている制度を何がなんでも破壊しようとしているのではないということを英国の一般読者に納得させ、また、この数年で彼の名前が持つようになったスキャンダルのオーラを吹き払うことを目論んだものだった。すでに書かれていた、物語の冒頭では、ヒロインのマージョリーは主人公のトラフォードという科学者と、もっと望ましい求婚者たちを差し置いて、恋ゆえに結婚するが、私利私欲を離れて知識を追求する主人公の態度に共鳴できない。彼は彼女を幸福にし、彼女の月並みな欲望を満足させるため、合成ゴムを製造して一財産作るが、やがて、自分の人生は無意味なものになったと感じ、自分の魂の救済のため、ラブラドルの荒野に行ってソローのように生きる決心をする。すると驚いたことに、マージョリーが一緒に行くと言い張る。二人はラブラドルで、危険で、死に瀕する経験をするが、生き延びて強い人間になり、二人の精神が一つに結び付く。そしてイギリスに戻り、ある進歩的な仕事に共同で取り組む。彼はラブラドルに行ったことはなかったが、読者の九九・九パーセントも知らないだろうと思った。そして、読者を納得させるだけの材料を本から得られると確信した。

彼は精神を昂揚させるこの物語を午前中に書き、午後はエリザベス・フォン・アーニムとの情事に耽った。彼は農場からわずか一マイルほどしか離れていない彼女の妹の家に行き、彼女をサリー州の丘に散歩と遠出に連れ出した。冬の闇が早く訪れると、彼女をゲストハウスの自分の寝室にそっと入れ、亡くなった伯爵の妻だった彼女が、どれほど官能的快楽を味わい損なったかを教えた。「これまでこんな感覚を経験したことはないわ」と彼女は、満足のいくオルガスムスに達したあとで、溜め息交じりに言った。「そして、男の人がこれほど長くもつことも知らなかったわ」。彼女は、恋人としての亡夫の欠陥についてあけすけに、また非常に面白く語った。「あの人はナイトシャツを絶対脱ごうとしなかったし、わたしに裸になるように要求しもしなかった——あの人は店主が店のシャッターを上げる具合にわたしのネグリジェをぐいと上げ、わたしの両脚を押し広げ、すぐに事を始めたわ」

「それはそんなに長く続かなかったんだね」

「そう。でも、それは救いだった。なぜって、あの人のにおいは、あんまりよくなかったから」

「僕のにおいはいいのかい?」

「あなたのにおいは素敵」と彼女は言った。「蜂蜜のにおいがする。あなたを舐めたい」

「舐めてくれないか」と彼は言った。「どこでも好きなところを」。彼女はその通りにした。

二人はハムステッド・ヒースで、これからは彼女は自由に「本当の愛」が見つけられると話したが、その言葉が「よいセックス」の暗号であるのを共に理解していたので、二週間の滞在期間が終わりに来た時、自分たちが互いの体を愉しんだことを正当化するために、ロマンティックな情熱に取り憑かれたふりをしたり、不滅の献身を宣言したりする必要はなかった。二人は機会があったらまた会うことにし、陽気に別れたが、どんな具体的な計画も立てなかった。

事実、うまくいきそうなこの二人の関係には、相当の期間の間隔があった。クリスマスと、その祝いの催しがあいだに入った。そして新年には、彼はフロイライン・マイヤーを含め家族全員を、ウィンター・スポーツをして休みを過ごすため、スイスのベルネーゼ・オーバーラントのヴェルゲンに連れて行った。それは息子たちにとってはスキーの最初の経験で、息子たちは大喜びだったが、残念なことに、ホテルでインフルエンザが発生し、一家は全員寝込んでしまった。そして二週目の大部分をベッドで過ごしたが、さらに数週間、家で回復期を過ごした。一方、伯爵夫人は、夫の財産に関する事柄を処理するためにドイツに戻った。彼はキャンドーヴァー街で『結婚』を書き続けた。時折訪れる女の訪問客によって執筆が中断されたが。その中に、思いもかけなかったが、アンバーがいた。

それは、一方的に彼女が言い出したことだった。彼女は手紙を寄越し、どこかで密かに会えないだろうかと訊いてきた。彼女は恐るべき危険を冒していると彼は思ったが、拒むことはできなかった。彼が冒す危険は無視してもよいものだった。彼が署名した誓約書に反したとしても、ブランコ・ホワイトが行使できる制裁は、『アン・ヴェロニカ』に関する名誉毀損で彼を訴えるという最初の脅迫だけで、そうするには今では遅過ぎた。だが、彼女は彼に会うことで結婚生活を危機に陥れることになるだろう。早くも結婚生活に問題が生じているのだろうか、と彼は思った。その推測はまったく間違っているのがわかった。

彼女は幸せで、元気そうな様子でキャンドーヴァー街にやってきて、赤ん坊のアンナ・ジェインのことを楽しそうに話し、アンナ・ジェインが洗礼を施されている写真を見せた。「洗礼？」と彼は眉を上げながら言った。「ええ、わかってるの」と彼女は、ややきまり悪そうに言った。「でも、あれは実際は社会的儀式に過ぎないし、リヴァーズがあの子に洗礼を授けたがったの、だから、わたしは何も言わなかった」。ブランコ・ホワイトに関して彼女の言ったことは、すべて肯定的だった。「あの人はよい父親」と彼女は話の途中で言った。「そして、よい夫」。「君がそう言うのを聞いて嬉しいよ」と彼は言った。「僕がある意味で仲人だからね」。「その通りよ、マスター」と彼女は言った。「それが唯一の解決法だった」。彼は愛情に満ちた昔の呼びかけの言葉を聞いて、ぞくっと嬉しくなった。でも、なぜ彼女は来たのだろう？ 彼女は、今、小説――新しい小説――を書いているところで、最初の数章を渡すので意見が聞きたいと言ったが、彼は承諾しながら、それは理由というよりは口実だと思った。それは単に、独立を心の中で宣言しているのに過ぎないと彼は思った。一年前ショーは、『身分違いの結婚』という戯曲を書き、個人的に上演した。というのも、宮内長官の検閲に通るにはあまりにきわどいものだったからだ。それは、様々な社会階層出身のグループのあいだの性的出来事に関する、一種のハイブラウの笑劇《ファルス》だった。ヒロインは歯に衣着せずに物を言う、恥知らずのハイペイシャという若い女で、その劇を観た何人かの友人は、彼女のモデルはアンバーだと言ったと伝えられた。彼はその劇を観なかったが、脚本は読んだ。口達者の若いあばずれ女のハイペイシャは、アンバーを非常に軽薄にした女だったが、本物らしい響きのある一つの台詞があった。「あたしは善人になりたくない、悪人にもなりたくない。善いとか悪いとかで煩わされたくない。あたしは他動詞でありたい」。アンバーはいつも他動詞でありたかった、受動詞ではなく。彼とは二年間一切連絡を断つという、彼女が結んだ協定は彼女の自由に対する侵害であり、この密かな反抗は彼女の自尊心にとって必要だったのだ。

彼は、非常に長い間隔があったあとで初めて会う、最初のぎごちなさやばつの悪さを隠すため、彼女が来る前にモーゼルを一瓶冷やしておいた。それは必要がなかったことになったが、会話を気楽に続けるのには役立った。二人は昔のことを語り合い、時には笑い、時には彼女は涙を流した。二人は互いの体に腕を回し、ディヴァンベッドに坐っていたが、しばらくすると、横になるほうが楽になった。二人は結局、最もよい他動詞を実行することになった。「ここに来た時は、これをするつもりはなかったの、マスター」とアンバーは、あとで言った。「でも、嬉しい」。「僕もさ、アンバー」と彼は言って、彼女に優しくキスをした。

彼女は一週間後に、またやってきた。今度は愛を営むつもりで来たのだが、これが最後だろうとも言った。「先週のことをわたしが悔いてると思ってもらいたくなかったの」と彼女は言った。「でも、もしこのまま続ければリヴァーズは気づくはず。わたしはあの人を傷つけたくないの」。彼は喜んで同意した。そして、二人が無理矢理別れさせられた心の傷を、時が癒したのを知った。あの時に感じた恨みは、二人の昔の関係の激しさ同様、薄れた記憶になっていた。彼は、あの心を乱す感情のどれをも蘇らせたくなかった。彼は、もっと静かで落ち着いた生活を築こうとしていた。

その後間もなく、エリザベス・フォン・アーニムがイギリスに戻ってきて、彼の求めに応じられるという合図を送ってきた。彼女はウェストミンスターのセント・ジェイムズ・コートでフラットを手に入れた。そして、そこに彼とジェインを招待すること、またたぶん、彼と二人だけでどこかで会うことを楽しみにしているという手紙を寄越した。彼はキャンドーヴァー街に彼女を招いた。彼女は、ある日の午後やってきた。いつものように粋な服装をしていたが、不透明なベールの付いた帽子をかぶっていた。「わたしはひどく邪《よこしま》に感じるわ」と彼女はその帽子を脱ぎながら言った。「まるでフランスの小説の登場人物みたい」。「それも楽しみの一つじゃないかい?」と彼は、彼女の服装のほかの部分を取り去りながら言った。「なんて気が短いの!」「そうさ、君に会えなくて淋しかったんだ」と彼は言った。「何週間も頭の中で君の服を脱がせていた」。「あらまあ、そうなの」と彼女は言って、舌打ちをした。しかし彼は、その冗談で彼女が興奮しているのがわかった。すぐに二人はベッドの上で絡み合い、精力的で愉しい交合をした。

二人は少し眠ってから、彼がポットの紅茶を淹れているあいだ、彼女はシャワーを浴びた。彼がトレイを持ってキチネットから出てくると、彼女は再び慎み深く服を着ていて、どのボタンもちゃんと掛かっていた。彼女は浴室で一本の長い髪の毛を見つけたか、ベッドの下にヘアピンを見つけたかだった。というのも、カップの中を掻き回しながら、「あなたはほかの女もここに連れてくるの?」と思いに沈んだように言ったからだ。彼は否定しなかった。「もし、あなたとわたしがずっと恋人同士になるなら、それは終わりにして」と彼女は言った。「わかった」と彼は、にこりとして言った。「約束しよう。僕はほかの女は諦めるが、君は僕がジェインを諦めないのを認めてほしい」。「もちろんよ」と彼女は言った。「わたしは、あなたとあなたの家族のあいだに割って入るなんて気がないの。わたしたち、あの人に気づかれないようにしなくちゃ」。「いやあ、ジェインは気にしない」と彼は言ったが、その返事が彼女には驚くべきもの、さらにはショッキングなものだったのがわかった。「それどころか、彼女が認めるのは確かさ」と彼は言い添えた。「わかったわ」と彼女は言った。本当にわかったのかどうか、彼には確かではなかったが。

だが、もちろん彼は正しかった。自分は彼の性的欲求に応えられないということ、また、彼はほかでその欲求を満足させる機会を見つけるだろうということを、ずっと以前から受け入れていたジェインは、その相手が数人の女であるよりは、一人の人物、自分が知っていて尊敬している誰か、責任感があって慎重だと信じられる誰かのほうがよかった。フォン・アーミン伯爵夫人、あるいは「リトル・E」は(最近彼は彼女をそう呼び始めた)、その役割にぴったりだった。そして彼女が、ロンドンの足場としてのフラットはそのままにし、もっぱらスイスに住むつもりだと公言しているので、なおさらだった。彼は世間に知られて具合の悪い思いをせずに、そこに彼女を訪ねることができるだろう。彼女は著書の印税に加え、自作の劇の収益と伯爵の資産を売却したことで大金を手にしていた。彼女はそのちょっとした財産を、スイスの山麓に山小屋《シャレー》を作るのに使うつもりだった。スイスは彼女が少女時代の幸福だった時に結び付けていた国だった。彼も彼女と同じようにスイスが大好きだし、また、家を建てることも彼女同様、大好きだった。そこで、彼女と一緒にジュラ山脈で、昼間は歩き、夜は山の山小屋風旅館に泊まって、シャレーを建てるにふさわしい場所を熱心に探した。かつては彼女の子供たちの家庭教師で、今は彼女の話し相手であるフロイライン・テッピ・バッケが、体裁上一緒に来ていた。しかしテッピは、彼がほとんど毎晩、Eの部屋に行くのをよく知っていた。二人は二度、彼女のベッドを壊してしまった。体重が六ストーン半（約四十キロ）ほどにしか見えない華奢で小柄な伯爵夫人が、翌朝、ベッドが壊れたことを、流暢だが堅苦しいドイツ語で、信じ難い顔をしている旅館の主《あるじ》に平然として報告しているのを見て彼は面白がった。彼女はジュラ山脈で、彼女の厳しい基準に適う場所が見つけられなかったので、スイス南西部のヴァレで探すことにした。そして、ランドーニュ＝シュール＝シエールに理想的な場所を見つけた。そこは、ウィンター・スポーツのリゾート地モンタナの下の麓で、アルプスで一番日当たりのよい場所だと言われていた。そこから、ローヌ渓谷の息を呑むような景観が眺められた。ローヌ渓谷はペンニンアルプス、モンブラン山脈、シンプロンのほうに広がっていた。契約した建築家が、エリザベスの指示に従って、シャレーと言うよりは城《シャトー》と言ったほうがよい巨大な建物を設計した。寝室が十六、浴室が四つ、トイレットが七つあった。彼女はそこを、友人たちを招《よ》び、子供たちと、やがては子供たちの家族が休日を過ごすところにするつもりだと説明した。建築工事の請負人と契約が結ばれ、完成は翌年の秋という約束になった。それは、その所有者によって早くも「シャレー・ソレイユ」と命名された。

一方、彼とジェインはハムステッドから出て、ロンドンから程遠くない田舎のどこかに住まいを見つけたいと思っていた。そこで、スペード・ハウスで楽しんだような暮らしを、ほんの少し豪華にしたスケールで再現できるような住まいを。彼はエセックス州のダンモウの近くのグレート・イーストンに家を持っていた、友人の『デイリー・エクスプレス』の編集長ラルフ・ブルーメンフェルドを訪ねた際、その一帯がすっかり気に入ってしまった――ロンドンからわずか四十マイルしか離れていない、昔のままの美しい農耕地帯。そこの土地の大部分の所有者はレディー・フランシス・ウォリックで、彼女はイーストン・ロッジという宏壮な館《やかた》に住んでいた。ブルーメンフェルドに彼を紹介された彼女は、リトル・イーストンにあるオールド牧師館《レクトリー》を短期契約で彼に貸すことに同意した。地主の彼女も借家人の彼も、その取り決めに共に喜んだ。レディー・

ウォリックには、故エドワード七世が皇太子だった時の愛人だったという評判があった。彼女は風変わりな貴族で、結婚後、社会主義者になり、自分自身は貴族の暮らしを続けながら、大勢の進歩的な作家や政治家のパトロンになり、接待役を務めた。彼は貴重なその一人になった。彼にとっては、赤煉瓦の立派なジョージ王朝の牧師館は、いくらか現代的にし、改装する必要があったけれども、見た途端、理想的な住まいに思われた。広々とした接待の間の向こうは、木の鏡版を張り、板石を敷いた四角のホールで、そこから、幅の広い階段が上階と数多くの寝室へと続いていた。牧師館からは、その芝生と、村のほうに広がる小麦畑が見渡せた。そして、大きな納屋があったが、彼は即座に、その中でゲームや芝居の世話をしている自分の姿を見た。そして、重要なことだが、この牧歌的な場所は、ビショップス・ストートフォード経由でロンドンへの鉄道の接続が至極便利だった。列車はわずか一マイル先のイーストン・エステイトの個人仮駅で、求めに応じて停車した。

彼は一九一一年八月に賃貸借契約書に署名した。彼とジェインはその家を最初は週末に引き籠もる家として使っていたが、二人ともその家がすっかり気に入ったので、翌年の春、牧師館——教会色を薄めるために「イーストン・グリーブ」と改名した——を、終《つい》の住処《すみか》にし、チャーチ・ロウの家を一時的にロンドンの足場に取って置いたが、それを売却し、イーストンの家を長期賃貸借で購入することにした。少年たちは家を囲む広い土地がすっかり気に入り、そこを自由に探検した。テニスコートが芝生の一つに作られ、納屋の中が片付けられ、雨の日には室内ゲームと芝居ができるよう設えられた。彼らはほとんどの週末、友人の一行を泊めたが、友人たちは例外なくそこに魅了され、羨《うらや》ましがった。彼は一階に広い書斎を持っていたが、上階に隔離された続きの間を作り、そこで気分次第で、日中であれ夜であれ、いつでも眠ったり書いたりできるようにするつもりだった。常に臨機の才のあったジェインは、その計画を実行に移す仕事を引き受けた。そして、なおざりにされていた庭を、元のように整然としたものにし始めた。

一方、彼はリトル・Eに伴ってスイスに行き、シャレー・ソレイユの工事の進捗具合を見た。それは、建築中の建物というものはすべてそうだが、予定より遅れていて、秋までには完成しそうもなかったが、クリスマスには完成すると業者は約束した。二人は歌手のジェニー・リンドが所有している近くのシャレーに滞在し、毎日、リュックサックに簡単なピクニック弁当を入れ、山の麓の小さな丘や松林をハイキングした。そして昼食後、松の針葉のマットレスの上に服を敷き、そこで愛の営みをした。リトル・Eは彼と同様、戸外でのセックスを楽しみ、素肌に当たる陽光と微風の感覚を享受した。二人は地元の農夫がどこで働いていたかも知っていたし、初夏には観光客は少なかった。だから、行為の最中に人が現われ驚かされる危険はほとんどなかった。彼はその年、彼女をアムステルダム、パリ、ロカルノに連れて行き、豪華なホテルに泊まり、スプリングの入ったベッドの上と、鵞鳥の羽毛を詰めた枕のあいだでふしだらに愉しんだが、ヴァレの丘の斜面でする素朴な交合ほど彼を喜ばせた愛の営みはなかった。それは、彼女が請け合ったのだが、なんの避妊措置を講じなくてよいことで、いっそう自然なものになった。彼女は女の人生のその段階に、都合のよいことに早く達したのである。

　九月に『結婚』は出版され、絶賛された。それが英国の大衆にとって、敬うべき存在に自分を戻してくれることになるのではないかという彼の希望は、十二分に叶えられた。「今日の生活と問いかけとで、ぞくぞくするような本になっている。秋の出版シーズンにどんな本が出ようと、『結婚』より意義があり、重要なものはないであろう」と『デイリー・クロニクル』は断言した。「これは、なんと輝かしく、刺激的で、人の心を昂揚させせさえする本であることか……本書における観察、犀利さ、ほとんど狂おしいまでの陽気さ、宗教的好奇心は素晴らしい」と『デイリー・ニュース』は言った。「至る所で最も完璧な洞察力の煌きで生き生きしている……本書は初めから終わりまで読者の心を摑んで離さない」と、『スフィア』は激賞した。彼は『宇宙戦争』以来、そのように各紙からこぞって賞讃されたことはなかった。昔の敵のジャーナリストたち、『彗星の日々に』と『アン・ヴェロニカ』を酷評した者たちでさえ魅了され、満足げに褒めた。「ウェルズ氏はそのすべての犀利さを、二人の魅力的で、こう付け加えてもよいが、完全に道徳的な若者の婚約と結婚の、この長い物語に籠めた」と『スペクテイター』は言った。一方、『T・Pのウィークリー』は、「スリリングで感銘深い本である——そして、ピューリタンの家の書棚に置くことのできる本である」と評した。彼は祝意を評した添え状と一緒にマクミランから送られてきた新聞の切抜きにざっと目を通しながら、信じられないという顔で笑った——作者でさえ、その本がそれほどよいとは思っていなかったのだ。だが過褒は、過去の批評の不当な仕打ちに対する埋め合わせになったので、彼はそれについて不平を言うつもりはなかった。

小部数の雑誌に載ったものだが、ただ一つ、はっきりと否定した書評があった。レベッカ・ウェストという作家が、『フリーウーマン』で『結婚』を酷評したのである。『フリーウーマン』は、性と文化という問題をも扱うために、選挙権という、ただ一つの問題を超えてフェミニスト運動の対象の幅を広げることを目指し、さらに、女性参政権運動のいくつかの面を敢えて批判した、一年足らず前に出来た活潑な小雑誌だった。この雑誌に載った、それまでは無名だった作家、レベッカ・ウェストの機知に富んだ戦闘的文章に、彼はすでに注目していた。彼が最初に読んだのは、ハンフリー・ウォード夫人を大胆にも攻撃したものだった。ウォード夫人は、イギリス人が考える「真面目な」小説家の権化だった。それは一つには、彼女の家系のおかげだったが（ラグビー校の校長のトマス・アーノルドの孫娘で、マシュー・アーノルドの姪だった）、もっぱら、彼女の小説がキリスト教の信仰が衰退したことに関するもので、登場人物たちは、キリスト教の神学をどうやったら現代化し、その道徳性を保持できるかを熱心に討論したからだった。「人生の師としてのキリストという考えは、金持ちが貧乏人から盗まなかった唯一の遺産である」とレベッカ・ウェストは、「ハンフリー・ウォード夫人による福音書」の中で主張した。「その考えはいまや大きな国民的関心事で（信仰ではない）、そういうものとして恭《うやうや》しく扱われていて、悲劇『ハムレット』のように、〝現代化〟からしっかりと守られている。そして、ウォード夫人は〝彼女の訓練された知性〟（彼女の出版社の言葉）を六十年近く宇宙に向けているが、そのこと（英国の文化と社会におけるキリスト教の地位）には気づいていない。イギリス人は地方議会の衛生委員会に出席する時と同じように、改善の余地はないかと目を光らせて教会に行くと彼女は見なしている」。彼は優れた論争の文章は見ればわかったが、それを読んで、感心しながら忍び笑いをした。ハンフリー・ウォード夫人は、一方では正統的キリスト教徒の議論を、もう一方では戦闘的無神論者の議論を躱《かわ》すのに慣れていたが、彼女がまったく思いもかけぬ方向から攻撃され、また、貧乏人からイデオロギーを奪う泥棒扱いされたことに不快感を覚えたのは容易に想像できた。しかし彼は、自分がミス・ウェストに鋭い舌鋒で軽蔑されたことを喜ばなかった。彼女の書評はこう始まっていた。

ウェルズ氏の紋切り型の表現は、『結婚』においていっそう腹立たしい。マージョリーが一定の間隔を置いて「あら、まあ!……あら、まあ!」と言う時、あるいは恍惚の瞬間に、「あら、まあ! あら、まあ!」と言う時、彼女が結婚の純潔の危機にあるということが、直ちにわかる。というのも、法的問題を抱えながら相手を愛しているウェルズ氏のヒロインたちは、「わたしの人!」あるいは「マスター!」と言うからである。もちろん、彼は小説家の中で老嬢である。『アン・ヴェロニカ』と『新マキアヴェッリ』に、冷たい白ソースのように凝《こご》っている性の強迫観念でさえ、単なる老嬢の強迫観念、飛行船とコロイドにあまりに長く没頭してきた精神の、肉体に対する反動である。

これを読みながら彼は、ハンフリー・ウォード夫人が感じたに違いないと思われるような気分になった。というのも、彼は老嬢に譬えられたことがなかったからである。それは非常に長い書評で、彼の小説を完膚なきまでにくさしていた。「彼の第一の罪は、あの金髪で色白の、四十歳で少々牝牛に見える肉付きのよいマージョリー――その相似は精神的意味を持つのであろう――が通常の女だということである。第二の罪は、彼の救済にある。『社会がすべての女を養うとしたら、家庭のすべての資産と家具と子供たちを女たちに与えるとしたら……そうなるとどの女も、彼女が愛する男にとって王女になるであろう』。なんと厚かましい! 社会がマージョリーに、彼女の牝牛に似た同類のものを永続させるのを許す義務を負わされているということを考えると、頭がくらくらする」。真の答えは、女に自分で生活費を稼がせよ、というものだとレベッカ・ウェストは主張した。彼は、『結婚』が至る所で等しく好意的に書評されなかったなら、自分の味方だと思っていた雑誌で、ほとんど無名の批評家にそんな風に酷評されたことにもっと苛立ったかもしれない。ところが彼は度量の広いところを見せることができ、その書評を先に読み、「これを読む前に何度か深呼吸をしたほうがいいわよ、H・G」と警告しながら渡してくれたジェインに、この女は自分の小説の弱点を的確に指摘したこと、そして、確かに文章の書き方を知っていることを認めた。このレベッカ・ウェストという女は興味深い精神と確固たる自信を持っているようだから、いつかイーストン・グリーブに招《よ》んで、敵中に入って自分を護る勇気があるかどうか見てみるのも一興だろう、と彼は思った。

「自分を護らなくちゃいけないのは、あなたのように思えるわ」とジェインは皮肉っぽく言った。「でも、お招きしなさいよ、そうしたいんなら」

したがって彼は、『フリーウーマン』気付の手紙でレベッカ・ウェストに、あなたの書評を興味深く読んだが、それが提起している問題についてさらに議論したいので、昼食に招待したいと書いた。追伸に、リヴァプール街から出る一番便利な列車についての情報を伝え、イーストンの個人仮駅で停めてもらう仕方について記した。彼女は折り返しの手紙で、彼が提案した一番早い日、九月二十七日に伺うと書いてきた。彼女は一時に着き、ほとんど休まずに六時半まで話した。その時にはロンドンに戻るには遅過ぎたので、二人は話し続け、彼女はその晩、泊まった。

――そうやって始まったわけだ。

――そうやって始まった。

――またもや！　あんたの半分の齢で、明敏で、感じやすく、反抗的で、なんでも経験しようとしていた、もう一人の処女――アンバーにそっくりだ。あんたは彼女を自分の人生に招き入れる、そしてもちろん、彼女はあんたに恋する、偉大な作家に。あんたが知っていたであろうように
……

――わたしは知らなかった。彼女の書評から見て、彼女はわたしを旧弊な老人と見なしていたと思う。

――しかし、それがあんたにはカチンと来た、そうだろう？「冷たい白ソース」云々《うんぬん》と言われ、ヒロインが母親手当てに頼るのをからかわれたことに腹を立て、この生意気な若い嫌な女に、一つ教えてやりたいと、あんたは思った
――

――若いとは知らなかった。

――誰も名前を聞いたことのない、『フリーウーマン』への寄稿者は若いと推測できたろうに。そしてあんたは、彼女を自分の優雅なカントリーハウスに招き、あんたの本のすべての版と、名声を物語る様々なものに囲まれた書斎に坐らせて、個性の全部の力を彼女に向けようと思った。それと、女には大抵抗し難いのを自分の経験から知っている、煌くような知力と、誘惑的魅力の結合したものを。彼女自身、きわめて魅力的だったという事実が、それをいとたやすくした。

――わたしは彼女を自分に恋させようとは思っていな

かった。

――しかし、結局はそうなった。そうして彼女を妊娠させ、アンバーの場合に経験した、厄介で戸惑う事態に再び陥り、時間を食う、もろもろの責任を負う羽目になった。

――ただ今度は、それがもっと長く続いた。ずっと長く。

――あんたは懲りないのかね？

――女に関する限り、懲りないようだ。

2

彼がレベッカ・ウェストに初めて会った際に発見した数多くの興味深い事柄の一つは、それが本名ではないということだった。彼女はシシリー・フェアフィールドとして生まれた。スコットランド人の母親と、イングランド人とアイルランド人の血を引く父親の三人娘の末娘だった。父親は彼女が十三歳の時に、原因は不明だが姿を消し、五年後に貧窮のうちに死ぬまで消息がわからなかった。フェアフィールド夫人は手元がひどく不如意だったにもかかわらず、大変感心な話だが、三人の娘に優れた教育を受けさせることにした。シシリーの二人の姉は大学に行き、一人はすでに医者になり、前途有望な道を歩んでいた。だが、彼女自身は女優としての訓練を受けることにした――それは間違いだったと彼女は言った、なぜなら、自分はその職業では決して傑出しないだろうから。しかし彼には、そうした訓練を受けたことで、彼女は自分の生き生きとした個性を遠慮なしに発揮する自信を得たように思えた。そして確かに、その訓練が数多くの本を読むのを妨げはしなかった。彼女は彼と同じように、読んだものはなんでも記憶してしまうという、早熟の才能を持っているようだった。彼女が会話で示した、文学的、知的言及の幅の広さを考えると驚くべきことだが、彼女はまだ二十《はたち》になっていないのだ。この女は稀有の娘だ、と彼は思った。

フェアフィールド氏から受けた扱いを考えると、妻と娘たちがフェミニズムに共鳴していたのは驚くに当たらないが、レベッカは明らかに、その点で一家で最も急進的で献身的だった。自分は一時、婦人参政権運動に積極的で、行進やデモに加わって警察に手荒く扱われたこともあり、「若きフェビアン」にも参加したと彼に言った。それは、彼がフェビアン協会を脱けたあとだったたが。だが彼女は、その二つのグループの狭い考え方に不満で、『フリーウーマン』の周りに集まったサークルのほうが、自分の異端のフェミニズムに近いことを知った。だがその雑誌は、彼女の家庭では危険なほど不道徳な傾向のものだと見なされ、フェアフィールド夫人はそれを読むことを実際に彼女に禁じた。そこで彼女は寄稿者になると、ペンネームを使ったほうが賢明だと考え、イプセンの悲劇『ロスメルスホルム』の急進的なヒロインの名前を選んだ。それは、彼女が王立演劇アカデミーで演じた最後の役の一つだった。やがて彼女は、それをあらゆる目的に自分の名として使うようになった。

「とにかく、本名が好きではなかったんです」と彼女は、二杯目のコーヒーに入れたクリームと砂糖を掻き混ぜながら言った。彼女は、彼とジェインとフロインライン・マイヤーと一緒に昼食をとり、クレソン・スープを飲みポーチト・サーモンを食べながら、会話に巧みに加わった。そのあと彼は、二人で書斎に移り、そこでコーヒーを飲もうと提案したのだ。

「いや、僕は君をシシリーとは見ていない」と彼は言った。「あるいは、フェアフィールドとも、その点になれば」。

レベッカはかなり小柄だったが、骨組ががっしりしていて、豊かな焦げ茶の髪をし、目もその色だった。それは真っ白な肌で引き立っていた。顔立ちは、広い額からしっかりした顎に至るまで、きわめて特徴的だった。彼女は彼の話を聴きながら唇を少し開ける癖があった、まるで、理念の酸素をもっと深く吸おうとするかのように。「〝シシリー・フェアフィールド〟というのは、小説の中で金髪碧眼のイギリスの薔薇に僕が付けたかもしれない名前だね」と彼は言った。

「そうですね」と彼女は微笑しながら言った。「あなたのマージョリーにはぴったりだったかもしれない、もし彼女が赤毛でなければ。ところで、わたしの書評の、あなたの感情を逆撫でするような調子をお詫びしたいんです。今朝、あなたと間もなく会うのだと考えながらそれを列車の中で読んでいると、それが許し難いほど無礼なものなのに不意に思えたんです。わたしは真っ赤になったので、向かいの席に坐っていた紳士は、わたしがひどく不謹慎なものを読んでるのに違いないと考えたと思いますわ」

「いや、そんなことは心配しなくていいのさ」と彼は、罪の赦しを与えるかのような曖昧な仕草で片手を振った。「自分の考えに誰かが猛烈に挑戦してくるって言うのは、刺激的さ」

二人は、女は仕事から男同様に満足を得ることができるかどうか、しばらく論じ合った。「女が劣っていると僕が考えているわけじゃない——全然」と彼は言った。「しかし、男は何もかも忘れて仕事に集中できる、セックスを単に寛ぎと気晴らしに使って。ところが女にとってはセックスは最も重要だ、なぜなら、生殖に結び付いているから。それは生物学的衝動だ。配偶者を探し、子供を産む——女はそれから逃れることはできない。だから僕は〝母親手当て〟はいいことだと思ってるんだ」

「あなたはショーの登場人物みたいにお話しになりますね、ウェルズさん」と彼女は言った。

「そう、ショーはいい考えと馬鹿げた考えを併せ持っている」と彼は言った。「会ったことはあるのかい？」

「一度——フェビアン夏期学校で」と彼女は言った。「あの人はわたしたちのあいだを、いちゃつくモーセみたいに歩き回りましたわ」

「名言！」と言って彼はくすくす笑った。「でもねえ、君は書評の最後で言っている……」。彼は机から雑誌を取り上げ、印を付けてある箇所を声に出して読んだ。「『彼女が働かねばならないとしたら？』——マージョリーのことだ——『彼女はどのくらい、それに耐えられただろう？ 弱いマージョリーならば売春と死に至り、強いマージョリーなら清廉さと勇気と激しい気性を伸ばすだろう。試してみる価値がある』。これは残酷な社会主義的ダーウィン主義だ——君は同性の半分を全部労働市場に投げ込み、適者生存ということにさせている。男の僕がそんなことを言ったら、町から追い出されてしまう」

「それほど残酷でもありませんわ」と彼女は言った。「もし女が男と同じ条件で仕事場で男と競争することが許されれ、男が家で家事と育児を分担したら、世のすべてのマージョリーの願いは叶いますわ」

彼は笑った。「僕は自分がユートピア的理想主義者だと思っていたよ！」と彼は言った。「でも、君自身はどういう仕事をしようと思ってるんだい？ 書くことだと思う——でも、どんな種類？ 批評？ フィクション？」

「全部の種類」と彼女は言った。「そして、まだ発見されていないもの」。彼はまた笑った。そして、彼女の自信と野心が気に入った。

二人は現代文学について論じ合った。ヘンリー・ジェイムズから始めた。彼女はジェイムズについてははっきりとした意見を持っていた。彼の作品のいくつか、特に作家についての短篇は大いに買っていたが、ほかの作品は認めなかった。その中には、非常に賞讃されている『ある婦人の肖像』が入っていた。その理由は、ヒロインが忌まわしいギルバート・オズモンドと結婚する動機、自分の財産を、自分よりも彼のほうがうまく使うことができるという動機は、まったく納得できない、というものだった。「彼はベッドの中では非常に冷たい男ではないかという考えが、時折彼女の心をよぎっただろうと、人は考えると思うわ」と彼女は言った。「でも彼女は、彼を恋人としてはまったく考えてないように見える。彼女は彼に対してなんの欲望も抱いていない――どうして女が、欲望なしに結婚できるのかしら?」

「多くの女はそうさ、残念ながら」と彼は言った。「例えば、僕の最初の妻」

「本当?」彼女は非常に関心を唆られ、もっと知りたいようだった。彼は知り合ってからたった数時間の相手に、しかもジャーナリストに親密な打ち明け話をするのはやめたほうがよいと心の中で自分に警告し、すぐに話題を文学に戻した。「小説で性欲について正直に書くというのは、常に難しい。僕自身、それがあまりうまくないのは認めるが、イギリスの小説家はフィールディング以後、これまでずっとうまくなかった。彼のあとは、上品振りと偽善が僕らの社会を支配してしまったんだ。フィクションにおけるセックスの真実の描写を読むには、フランスの小説を読まなければいけない」

「D・H・ロレンスをお読みになって?」と彼女は言った。

「彼のものは『イングリッシュ・レヴュー』で読んだ。実を言うと、僕は彼について聞いた、ロンドンで最初の人間の一人だったのさ。僕はペル・メル街のレストランで、フォード・マドックス・ヘファーと食事をしていた。チェスタトンとベロックもいた。するとフォーディーが僕らに言ったんだ、D・H・ロレンスという男から数篇の詩を受け取ったところだが、自分の考えでは天才の作品だってね。僕は例によって作家が一杯いる周囲のテーブルに向かって、こう叫んだのを覚えているよ。『でかした、フォーディーはまたも天才を発見した! D・H・ロレンスっていう名だ!』僕らはみんな、その頃にはかなり飲んでいた」

「そう、彼は確かに天才だと思いますわ」とレベッカは、不意に有名人の名がいくつも出てきたことに感心もせず、あるいは少なくとも気が逸らされずに言った。「彼の新しい小説『侵入者』には、愛の営みについて、異常なほどに熱狂的な箇所がいくつかありますわ」

「いやあ、君のほうが知ってるね。僕はまだ読んでないんだ」と彼は、愛の営みについて彼女が個人的経験から、どのくらい知っているのだろうと考えた。そして、ごく少ないのではないか、と思った。母と姉たちと一緒に家に住んでいるのだから。彼女が照れもせずにそうした事柄を詳しそうに口にするのは、もっぱら本で読んだためだろう。

彼は、ジェインが書斎のドアのところに現われて、お茶はいかがと訊いたので、びっくりした。「もうお茶の時間かい、おまえ？　ここで飲めないだろうか？」と彼は訊いた。「ええ、もちろん」とジェインは言った。「でも、ミス・ウェストが列車に乗らなくてはいけないのを忘れないでね」。「ああ、忘れないとも――しかしともかく、列車に乗り損なったら、ここに泊まれる。君はそれが無理なような約束がロンドンにあるのかい？」と彼はレベッカのほうを向きながら言った。彼女は微笑んで、首を横に振った。「でも、ご迷惑をおかけするわけにはいきませんわ」と彼女は言ったが、本気ではないようだった。

紅茶とケーキとマフィンが運ばれてきた。二人はフェビアン協会の欠陥と、自由党が一九〇六年に地滑り的勝利を収めたのに、社会正義が実現できなかったこと、ドイツとの軍備拡張競争について論じ合った。戦争が起こりそうかと、彼女は尋ねた。近い将来には起こらないだろうと彼は言った。しかし、列強が分別を働かせ、世界政府の実現に向けていくらか進まなければ、二十年か三十年後に大規模な戦争が起こるだろうと予言した。また、軍備拡張競争自体が、新聞に煽られて好戦的気分が生まれることによって戦争を引き起こす危険がある、英国政府は事態を例によって愚かに扱っている、とも彼は言った。彼はその年の初めに『デイリー・メール』に書いた二つの小論をまとめて『戦争と常識』という小冊子にして間もなく出版するところだったので、その話題については詳しかった。提督と将軍は、新たに起こった戦争を、前の戦争で使った方法でいつも遂行した、それが失敗して、戦術と武器を変えざるを得なくなるまで、という自説を彼は展開した。

「次の戦争は、最終的には潜水艦と航空機によって勝敗が決するだろうから、僕らは弩級艦を建造することで資源を無駄にするより、その二つを開発することにもっと金を使うべきで、弩級艦の唯一の役目はドイツの戦艦を撃破して海上から追い払うか、自分たちが爆破されて海上から追い払われるかだ。そして、ある連中が主張しているのとは異なり、ドイツと同じ規模で徴兵して大軍隊を作る代わりに、科学的に訓練されたエリートの将校の小集団と、最新の兵器で武装した兵士を結成すべきなのさ」

「でも、こうした戦争と兵器の話は恐ろしいわ」と彼女は言った。「まるで戦争が不可避で、唯一の問題は、自分が殺されることなく、できるだけ大勢の敵を殺すことみたい」

「でももちろん、それがあらゆる戦争の目的でなくちゃならないのさ」と彼は言った。「僕はまさにその原則にもとづいて、二人の息子のために玩具の兵士を使ったゲームを考案したんだ。もし列強の指導者が、本物の兵士の代わりに僕らのように玩具の兵士で遊んだなら、世界は遥かに安全な場所になる」

「その希望はあまりありませんわ」と彼女は、にこりとして言った。

「そうだね。科学は凄いペースで発達してるんで、それを兵器に応用する可能性は恐ろしいほど高い。もし、原子の核に含まれているエネルギーを引き出すことができるとしたら、どうだろう？　ラジウムとかウラニウムのような放射性物質がある。それは崩壊しながら厖大な量のエネルギーを生む。しかし、その速度は微小で、数百万年以上にわたる。もし、僕らがその過程を加速する手段を見つけたなら、たった一個の原子から莫大な量のエネルギーを放出させるだろう。それは平和目的に使えるし、世界を変えることができるだろう——蒸気や電気がやったより完璧に。あるいは、原子爆弾を作るのに使えるだろう」

「原子爆弾？」と彼女は怪訝な顔で繰り返した。「どういうものになるんです？」

「飛行機のコックピットから投下でき、一つの都市全部が破壊できる小さな爆弾さ。だから僕は世界政府の必要を信じてるんだ。でも、地球規模の戦争による破滅だけが、その自明の真実を人類に悟らせるだろうね、残念ながら」

その時、ジェインが再び書斎のドアのところに現われ、ミス・ウェストは今晩お泊りになると思う、寝室にご案内しましょうか、と言った。


二人の話——もっぱら彼の話——は夕食の時にも、翌朝、ロンドンに行く列車の中でも続いた。彼はロンドンに用があったので二人は一等車で一緒に行ったのだが、彼女の三等車の切符の差額を払うと彼は言い張った。ロンドンに着くまでには、二人は「レベッカ」、「H・G」と呼び合う仲になっていた。彼女はリヴァプール駅で彼と握手をし、イーストンに招いてもらったこと、および、これまでの人生で最も知的で刺激的な会話ができたことに、心の底から感謝した。

「あなたはまた征服したわね、H・G」とジェインは翌日、彼がレベッカの別れ際の言葉を繰り返すと言った。

「そう、彼女がそれまで見ていたより多くのものが僕にはあるってことを、納得させたと思うね」と彼は言った。

「ともかく、『結婚』に彼女が見たものより多くのものが」

事実、二人が会った結果、彼女は『結婚』自体に、もっと多くのものを見たようだった。というのも、数週間後、『エヴリマン』という雑誌に彼女が書いた『結婚』の書評の校正刷りを送ってきたからだ。それは、前のものより短かったが、かなり好意的なものだった。彼は礼状を書き、今度の書評で得た満足感は、その小説に関するヘンリー・ジェイムズからの手紙で損なわれたと軽い調子で書き、彼女を楽しませるために、いかにもジェイムズらしい数行を引用した。「僕は君の小説を、すべての例の〝批評の原則〟、形式の規範、適切な表現の先入観、作文の手法あるいは神聖な法則という概念（僕はそこを歩き回り、よちよち歩く）を、まったく無視して、君の著作を読む時はいつもそうなのだが、ほかの者の作品ではしないやり方で読んだ。ほかの者の作品を読む時は、気に入ってはいるが脆弱な理論にある程度頼るが、君の魔術にかかりながら読み進める時には、きわめてシニカルな矛盾した話だが、それを払い除ける」。その手紙はさらに一、二頁続き、ヘンリー・ジェイムズは、彼の批評的能力を一時棚上げにすることによってのみ『結婚』を読むことができたというメッセージを、長い回りくどい文章で繰り返していた。彼は今度も返事の中で鞭にキスをし、ジェイムズの「非常に心温まる親切に、最も賢明で、最も洞察力のある指導的批評と叱責」を混ぜたものに感謝した。「僕は非常に多くの気の毒な婦人（娼婦）同様、更正する前にいったん、いっそう堕落する運命にある。次の本は形式が〝恥ずべきほど〟ひどい、ごた混ぜのピクルスだ。僕はそれを知っているのだ。今後は自分のペンにまともな生活を送らせ、気を引き締め、形式のことを考えるよう、本気で努力しよう」

彼が当時取り掛かっていたその「次の本」は、『情熱的な友人たち』という題のもので、すぐ前の数作によく似ていた。彼はジェイムズがそれを嫌うのを知っていた。それが「呪わしい自伝形式」で書かれていて、主人公が自分の死後に読んでもらうよう、息子に長い告白的な手紙を書く。スティーヴン・ストラットンは自分の理想主義と性衝動とを調和させようとする。そうした妥協を困難に、あるいは不可能にしている世界において。しかし、それは世界なのか、それとも、人間性に内在する欠陥なのか――個人生活と、集団的、政治的生活における利己的欲望なのか？「これが、法律と統治の実態なのだ。これが、慣習と制度の実態なのだ。利己的欲望の制御」。スティーヴンは書いた。「人類にとっての最大の問題は、まさにこの利己的欲望に根差す貪欲さが、もっと寛大な情熱によって、どの程度抑えられるかということである」。そして事実、それがその作品のテーマだった。筋に姦通が入ってはいるが、彼は『結婚』で獲得した読者を失いたくなかった。ヒロインのレディー・メアリーは、復讐心に燃えた夫と離婚してスキャンダルを巻き起こすことによって恋人のスティーヴンの人生を台無しにせずには、彼の願望を満足させることができず、結局、主人公が耐え難い選択をしなくて済むように、自殺をしようとする。ヘンリー・ジェイムズの小説は、主人公あるいはヒロインが断念の意思表示をすることによって終わることが多いが、彼は、ジェイムズがそんなメロドラマ的な結末をよしとするとは期待していなかった。また、レベッカ・ウェストも、よしとしないのは確実だと思った。だが――仕方《タ・ン・ピ》がない。彼は書くべきことを書かねばならず、それを吐き出し、次の作品に取り掛かるのだ。途切れることなく執筆という仕事をし、時折、セックスやゲームという形で気晴らしをするというのが、彼にとっては、虚無的な絶望感に圧倒されないためには欠かせなかった。彼の最新の代弁者であるストラットンは言う。「自分は大抵、勇敢に進んで行く、と思う、しかし、絶望は常に近くにいる、鮫が船で寝ている者の近くにいるかもしれないように……人生は残酷さに満ち、なんとも空しく、暗黒で無目的な、底知れぬ洪水だという感覚」。不断に精神と肉体を使うことだけが、その黒い洪水を堰き止めることができた。それゆえ彼は常に、一冊の本を執筆中に、次の本の構想を練っていたのである。

早くも彼は、レベッカ・ウェストに話した着想を、「科学的ロマンス」のベースにしようと考えていた。そのプロローグで、新しい形のエネルギーを矢継ぎ早に発見するという点での人間の文明の発展について書く――火、風、蒸気、電気、最後に原子力。原子力は最初人間の生活を変えるが、原子力兵器が出来、人間の生活を脅かす。一九五八年に、イギリス、フランス、ロシア対ドイツ、オーストリア＝ハンガリー帝国の戦争が勃発する。アメリカも引き込まれる。空爆は首都を荒廃させ、オランダの堤防を破壊し、無力な地上軍を溺死させる。そして休戦が呼びかけられ、世界政府が出現する。物語はすべて、そうした出来事を経験した男によって、例えば一九七〇年に書かれたであろうような自伝的書物という形で、回顧的に語られる。

ミス・ウェストは、ヘンリー・ジェイムズの手紙からの引用を大いに楽しんだという手紙を、すぐに寄越した。「わたしは、あの最後の〝of〟が長々と引き延ばされているのを見て笑いました。彼が構文を統御することができなくなったと思わせます——でも、もちろん、そんなことはありません」と彼女は書いていた。彼は彼女が言及している箇所を思い出すため、ジェイムズの手紙を再読しなければならなかった。そして、その箇所を読み、笑った。彼女はまた、彼にもてなしてもらったことに対するちょっとした礼に、ハムステッド・ガーデン・サバーブにある自宅にご招待したい、そして自分と母と姉たちと一緒にお茶を飲んでくれないかとも書いてあった。断るのは失礼だと思い、彼は出掛け、楽しんだ。フェアフィールド夫人と彼女の二人の姉、レティーとウィニーは知的で、教養のある女性だったが、彼の名声を畏敬していて、妹のシシリー（姉たちは相変わらず彼女をそう呼んでいた、彼女のペンネームの秘密は、ばれていたけれども）が、彼に気に入られていることに驚いた。「お出で下さり、大変ありがとうございます」と彼女は、あとで手紙に書いた。「ママと姉たちは、あなたは才気煥発で魅力的だと思いました——あなたはその通りです——そしてわたしは、あなたをわたしたちの陋屋にお誘いしたことで、わたしに対する姉たちの評価は跳ね上がりました。あなたがわたしに関心を抱いて下さったことで、姉たちはわたしが作家として成功する資質を持っているかもしれないと思っています——そして、そのことは、わたしの自信を大層強めてくれました」

新年の初め、彼女は再び手紙を寄越した。それは長い手紙で、その中で彼女は書いていた。この三ヵ月、イーストン訪問と、何時間も自分に話をしてくれたあなたの寛大さを忘れることができない。その後のほかの人間との会話は、平凡で月並みのように思え、あの日以来、自分はあなたが才気煥発にさりげなく口にした考えや示唆を思い起こしている。あの経験が繰り返されることはないかもしれないと考えるのに耐えない、あなたが自分のことをすっかり忘れてしまう前に、またお会いできないかと思って、厚かましくも、この手紙を書いている。自分は大冒険に、つまり作家としての人生に乗り出そうとしているが、指導と励ましが必要で、あなたがそれを与えてくれることになんの疑いも抱いていない。

彼はその手紙を急いでざっと読んでから、ゆっくりと読み返した。彼はジェインが言葉にして言う前に、自分はこの若い女をイーストンで征服したことに十分気づいていた。あそこで、いわば知的に誘惑したのだ、そして、肉体的にそうするのは、この世で最もたやすいことだろう——たぶん、彼女が手紙の行間で誘っていたのは、そのことだろう。彼女が欲望を唆《そそ》る女であることは疑いなかった。早熟で、際立った容貌に若さゆえのあえかな色気が漂っていて、焦げ茶色の目の奥に、情熱的な性格が潜んでいる。ほかの場合だったら、彼はこの機会を利用しようという気になったであろうが、人生のこの面では、一種の安定性を獲得したばかりで、それを乱したくなかった。彼には、自分と同じ年頃の、洗練されていて、慎重で、独立した愛人がいた。彼女は妻から承認されていて、彼はほかの女を諦めざるを得なかった。そして、その調和を乱したくなかった。一方、若い娘が自分の寛大さに訴えかけてきているのをむげに断る気にもなれなかった。また、もし彼女に二度と会えないなら、実に残念だったろう。もし自分が非常に慎重に行動し、彼女に対する関係を助言者のそれに厳密に限定するなら、なんの悪いこともないし、彼女が作家として成長していくのを見守るのは興味深いことだろう。彼は返事を書いた。「君はまことに有無を言わせぬお方だ。僕は君の望んでいることをせざるを得ないと思う。ともかく僕は、君の大冒険で、できるだけ手を貸すつもりだ」。そして彼は、次にロンドンに出た際に、チャーチ・ロウにお茶に彼女を招いた。

——馬鹿な奴だ！　あんたはその娘と後腐れなしに二人だけで話ができると本気で思っていたのかね？　彼女はあんたが最高の男に見えたんだ。文学上の助言者、父親的存在、恋人を一つにしたようなな。

——話は、本とか理念とかについてで……

——しかし、あんたが彼女に初めてキスをしたのは本箱の前だったんじゃないか？　彼女が最初にチャーチ・ロウに来た時だ。

——わたしはまだイーストンに移っていなかった、社会主義に関する本のいくつかを彼女に見せていた。わたしが若い頃に読んだ本さ、マルクスとエンゲルス、ウィリアム・モリスとヘンリー・ジョージ。わたしはジョージの『進歩と貧困』を取り下ろそうとしていた、それは当時、わたしにとっては聖書のようなものだった、そして振り向くと、彼女がすぐそばに立っていて、本ではなくわたしを見ていた、わたしの目を。うっとりとした表情で……

——あんたは彼女にキスをした。

——しないわけにはいかなかった。

——すると彼女は、「あなたを愛してる」と言った。

——すると、わたしは言った。「君はとても優しい、でも、それは言ってはいけない。わたしは妻帯者だし、君の倍の齢だ」

――しかし、無駄だった。彼女はキスを愛の印と受け取った。

――そうなんだ。彼女はその後、何通かの手紙で、わたしにそう言った。

――で、あんたは、そうした手紙に返事を書いた。

――最初は。

――あんたは彼女をけしかけたんだね？

――いいや。

――しかし、やめさせようとはしなかった。

――彼女を傷つけたくなかったんだ。父親のようなやり方で好意的に接したかった。君は非常に特別な人間だと思うが、自分にはしがらみがあるので、君の愛に応えることはできないと、わたしは言った。

――あんたは、彼女があんたを進んで愛そうとしているのは、「美しく、勇敢なこと」だと思うと言わなかったかね？

――そんな風なことを言ったかもしれない。

――それは彼女をけしかけたことになるんじゃないかね？

――そのつもりはなかった。いずれにしろ、彼女の手紙に返事を出すのをやめた。

――ジェインにそう言われたからに過ぎない。

彼はある日、レベッカからの数通の手紙を渡し、さりげない風を装って言った。「この若いご婦人をどうしたらいいかね？　彼女はちょっとばかり厄介になってるんだ」

ジェインは手紙に目を通した。彼は彼女をそっと見ていたが、何を考えているのか、表情からは窺えなかった。ジェインは手紙を返しながら言った。「何度彼女にキスをしたの？」

「たった一度さ」と彼は言った。「彼女はその意味を馬鹿らしいほど大袈裟に考えてるんだ」

「わたしだったら彼女に大いに用心するわ、H・G。レベッカ・ウェストと名乗るような娘は、何をするのかわかったものじゃない」

「どういう意味だい？」

「『ロスメルスホルム』を観たことがある？」と彼女は訊いた。

「ない」

「わたしもないけど、読んだことはある――つい先日、本当は。イプセンのレベッカ・ウェストは非常に邪《よこしま》な人物」

「彼女はヒロインだと思ったがね」

「ええ、ある意味では、でも、とても欠陥のあるヒロイン。劇が進んで行くと、彼女はロスメルの石女《うまずめ》の妻と親しくなってロスメルの家に入り込むの、そして、彼を独り占めできるよう、ロスメルに妊娠させられたと嘘を言って、哀れな妻を自殺に追い込むの、それが明るみに出ると、妻とまったく同じように、二人とも最後に水車用水路に飛び込んで自殺する」

「こりゃ驚いた！」と彼は、心《しん》から驚いて叫んだ。

「〝レベッカ・ウェスト〟と名前を変えるような娘は、変わった娘だと思わない？」

「それは、慎重に考えた上での決断じゃなかったんじゃないかな」と彼は言った。「彼女は『フリーウーマン』に書いているのを母親から隠そうと、咄嗟の思いつきでその名前を選んだんだ」

「たとえそうでも……わたしなら彼女と縁を切るわ。もう、手紙に返事をしないことよ。行ってしまうのよ。いずれにしろ、あなたは間もなくスイスに行くんでしょ？」

「うん」

「それはとっても都合がいいわ」とジェインは言った。

「エリザベスがあなたの面倒を見てくれるわ、H・G」


シャレー・ソレイユは約束とは異なり、クリスマスまでには完成しなかったが、春には住めるようになった。それは急な丘の斜面から聳えていて、三階建てで、宏壮で、数多くの窓があり、斜め屋根の下にバルコニーがあった。その横にリトル・シャレーと呼ばれる小さな付属の建物があり、それはエリザベスの仕事場だった。そのドアの上に次のような文句が刻んであった。「私は下劣なる俗衆を憎む、而して之を遠ざく」（ホラティウスの『歌章』の一句）。彼女は貴族の婦人の役を演じたり、自分の家を独断的な感情を表わす言葉で覆うのを恥ずかしがらなかった。母屋のポーチの上には、こういう文句が書かれていた。「高みに、愛は高尚にして陽気な喜びと共に生きる」。正面のドア上には、「ここにおいては幸福のみ」と書かれていた――そこに住んですぐにしては少々傲慢に思えた。家の内部は木の建材の快い匂いがし、巨大なシガー箱に似ていて、客をもてなすために快適に家具や備品が設らえられていた。彼自身の寝室はリトル・Eの寝室の隣で、特別な仕掛けがしてあった。彼女はそれがどんなものかを、彼が旅行鞄から荷物を出している時に、不意に衣裳箪笥から彼に向かって飛び出してきて、嬉しそうに教えた。彼女は二つの部屋のあいだに秘密の引戸を作らせたのだ。それは音のしない脚輪の上に載っていて、二つの衣裳箪笥の後ろに隠されていた。そのため彼女は、家のほかの者に見られる危険を冒すことなく、夜、彼を訪ねることができた。

「これは特別に僕のために作ったのかい?」と彼は、驚いたあとで訊いた。

「もちろんよ」と彼女は言った。「ほかには恋人はいないの。あなたもそうだと信じるわ、G」。彼が彼女をリトル・Eと呼んでいるのに応じ、あるいはその仕返しに、彼女は皮肉を込めて彼を「偉人《グレート・マン》」と呼ぶようになったが、今では「G」に短縮されていた。

「そう、目下、ロンドンで僕を追いかけてる若い女がいるんだ」と彼は軽い調子で言い、レベッカ・ウェストについて話した。

エリザベスは時折『フリーウーマン』を読んだので、その名前には馴染みがあった。「頭のいい書き手だけど、あの人の書くものには、ちょっと荒っぽく無責任なところがある」と彼女は、ほんの少し眉をひそめながら言った。「わたしなら近寄らない」

「ジェインもそう言ってるんだ」。エリザベスは眉をひそめたままだった。彼は以前、リトル・Eがジェインの存在を思い出させられるのが好きではないことに気づいた。二人の関係はジェインに大目に見られていたけれども。エリザベスがジェインを彼の妻の座から追い払う意思は毛頭ないと言った時、それは本心ではないのではないかという、ほんの少しの疑念が芽生えたが、当座はその凝念を抑えつけた。

夜、エリザベスが秘密のドアから入ってくるのを待つという新しい経験は、初めのうちこそエロティックな刺激があったが、彼がこれまで慣れていたより、もっと受動的な役割を彼に課した。そのドアは彼女の部屋からしか開けられず、彼が期待しながら起きてしばらく横になっていたあとで、彼女が入ってくるのをやめると、彼はやや冷たくあしらわれたように感じ、少なからず苛々した。それは二人が同じ建物の中で寝ていて、夜、廊下にそっと出て、彼女の部屋のドアの取っ手を回してみるという、昔のやり方とはまったく違っていた。そうした際にドアが開いたにせよ開かなかったにせよ、主導権を握ったのは彼だった。ところがリトル・Eの引戸は、二人の愛の営みを彼女が牛耳るように作られているように思えた。しかし彼は文句を言わなかった。そして、山の麓の小丘にハイキングに行く時は、戸外で性交を自ら率先して行って、自分の権利を主張することがあった。それが、間接的にレベッカ・ウェスト に関係していたことがあった。

レベッカは当時、『クラリオン』という社会主義の週刊紙に定期的に寄稿していた。そして、それがスイスにいる彼に届いた。彼は彼女が書いた「性の戦争――男に関する断想」と題する力強い一文を読んだ。「わたしたちは男たちに選挙権を与えてくれと頼んだ、彼らはわたしたちに忠告を与えてくれた」と、それは始まっていた。「目下、彼らはわたしたちに悪罵をも与えてくれている。わたしは同性による好戦的行為への絶え間ない批判に飽き飽きしている。それはひどく横柄な確信と、甚だしい自己満足をもってなされている。そこでわたしも、それをこれからしよう」。彼女の雄弁な侮蔑の主な対象はジャーナリストと政治家と、独善的で不寛容な言葉で、戦闘的な婦人参政権論者を最近攻撃した公人だったが、彼女は論難の幅を広げ、男性一般を攻撃した。その際、次第に軽蔑の念が増していく彼女の小論に挿入される、一種のリフレーンを効果的に使った。「男は愚物である……男は飛び切り愚物である……ああ、男は惨めなほど愚物である」。彼女がその一文を通し、黙っている自分に対する怒りを発散させていることに、彼はほとんど疑念を抱いていなかったが、彼女から遠く離れていたので、彼女のウィットに富んだ論難に感心することができた。

ああ、男は飛び切り愚物である。そしてわたしは、男が専門としている領域でも一応有能なのかどうか、疑い始めている。男は自分たちが善良であるとは主張していない。総体的に男は、自分たちは美しいとは主張していない、もっとも個人では、この方向への努力は盛んだが。しかし男は、自分たちは利口だと主張しているのは確かだ。そして、わたしたちが金融界《シティー》と呼ぶ事業の混乱ぶりを眺めてみると、人はそれを疑い始める。男がそもそもの初めから自分たちのものにしている法律というものを考えてみると、そのことはいっそう疑わしくなる。法律は途方もなく金が掛かる。人は不実の夫と別れるのに、四回盲腸の手術が受けられるだけの費用が掛かる……

彼が感心しながらその小論をエリザベスに読んで聞かせると、彼女はにこりともせず、なんの感銘も受けないようだった。彼女は自分をフェミニストと見なしていたが、レベッカ・ウェストより繊細で、穏やかだった。「あの人の感情はフェミニストかもしれないけど」と彼女は言った。「そういう類いの誇張した諷刺は、女に対する男の偏見を強めるだけ。パンクハースト夫人の下《もと》の婦人参政権運動の人たちによって行われている蛮行のジャーナリズム版だわ」

彼は彼女の反応の裏にいくらかの嫉妬心があるのを感じざるを得なかった。そのことは翌日、山麓の小丘に長い散歩に出掛けた時に明らかになった。二人は例によってピクニック用の弁当と、二日遅れのロンドン『タイムズ』を一部持って行った。二人がシャレー・ソレイユを出ようとした時に配達されたものだ。二人はモンブランの山頂がよく見える、草の茂る丘の頂上でピクニック用のランチを食べ、そのあと二人で新聞を分け合い、互いに面白い記事を声に出して読んだ。たまたま彼の分の新聞に、ハンフリー・ウォード夫人からの投書が載っていた。それは若い世代の道徳の廃頽を非難したもので、その例としてレベッカ・ウェストの一文を引用していた。彼はそれを声に出して読み、馬鹿にして鼻を鳴らした。「こいつは『フリーウーマン』に載った『ハンフリー・ウォード夫人による福音書』に対する、長いあいだ考えていた復讐なのは明らかさ」と彼は言った。「それを読んだかい、E?」「覚えていないわ」と彼女は言った。「いや、忘れることはできないよ——実に見事なものだった」と彼は言った。「彼女のものので最初に感心したのが、あれさ」。「本当に? 二つ目はなんだったの?」とエリザベスは言った。「彼女の顔、それとも体?」そして間もなく、二人は馬鹿げた諍《いさか》いをした。彼は彼女が根拠のない嫉妬心から歪んだ判断をしていると非難し、彼女は自分の相当の量の著作に与えた讃辞より遥かに多くのものを、彼が若い新米の取るに足らない小論に惜しみなく与えたと非難した。「それは馬鹿げてるよ、E」といくつかの辛辣な言葉の激しいやりとりがあったあとで言った。「この話題はやめよう」。「あなたが持ち出したんだから、あなたの特権は認めるわ」と彼女は言い、『タイムズ』の経済欄を一生懸命に読んでいるふりをした。彼は午後のこれからを不機嫌に黙り込んで過ごすのは嫌だったので、数分たってから言った。「愛の営みをしよう、E」

「嫌よ」と彼女は目を上げずに言った。

「この馬鹿げた喧嘩を忘れるにはそれしかない」と彼は言って、不意にあることを思いついて言った。「服を脱いで、新聞の上で交わろう、レベッカ・ウェストについてのハンフリー・ウォード夫人の手紙の上で。それから新聞を焼くんだ、そうすれば僕らのネガティヴな感情は煙となって立ち昇り、この山巓《さんてん》の澄んだ空気の中に消えて行く」

彼女は顔を上げて彼を見、笑い出した。「あなたって悪党ね、G！　とっても狡猾な悪党。あなたと長くは喧嘩ができないわ」

「なら、やるんだね？」

「もちろん、やるわ」

そこで二人は立ち上がり、向き合いながら一枚一枚服を脱いでいき、空の下で裸で立ち、投書欄を一番上にして『タイムズ』を芝生に置き、その上に横になった。そして、間違いなくハンフリー・ウォード夫人の投書にエリザベスの尻が載るようにしてから、愛の営みをした。そのあと、彼は皺になって染みの付いた新聞にマッチで火を点けた。そして、野蛮人の夫婦のように、並んでしゃがみ、新聞が縁から燃え上がり、黒ずみ、崩れ、灼熱した断片になって、芝生の上にほんのわずかなグレーの灰を残して微風に吹かれて飛び去る様を、じっと眺めていた。

「僕らの怒りが飛んで行く」と彼は言って、彼女にキスをした。二人はシャレー・ソレイユに上機嫌で戻った。

レベッカの怒りは、そう簡単には治まらなかった。彼がイギリスに戻ると、至急会いたいという彼女からの一連の手紙が来ていた。彼はロンドンの足場としてハムステッドの家の代わりに、ウェストミンスターのセント・ジェイムズ・コートの、賃貸借契約を結んだばかりの新しいフラットに彼女をお茶に招《よ》んだ——そこを借りたのは、エリザベスの提案に従ったからだ。自分も同じ街区にフラットを持っているので「便利」だろうとエリザベスは言ったのだ。彼の借りたフラットは塗り立てのペンキのにおいがし、快適に住みこなしたという様子がまだなかった。家具が足りず、窓にはカーテンがなく、床には敷物も絨毯もなかった。彼は、この居心地の悪い雰囲気ゆえに、レベッカが自分にとって具合の悪い感情を露わにするのを思いとどまるのを願っていたが、彼女は周囲の様子など、ほとんど気づかないようだった。彼女はフラットの中で、客間から台所に、また客間にと彼のあとについて歩きながら、黒っぽい目を彼から離さなかった（そのフラットには召使がいなかったので、彼は自分で紅茶を淹れねばならなかった）。彼は、会話を軽い無難な話題から逸らすまいとしながら、その目の奥に、様々な感情——憧憬、挫折感、怒り、絶望——が渦巻いているのを垣間見た。彼は自分がいないあいだ何をしていたのかと訊くと、母と一緒にスペインに行っていたと言った。スペインのどこへ？　バリャドリード、マドリッド、セビリアに。楽しかったかい？　いいえ、楽しくなかった、ほとんどずっと、自殺をしたいほど気が滅入っていた。彼は聞こえなかったふりをしたので、彼女はその情報を別な形で伝えた——母と一緒に旅をしていたという事実だけが、彼女に自殺をさせなかった。なんでそんな愚かなことをしようとしたのか、と彼は訊いた。「あなたがわたしを拒否したから」と彼女は言った。「あなたはわたしをあなたに恋させ、それから、子供が興味を失った玩具を捨てるように、わたしを捨てた。あなたが理解できない。わたしの恋人になるつもりがなかったのなら、なんでキスをしたの？」

彼は溜め息をつき、首を横に振り、前もって用意したスピーチをした。

「レベッカ、君は非常に若い。若いのだから——そして情熱的で、美しく、君は鏡を見ると、自分の体が抱擁された際の互いの快楽をぼんやりと意識する——当然、その快楽を経験したいと思う。しかし、そうするのに大恋愛をする必要はないんだ——大恋愛はあとでいい、僕がそれを与えることができないのは確かだ。君に本当に必要なのは、性の探求と実験で君と同じ段階にあるか、君より少し進んでいて、避妊について責任を持つ、感じのいい青年と適当に愉しむことだ。君は大ロマンスの感情がないと、セックスは醜いものだという考えを吹き込まれてしまっているんだ。それは醜くなんかは全然ない——美しいんだ、そしてある日——」。しかし、説教のその時点で、会衆である彼女は立ち上がり、持ち物をまとめ、ひとことも言わずにフラットから出て行った。

その後まもなく、彼女は彼に長い、驚くべき手紙を寄越した。それは、こう始まっていた。

親愛なるH・G、

これからの数日間に、わたしは弾丸で自分の頭を撃ち抜くか、死よりももっと自分を打ち砕く何かをするつもりです。とにかく、わたしはまったく違った人間になるでしょう。わたしは自分の臨終のシーンを、騙されて奪われるのを拒否します。なぜあなたが三月前はわたしを欲しがったのに、今では欲しがらないのかわかりません。なぜそうなのかを知っていたらと思います。それは、わたしの理解できない何か、わたしが軽蔑する何かです。そして最悪なのは、もしわたしがあなたを軽蔑すれば、わたしは平静さを失い、怒り狂うということです。

そして、こう終わっていた。

　あなたはかつて、わたしがあなたを愛したいという気持ちを、美しく、勇気のあることだとおっしゃいました。わたしは今でも、そう思っています。ところが今は、あなたの老嬢的性格が、男に必死に、救い難く恋している女は醜い光景で、物事の自然の秩序を引っ繰り返すものに、あなたに感じさせているのです。でも、あなたは以前は、そんな風に感じるにはあまりに繊細だったのでしょう。

　わたしは体にあなたの両腕が回されるのを感じるためなら、全生命を捧げます。

　あなたがわたしを愛してくれたのなら、と思います。あなたがわたしを好いてくれたのなら、と思います。

草々

レベッカ

追伸があった。

　わたしを独りぼっちにしないで。もしわたしが生きていれば、時々お手紙を下さい。あなたはそうするだけには、わたしを好いているでしょう。わたしは少なくともそうだと思うことにします。

　彼はその手紙を最初は不安な気持ちで読んだが、次に怒りを覚え、最後にはほっとした。それは、正真正銘の感情的脅迫だった。もし、この愚かな小娘が実際に自殺して、自分を巻き込むような遺書を残したなら、それは自分の人生を台無しにしてしまうだろう。名声も、結婚も、作家としての人生も、リトル・Eとの関係も、すべて取り返しのつかぬほどに失われてしまうだろう。彼女もよく知っていたように。だが、最後の数行、とりわけ追伸は、彼女の芝居がかったレトリックの空しさを露呈していた。メロドラマ的な「もしわたしが生きていれば」という文句――イプセンのヒロインが舞台から投げかけたかもしれない台詞の一つ――のあとに、もっと手紙をくれという漸降法的な陳腐な言葉が続く。この女は自殺はしない、しかし、成功はしなくて愛の営みをさせようとしている、自分を恐がらせたい、と思い、彼は短い返事を書いた。「こんな風に脅《おど》かされたあとで、僕はどうして君の友人でいられるだろうか？僕は自分が君の役にも、助けにもまったくならないと思う。君には大いに同情する――しかし、もっと理に適った状況で会えるまで、さようなら」

彼は相手を袖にしたこの文面の調子をやや和らげるため、いくつかの雑誌に彼女の一文が載るのを期待しているという二伸を添えた。彼は、彼女が前便のヒステリックな内容を詫び、また会ってくれたら、もっと分別のある行動をする、あるいは少なくとも、もっと分別のある手紙を書くことを約束するという、謙虚で、卑下した手紙がまた来るものと、すっかり思っていた。ところが、そんな手紙は来なかった。七月に彼は、『フリーウーマン』の後継誌『ニュー・フリーウーマン』で、彼女の書いたいくつかのものを読んだ。その雑誌は編集長は同じだが、もっと文学的色彩が濃かった。彼は強い感銘を受けた。最初のものは、彼女がセビリアのカフェで聞いた、ナナという歌手についての一文だった。ナナの官能的な声と肉感的な姿態が聴衆を恍惚状態にし、レベッカに一種の神秘的な洞察力を与えた。

わたしはかつて、灰色のクライズデール（重輓馬）の大きな大理石模様の腰部と、わずかに湾曲した背中に陽が照りつけているのを見、腿が強く後ろにぴくりと動く様《さま》を眺めていたのを思い出した。そして、魂と知能の関心事にあまりに深く浸透されていたので、その幸福な死骸の伝えるメッセージが理解できなかった。もし、ごく幼い頃に、生命の枠組み自体、掛け値なく不滅で甘美なものなので、ほかの一切のものが失われても、人はそのためだけに生きるに値するということに気づいていたとしても、わたしはそれを忘れてしまっていたのだ。いまやナナのめくるめくような肉体は、それを明晰に宣言していた。「ここにいるわたしは、肉と血でしかない。あなたの心と精神の玩具がすべて壊れたなら、わたしの爽やかな肉と血に戻ってきなさい」

これは、二十歳《はたち》の女が書いたにしては瞠目すべきものだった。たとえ、D・H・ロレンスの影響がはっきりしているとしても。これは、レベッカがスペインに旅行した時、その経験から何かを学ぶことができないほど自己に執着していなかったことを示していた。「黄金の木」という、もう一つのエッセイも、やはりよいものだった。彼は最後に会った時から決心を変えていないことを明確にしつつも、短い祝いの手紙を送ることに抗し得なかった。「君はまたしても見事に書いている。友達であり続けようではないか。君は僕から、あの純粋な深い興奮と完全な生命感を得るのはまったく不可能だということ、また、君の若い欲望を僕のために無駄にさせないよう、僕が優しくて禁欲的だったということがわかるだけの時間が君にはあった――人は潑剌たる若い時だけよく燃えることができる。僕は燃え殻なのだ。ナナは素晴らしかった」。彼女はすぐには返事をしなかった。やがて、非常に短いメッセージを書いた葉書が来た。彼の励ましの言葉に感謝するということ、『ニュー・フリーウーマン』の文芸担当編集長になったので恐ろしく忙しいということが記してあった。その間《かん》彼はその雑誌で、「バリャドリード」という、彼女が書いたもう一つの印象的な短篇を読んだ。スペインに休暇旅行に出掛けた若い女が、弾丸の化膿した傷を治療するために、ある不機嫌な医者のもとを訪れる。その傷は、恋人に捨てられたあと、自殺しようとしてイギリスで負ったものだった。彼はその恋人に自分の姿を認めて不安になったが、彼を正確に判断しているのに感心した。「わたしの恋人はわたしの肉体の純潔は奪わなかったが、わたしの魂は誘惑した。彼は、わたし以上にわたしになってしまうほどわたしと混ざり合ってから、わたしのもとを去った」

彼女は『ニュー・フリーウーマン』のためにこうした文学作品を書いていたのと同じ時期に、『クラリオン』のために、時事問題を扱った、まったく違った、しかしやはり見事な一文を書いていた。それは悪戯っぽいウィットで煌いていて、戦闘的婦人参政権運動に次第に幻滅するようになったことを明かしていた――それは運動の対決的戦術のせいではなく、性に対するその不寛容な態度が、男の偏見の鏡像だったせいだった。彼女は「結婚の危険」に対して重々しく警告した、パンクハースト夫人の娘のクリスタベルの小冊子を、大胆にも揶揄しさえした。彼女の考えの変化に、彼は喜んだ。なぜなら、それは自分の考えに非常に近かったからだ。そのことを彼は、その一文と、同誌に載った彼女のほかの文を褒めた手紙の中で書いた。レベッカは、作家として本調子が出てきた。彼女がほぼ週ごとに作家として急速に成長していく姿を追うことに、彼は興奮を覚えた。そして、彼女のごく初期の文章に可能性を見出したことに得意になった。その一方、激賞した自分の手紙に、短い、抑制した返事しか彼女が寄越さないことに、やや自尊心を傷つけられた。彼はまた会いたいという手紙が彼女から来ることを期待していたが、来なかった。そして、間違った合図を送ることなしに（正直なところ、面目を失わずに）、自分から手紙をくれとは言い出せないと感じた。

期待が裏切られたゆえの絶え間ない緊張感と、鬩《せめ》ぎ合う衝動のせいで、彼は苛立ち、不満だった。ジェインはイーストン・グリーブの急を要する修繕と改築を監督することにもっぱら関わっていたので、妻として以前より面倒を見てくれなくなった。それならエリザベスに慰めてもらい、甘やかしてもらおうとすると、失望した。彼女は最近、彼に対して次第に批判的になったのだ。まるで、「シャトー・ソレイユ」（彼は時折、皮肉っぽくそう言った）を所有したことが、彼女の貴族気取りを助長したかのようだった。彼女の貴族の名前は、所詮、結婚して付いた気取った名前に過ぎなかった。そして彼女は、彼の発音やテーブルマナーを絶えず直し、彼の卑しい生まれについてちょっとした冗談を言った。ある時ロンドンで、二人が招かれたディナー・パーティーの席上、彼が最近訪れたアップ・パークの様子を話し（その頃はアパークとして知られるようになっていた。彼は昔の綴りと発音のほうが気に入っていたが）、蘇ったそこの思い出に浸っていると、彼女は尋ねた。「あなたは正面玄関から入ったの、それとも召使用入口から入ったの？」間の悪い沈黙が一座に訪れた。「ただ、好奇心から知りたかっただけよ」と彼女は、あとで彼が詰《なじ》ると肩をすくめて言った。彼女はまた、「ワイフィー」とか「巻物管理人《キーパー・オヴ・ザ・スクロールズ》」（それは、ジェインが彼の原稿をタイプすることを指してした）とかいった、やや揶揄《やゆ》するような綽名でジェインを呼んだり、ジェインの独特な言い回しや癖を真似したりするようになった。ある日、セント・ジェイムズ・コートの彼女のフラットで、それについて彼が抗議すると、激しい喧嘩になり、自分たちの関係が将来も続くものとすれば、彼はジェインと離婚し、彼女と結婚すべきだというようなことを言った。彼はうんざりしてフラットを出た。すると翌日、彼女がシャレー・ソレイユに行ってしまったことがわかった。彼は彼女が去った直後手紙を出し、癇癪を起こしたことを詫び、自分たちが過去二年間享受してきた、きわめて充実し、洗練された関係を壊さないようにと乞うた。「妻はあらゆる美徳、あらゆる魅力をそなえているが、ただ、死んだ鰊同様だ。君は僕にとっては全宇宙の目だ」と彼は大袈裟に書いたが、長いあいだ待ったあとでやっと来た返事は、冷たい調子のものだった。すぐに訪れたいと彼が言うと、彼女は数週間先の十一月のある日を指定した。

十月初旬、レベッカ・ウェストは『情熱的な友人たち』を『ニュー・フリーウーマン』で書評した。同誌の目次にその書評を見つけた彼は、不安の混ざった強い好奇心を覚え、すぐにその頁を繰った。それは、彼の自尊心をやや傷つけたのだが、人気はあるものの作家としては価値のないホール・ケインの新作と彼の小説を一緒に扱った長い書評だった。彼はレベッカが『汝が我に与へし女』を徹底的にやっつけているのを見て満足したが、彼自身についてどう書いているのか早く知ろうと頁を急いで繰った。彼女は、愛してくれという自分の訴えに彼が応えなかったことに、『結婚』についての彼女の最初の書評よりダメージの大きい書評を書いて復讐する機会を見出したのだろうか？　それとも、べたぼめをして彼の心を溶かそうとしているのだろうか？　実際には、彼女はそのどちらもしていなかった。それは思慮分別のある、よく書かれた書評で、小説の初めの部分を惜しみなく褒めていた。（「盛んに悪戯をし、病気になる可愛らしい強情な子供をじっくりと描いている第一章は、子供時代の最も優れた描写の一つである」）。しかし彼女は、その他の部分の多くには欠陥を見出した。「大脳皮質は、人を苛立たせるような文体で、鳥肌が立つ……ストラットンは、ウェルズ氏の永遠の恥となる次の文章の中に生きている、レイチェルという、幽霊のような、人に踏み躙られても黙っている女と結婚する——『若い女がこんなことを言うのは生意気だってことは知っているけど、あたしたちにはたくさんの共通の関心事があるわ』」。しかし、彼が最も関心を惹かれたのは、主人公たちの性的、道徳的ジレンマに対するレベッカの言葉だった。もし、このペアが考えているらしいように、と彼女は書いていた、男たちがやり遂げるべきある偉大な仕事のために、満たされた情念の霊感を必要とするならば、それは女に、耐え難いほどに重い責任を負わせることになる。「確かな話、生命のこの凄まじい熱病を癒す唯一の手段は、セックスを軽く扱うこと、この点において、哲学においてと同様、自分は多くの者より優れてはいないと認識すること、間もなく別れる二人の恋人について、六月の初めに春が地上を去るのと同じくらいにしか考えないことである」。それは、セックスに対する彼の快楽主義的態度に非常に近かった。彼はいつもそれを実践しようとしたが、時折、嫉妬心ゆえの所有欲を抱いた。しかし、それを小説の中で公然とはっきり認める勇気はなかった。彼はレベッカがその態度を共有していることを知って喜んだが、驚きもした。彼は、恋についての彼女の情熱的な言葉から、彼女は彼が全面的にコミットしない限り満足しないだろうと考えていた。明らかに、それは本当ではなかった。彼女はこの書評を通して、自分は彼の人生に浮気《パッサード》の相手として喜んで登場するというメッセージを送ってきたのだろうか、と彼は考えた。

その後間もなく、彼はピカデリーである日の午後、偶然レベッカに出会った。彼がハチャード書店から出てくると、彼女が王立美術院から出てきた。二人は同時に目を合わせた。まるで、あるテレパシーの力が二人の視線を道路越しに導いて合わせたかのように。二人のあいだを走っている辻馬車や幌付き荷馬車や乗合馬車は、映画の前景のちらちらする形象のようだった。彼女は、彼が馬車のあいだを無謀にも縫うようにして歩いて彼女のいる側に着くまで、じっと立って待っていた。「レベッカ」と彼は言って彼女の手を握り、そのまま摑んでいた。「君は素敵だ」。その通りだった——輝いていて、生き生きしていて、美しかった。彼は彼女がいかに可愛らしいのかを忘れていたのだ。「君に会えなくて淋しかったよ。なんで僕を避けてたんだい？」

「避けてはいなかったわ」と彼女は言った。「わたしに会いたかったのなら、なんでそう言わなかったの？」

「ひどく忙しかったんだ……まあ、いいさ。どこかでお茶を御馳走したいな——フォートナム——僕らは話すことがたくさんある。『情熱的な友人たち』の君の書評は実に興味深かった」

「腹を立てなかったのね？」

「うん、いくつかの批判には傷つけられたのは認めるがね。でも、今ではそういうことに慣れてるんだ。君はいくつかとてもいいことも言った。ところで、僕とお茶を飲むかい？」

「ぜひ」と彼女は言って微笑んだ。

彼は彼女の腕を取って道路を渡り、フォートナム・アンド・メイソンに入った。そこで二人は、蟹と胡瓜《きゆうり》のサンドイッチ、ドメスチカスモモのジャム添えのトースト・ティーケーキ、クリーム・ペストリーという豪華なお茶を注文した。彼女は旺盛な食欲で食べた。そして、今、『ニュー・フリーウーマン』で働いていて、書評を書いたり、人に依頼したりしていると話した。彼は目下執筆中の小説『解放された世界』について話した。それは、原子爆弾を使って行われる地球規模の戦争をテーマにしたものだった。「実を言うとね、君がイーストンに来た日に軍備競争について話した時に、この小説の着想が浮かんだんだ」と彼は、実際の出来事の順序を変えながら言ったが、彼女が嬉しがっているのがわかった。「それが、君を招待することにしたのを非常に喜んでいる理由の一つさ」

「ハロルド・ルービンスタインはあなたがそうするって予言したわ」と彼女は言って、クリーム・パフを一口食べた。

「ハロルド・ルービンスタインって誰だい？」と、その情報に心を乱した。

「事務弁護士。〝若きフェビアン〟の一人で、男のフェミニスト――〝フリーウーマン・サークル〟の集会に来るの」

「君の友人のようだね」

「ええ、わたしたち、フェビアン夏期学校で出合ったの。わたしの時間がある時は、時々コンサートに連れて行ってくれる」

「で、僕が君をイーストン・グリーブに招くだろうって、彼はいつ予言したんだい？」

「『結婚』のわたしの書評を読んだ時。あなたはわたしに会って、わたしを身の程を忘れないようにさせようという衝動に抗えないだろうって言ったわ」

「そうなのかい」と彼は言った。そして、お馴染みの不快な感情の波が吐き気の発作のように襲ってくるのを感じた。それは、嫉妬心だった。もし自分がレベッカの欲望に応えなければ、この薄気味悪いほど明敏な青年は自分のライバルになり、かつての情事の際のクリフォード・シャープとリヴァーズ・ブランコ・ホワイトと同じ、邪《よこしま》で非難がましい役割を演ずるだろう。もし？　もはやどんな「もし」もない。そう悟った彼は、ルービンスタイン氏を出し抜き、チャンスがあるうちにレベッカを自分のものにする決心を瞬間的に、本能的に固めた。彼は話題を『情熱的な友人たち』に戻した。「僕はセックスを軽く扱う必要があると君が言ったことに、非常に興味を惹かれた。それは僕がいつも思っていたことさ――いつも実践したわけじゃないが、正直に言えば」

レベッカは顔を顰《しか》めた。「おかげで家で大変な騒動になったの」と彼女は言った。「ママはひどいショックを受けた。わたしは何も知らないことについて戯言《たわごと》を話してるって、レティーは言った」

「戯言じゃ全然ないけど、もしその面で知識を増やしたいんなら、君は家を出なくちゃいけない」

「出たいの。でも、その余裕はまったくない」と彼女は言った。

ウェイトレスが勘定書きを持ってやってきた。彼は支払いを済ませると言った。「僕の新しいフラットはちゃんと仕上がっていて、今では家具も入っている。見てみたいかい？」彼女がためらっていたので、彼は言い添えた。「目下、あそこでは僕は独りなんだ」

「見てみたいわ」と彼女は言った。目は、彼女が彼の意味したことを正確に知っているのを彼に伝えていた。

そういうわけで、情事が始まった。最初の時は、レベッカは熱烈だったが受身だった。体に両腕を回されただけで有頂天になり、欲望を唆る女と彼が思ってくれていることを知って喜び、自分では積極的にはならず、彼の望むことにはなんでも応じた。新しいダンスのステップを習っている者のように、彼の動きに合わせた。だが、彼女はすぐに覚え、欲望の激しさはスリリングだった。二人が関係を持ち始めた頃のある日、彼女がセント・ジェイムズ・コートにやってきた時、フラットに一人の召使がいた――夫婦のどちらかが、または両方がフラットにいる際に掃除と料理をしてもらうためにジェインが最近雇ったのだ。彼はレベッカに客間で会い、召使がいることを詫びた。「彼女《あれ》が来るのを知らなかったんだ」と彼は言った。「半休日だと思ってたんだ。でも、ここに来て、キスをさせてくれ」。二人はソファーに坐り、キスをし、互いに愛撫し始めたが、次第に興奮してきた。すぐに彼はレベッカのブラウスを脱がせ、露わになった乳房に唇を押し当てた。その間《かん》、片手をスカートの下に入れ、腿のあいだに突っ込んだ。レベッカは呻き始め、骨盤を、押してくる彼の人差し指に向かって上げた。「やって、やって、やって！」と彼女は泣き声で言った。「今って意味かい？　ここでかい？」「そう、そう！」コンドームを置いてある寝室に、召使に会う危険なしに彼女を運んで行くのは不可能だったが、彼は自分自身の欲望と、レベッカの恥ずかしげもない切迫した様子にすっかり興奮していたので、途中でやめたいとは思わなかった。そこで彼は急いでボタンを外し、彼女の求めに応じた。彼は中絶性交の達人だと自負していたが、その時は片足を床に着き、レベッカの上に大の字になっていたので敷物の上で滑ってしまい、不意に体位が変わったので、体を引く前に射精してしまった。「すまない」と彼はあとで言ったが、彼女は、彼が詫びているのは、妊娠のおそれについてではなく、二人の置かれた状況がまともなものではなかったことについてだと考えているように見えた。「あなたをけしかけた、わたしが悪かったのよ」と彼女は言った。「もし、あの女の人が入ってきたら、あの最中にと想像すると……」。彼女は忍び笑いをした。「自分を恥ずべきだけど、恥じない」。彼は再び彼女にキスをして、浴室に行ったらどうかと言った。「ビデがあるんだ」と彼は言った。「僕なら十分にそいつを使うね」。彼女は彼の言う意味を理解し、不意に真顔になった。「ええ、そうするわ」。だが、彼女は微笑みながら浴室から戻ってきた。どうやら、洗浄の効果に絶大な信頼を置いているようだった。彼は自分の不安で彼女を心配させたくなかった。その後は、二人が愛を営む時はいつでも几帳面にコンドームを使った。やがて彼女が、新しい女性用の避妊具を手に入れるまで。

彼は知っているすべての体位を彼女にとらせたが、自分ではすっかり我を忘れることのなかったリトル・Eと二年間、遊戯的な、時には頽廃的なセックスをしたあとで、レベッカが愛の行為に持ち込んだ激しい情熱は彼を有頂天にし、アンバーと一緒に享受した恍惚感を思い出させた。しかし、はっきりと違った性質もあった。彼はアンバーをセックスの体操選手、一種のアタランテーと考えていた。すらりとしていて、敏捷で、快楽主義者的だった。ところがレベッカには、裸になって愛を渇望する時は野生的なところがあった。彼女の体はアンバーの体ほど古典的に美しいものではなかったが、官能的だった。バストが大きく、ウェストがくびれ、ヒップが幅広く、尻は大きくカーブしていた。彼女の陰毛は豊かだった。「最初に生えてきた時は恥ずかしかった」と彼女は言った。「動物の毛皮みたいと思ったの」。「それがとても素敵なのさ」と彼は言った。「君には非常に刺激的な動物じみたところがある。野生的なところ、密林でパンサーが飛び出してくるように、今にも噴出する、秘めたエネルギーのようなものが。君を〝パンサー〟って呼ぼう」。「わたしはあなたをなんて呼ぼうかしら?」「〝ジャガー〟って呼んでくれたまえ。僕らは密林で番《つが》う二匹の大型の猫科動物だ」。この子供じみた幻想は二人を喜ばせ、二人の関係の不可欠の要素になった。

彼はレベッカに会っているということをジェインに話した。すると彼女は、そういった類いのことが起こっているのに、例によってすでに気づいていた。「もしエリザベスが気づいたら、黙っていないでしょうよ」と彼女は言った。

「そう思うかい?」と彼は言った。

「彼女がそうなのを知ってるでしょ。ランドーニュに行ったら、あの人に話すつもり?」彼がシャレー・ソレイユに行く日が、いまや迫っていた。

「わからない」と彼は言った。「考えておこう」

彼はなんの決断も下さずにスイスに行った。できることなら、エリザベスと実際に縁を切りたくなかった。最近彼女は、ジェインと彼に、見下したような当てこすりを言い始め、苛立たしくなったが、理想的な愛人ではあった。面白く、知的な話し相手で、セックスを深い情緒的な関わりの表現ではなく、快楽の源と見る恋人は、彼が原則的に認める恋人だった。彼女が裕福で、よい縁故関係に恵まれ、彼が仕事と気晴らしのために長期間滞在できる立派な家を、ヨーロッパの彼の大好きな場所に所有しているということも、彼女を手放したくない大きな理由だった。一方彼は、若いレベッカに有頂天になっていた。あのような刺激的な官能と、会話と文章の両方において知力、雄弁、ウィットを併せ持った女に会ったことがなかった。エリザベスは人を楽しませる話し上手で技巧的作家だが、それは狭い限界の中での話だった。彼女は基本的にはエンタテイナーで、人生の表面を優雅に滑って行き、暗い深みは決して探らず、本当の意味で読者に挑戦せず、読者の心を乱すようなことはしなかった。レベッカは作家としての道を歩み始めたばかりだが、将来は相当の作家になるのを彼は確信していた。そして、彼女が成長していくのを見守り、彼女を導くのは、やり甲斐があった。自分はこの二つの関係のどちらを選ぶべきだろうか?　あるいは、なんとか工夫すれば、両方が愉しめるだろうか?

ランドーニュに着いたらば、リトル・Eにレベッカのことを話し、決定的に別れることになる危険を冒すべきだろうか?　あるいは、二人が最後に別れた時の悪感情を取り除くことに専心し、レベッカが関心を持っている限り、密かに彼女との関係を続けるべきだろうか?

彼はシャレー・ソレイユに着くまで、自分はどうすべきか決めていなかったので、何事も満足のいくようにはできなかった。エリザベスは愛想よく彼を出迎えたが、喜んでいるとは言えなかった。二人が最後に一緒だった時の彼の行動に対して、彼は謙虚に詫びるのを彼女が期待しているのを感じ取ったが、それはすでに手紙で済ませたと思っていた。彼女のほうは、自分も悪かったとは認めていないようだった。最初の数日は、二人のいつものやり方で至極快適に過ぎた。二人とも午前中は仕事をした。彼は母屋で、彼女はリトル・シャレーで。それから二人は午後散歩に行き、そのあと晩に夕食になり、軽く本を読み、ピアノで少しばかり音楽を楽しんだ。エリザベスはピアノが非常に上手かった。しかし、彼女は夜、二人の部屋のあいだの秘密のドアを通ってやってこなかった。彼は二人とも演技をしているような気がした。外面上は愛想がよいが、内面は用心深く、摑み合おうとしているが実際には摑み合わないレスラーのように、心の中で互いに相手の周りをぐるぐる回っていると彼は感じた。君は今、何を書いているのかと彼が尋ねると、彼女は「姦通についての小説」と答えた。「世界で一番の気晴らしだ!」と彼は言った。それは、自分たち自身が、洗練された、軽い気持ちでそれに耽っていることに言及した台詞だったが、それに対する彼女の微笑はやや無理をしたもので、彼は、自分が彼女を裏切っているという疑念を彼女が抱いているのだろうかと考えた。彼女はレベッカ・ウェストがまだ彼を「しつこく悩ましている」のかどうか訊いたが、彼はそういうことはないと、正確だが誤解させる返事をした。だが、レベッカが『ニュー・フリーウーマン』に寄稿した文をくさすようなことをエリザベスが言った時、自分の考えでは、また何人かのほかの者、たとえばフォーディー・ヘファーやヴァイオレットの考えでは、彼女はロンドンの最も才気煥発な若いジャーナリストだと言った。「あら、そうなの?」と彼女は、退屈したような懐疑的態度で言ったが、あたかも、その言葉に隠された意味を探るかのような目で彼を見た。

彼は手を入れるために『解放された世界』の校正刷りを持ってきた。そしてある晩、その一部を彼女に読んで聞かせたが、彼女の気に入らなかった。「なんで世界をそんな風に破滅させるの?」と彼女は訊いた。「人類が本気で世界を破滅させるのをやめさせるためさ」と彼は言った。「でも、あなたの描写には、破壊を喜んでるところがある」と彼女は言った。「まるで、ほかの子供が何時間も掛けて作った砂の城を蹴飛ばして壊す腕白小僧みたい。なんであなたは、想像だけにせよ、パリを、美しいパリを木っ端微塵にしようなんて気になったの? 考えてみれば、そうした爆弾は実際には存在しないんで、誰もそんなことはできないでしょうけど」。「いつかは存在するようになる」と彼は言った。「あなたはそう言うけどね」と彼女は冷やかすように言った。その夜、彼女はまたも彼の部屋に来なかった——次の夜も。彼は、来てくれと自分が頭を下げて頼むのを彼女は待っているのだと感じたが、平身低頭する気はなかった。なんでそんなことをしなければならないのか?

それは、二人の沈黙の決闘のようなものだった——どっちが先に参るか？　どっちが対立を引き起こし、それに伴う責任をとるのか？

結局、それは彼だった。六日目の夜、暗闇の中で耳を澄まし、秘密のドアがするりと開く音がしないかと目を覚まして空しく待ったあとうんざりし、朝食後二人がテラスに出た時、予定より二日早かったが、今日の午後ここを出るとエリザベスに言った。二人は渓谷を見下ろしていた。「なその底は、綿のような早朝の霧の層に隠されていた。「これ以上泊まっていても意味がないからさ」と彼は言った。「わたしたちの関係はすっかり終わったっていうこと？」と彼女は言った。「僕はここに到着してから、毎晩目を覚まして横になり、君が僕の部屋に来るのを待ってたんだ」と彼は言った。「でも君は来なかった。それは、声明みたいなものだと思う」。「そうだと思うわ」と彼女は言った。「それは、僕が下品だからかい？」と彼は言った。「いいえ、そうじゃない」と彼女は言い、彼のほうに振り向いた。「あなたは確かにある面では下品よ、G、『僕が下品だからかい？』って言うのは実際、下品よ。でも、あなたは天才でもある。人は天才がたくさんの欠点を持っていても赦すことができる。でも、誰かほかの人がいるんでしょ？」「なんでそれが、この二年、非常にうまくいっていた僕らの関係に影響するんだい？」「誰かほかの人がいるのは知ってるの」と彼女は言った。「感じるのよ。それが嫌。赦せない」。「結構だとも」と彼は言った。「荷造りをしよう」

シャレー・ソレイユに来るには、一マイル下方が終点の小さな山岳鉄道でランドーニュで降りた。彼は手荷物の入った手押し車を押して行く召使のあとから、駅に通ずる急な小径を降りて行くと、エリザベスが窓かテラスから自分を見ているのは確かだと感じたが、振り向かなかった。彼はシャレーから遠ざかれば遠ざかるほど気分が昂揚した。そして、ヨーロッパを横切り、レベッカの待っているロンドンに向かうにつれ、気分は絶えず昂揚した。もし、二人の女を所有することができないなら、自分は正しい選択をしたのだということに、彼は疑念を抱かなかった。リトル・Eは彼に与えるべき新しいものは何も持っていない。レベッカは若さ、生命、無限の可能性を持っている。

彼はイーストン・グリーブに着くや否や、事の顚末をジェインに話した——エリザベスは過去で、レベッカは未来だ。「お好きなように、H・G」と彼女は溜め息をつきながら言った。「でも、わたしはレベッカに二度と会いたくない、ここに泊まってもらいたくないのも確か」。彼はその条件に何も言わずに同意した。そして、その条件を出したジェインの気持ちが理解できると思った。ジェインは自分と同じ年齢のエリザベスや、思春期時代から知っていて、自分の代理娘のようなアンバーと付き合うようには、レベッカと付き合うことはできないだろう。レベッカは――若いだけではなく、我が強くて野心的でもあった――もし、彼らの家庭生活と社交生活の中に入るのを許されれば、ジェインに対して挑戦的な存在、さらには脅威になるだろう。

そういうわけで彼は、レベッカとの情事を別の場所で行わなければならなかった。また、人に知られてはならなかった。もはやセント・ジェイムズ・コートでは彼女に会わなかった――レベッカと腕を組んで建物を出入りする際にエリザベスに出くわすという、間の悪いことになるおそれがあるのは言うまでもなく、家政婦に気づかれ、噂を流される危険がいつもあった。レベッカは今では家を出て、メイダ・ヴェイルの寝室・居間兼用の貸室に入っていたが、世間体を憚り、そこを訪れることはできなかった。二人はしばらく、レベッカの既婚の友人、キャリー・タウンゼンドの家で定期的に会った。彼はそのあと、ピムリコのウォリック街に借りた部屋に彼女を数時間連れて行った。持ち主のストレンジ夫人は、恋人同士に理解があった。その部屋で二人は、のびのびとパンサー＝ジャガーの幻想を実行に移すことができた。彼女は裸で、ベッドの上でパンサーのようにうずくまり、やはり裸の彼が低い唸り声を出しながら部屋をうろつき回った。そして、不意に飛びかかり、二人はしっかり抱き合い、ベッドの上か床の上で転がり回り、舐め、噛み、互いに爪を立て合い、それから交合し、二人は喧しいクライマックスに達した。それから彼女は彼の腕の中で気持ちよさそうな声を出し、やがて二人とも甘美な眠りに落ちた。彼はそれまで、そのような解放的セックスを知らなかった。肉欲の動物的性格を受け入れながらも、それを一種のエロティックな劇場に変えるセックスを。それは、二人が頻繁に交わした恋文に、二人だけにしかわからない語彙を与えた。「パンファー以外、どんなパンファーもいない。彼女は、至福で完璧な存在である、最高位のジャガーの予言者だ」と彼は彼女に書き、その終わりに、二人を大型猫科動物にした「ピクシュア」を描いた。そして、彼女の「可愛い毛皮」に鼻面を擦りつけたいということ、「君の耳を齧り、君の尻尾に触れる」ためにロンドンに出ると書いた。しかしまた、もっと真面目にも書いた。「僕は家に二時間いて、君に何か言おうと二度振り返った――君はそこにいなかった。親愛なるパンサー、それは四肢の一つを不意に失ったような感じだ」。それは浮気《パッサード》ではなかった。彼は自分でも驚いたことに、本当に、救いようもなく恋に陥ったのだ――そして、人生で初めて、まだ知的に彼と同等ではないとしても、十分にそうなるかもしれない女と。彼女は彼にへつらったり、譲歩したり、彼の天才の前に卑下したりせず、彼に挑戦し、彼の作品と、ほかの者の作品に対する犀利な洞察力で彼を刺激した。そして彼女は、非常に面白くもあった。彼女は最近、フォーディー・ヘファーとヴァイオレットに気に入られるようになった。フォーディーは法的にはまだ離婚していないという噂があったにもかかわらず、二人は夫婦として暮らしていた。レベッカはフォーディーにキスされた時、「落とし卵の下のトースト」のように感じたという言葉は、彼を一日中、何度も含み笑いをさせた。数人でセシル・チェスタトンの肌の色の汚さについて論じ合っていた時、それは生まれつきだと誰かが言った、なぜなら彼女は、彼がル・トゥーケの海で泳いでいるのを見たが、海から出た時も、入った時とまったく同じだったからと言うと、レベッカはすかさず訊いた。「でも、イギリス海峡は見てみたんですか？」

二人の情事の蜜月の段階は、一九一四年一月初めに終わった。レベッカが、おそらく自分は妊娠していると彼に言ったのである。二人は前もって打ち合わせ、ストレンジ夫人の家で会った。彼は彼女の顔を見るや否や、彼女が何を言い出すのかを悟った。月経が非常に遅れていて、つわりが始まったのだ。「どうしたらいいかしら、わたしは？」と彼女は泣きながら言った。「僕らは﹅﹅って意味かい？」涙を流していた彼女は、感謝をするようににこりとした。「まず」と彼は言った。「医者に診てもらって確かめる手筈を整えよう。でも、僕らは君が妊娠していると考えるべきだろう。どうしてそうなったか、僕は知ってると思うんだ」。彼はセント・ジェイムズ・コートのフラットの客間のソファーの上で愛の営みをした時のことを、彼女に思い出させた。「僕が悪かったんだ」と彼は言った。「いいえ、あなたを急かせたわたしが悪かったのよ」と彼女は言った。「それについての議論はやめよう」と彼は言った。「どうしたらいいかしら？」と彼女は再び言った。「君がすべきは、赤ん坊を産むことだ」と彼は言った。「ほかのことを考えてるんじゃあるまいね？」彼女は首を横に振ったが、よくわからないようだった。「ほかの方法があるの？」と彼女は言った。「わたしは自分の道を歩き出したばかりなのに、もう、すべて台無しになった」。「馬鹿な」と彼は強い調子で言った。「ないね、ほかの方法はない。堕胎は危険だし、犯罪だ。それを考えちゃいけない。僕が訪ねて行ける、どこか静かな田舎で、君が快適にお産の床につけるように手配しよう。そうすれば、君は出産するまで執筆が続けられる。赤ん坊が産まれたら、然るべき夫婦に養子にしてもらい、君は独立した暮らしを、また続けることができる。僕を恋人にして。それはどう思う？」「あなたは素晴らしいジャガーね」と彼女は微笑みながら言って、瞬《また》きをして涙を払った。「でも、ジェインはなんて言うかしら？」「ジェインは冷静に対応するさ」と彼は言った。「最初じゃないんだから」

実際にはジェインは、今度は腹を立てるところだった。「なんてこと、H・G！」と彼女は、彼が事情を話すと叫んだ。「こんなことがまた起こるなんて！」

「意図しなかったことなのさ、もちろん」と彼は言った。「僕が悪いんだ――僕は責任を取らなくちゃいけない。責任を取る。君はこのことに関わる必要はない。僕がすべて手配する」

「そうね、あなたはたっぷり経験したんですから」とジェインは辛辣に言った。「今度はわたしが新生児用品を買うとは思わないでね」

彼はこの事態について自分がいかに気楽なのかに驚いた。しかし、この出来事によってレベッカをいっそうしっかりと自分に縛りつけたことを後悔していないのを認めた。そして、慎重に考えながら、彼女が産褥につく手配を始めた。ジェインが言ったように、アンバーの時の経験を踏まえればよかったのは本当だった。だが、大きな違いがあった。あの時には、彼女が出産を待っていたコテージの上に二人は「自由恋愛」という旗を掲げ、因習的道徳に反抗する犠牲を払った。その結果起こった大騒動で、彼は耐え難いストレスを受け、危うく公人としての人生が駄目になるところだったが、その事件は次第に皆の記憶から薄れ、彼はいまや尊敬され――ほとんどの仲間に――再び受け入れられるようになった。彼は回復した評判を同じ類いのスキャンダルで再び危うくしたくなかった。そこで、ロンドンと、その口さがない連中から遥かに離れている安全な場所を探し、相当の時間をかけて調べた結果、ウェールズの沿岸の保養地ランディドノーに決めた。彼は「ウェスト氏」という偽名を使い、地元の不動産業者から、貸家と貸室についての詳しい情報を得た。だが、その時点で、その件をレベッカに当分委ねなければならなかった。彼は彼女が妊娠したことを知る前に手配した、モーリス・ベアリングと一緒にサンクトペテルブルクへの三週間の旅に出たのである。

彼は数年前にベアリングと知り合い、出自も信念も非常に違うが、ベアリングに好意を抱いた。ベアリングは、危険な投機をするので有名な、准男爵になった銀行家の息子で、のちにローマ・カトリックに改宗した。イートンとケンブリッジで教育を受け、学位は取得せずに退学したが、それは学問的に挫折したせいではなく、カリキュラムにうんざりしたせいに違いなかった。なぜなら、高度の知能と、言語に対する羨むべき才能を持っていたからだ。そのため、傑出した外交官および外国通信員になり、波瀾万丈の人生を送った。彼は『デイリー・テレグラフ』の特派員になってロシアに滞在して日露戦争を報道し、ロシア文学についての優れた本を書いた。彼はベアリングから、自分のすべての著作がロシア語に翻訳され、一九〇九年に著作集が出版され、広く読まれていることを知った——それは彼の気づかなかったことだった。売上げから印税はまったく入らなかったものの、彼はそのことを喜んだ。彼はある日、ロシアを訪問することに関心があるということを話した。するとベアリングは、その手配をすることを約束した。そして、ロシアの性格をよく理解するには真冬に行くほうがよいと言った。「われわれの気候とまったく違う」とベアリングは言った。「もっと遥かに極端だ。国民も」

確かに、サンクトペテルブルク——凍結した水路で閉ざされ、汚い雪に覆われた、巨大に拡大したヴェネチア——は、これまで訪れたどこよりもイギリスに似ていず、難解な言語と不思議なキリール文字が、その夢のような非現実性を強めていた。「サンクトペテルベルクは僕が見たどの首都よりもレベッカに似ている」と彼は、ベアリングと一緒に到着後間もなく彼女に書いた。「生き生きしていて、暗くて、だらしがなくて（しかし、よくなろうと努めている）、神秘的に美しい」。彼はそこでたった一人の人間しか知らなかった——マクシム・ゴーリキーである。彼はゴーリキーに一九〇六年にニューヨークで会った。それぞれのアメリカ旅行の時期が偶然重なったのだ。その時二人は、互いに共通点が多いことに気づき、意気投合した。会話をするのに通訳が必要だったけれども。二人とも生まれが卑しいストーリーテラーで、社会主義に共鳴していただけではなく、あら探しをする道徳家の攻撃を受けやすかった。ゴーリキーがニューヨークに着き、熱烈な歓迎を受けたあと、彼が同伴していた優雅な女性、マダム・マリヤ・アンドレエワは正式に結婚した妻ではないことが明るみに出た。公衆の怒りの嵐は、新聞で煽られた。当惑したカップルは泊まっていたホテルから追い出されたが、ほかのホテルでも泊めてもらえなかった。そして、二人が新世界を堕落した行為で汚染しないよう、エリス島に拘置され国外追放される危険にあった。その時、ある裕福で進歩的な考えのアメリカ人が二人を自宅に泊め、数ヵ月、密かにもてなした。「生涯の最良の数ヵ月」とゴーリキーは、サンクトペテルブルクでウェルズと再会した時に心から笑いながら回想した。「あの時ほど書き立てられたことはない」。ベアリングは、ウェルズがほかの多くの作家、ジャーナリスト、政治家、自由主義的な貴族に会った際、通訳を務めた。ベアリングがいなければ、彼は途方に暮れたであろう。

彼はサンクトペテルブルクの一触即発の政治的雰囲気は刺激的だと思い、ロシアは西欧の水準からするとひどく遅れているが、インテリゲンチャのあいだには根本的変革に対する気運が漲っていて、それに比べれば、故国のフェビアン協会員や、労働組合に支えられた労働党の政治家は臆病だと感じた。だが、進歩的な政治思想は、サンクトペテルブルクの快楽主義と相容れなかった。彼は毎晩、誰もがワインとウオツカを盛大に飲むパーティーや、別室《カビネー・パルティキュリエ》をロンドンやパリよりも露骨に提供するレストランでの夕食に招かれた。ホテル・メトロポールの、天井が高くて華麗な食堂は、笑声、喋り声、ジプシーの楽団の演奏する音楽でさんざめいていた。バルコニーが食堂をぐるりと囲んでいた。四面の壁にはドアとカーテンの付いた小さな窓があり、その向こうで、客が派手なガウンを羽織り、厚化粧をし、宝石をつけた婦人たちをもてなしたり、彼女たちにもてなされたりしていた。

ほかの場合だったら、彼はこの便利な状況を利用したい気持ちに駆られたであろうが、今度はレベッカに忠実であろうと決心していて、彼女に定期的に手紙を書き、自分の愛と、会いたいという気持ちは変わらないということを伝えると同時に、ランディドノーの貸家の女主人たちになんと言うべきか具体的な指示を与えた。「君はウェスト夫人だ。僕はウェスト氏だ。君は赤ん坊が生まれるまでランディドノーに滞在するという手紙を書き、その手配をするんだ。ウェスト氏は映画の仕事をしている。そして、物を書かなくてはならない。彼は執筆のための静かな部屋と別の寝室が必要だ。(君の甘美なベッドで多くの時間を過ごすつもりだが。)このことを明確にして、すべてが快適なように手配してくれたまえ。その家は、僕らの家でなければならない。僕らはそこに落ち着き、そこで書き、そこで愛し、そこで暮らさねばならない、そして君は、それがちゃんとしているかどうか確かめねばならない。君は僕の面倒を見、僕が食事を与えられ、平穏に快適に過ごすようにしなければならない。君は僕の妻になる――」。彼はホテルの便箋に万年筆を素早く走らせるのを中断した。最後の言葉は軽はずみなものだということに気づいたからだ。しかし、思い直したことを暴露せずには、棒線を引いて消すことはできなかったし、手紙を書き直す暇もなかった――ベアリングが下のロビーで待っていて、ウラジーミル・ナボコフと一緒のディナーに彼を連れて行こうとしているからだ。ナボコフは著名な犯罪学者で、どうやら彼の崇拝者で、十四歳の息子も彼の科学ロマンスに心酔していた。彼は「妻になる」という言葉は残したが、そのあと、あまりにも熱狂的で大袈裟なので、レベッカがそれを文字通りに受け取るはずがないような調子で続けた。「僕らは互いに抱き合い、偉大な神秘を所有するだろう、一緒に歩き、一緒に食べ、一緒に話すだろう。君は最高の女で、君はこの人生で創造者であると同時に支配者だ。パンサー、僕は君を、僕の愛したほかの誰よりも愛している。君を初恋の人のように愛している。自分を君に与える。僕らが子供を持つことに、どんな嬉しさも及ばない嬉しさを感じている。君の足にキスをする、君の肩にキスをする、君の体の柔らかい側にキスをする。君が僕のために作ってくれる家の中に入りたい。僕はその家に急いで帰るだろう。その準備をしてくれたまえ」

二人は二月中旬に再会し、ピムリコのストレンジ夫人の家で二日二晩過ごした。二人の性的渇望が密林の動物めいた何回かの熱烈な性交で癒されると、二人は実際問題に注意を向けた。レベッカは彼の留守中、ランディドノーに手紙を出していなかった。イーストンとの鉄道の連絡がひどいことを発見したので。彼がそこに行くには丸一日かかっただろう。彼がそこを選んだのは、ブラッドショーの時刻表を滑稽なほど読み違えたためのようだった。彼は今度はその代わり、ノーフォークの北の沿岸にあるハンスタントンを提案した。そこもやはりロンドンから遠かったが、ビショップス・ストートフォード経由でイーストンから比較的簡単に行けた。自分たちはできるだけ早く、適当な住まいを探しにそこに行かなくてはならない、と彼は言った——しかし、一緒にいるところを見られるといけないので、別々の列車で。レベッカは彼が冗談を言っているものと思って笑ったが、そうではないと知ると、言った。「極端に慎重じゃないの？」「ジェインのためさ」と彼は嘘をついた。「僕らの秘密が保たれれば、彼女はさほど当惑しないで済む」。「母には言わなくちゃならなかったわ、もちろん」と彼女は言った。「そうして、レティーとウィニーにも」。「どんな風に受け取ったかい？」「ひどいもの」と彼女は言った。「あなたは母の家の客だったあとでわたしを誘惑して、自分の信頼を裏切ったと、母は感じてる」。「しかし、君がお茶に招《よ》んでくれたんだ」と彼は言った。「君が僕を誘惑したんだ——とにかく、僕を追いかけた」。「その通りよ。母にそう言ったの。それでも駄目だった。わたしは馬鹿で、あなたはわたしを利用したってレティーは考えてる。あなたがまたお茶に招《よ》ばれることはないと思うわ——わたしたちが結婚するまで」。「うーん、それはしばらく先のことかもしれないな」と彼は言った。「彼女たちに、あんまり早く期待させちゃいけない」。「でもあなたは言ったわ、手紙で——」と彼女は言い始めた。「そう言ったのは知ってるよ、パンサー」と彼は、すぐさま答えた。「しかし僕らは精神的に結婚するだろうって意味だったんだ。ジェインとの結婚は本当の結婚じゃない、便宜的な伴侶さ。僕らはもう何年も恋人同士じゃない。君は僕の友だ——心の友、ベッドの友だ。いつの日か——僕の息子たちが大きくなった時——僕らは君のお母さんとお姉さんたちを満足させるために、退屈な法的手続きをするかもしれないが、それで僕らの関係が変わるわけじゃない」。彼は将来に関して抱いている考えを伝えようとした——二つの結婚、二つの家庭、一つは正式でセックスなし、もう一つは秘密で情熱的。「子供は手元に置いて、自分たちで育てるって意味？」と彼女は言った。「もし、よければ。まったく君次第だ」と彼は言って、度量の大きいところを示した。「いいえ、それは望まない」と彼女は言った。「自由な身で書きたいの」。「その通りだ」。「でも、彼を——あるいは彼女を——誰かほかの人に渡す時に、悲しくならないかしら？」「僕らが好きな時に彼に会わせてくれる——男の子なのは確かさ——模範的夫婦を見つけよう」と彼は言った。「そうして、僕らが望む時はいつでも、彼にご馳走し、休日にどこかに連れて行こう。彼は僕らを、叔父さん、叔母さんって呼ぶだろうよ」。「ジャガー叔父さんとパンサー叔母さん！」と彼女は、彼の描いたシナリオが気に入り、笑いながら言った。

二人はハンスタントンまで別々に旅をし、駅のビュッフェで落ち合い、魅力的ではないとしても、適当な家の家具付き貸間を見つけた。ヴィクトリア・アヴェニューにある「ブリグ＝イ＝ドン（ウェールズ語で「波頭」の意）」は、剝き出しの赤煉瓦のテラス・ハウスで、狭い前庭に突き出ている弓形張出し窓が付いていた。二階からはウォルシュ湾が見渡せ、一年のその頃には冷たく灰色に見える北海が横のほうにちらりと見えた。清々しい空気の静かな休日が過ごせる場所を求める人々の夏の保養地ハンスタントンは、二月には墓場のようにひっそりしていた。レベッカはそこで半年過ごすことを考えると暗い顔をしたが、彼は彼女の気分を明るくするために全力を尽くした。「君はたくさん物が書ける」と彼は言った。「僕はできるだけ多くの時間、君と一緒に過ごす」。彼はその約束を守り、毎週、少なくとも二日、ある週はもっと多く、彼女を訪れた。そして彼は、そこにいない時は、次に会う時のエロティックな期待をさせることによって、彼女の情熱の火を搔き立てた。「僕は今度の水曜日の夜、君に足を置き、君の顎の下の匂いを嗅ぎ、乳房を嚙み、横腹を舐め、ほかのお馴染みのことをするだろう。僕は君を転がし、僕の好きなことを君にし、君を喘がさせ、今度は僕を嚙みつかせるだろう。それから君を静かにするためにひと揺すりし、君の上で眠る。もし僕が鼾をかくとするなら、鼾をかく。君の主人。ジャガー」。レベッカは彼がこうした悪戯っぽいあからさまな手紙を書くことを詰《なじ》った。そして、女家主のクラウン夫人が手紙を偶然見た時の結果を想像してみてもらいたいと頼んだ。しかし彼は、そうした手紙は性欲を唆《そそ》るものだとレベッカが思っているのを知っていた。二人の性生活はこれまで通り刺激的なものだった。そして、彼女の腹が膨らむにつれ、動物の交尾の自然な体位でクライマックスに達するのが、二人だけの妄想にいっそう役立つと同時に快適になった。レベッカは彼の下にしゃがみ、彼が後ろから入ると、よがり声が階下のクラウン夫人の耳に届かぬよう、枕に頭を埋めた。彼女のためと、隣人たちのために、二人は彼が準備した、前とは違うことを演じた。彼は忙しいジャーナリストで、産褥につく可愛らしい若い妻を煙っぽいロンドンから、この健康的な場所に連れてきて、時折訪ねてくる、というわけだった。二人は腕を組み、引き潮の時には広い海岸を、満ち潮の時には草の生い茂った断崖に沿って、胸一杯に有名な澄んだ空気を吸い込みながら静かに歩き、通行人に慇懃に微笑みかけた。

その年の春、彼の心に影を投げかけた二つの雲は、作家生活に関するものだった。『解放された世界』は出版されたが、書評は芳しくなかった。原子力エネルギーと原子爆弾が存在するという前提は、不信の念をいったん停止してさえ途方もないものと思われた。また、この小説のメッセージは、これまでに彼からあまりに何度も聞かされたもので、最後に、邪悪なドイツの皇帝に世界政府の樹立を邪魔させることによって物語を面白くしようという試みは、大人の読む小説よりは少年週刊誌向きで、ドイツに対する、民衆のすでに危険なほど過熱している偏見を煽るだろうと見なされた。こうした受け取られ方は、彼の自尊心にとっては打撃だった。それは、エリザベスがそれを知って自己満足に浸ると想像して、いっそうひどいものになった。だが、その後間もなく、さらに傷つく打撃を受けた――それは、背後からの一突きと言ったほうがよかった。そうしたのは、人もあろうに、ヘンリー・ジェイムズだった。

ジェイムズは半年前に『情熱的な友人たち』について手紙を寄越した。それはその著者が予想した通りのもので、作品の企図の野心は誇大に賞讃したが、実際の作品には多くの欠点を見出していた。そして彼は、いつものように返事をした。つまり、巨匠自身の大袈裟な書き方で自分の欠点を認めたのである。「自分が無価値であり、粗野であるという感覚が最も鮮烈になるのは、君がわたしに、君の確実で名人芸の完璧さから、また、君のゆったりとした(しかし、のろのろはしていない)、無限に自在な達成から、僕に手紙をくれる時だ。その時僕は実際、君の足を掻き抱き、君の膝を涙で濡らしたくなる――まったく成果のない悔悟の」。おそらく彼は、その時、ジェイムズの書簡の文体の真似をやり過ぎてしまったのだろう。その年上の男はそれに気づいたのだろう。あるいは、彼の意図を暴露し、相手を怒らせたのはマグダラのマリアのイメージだったのかもしれない。だが、旧友の勿体《もったい》ぶりを私的な手紙でちょっとからかうのと、『タイムズ文芸付録』で同僚を攻撃するのとは違う。三月末と四月初めに、二回に分けて同誌に掲載された長いエッセイでジェイムズは、英国の小説家の「若い世代」、つまり自分より若い小説家を概観した。ウェルズとアーノルド・ベネットはいまや二人とも四十代半ばで、同エッセイに大きく取り扱われ、厳しく叱責された。二人は同時代のイギリスの小説家のうちで最も成功を博した者とされているが、まさに同じ理由で、彼らはほかの小説家に悪しき見本を示したとされた——フォルムの美、効果の強度等、小説を芸術たらしめているすべての特質を、「過剰な情報」の犠牲にしてしまったのだ。「彼らは、ある特定のよく知っている状況の、ふっくらした、多かれ少なかれ汁を含んだオレンジを、できる限り搾り、制御されたものであれ、制御されないものであれ、エネルギーの肯定が彼らにとって、テーマの〝処理法〟になる」。ジェイムズはこの点でベネットを大いに批判してから、今度はウェルズに向かった。

彼は物事を知れば知るほど、あるいはともかく学べば学ぶほど——言い換えれば、彼の小説を過剰な情報で溢れさせる方法を確立すればするほど——彼がその精神と内容を、永遠に開いている高い窓からお馴染みの仕草で、通りを通行中のわれわれの頭上にぶちまける、という印象が強まる（ウェルズ氏は通りで行われる華麗な行列を見るのに最もふさわしい、たくさんの部屋を買い占めて貸す不動産業者くらい数多くの窓を持っている）。

彼はそれを読んでいると顔が紅潮し、数度読み直した。彼の心を雑多なゴミの容器に譬えたのは、ひどく、故意に侮辱したものだった。そして、そのゴミは高いところから無造作に空けられ、運悪く下を通っている者の頭に降りかかるわけだ。そのうえ、そうするために数多くの窓を手に入れるという、シニカルな商業的動機を付け加えている。彼はそれをジェインに見せた。ジェインは笑った。「あの人は安アパートの窓から汚水を空けることを言ってるのかしら、昔スコットランドで、『そら水が行く《ガーディルー》ぞ！』って叫んで、階上から汚水を捨てたように」。「疑わしいね」と彼は言った。「けど、そんな風に解釈しなくとも、ひどく侮辱的だ。奴がなんでそんなことを書いたのか、わからない」。「嫉妬よ、たぶん」と彼女は言った。「『解放された世界』の書評を読めば、誰も僕を羨まないね」と彼は言った。「あなたの売上げを嫉妬してるって意味、それと、あなたの名声」と彼女は言った。「だからあの人は、あなたとアーノルドに含む所があるのよ。あの人はいつも大人気を博したいって思ってたけど、駄目だった」。「君の言うことが正しいのかもしれない」と彼は言った。「しかし僕らは、小説はなんのためにあるのかについて、まったく違う考えを持ってるんだ。僕らは二人とも、この数年、次第に不誠実になった手紙をやりとりしていた。それがとうとう終わって、ある意味でほっとしてる。これからは戦いは真剣だ」。ジェインは彼を鋭く見やった。「そのことについて『タイムズ文芸付録』に書こうとは思ってないんでしょうね、H・G」と彼女は言った。「そんなことをすれば、あなたは小人物で神経過敏だと思われるだけよ」。「いや、『タイムズ文芸付録』には書かない」と彼は言った。「それならいいわ」と彼女は言った。「根に持たないようにね」

しかし、彼は根に持ち、苛立ちを解消するような何かを書こうと思った。そして書斎に行き、鍵をかけた引出しから、長い間を置いて十年近く間歇的に書いてきた『ブーン』という仮題の本の原稿を取り出した。彼は完成したら出版するという、はっきりした計画を持っていなかった。それは分類するのも、説明するのも難しい本だった——彼が誰かに説明しようとしたというわけではないが。それは、二十世紀のイギリスの文学的、知的生活に対して覚える悪感情を定期的に吐き出した、ごく私的な、ほとんど秘密の作品だった。諷刺的で、偶像破壊的で、断片的で、脱線が多く、ブッキシュで、スウィフトの『桶物語』やスターンの『トリストラム・シャンディー』に少し似ていて、ピーコックの会話小説に比べることができ、マロックの『新共和国』に明らかに負っていたが、どの先人のものより内容は種々雑多だった。それは、ジョージ・ブーンという作家の「文学的遺稿」で、レジナルド・ブリスという愚鈍な三文文士によって編集されたものということになっていた。ブーンは、H・Gウェルズがサンドゲイトにとどまっていて、エドワード朝の文士の従来の生活をしたならばなったかもしれないような、尊敬され、十分に報われている著述家だった。冒頭の章のように聞こえるが、実は本の中頃に出てくる章はこう始まる。「かつて、イングランドの南海岸の快適なヴィラに、名声と富を求めていた一人の著述家がいた。彼は人に受け入れられる性格の短篇を書き、誰をも怒らせず、ただ喜ばせることにのみ注意を払い、次第に大衆から尊敬されるようになった」。しかし、ブーンの未発表の文学的遺稿は、編集者が当惑したことには遥かに破壊的で、無政府主義的な人物を露わにしていた。その人物は既成の文壇に対して内心激しく反抗していて、それを諷刺し、徐々に崩壊させるための様々な計画を妄想する。

ウェルズはその本のために、「ヘンリー・ジェイムズ氏の芸術、文学」と題した新しい章を書き始めた。「ブーン氏は菜園の塀に坐り、ジェイムズについて長々と論じた」。そして、ジェイムズ流の小説の美学について説明するが、それは次第に偏見に満ちたものになる。

彼は均質性を求める……なぜ本がそんなものを持たねばならないのか？　絵の場合には、それは納得できる、なぜなら、絵は一目で見ることができるからだ。しかし、本を一目で見る必要はない……彼は選択ということを口にする……実際は、ジェイムズの選択はただの省略になり、それ以上のものではない。例えば、彼は意見を省略する。彼のすべての小説において、明確な政治上の意見を持った者、宗教上の意見を持った者、はっきりとした党派心を持った者、欲望と気紛れを持った者は見出せない……土曜の夜だけが楽しみで、月曜の朝からはまた働かねばならない貧乏人は存在しない……彼は表現すべきものをほとんど持っていないことをまず確認してから、それを表現する仕事にかかる……彼は陳述し、定義するのに言葉にあらゆる工夫を凝らす。裸の動詞は滅多に許さない。不定詞を分割し、そのあいだを副詞で埋める。時折談話体を無理に使う。長大なパラグラフは、汗をかき、苦闘する。それもすべて、内容皆無の話のために……それは、小石を取り戻そうとしている巨大な海獣《レヴァイアサン》である。それは、自分の棲む穴の隅に入り込んだ豆を、威厳を犠牲にしても、なんとしても拾い上げようとしている河馬である。大抵の物は（と河馬は言い張る）手が届かないが、ともかく謙虚に振る舞い、精神を芸術に傾注すれば、その豆は拾い上げることができる。

　彼にとっては、『ブーン』は精神のヒマシ油だった。彼は翌朝、その章を通読すると、怒りと恨みの感情がなくなっているのに気づいた。そして、ブーンが『ミス・ブランディッシュの蒐集品』という題のジェイムズ風小説の概略を述べるところを書いて、もう一日楽しく過ごした。その小説は百五十頁まで筋がなく、主人公が完璧な執事を探す話だった。それはなんとも滑稽だったので、彼は活字で読みたいと思った。たぶん自分は、結局はいつの日か『ブーン』を書き上げるだろう。

　イーストン・グリーブには平坦な小放牧場があり、彼はそこの芝を刈らせてホッケーの競技場にすることにし、網を張った本格的なゴールを作った。週末に来た客たちは、娯楽の一つの条件として、男女一緒のホッケーをしなければならなかった。右利き用、左利き用のスティック、詰め物をした脛当て、あらゆるサイズのクリケット用、テニス用の白い靴の入った大きな箱が用意された。使用されたボールは硬い革製のクリケット用ボールだった。大人の男たち――ロンドンの芸術愛好家だけではなく、議員や、筋金入りのジャーナリストや、釣りや狩りが得意だと思っているスポーツマンでさえ、そのボールを見ると蒼くなった。無鉄砲で規律を無視するプレーヤーが打ったボールが体に当たったらどんな怪我をするかと想像して。しかし、面目を失わずに辞退できないという気分にさせられた。婦人たちはもっと大目に見られたが、そのほとんどが学校時代にホッケーをしたことがあるので、大概、喜んで加わった。齢が考慮された。比較的若くて元気な者はフォワードになり、大方、彼らが走った。年配の者はディフェンスでプレーし、年を取った者は、余分な防護服を貰い、ゴールに配置された。しかし、彼は自ら模範にならねばならないと思い、いつもフォワードをやり、その間《かん》ディフェンスにも手を貸し、同時にレフェリーも務めた（イーストン・ホッケーに特有のルールを知っているのは、彼だけだったからだ）。

「あなたはそのうち怪我をするわよ」とジェインは、あるとりわけ激しい試合が終わったあとで言った。そして、まさに次の折、六月初旬、彼は怪我をした。左膝の靭帯を損傷したのだ。医者はそこに包帯を巻き、一週間ベッドに横になっているように命じ、無期限に旅行を禁じた。それはいくつかの点で不便だった。自動車の運転技術を磨くことができなくなったのだ。それは最近受け取った四人乗りのウィリス＝オーヴァーランドで、側面部に白線の入ったタイヤが付いていた。彼はその車に「グラディス」という愛称を付けた。そして、ギアチェンジのメカニズムのこつを覚え始めたところだった。また、怪我のためレベッカのところにも行けなくなった。そのため当然ながら彼女は苦情を言ったが、熱烈な手紙を毎日書く以外、彼にはどうしようもなかった。そして、二人が再会する頃には、彼女は出産時期が迫ってきていて、愛を営むのが快適でも安全でもなくなっているかもしれないと考えて、彼は悲しくなった。レベッカはいまや非常に目立つようになった状態を秘密にしておくため、自分は病気で、訪問することもされることもできないというふりを、ロンドンの友人たちにした。その結果、彼女は淋しかった。幸い、姉のレティーが彼の膝が治るまで一緒にいることに同意した。こうして二人がしばらく会えなくなったことには、執筆中の主な作品が書き続けられるという利点があった。それは『崇高な探求』という、もう一つの「生真面目」小説で、ヒロインのアマンダ・モリスはレベッカ・ウェストに非常によく似てきた（彼女は男の主人公を「レパード」と呼び、彼は彼女を「チータ」と呼んだ）。怪我の回復期間は、至極快適に過ぎた。週日は静かな坐業の仕事に充て、週末は訪問客と一緒に寛いで過ごした。訪問客はホッケーから放免され、皆いっそう陽気になった。天候は例年になく素晴らしかった。

すると、一九一四年六月二十八日、オーストリアのフェルディナント大公と妻のゾフィーが、サライェヴォのテロリストによって暗殺された。ヨーロッパ大陸全体が震撼した。その年の夏の残りは、戦争の話に占められた。戦争が起こるだろうか、それとも起こらないだろうか？　起これば、どこまで拡大するだろうか？　一見すると、問題はバルカン諸国における、オーストリア＝ハンガリー帝国とセルビアの領土紛争に過ぎなかったが、ほかのヨーロッパの列強、ドイツ、ロシア、フランス、英国が巻き込まれるおそれがあった。その四国は様々な条約と同盟によって互いに縛られていたので、紛争に引きずり込まれるかもしれなかった。そういう結末になるのは避けられないと論じた新聞記事を読んだレベッカは、心配しているという手紙を寄越したが、彼は彼女を安心させた。世界は狂っているが、そこまでは狂っていない。彼はそのことを心《しん》から信じていた。もし人類が、抱えている諸問題を整理し、その紛争を解決する合理的な手段を見つけなければ大規模な戦争、実際、地球規模の戦争が起こるだろうと、彼はこの十年間予言してきたが、警告するためにだけ、また、自分の予言が適切な行動によって間違いとされるためにだけ予言してきた。そしていつも、小説の中の戦乱を数十年先のことにしてきた。列強の政治指導者が一九一四年の夏の今、そうした事態が起こるのを許すのは、考えられない、途方もないことに思われた。そして、その年の夏が特に輝かしいものだという事実が、戦争の脅威をいっそう非現実的に思わせた。毎日、太陽は晴れ渡った青空に昇り、エセックスの畑の熟れゆく小麦と、イーストン・グリーブの水をたっぷりやった緑の芝生と灌木と、ヒマラヤ杉の巨木の木陰に置かれた、ダマス織りの布で覆われたティー・テーブルと、縞模様のデッキチェアに、晩になるまで当たった。それは牧歌的だった。どうしてそんな平和が砕かれることがあろうか？

しかしながら、ニュースは次第に深刻なものになった。そして、ウェルズ家は特殊な状況にあったので、そうしたニュースが暗に意味することを、ほとんどのイギリスの家族より痛切に感じた。前年に彼は、息子たちに新しい家庭教師をつけることにした。ミス・マイヤーより厳格で、優れた資格のある男の家庭教師を。ミス・マイヤーは息子たちに見事に奉仕してくれたが。そういうわけで彼は、円満に、気前のいい条件で彼女と別れ、若いドイツ人のヘル・カール・ビューロを雇った。ビューロは言語学で博士号を取得しようと勉強しているポメラニア人の学生だった。ウェルズはビューロに、ラテン語とギリシャ語をジップとフランクに教えてもらい、ほかの科目でももっと体系的なカリキュラムを作ってもらうことにした。ビューロは感じのいい青年で、親切で、礼儀正しく、几帳面だった。イギリス流のユーモアとイギリスの風習をいつも理解したわけではなかったが、変わっていて気紛れなイーストンの家庭に、不平も言わずに適応した。そして、少年たちが一匹の茶色の栗鼠《りす》を飼っていて、それを馴らしてフリッツと名付けているのを知って喜び、それを自分のペットにし、自分の部屋で眠らせた。カール・ビューロはまさに最上のタイプのドイツ人で、彼が一家にいるということは、戦争が起こるおそれをいっそう忌まわしい、いっそうあり得ないことに思わせた。カールのような普通のドイツ人は戦争を欲していず、彼らは、プロイセン流の帝国主義と、貪欲なドイツの軍需産業の結び付いたもの——要するに「ドイツ皇帝とクルップ」——によって戦争に向かって押しやられていて、その二つは、普通のドイツ人を虐げ、脅迫することで自分たちの思い通りにしようとしている、と彼は確信していた。確かな話、とその話題が出た時（毎日出たが）彼は言うのだった、もし、プロイセン流の軍国主義とドイツの軍需産業が批判されるなら、ドイツ皇帝が宣戦布告しても、まともな大多数のドイツ人は戦うのを断固として拒否するのではないか。カール・ビューロは憂鬱な顔で首を横に振り、「僕の国には戦争をしようという気運があるんです」と言った。「僕はそれを感じました。戦争に賛成しない者さえ、反対はしないでしょう。僕らは従順な国民なんです」。すべての若いドイツ人同様、カールは兵役を済ませていて、戦争になった場合、召集されそうだった。

数週間、大陸では本当に驚くようなことは何も起こらず、英国の新聞は内戦が始まるおそれのほうに、もっぱら注意を向けていた。なぜなら、サー・エドワード・カーソンが率いるアルスターのプロテスタントが、もしアイルランドの自治の法律が議会を通過したなら、それに力で抵抗すると脅していたからだ。しばらくのあいだアイルランドが新聞の見出しを占領し、バルカン問題を二番目の地位に追いやった。しかし七月二十三日、オーストリア＝ハンガリー帝国がセルビアに決定的な最後通牒を突きつけたというニュースがもたらされた。「これは非常によくない」とカールは言った。「ロシアはセビリアを支持して動員し、ドイツはオーストリアを支持して軍隊を動員するでしょうね。僕は召集されるでしょう。本当に実に困ったことです。論文の完成がひどく遅れるでしょうね」。カールは何度か問い合わせたが、数日後、直ちにドイツに戻り、兵役に服するために出頭せよという公式の通知を受け取った。列車一家全員と召使の何人かが駅までカールを見送った。列車が出発し、カールが窓から身を乗り出し、悲しげに手を振って別れを告げると、涙を流した者もいた。

「戦争が起こっても、長くは続かないだろう」と彼は、汽車が煙と蒸気に包まれながら姿を消すとジェインに言った。「ドイツは、ロシアとフランスとわれわれを、すべて一度に相手にすることになる。ドイツの勝ち目はない。来年にはカールはイーストンに戻ってくる」。彼は実際に感じていたより自信ありげに、そう言った。というのも、ドイツ軍は恐ろしいほど十分に武装していて、訓練されているということは、よく知られていたからだ。

「あなたが正しいといいわね、H・G」とジェインは言った。「でも心配だわ」

誰もが心配した。人々が食糧を買い溜め、紙幣と預金を一ポンド金貨に換えようと銀行に殺到したことが報じられた。レベッカは動揺し、電報で彼の助言を求めた。電報の宛先は、気が動顛していたせいで、「ウェスト氏」になっていた。彼は返事をした。「商人たちが紙幣でもいいと思うようになるまで、金《きん》と現金は商人用に取って置きたまえ、そしてクラウン夫人には紙幣で払うように」。彼はふざけて、従軍記者になって出掛けることを禁じた。そして、架空の見出しを書き――「懐妊中の初の従軍記者。ある新米による〝戦場印象記〟」――こう激励して締め括った。「君の市民に、平和の時代への準備をさせよ」

だが、この勧告の楽観的な気分は一連の出来事によって急速に損なわれた。七月二十八日火曜日、オーストリア＝ハンガリー帝国は、最後通牒に対するセルビアの回答を拒否し、宣戦布告をした。ロシアはそれに応えて軍隊を動員した。ドイツはロシアに最後通牒を送り、軍事行動を中止することを求めた。フランスはロシアを支持することを再び断言した。ドイツは初めてフランスに対して拳を振り上げた。英国は戦争になった場合、ベルギーの中立が尊重されることを、フランスとドイツが確約することを求めた。ドイツがフランスを効果的に攻撃する唯一のルートはベルギー経由だというのは常識だった。そして英国はベルギーの主権を守るという条約に縛られていた。フランスはもちろん同意した。ドイツは返事をしなかった。八月一日土曜日、フランスとドイツは共に軍隊を動員し、ドイツはロシアに宣戦布告した。突如、ハルマゲドンは迫ってきた。

だが、とりわけイーストンでは、それは依然として信じ難かった。八月三日は一般公休日の月曜日で、恒例のイーストン・ロッジ祭りの日だった。その日はレディー・ウォリックが自分の敷地を地元の人間に開放した。そこに遊園地が出来、蒸気機関で運転されるメリーゴーラウンド、椰子の実落とし、力比べ、ハンマー投げ、空気銃、ダートの勝者に派手で安っぽい賞品を渡す屋台、お茶とケーキとレモネードを提供する軽食用テントがいつも出現した。レディー・ウォリックの庭園はわずかな入場料を払えば見ることができた。その入場料は地元の慈善施設に贈られた。その週末、ショー夫妻がイーストン・グリーブに泊まっていた。それまでの日と同様、やはり晴れていたその日、ラルフ・ブルーメンフェルドと息子のジョンを含め、近隣にいる数人の友人もショー夫妻と一緒になった。昼食後彼らは、一マイル先の遊園地まで歩いて行った。女たちは日傘を暑い太陽に向けて傾《かし》げ、リンネルの上着を羽織り、麦藁のかんかん帽をかぶっていた（ショーだけは、いつものイェーガーのスーツをご苦労にも着て、汗をかいていた）。そして遊園地に近づくにつれ、蒸気オルガンの音が聞こえてきたが、戦争について論議するのは、いまや避け難いように思われた。しかし遊園地の群衆は、ニュースに驚くほどに心を煩わしていないように見えた。たぶん、事態の深刻さが理解できなかったせいか、あるいは、自分たちにできることは何もない、だから今のうちに楽しんだほうがよいと思っていたせいだろう。辺りは笑声、歓声、叫び声と、蒸気オルガンのリズムに合わせて足踏みをしている音で満ちていた。彼とショーは議論を続けた。

ショーはフェビアン夏期学校から直接イーストンにやってきた。夏期学校のオーソドックスな方針は、依然として軍備縮小を信奉することで、それは、調整したゼネストによって政府に強制することが魔術的にできるというものだった。「シドニー・ウェッブはヨーロッパで戦争が起こるのを信じようとしない、〝あまりに気違いじみている〟

という理由で」とショーは報告した。「そういうわけだが、戦争は起こる。僕らはカーソンとその仲間たちに気が変になるくらい脅迫されなかったなら、戦争が近づいてくるのがわかったかもしれない」

「僕らはドイツがベルギーに侵入したら、名誉にかけてそれに関わらざるを得ないのを否定はしないだろうね？」と彼は訊いた。

「僕らはいつも、国家の名誉ってことに良心的じゃなかった、もし、便宜上そうでないほうがよければ」とショーは言った。「問題の条約は、今とはまったく違うヨーロッパで八十年前に調印されたものだ。どんな状況でも、僕らはベルギーを守る義務を負う必要はなかったんだ。僕らは、政治家をえらく重要なものに思わせる、条約とか保証とか最後通牒とかいう、条約の外交ゲームに愚かにも誘い込まれてしまったんだ」

彼はショーの言う意味は理解できたが、冷笑的な一歩離れた態度は無責任に思えた。「そんなことは今はどうでもいい！」と彼は叫んだ。「ドイツはもしベルギーに侵攻したら、イギリスにも侵攻してくる。僕らは抵抗する準備をするべきなんだ。散弾銃を取り出し、生け垣や溝に人員を配置しなくちゃいけない。もしドイツがこの戦争で勝ったら、僕らの知ってる文明は終わる」

「誰が勝ってもそうなるかもしれない」とショーは陰気に言った。

ショーの態度は、「どいつもこいつもいい加減にしろ」という態度に見えたが、彼自身は、激しい、非常に個人的な反ドイツ感情にいっそう襲われるのを感じた。ドイツは制御できない範囲と規模のこの戦争を引き起こすことによって、人類に対する彼のユートピア的希望を裏切ったのだ。彼は新たな確信と使命感が自分の中に湧き起こってくるのを感じた——どんな犠牲を払っても、ドイツの軍国主義に挑戦し、それを破らねばならない。

ショー夫妻は翌日発った。彼は二人を見送ってから郵便局に行き、最新のニュースを知った。ドイツはフランスに宣戦布告し、英国の警告を無視し、自国の軍隊がベルギーを通過することを認めるよう要求した。いまや英国が戦争に巻き込まれるのは必至だった。レベッカは自分が病気で、胎児を心配しているという、取り乱した電報を寄越した。「会いに行かなくちゃいけない」と彼はジェインに言った。ジェインはすぐに賛成した。彼の膝はもう治っていたが、車でハンスタントンまでの長い、慣れぬ旅をする気にはなれなかったので、比較的短い距離のビショップス・ストートフォードまで車で行き、そこにグラディスを置き、汽車で目的地に向かった。

レベッカはベッドにいて、腹痛に悩まされ、相当に苦しんでいた。彼女は医者に診てもらっていたが、医者は「併発症」を心配していた。翌朝、彼はジェインに電報を打った。ジェインは返信を打った。「アナタノ電報ヲ受ケ取ッテトテモミジメナ気持チ。危険ナノハレベッカダケデハナイ、ソウデショ。電文ハ胎児ヲ意味シテイテ彼女デハナイト思オウトシテイマス。コレハ恐ロシイコトデス。デキタラ彼女ニヨロシク」。彼はレベッカのベッドの脇に坐って、その電文を読み上げた。ジェインは復讐心の混じった嫉妬心を抱いている妻だと見なす傾向がレベッカにはあり、そうした意味のことを時折口にした。「ほらね？」と彼は言った。「ジェインは君を憎んじゃいないんだ。君によろしくって言ってる」。「でもあの人は、わたしが死ぬかもしれないって言ってる。わたしが死ぬことを無意識に願ってるのよ」とレベッカは恩知らずにも言った。だが、彼女はその電報で、生きようという決意を固めたようだった。医者はまた診察に来た時、彼女の症状をもっと楽観的に考え、消化不良のせいにした。また、ドイツがベルギーを侵略したというニュースも伝えた。レベッカに呼ばれたレティーは、その日の午後ロンドンからやってきて、英国がドイツと交戦状態に入ったというアスキスの声明は事実だと言った。

「家に帰らなくちゃいけない」と彼はレベッカに言った。

「行かないで」と彼女は懇願した。「いまにも赤ん坊が産まれそうなの」

「まだだよ」

「わかってるけど……早いこともありうるわ。なんで行かなくちゃいけないの？」

「戦争について何か書かなくちゃいけないんだ、『デイリー・クロニクル』のために」と彼は言った。彼は、いつでも気の向いた時に時事問題について同紙に書いていいという、得な取り決めをしていた。「僕は戦えないが、書くことはできる。それは家でしかできないんだ。君は頼れるレティーに任せておこう」。そして彼は、ハンスタントンからビショップス・ストートフォードまでの最終列車に乗った。

列車から降りた時には辺りは暗く、イーストン・グリーブに向かって田舎道を通って行きながら、グラディスのヘッドライトの弱い光を月光が補ってくれることに感謝した。一度、狐が道路に飛び出してきたので、車の向きを少し変えたが、危うく溝に落ちるところだった。だが彼は不安になるよりは昂揚した気分になった。慣れないこの夜のドライブは、彼の想像の中では、叙事詩的性格を帯びてきた。まるで、緊急の秘密の任務を遂行している装甲車の司令官のような気分だった。賽は投げられたのだ。戦争なのだ——彼はそれを英国民にどう伝えるべきか、また、人類に対する彼のすべての希望が一見否定された事実を、積極的な戦争遂行の運動にどう変えるべきかを知っていた。

イーストン・グリーブの玄関前に着いた時には真夜中を過ぎていた。ジェインは、車のエンジンの振動音と、タイヤが砂利の上で軋る音を聞きつけて、彼を家の中に入れようと、化粧着姿で階下に降りてきた。そして彼を台所に連れて行き、ココアとハムサンドイッチを用意し、二人は話した。「可哀想に、疲れたでしょうね」と彼女は、彼がサンドイッチを食べ終え、マグのココアを飲み干すと言った。「ベッドに来なさいよ。今夜はわたしの部屋で眠って。寄り添って寝てもらいたいの」

「済まないが駄目なんだ、ジェイン。仕事をしなくちゃならない」

「仕事?」と彼女は抗議するように言った。「なんていうこと、H・G! 今夜、どんな仕事ができるっていうの?」

「『クロニクル』のための一文さ」と彼は言った。

二人は踊り場でキスをして別れた。彼は自分の寝室に行った。そのアルコーブには、夜、物を書く用意がしてあった。緑の笠のランプの載っている机、紅茶を淹れるためにケトルを沸かすのに使うアルコール・ストーブ、一缶のビスケット、仕事が終わったあとのナイトキャップ用の一瓶のウイスキー。彼は服を脱ぎ、快適なスリーピング・スーツに着替えた。それは大きくなり過ぎた幼児の衣服のようなもので、夜遅く書き物をする時には部屋着よりもそのほうがよかった。彼は机の前に坐り、引出しから新しいフールスキャップ版の剝ぎ取り帖を取り出し、万年筆にブルーブラックのインクを詰めた。

彼はハンスタントンから戻る道すがら、言うべきことはすでに考えていたので、それを書くのに長くはかからなかった。突如ヨーロッパを呑み込み、やがて西はアメリカまで、東は日本まで拡大するのは必至のこの戦争の恐るべき規模は、勝利がもたらす成果の大きさを表わしている——永遠の世界規模の平和。そのためにはこの戦争に勝たねばならない。

ドイツ帝国が自らの失敗を国民に素直に説明し、新しい準備を始めるといったような外交的解決はあり得ない。われわれは完全に負けるか、それともドイツ人が一つの民族として、自分たちは負けたということを知り、戦争にはうんざりしたと確信するまで、戦争を続けねばならない。

われわれはドイツと戦っている。しかし、ドイツ国民にはなんの憎しみも抱かずに戦っている。われわれは彼らの自由や統一を破壊しようとはしていない。しかしわれわれは、政治の悪しき制度と、ドイツ人の想像力を捉え、ドイツ人の生活を占有している精神的、物質的堕落を一掃しなければならない。われわれはドイツが一八七一年にナポレオン三世の腐敗した帝国主義を打倒したように、プロイセンの帝国主義を完膚なきまでに打倒しなければならない。そしてまたわれわれは、その勝利ゆえの失敗から、報復的勝利を避けることも学ばねばならない。

この戦争はすでに史上最大の戦争になっている。それは国家の戦争ではなく、人類の戦争である。それは、世界規模の狂気を追い払い、一つの時代を終わらせる戦争である。

彼はその一文を書き終えると、草稿に時折手を入れながら、グラスに指二本分のウイスキーを注いで啜った。それから、最初の頁の一番上に大文字で、「戦争を終わらせる戦争」と書き、机の上のランプを消し、手探りでベッドに行き、ベッドカバーの下に潜り込み、深い眠りに落ちた。

彼は八時に電報を持った召使に起こされた。「今朝真夜中ノ五分過ギ男児誕生。母子共ニ無事。レティー」

「ご返事をなさいますか、旦那様?」と女中は訊いた。

「電報配達の子が待っております」

彼は言いたいことをイーストン郵便局の局員の穿鑿好きな目に晒したくなかった。「返事はない――しかし、このソヴリン金貨をその子にやってくれ」

「ソヴリン金貨でございますか、旦那様?」少女はひどく驚いたようだったが、それも無理はなかった――それは彼女にとっては一週間分の賃金より多かったからだ。

「一シリングという意味だ」と彼は首を横に振って言い、一シリングを彼女に渡した。そのあと、レベッカに手紙を書いた。

今朝は晴れやかな気分だ。人に過大なチップをやるのを辛うじて我慢している。この世に男の子を持ったことが非常に嬉しい——君の男の子を。僕はその子のために世界を綺麗にしようと思う……僕は枕の上の君の可愛い、可愛い厳粛な顔と、君とその子のことを考え続けている。心の底から君を愛している。パンサー。

3

――「戦争を終わらせる戦争……」。それは、予言者としてのあんたの評判を高めなかった。

――それを何度も言わないでくれ。その言葉を取り消せと、数え切れないほど言われた。わたしは単なる予言としてそう言ったんじゃない――一つの目的として言ったんだ。あの最初の一文で、われわれは負けるかもしれないと言った。何が危殆に瀕しているのか、死ぬまで戦争を遂行するのがなんで価値があるのかを強調したかっただけだ。そして、もし勝ったなら、報復的勝利は避けなくてはいけないと言った――よい忠告だったが結局無視され、悲惨な結果になった。

――しかし、あんたは折衝による和議を認めなかった。「折衝による和議はあり得ない」。広く共有されたその態度のせいで、四年間にわたる消耗戦になった。それは主に同じ領土の狭い一帯で戦われ、何百万の命が失われた。

――誰もその戦争がそれほど長く続くとは予想しなかった。それは主として軍事体制の欠陥のせいだった。彼らは戦術と武器に関して想像力をまったく欠いていた。敵の塹壕を損傷するはずの砲撃以外、何も考えることができなかったが、砲撃はうまくいかないことが多かった。砲撃のあと、機関銃の弾丸が雨霰と飛んでくる敵味方の中間地帯に歩兵が突撃した。わたしは一九〇三年に戦車を発明した――そのアイディアを、という意味だ。それは「陸上装甲艦」という短篇の中でだが、戦争の半ばまで、誰もそれを造ろうとしなかった。造っても戦争が終わりかけるまで、実際にはあまり役に立たなかった。

――しかし、あんたは戦争の初期に新聞に書いたもので、国の根っからの愛国主義者と強硬外交論者と提携することになった。そのことで心配しなかったのかね？

――しばらくは心配しなかった。戦争が始まった頃、イギリスではどんなだったか知っているだろう――国中が一種のヒステリー状態に陥ったのだ。戦争になったショックで、われわれは十字軍的精神状態になった。主教たちは連合国軍の大義をキリスト教と同一視した。男たちは入隊しようと徴募官のもとにどっと押しかけた。少年も中年男も、軍隊に入るために齢を偽った。

――そうしてドイツ人は、ベルギーで行った残虐行為の話で、大方は作り話だが、悪魔のように思われた。ヴェスタ・ティリーは、「あなたを失いたくはないけれど、あなたは行かねばならないと思う」と、徴募運動の際に歌った。子供たちは、直ちに志願しなかった男たちに、白い羽根を渡した。

——わたしは白い羽根のことは決してよいとは思わなかった。『デイリー・クロニクル』のわたしのいくつかの小論は、大衆の感情の波に乗ったもので、理想主義の混ざった、大量の安っぽい屑だ。

——しかし、そうした小論だけじゃなかろう？　あんたは新聞に投書をした。例えば、『タイムズ』に投書した一通は、ドイツ兵の侵入に抵抗するため、市民に武装するよう呼びかけた。「多くの男と少なからぬ数の女がドイツ兵を撃つために現われるだろう。そして、もし侵入者が、ベルギーでやった通りに恐るべきやり方で報復しようとするほど愚かであるなら、われわれ不正規兵は、もちろん、銃の射程内のドイツの落伍兵を皆殺しにするであろう」

——それについては弁解の余地がない。それは実は実際的提案ではなかった。当局は笑っただけだった。しかし、全国民がドイツの軍国主義に抵抗する覚悟でいるということを、われわれは世界に示さねばならないと考えたんだ。戦争のごく初期に、チャーリー・マスタマンは大勢の作家をホワイトホールに招集し、国民の士気を高めるためにわれわれのできることは何かと問うた。われわれは種々雑多な集まりだったが、非常に傑出した人物がいた——ロバート・ブリッジズ、ヘンリー・ニューボールト、グランヴィル・バーカー、バリー、コナン・ドイル、チェスタトン、ギルバート・マリー、ジョン・メイスフィールド、もちろん、アーノルド、そしてわたし、その他わたしの覚えていない大勢の者。その何人かは自由主義者で、何人かは保守主義者だった——われわれは何かに全員賛成するということはあり得なかったので、個々に行動すべきではないかと、わたしは提案した。わたしのように。振り返ってみると、わたしがその時の激した弾みで書いたいくつかのものは、判断を誤っていた。

——それであんたは何人かの友人を失った。例えば、ヴァイオレット・パジェット。彼女はあんたについて書いた。「彼は直ちにフリート街の前線に加わり、軍国主義を最終的に殲滅するために平和の剣を抜けと、わたしたちに命じた」

——彼女はわたしが戦争を支持したことを決して赦さなかった。ブルームズベリーのグループも。しかし、それはわたしにはどうでもよかった。彼らをあんまり買っていなかったし、彼らもわたしをあんまり買っていなかったから。

――で、ショーは？

――わたしたちの友情は非常に闘争的なものだった。まったく敵対していた時期が何度もあった。その時がまさにそうだった。わたしは、一九一四年十一月に出た、彼の『戦争についての常識』という小冊子や、それに類したものを攻撃した。彼は双方の兵士に、自分たちの将校を射殺して家に帰るよう、助言していた。もちろん、それは常識的ではまったくなかった。それは修辞的な大見得で、大衆を怒らせた。しかし、基本的には彼は正しかった。戦争は空しい。戦争は止められなくなる前に止めなくちゃいけない。わたしがそれを理解するには、しばらくの時間が必要だった。しばらくの時間と、何百万人もの死者が。

――しかし、あんたは平和主義者にはならなかった。

――そう。その点ではショーも同じだった。彼の真意を知るのは、例によって難しかった。彼は大衆にその思い込みを再吟味するよう促すのが好きだったが、彼がいつも成功したのは大衆をひどく苛立たせることだけだった。マスタマンによって招集された例の集会で何人かの作家は、ショーを厳しく罰することを望んだ。

――概して、名声を確立した年配の作家は、戦争でぱっとしなかったのではないかね？　彼らは安全な書斎から、愛国的な詩、反ドイツの大言壮語、どれこれも間違っていた、戦争の成り行きについての自信たっぷりの予言を新聞に書きまくった。英雄は、戦って死んだ若い詩人たち、罵られ、時には、その主義のゆえに監禁された良心的兵役忌避者だった。

――それに異議は唱えない。あれは奇妙な戦争だった――西部戦線では想像を絶する恐ろしいことが起こっていて、数百マイルしか離れていない母国ではほぼ正常な生活が続いていた。もちろん、物資の欠乏などがあり、のちに何度か空襲があったが、新聞を読まなかったり、近親が戦場にいなかったりしたら、そもそも戦争が起こっているということを忘れることができた――事実、人は戦争を忘れようとした、それでなくては、あまりに気が滅入ったからだ。わたしたちは戦争のあいだも、イーストンで週末のパーティーを開き、ホッケー、テニス、バドミントン、シャレードをした。それに、納屋でピアノラに合わせてダンスをした。

――あんたは運がいい、その時四十八で、戦うには年を取り過ぎていたし、息子たちは召集されるには若過ぎた。

――わたしはそれに気づいていた。夫や息子が前線にいる友人たちには、自分が羨望の、また、ほとんど怒りの的だってことに気づいていた――とりわけ、夫や息子が死傷者の中に入っていれば。例えば、気の毒な老ペンバー・リーヴズは、息子が戦死した時すっかり参ってしまい、わたしの悔やみの手紙に返事をくれなかった。無理もないと思った。もちろんわたしは、自分の知っている若者が戦死すると、心が痛んだ――とりわけ、わたしがケンブリッジで会った才能のある若者が。例えば、ルーパート・ブルックやベン・キーリングのような。だが、戦争が次第に悪化するにつれ、自分が兵役を免れていることが、戦争について語る自分の権威を傷つけたと感じた。わたしはプロパガンディストとして、次第に不愉快になってきたが、もっと有益な役割を見つける努力は挫折した。わたしの個人的生活でも挫折があった……

戦争が勃発した最初の日に彼が感じた昂揚感と、幸福感に近い感情は、レベッカが無事に自分たちの子供を出産したことと、目の前の歴史的な大戦争での自分の使命を思い描いたことが一緒になって生じたものだった。しかし、戦争がめでたく終息する目途が立たずに、厖大な費用のかかる、勝敗のつかない闘争の泥沼に陥るようになると、些細な事柄を大事件に比べることになるが、彼とレベッカの関係も、そのようになっていった。あとになって振り返ると、すべての問題の種は、赤ん坊をレベッカの手元に置いたことにあったが、彼としてはどうしようもなかった。自分の子供を初めて見ようと彼がブリグ＝イ＝ドンに着くと、彼女は赤ん坊に乳を含ませていて、両腕で抱いた赤ん坊に愛おしそうに微笑んでいた。赤ん坊は口を彼女の乳首にぴったりとつけ、鼻を彼女のたっぷりとした乳房にぎゅっと押しつけていた。彼女はちょっと顔を上げて「ハロー、ジャガー」と言って視線を赤ん坊に戻した。「なんと美しい光景だろう」と彼は屈《かが》み込んで彼女の額にキスをした。「聖母子」。「この子を愛してるの」と彼女は言った。「手元に置きたいの。誰かほかの人にやるのは耐えられない」。「なら、手元に置かなくちゃ、パンサー」と彼は言った。「ありがとう、ジャガー！」と彼女は言って輝くような微笑を浮かべ、また彼にキスをしてもらおうと顔を上げた。今度は唇に。

のちに彼は、養子に出したほうがよい理由を再び試しに言ってみた――子供を育てる責任を果たすのは時間を食い、彼女が計画している文学活動に差し障り、二人の関係を慎重に隠しておくのがもっと難しくなる。しかし彼女は、こうした明らかな真実を、首を横に振って否定した。人は年中物を書いているわけではないし、いずれにしろ、あなたは召使を雇ってくれるんでしょ？　そして、世間から非難される危険などは、自分は構わない。自分が知っているのは、赤ん坊は自分の子供で、自分で育てたいということだけ。「なら、わかった」と彼は言った。「なんていう名にする？」

二人は、アントニー・パンサー・ウェストという名にすることにした。レベッカが「アントニー」という名を選んだのは、主に、それが自分の家族にも彼の家族にもなんの繋がりもなかったからだった。「パンサー」という名は彼が言い出したので、その子を作り出した愛に、ふてぶてしく言及していた。出生登記所の係はミドルネームにびっくりし、ペンを持った手を宙に止め、彼に綴りを訊いてから、明らかに非難の表情を浮かべながら証明書にそれを記入した。

彼が妹を誘惑したことを赦す兆しをそれまでまったく見せなかったレティーは、とうとう、ある程度彼に好感を抱くようになったらしかった。そして、子供を手元に置きたいというレベッカを彼が援助することに同意したのに感謝した。「あの子がそうするのは賢明だとは言いませんけど」とレティーは言った。「あなたは気前のいい方」。「僕は金持ちなんですよ」と彼は言った。「彼女にそうしてやることができる」。数日後にそこにやってきたタウンゼンド夫人は、彼の決断に賛成した。「R・Wが男の赤ん坊と一緒の姿を見るのは喜ばしいことでした」と彼女は書いた。「二人を別れさせるのは、なんとも悲しいことでしょう。乳児は心を鎮める素晴らしい存在です。彼女には赤ん坊も家も必要です。彼女は作家だとしても、その二つを持っていれば、もっとよい仕事ができるでしょう。あなたがそれをどうやるのか、わたしにはわかりませんが」

まずすべき仕事は、母と子のためにブリグ＝イ＝ドンよりふさわしい家を探すことだった。そこで彼は、イーストンからさほど離れていない所の適当な家を探してくれるようタウンゼンド夫人に頼んだ。間もなく彼女は、ハートフォードシャーのブラフィング村の外れにある、「クインボーン」という、かなり大きい一戸建ての家を見つけた。そこはイーストン・グリーブから十数マイルしか離れていなかった。彼は九月にレベッカをそこに住まわせ、必要な数の召使を揃えた——家政婦、子守女、女中、料理人。しばらくは、彼女は幸福だった。赤ん坊に夢中になり、生まれて初めて一家の女主人になったことが嬉しかった。そして、ジャーナリズムの仕事を少し始めさえした。だが、秋が冬に変わると、彼女の置かれた状況の不利な点が感じられるようになった。以前は農家だったクインボーンは一軒だけぽつんと建っていて、村から少し離れた、ぬかるんだ小道の行き止まりにあった。彼はグラディスに乗って頻繁にレベッカを訪れることができたが、ほとんどの時間、彼女がいつも接触しているのは召使だけだった。アントニーを取り上げたアイルランド人の産婆は子守としてとどまり、貴重な存在になったが、知的に刺激的な相手ではなかった。ほかの女たちは、アントニーが彼の子だと推測し、彼の正体に気づいたので、非難の気持ちを、彼女にはあえて挑戦できないやり方で、狡猾に盛んに仄めかし始めた。この狭量ないやがらせは、家政婦が金をくすねようとした現場をレベッカが押さえた時、忌まわしいものになった。家政婦は、彼の愛人がいることをジェインに知らせるといって脅迫して復讐しようとした。ジェインはすでに知っていると家政婦に言って、レベッカはその脅迫をあっさりと撥ねつけ、家政婦を解雇したが、家政婦はそのスキャンダルを執拗に近隣に広めた。するとある日、女料理人が食堂に飛び込んできて、子守について、気が狂ったように淫《みだ》らな申し立てをし始めた。その哀れな女は、三人兄弟の末弟がフランドルで戦死したことを聞いたところで、その悲しみをブランデーで紛らわせようとしたのだ。その女には憐憫の情を寄せる以外にはなかったが、それは心を乱す事件だったので、レベッカは自分の置かれた状況に、ますます不満を募らせた。

「わたしは月の暗い側に置き去りにされたみたい」と彼女は、ある天文学に関する彼の言葉を引き合いに出して言った。「この家はイーストン・グリーブの衛星なのよ。アントニーとわたしは、あなたのもう一つの生活の周りを回っているんだけど、わたしたちはそれを共有しない、そうしてわたしたちは、あなたの家族と友人たちに見えてはいけない」。彼がわずか数マイル先のところで、大勢の面白い訪問客がやって来、楽しい娯楽に皆が興じる別の生活を享受し、自分はそれから外されているという気持ちが、彼女の絶えざる不満の原因だった。今のところイーストン・グリーブは建て増しの作業が行われていて耐え難いほどやかましいということ、彼がブラフィングであまりに多くの時間を使って自分を無視しているとジェインが不平を言っているということを話しても無駄だった。レベッカはいつかは自分と結婚するという彼の「約束」を持ち出し、その目的のためには、できるだけ早くジェインと離婚したほうがよいと仄めかした。彼はその提案をきっぱりと撥ねつけたが、今の状況が不満足なものであること、彼女がロンドンに移るべきであることには同意した。ロンドンなら、彼女は友人たちに簡単に会えるし、文学活動にもっと積極的に加わることができるから。一九一五年の春はその計画の実行に充てられ、真夏までには、彼女とアントニーは、ロンドンの北の郊外にある、ハッチ・エンドの「オールダトン」という郊外住宅に落ち着いた。そして、婦人参政権運動時代からの友人であるウィルマ・ミークルを家政婦、話し相手にした。彼は自分たちのためと近所の者のために、例によって必要な召使を雇った。彼は自分たちのためと近所の者のために、この新しい家庭に関する作り話をでっち上げるのが、まだ必要だと考えた。レベッカは「ミス・ウェスト」で、彼女の孤児になった甥を育てていて、彼は一家の友人で、二人が無事に暮らしているかどうかを監督し、時折訪ねてきて客室に夜泊まるのだった。この口実に誰も騙されないのではないかと、彼は強く疑ったが、辛うじて体面は保たれた。

彼は、自分は妻と愛人を持っているのではなく、二人の妻、維持すべき二つの世帯、二組の家庭内の義務を抱えているような気がした。そして性生活は十分ではなかった。オールダトンに泊まった時は、いったん客間に退き、そのあと、踊り場を忍び足で歩いてレベッカの部屋に行った。そしてそこに着くと、二人が立てる音の大きさに注意を払った。時折、ウィルマにアントニーの面倒を見てもらい、テムズ川のモンキー・アイランドのホテルに短いあいだ宿泊した時だけ、二人はベッドの中で好きなことができた。レベッカが今、前より幸せだとしても、彼自身はそうではなかった。

彼が新聞に載せたいくつかの小文の中で、一九一五年には終わるだろうと自信たっぷりに予言した戦争は長引いていて、西部戦線の戦いの終わりは見えず、行き詰まりを打開するためにチャーチルが企てたダーダネルス作戦は、すでに明らかに失敗していた。彼はブリトリング氏という裕福な中年の著述家についての新しい小説を書き始めた。ブリトリングは戦争は決して起こらないと信じていたが、ひとたび戦争が始まると、連合国軍の大義に心から共鳴した。ブリトリングは戦争の不毛の破壊行為が明らかになるにつれ、次第に幻滅し、西部戦線で自分の息子が戦死したことに最も苦しんだが、絶望から、ある種の積極的な決心をするようになる。物語はまだ戦争が始まる前の段階だったので、それがどんなものかは、彼にもまだわかっていなかった。ブリトリングは「生来、苛々しやすく、そのため鋭さと情熱を持っていた……彼は書くことと話すことを愛した。あらゆることについて話し、あらゆることについて考えを持っていた……」。ブリトリングが自伝的人物なのは一目瞭然だった。車のあやふやな運転から、特異な形のホッケーに対する熱意に至るまで。二度結婚し、死んだ最初の妻の成人の息子ヒューと、二度目の妻イーディスの二人の若い子供を持っている点を除いて。ブリトリングとイーディスとの関係は、ウェルズ夫妻の関係に酷似していた。「二人は性格がまったく不一致だった……不幸な数年間、彼女は彼を苛立たせ、失望させた。一方彼は、口では説明できない悲しみで彼女を満たした……ごくゆっくりと、二人は自分たちの関係の真実を悟り、二人のあいだの愛情の立派な芽は花を咲かせ損なったということを悟り、長い歳月を経たあとでやっと、自分たちが想像していた結び付きの範囲を限定し、協力者になることができた……二人のあいだに恋も歓びもないとしても、真実の習慣的な愛情と、多くの相互扶助というものがあった」。ブリトリングは完全に充足的な関係が持てる女を空しく求め、イーディスを何度となく裏切る。時にはスキャンダルになるほど。そして目下、彼の家から車で容易に行ける距離にある家に住んでいる愛人がいる。しかし彼女はレベッカではなく、リトル・Eをモデルにしていて――「寡婦の中で最も輝かしく怜悧なハローディーン夫人」――彼の人生に関わるようになった最初の頃は、まさしく自分が必要としている女に見えたが、最近はうんざりするほど批判的で、要求が多くなり、彼はなるべく厄介なことにならずに彼女との関係を終わらせる手段を探っている。ブリトリングはエセックスのマッチングズ・イージーというところに住んでいる。それは「寡婦の家《ダウアー・ハウス》」（亡夫の土地にある小家屋）で、イーストン・グリーブの忠実なレプリカである。彼は幼い息子たちのために、ヘル・ハインリッヒというドイツ人を雇い、レティーという地元の娘と結婚しているテディーという秘書を雇う。レティーにはシシーという妹がいる。この小説は、彼の人生の、それとわかる多くの断片が、いくつかのでっちあげた断片と一緒に掻き混ぜられた万華鏡である。彼はそれがどんなものになるのかまったく自信がなかったが、レベッカは、最初の数章を彼が見せた時、書き続けるように励ました。

レベッカ自身も、「今日の作家」というシリーズのために短い文芸評論の本を書く準備をしていた。彼女の書評が大変いいと思っていた総合編集長は、自分で選んだ題材で、そのシリーズの一冊を書いてくれないかと彼女に頼んだ。彼女はヘンリー・ジェイムズについて書くことにした——それは彼にとって、不愉快な驚きだった。というのもレベッカは、『タイムズ文芸付録』でジェイムズが彼の作品をどう扱ったかをよく知っていたからだ。彼は彼女がジェイムズを無批判に賞讃しているわけではないのを知ってはいたが、それにもかかわらず、彼女がそんな小規模な仕事にまったく不似合いな熱心さでジェイムズの厖大な全作品《ウーヴル》を読み、再読することは、自分に対する一種の裏切りのように感じられた。そうした、やや傷つけられたような気分で、彼は『ブーン』の原稿を引出しから取り出し、一種の癒しとして、反ジェイムズの好戦的文章を読んだが、あまりに楽しんだので、さらに読み続けた。そして、それが戦争について書いたり考えたりすることから気を逸らしてくれる、歓迎すべきものだと感じ、それがまだばらばらのエピソードと言説の集まりのままだったので、一つの結論、あるいは少なくとも一つの結末までもっていった。彼はそれをレベッカには見せなかった——原稿をタイプしてくれたジェインと、出版に同意してくれたフィッシャー・アンウィン以外には見せなかった。レベッカが取り組んでいる対象を不遜に扱ったもので、それを読ませて進行中の仕事に対する彼女の集中力を妨げたくはなかった。この本は、前触れもなく不意に世に出るとインパクトがあるだろうと彼は自分に言い聞かせたが、それをほかの者に試しに読ませない本当の理由は（彼は新著の場合、大抵、出版する前に人に読んでもらった）、出版しないほうが賢明だと言われると直感していたことだった。彼はそうしたことになるのを考えたくなかった。六月中旬に最初の完成した本を受け取り、表題紙を読んだ時、意地悪い大きな喜びを覚えた。

ブーン、人類の精神、悪魔の野生驢馬、および最後の審判の喇叭《らっぱ》の音

ジョージ・ブーンの文学的遺産からの最初の抜粋。時代に適合。

出版の準備は、『シャーロット・ブロンテのいとこたち』、『水晶宮の子供のための歴史』、『炉火の光は、あちこち伸びる』、『食べられる茸』、『捕らわれた鯨』その他の作品の著者レジナルド・ブリスによって行われた。

H・G・ウェルズによる「曖昧な序文」付き

フィッシャー・アンウィンは大いに困惑し、それでは売上げにマイナスになると言ったが、彼は自分の名前は序文の筆者として出るだけで、「レジナルド・ブリス」が本の背に書かれねばならないと言い張った。彼は著者に関して人を騙すつもりではなかった。それは、『ブーン』は彼のほかの文学作品と同等に考えられるべきではなく、カーニヴァル風気晴らしと考えられるべきだということを示す、一つの手段だった。彼はでたらめに頁を繰り、「人類の精神」に関する会議が提案されたことにヘンリー・ジェイムズが異を唱えた箇所を見つけた。

「この会議が開かれることになったのは」と彼は言った。「まさしく、もっぱら我らの友人ゴス、あの風変わりで、正直だが落ち着きのない、いわば、時にはほとんど悪魔的なほどに野心的な我らの友人の組織力に負っていて、わたしは全面的に――いずれにせよ全面的に、非常に極端な、非常に圧倒的なほどに孤立的手段をとるべきであったとしても、それに出席するのを（過激な言葉を使えば）拒むなどという真似はとてもできないのである。とは言えわたしは、この知的な交通の流れが、疑いもなく見事に、凄まじい勢いで前後に動いているのを縁石に立ちつつ、一種の苦痛、不安、いわば恐怖を感じていることを、相当の懸念を覚えつつ告白しなければならない。だが、その流れは本質的に、言葉の完全な意味において、どこにも到達しないのである。われわれが渡るようにと呼びかけられている流れとは、主としてそうした類いの集会と活動なのである」

彼は嬉しそうに笑い、パロディーの正確さに純粋の誇りと喜びを抑え切れず、その章の最後まで読み続けた。それから短い手紙を走り書きした。「親愛なるHJ、この機知に富む《ジュ・デスプリ》洒落をいささか楽しんでくれることを望む、H・G」。そして、それを本に挟み、「リフォーム・クラブ気付、ヘンリー・ジェイムズ様」と宛名を書いた封筒に本を入れ、翌日、同クラブに置いて行った。ヘンリー・ジェイムズが戦争中はラム・ハウスを離れ、ロンドンに住んでいるのを彼は知っていた。

本を受け取った旨の手紙をジェイムズが寄越すまで、思っていたより長い間があった。その間《かん》、彼はジェイムズのユーモア感覚が、自分を出しにした冗談を愉しむほどに逞しいかどうか、いささか気懸かりだった。七月に入ってから一週間目に、ジェイムズが書いたことがわかる、斜めに傾いた書体の宛名の手紙がとうとう来ると、彼は数枚の便箋が入っている封筒の厚さを人差し指と親指で確かめながら書斎に入り、ドアを閉め、机の前に坐り、不安な気持ちで読み始めた。「わが親愛なるウェルズ」というわいつもの書き出しは、本を受け取った礼を述べるのが遅れた事情を説明している冒頭の数行の、落ち着いた、礼儀正しい調子同様、彼を安心させた。「貴著を贈ってもらったことに適切な礼を述べるため、相当の頁を読んだところだ――全部ではないが。まことに率直に言えば、そこで僕は君の本に初めてすっかり参ってしまった。今度は、本の流れがわたしをぐいぐい引いて行くことはなかった――これまでは、間違いなく、かつ抗いようもなく、そうだったが（そのことについては、繰り返し君に知らせた）」。括弧の中の文章には、咎めるような調子があったが、それは、手紙を読むにつれ、いっそうあからさまになった。「僕はもう一度試してみよう――明るさと愉楽をもたらしてくれる、君のどんな断片も失いたくない。そして一方、HJに対する君の評価を多かれ少なかれ理解した。それは、曲がりなりにも奇妙で興味深かった――もっとも、当然ながらそれは僕を甘美な昂揚感で満たしてはくれなかったが。もちろん作家が、その作家をひどく下らなく空しいと思っていて、そのことを世に公表しようという気持ちになった別の作家の身に自分を十分に置いてみるのは難しい――」

彼はその時点で手紙を置き、書斎の中を少し歩いた。駄目だ、あの爺さんは冗談がわからなかった、愉しみもせず、面白がりもしなかった、ひどく立腹したのだ。彼はしぶしぶ手紙に戻った。「そして、彼がずっと以前から、たまたまその別の作家を非常に愉しんでいた場合は事は容易ではないと思う。なぜなら、二人のあいだに、ある一致点が存在するのを当然のことと見なす習慣が出来上がっていて、それがなくなるというのは、交通を可能にしていた橋が崩壊したようなものだからだ」。その比喩には、人を謙虚にさせるような高貴さとペーソスがあり、彼は悔恨の念に苛まれた。だからと言って、『ブーン』におけるジェイムズの作品に対する批判を撤回しようという気にはなれなかった――諷刺は諷刺で、パロディーはパロディーだった。彼は、ジェイムズの熱心な愛読者でさえ認めねばならなかった、どうかと思う点を、やや誇張しただけだった。しかし、ジェイムズの感情を傷つけたこと、二人の友情を危うく終わりにしたことを悔いた。彼は手紙のあとの部分を急いで読んだ。その中でジェイムズは、自分自身のミューズの促しに、それが彼のミューズの促しといかに違おうと、従って行く権利を擁護していた。そして彼は、偽善的に降伏することなく、弁解と和解になる返事の草稿をなんとか書こうとした。

「もちろん、人生と文学に対する僕らの生来の、および後天的な態度には、真の、ごく基本的な違いがある」と彼は書いた。「君にとっては文学は絵画同様、それ自体が目的だが、僕にとっては文学は建築のように手段であり、用途を持っている。君の見方は、僕は感じたのだが、批評の世界においてあまりにも支配的だ。だから僕は、激しい敵意に満ちた調子で攻撃したのだ。そして、君についてそういうものを書いたのは、この戦争に取り憑かれている状態からの最初の息抜きだった。ブーンは紙屑籠に過ぎない……しかし、それが印刷されてから、われわれ二人の大きな、救い難い相違と差異を、自分がもっと優雅に表現しなかったことを百回も悔やんだ」。百回というのはやや誇張だが、彼は手紙を誠実に締め括った。「僕を信じてくれたまえ、親愛なるジェイムズ、大いに感謝している君の読者、反抗的で恨みがましくはあれ、君の愛読者で、数え切れぬ原因から、君に最も感謝し、愛情を抱いている者を。H・G・ウェルズ」

だがジェイムズの怒りは治まらなかった。ジェイムズはタイプした手紙（「口述」と一番上に四角括弧に書いてあった）を寄越した。それはこう始まっていた。「君の手紙はブーンの無作法のどんな弁護にもなっていないと思う」。そして、同じ調子で続いていた。「君があの本を紙屑籠に譬えているのはまったく適切ではないと思う。というのも、人があの容器に入れるのは、まさしく、人が公衆の目に晒さないものだからだ」。ジェイムズの書簡の文体が、自分の最も大事にしている原則を攻撃されたことに怒って、いかにいつもより明晰に、直截になったかは注目すべきことだった。その手紙は、次のように宣言して終わっていた。「人生を作り上げ、興味のある物を作り上げ、大事なものを作り上げるのが芸術だ。人がそうした物について考え、そうした物を適用するように。そして僕は、どんなものも、その過程の力と美の代替物にならないのを知っている。もし僕がブーンなら、そうした代替物のふりをしているものは救い難く、そして救い難いペテンだと言わねばならない。しかし、僕はブーンになるつもりはまったくない。敬具、ヘンリー・ジェイムズ」

彼は単なる個人的事柄を超えた文通をしようと、この文脈での「芸術」に関して考えられるいくつかの意味について、もう一通の手紙を書いたが、返事は来なかった。十月に、彼はジェイムズの健康が優れないということを聞き、十二月に、ジェイムズが脳卒中に見舞われたことを聞いた。彼は見舞いの手紙を送ったが、秘書のミス・ボザンケットから短い礼状が来ただけだった。彼は再びジェイムズから手紙を貰わなかったし、ジェイムズに会いもしなかった。一九一六年二月末にジェイムズが死んで和解の可能性がなくなるまで。ジェイムズは彼を赦さなかった。

——別に驚くことはなかったのじゃないかね？　ジェイムズの小説のあんたの戯画化は、信じ難いほど残酷だった。「それは、照明されているが、人の気を逸らす会衆のいない教会に似ている。すべての照明とパースペクティヴは主祭壇に集中している。そして祭壇に、非常にうやうやしく、目立つように置かれているのは、死んだ仔猫、卵の殻、紐の端切れだ」。それに、豆を拾う河馬……

——そう、彼がわたしについて『タイムズ文芸付録』に書いた一文も、やはり無礼なものだった。彼は自分が最初にわたしを侮辱したのを忘れているように思えた。

——しかし、あれはたった一パラグラフだった。あんたは数頁にわたって彼をやっつけた。

——彼は一パラグラフ以上続けた。

——しかし、大方、フェアなコメントだった。

——わたしのもフェアなコメントだった。それは、生きし̇た̇諷刺的やり方で表現されていただけさ。結局、わたしはあの本の中で、事実上、考えうるあらゆる有名な同時代の作家をおんなじように扱った。わたしはハラリーという人物で、自分さえ諷刺した。ハラリーは「人類の精神」について講演するが、あまりに退屈なので、聴衆は出て行ってしまう。

——だが、ヘンリー・ジェイムズが主な標的だったという事実は変わらない——あるいは、そう彼には見えたに違いない、そして、どの客観的読者にもそう見えただろう。あの本に言及されているほかの誰も、ジェイムズと同じ紙幅は与えられていない。

——わたしは書いていて面白くなって夢中になってしまったんだと思う。彼は自分が重要な存在であることと、文学上の地位に対する、一種の裏返しの世辞として愉しむだろうと、わたしは信じた。考えてみれば、彼は『クリスマスの花飾り』の「中景の塵」でマックス・ビアボームが自分をパロディー化したのを愉しんだ。

――しかし、あれはパロディーの対象に非常に優しいので、敬意と言ってよかった。あんたのパロディーは、それに比べ残酷だった。売上げや有名度ではあんたよりずっと下の年長の作家にしてはならない、意地の悪いことだった、それに彼は健康を害していた――

――わたしの知る限り、ジェイムズは自分の健康についていつも不平を言っていた。彼が十二月に脳卒中を起こしたことを聞いた時、見舞いの手紙を書いた。ゴスが彼にメリット勲位を贈る請願をしようと言った時、わたしは喜んで署名したし、事実上、死の床にいた彼が新年の叙勲者一覧表に載り、それを貰うと、わたしは祝電を打った。返事はなかった。二ヵ月後に、彼が死んだということを聞いた。二人が喧嘩をしたのは残念だったが、それは起こるべくして起こったのだ。わたしたちは互いにまったく違った作家で、自分たちの違いをあまりに長く、いわば共謀して隠してたんだ。小説についての二人の考えが一致しないということが、早かれ遅かれ、対立を生むことになったたんだ。当時、わたしが彼に認めたように、わたしはもっとうまくそれをなんとかすることができたかもしれない。確かな話、わたしは自分の無作法で罰せられたんだ。

『ブーン』は不評だった。文学界は、あるいはその大部分は、彼を除け者《パーリア》として扱った。友人たちでさえ、その本には当惑した。やがてレベッカも被害を蒙った。というのも、彼女のジェイムズ研究書が翌年出ると、パーシー・ラボックとその他のジェイムズ一派は、その本が『タイムズ文芸付録』に無視されるように、遺漏なく手配した。その本は文体が簡潔で鑑識力の優れた奇蹟的な本だったが、ジェイムズを褒め称えたものではなかった。そして、彼女とウェルズの繋がりは、彼らの目には、それを酷評するのに十分なほど知られていた。二人のそれぞれの本は、出たタイミングが悪かったことで、一般に否定的な反応しかなかった。『ブーン』が出版された、まさにその月、ヘンリー・ジェイムズは戦争における連合国の大義に共感していることを示すため、英国の市民権を申請をした。そして、何年ものあいだ一般読者からほぼ無視されていた彼は、突如として、無条件に尊敬さるべき国家的至宝になった。その感情は、彼の死によって大いに強められた。

ジェイムズの死は、彼が『ブリトリング氏、乗り切る』の結びを書いている時に彼に告げられた。それは彼が非常に多くの時間と労力を注ぎ込んだ本で、例の、小説の役目を手段と見る態度（彼はそれでもってジェイムズ流の審美的見方に挑戦した）を、まさしく例証していた。彼の小説は有用であるのを目指していて、目的を持っていた。それは大雑把に言えば、戦争から積極的な教訓を引き出すことだったが、その際、戦争の恐怖と苦痛を避けたり、実際より小さなものにしたりはしなかった。彼はブリトリング氏に、自分自身の場合に非常によく似ている一連の態度の変化を経験させた——ブリトリング氏は戦争が実際に起こるということを遅まきながら認識し、勝利の達成に精力的に邁進したが、戦争における連合国軍の行動にだけではなく、それを、愛国心を理由に正当化したことに次第に幻滅するようになった。ブリトリングは戦闘によって生まれる憎悪の、人を堕落させる力を見、ドイツ人とドイツ（両者に大殺戮の全責任があると考えられた）を悪魔視することを嘆いた。しかしフィクションには創造的自由があるので、彼は自分の分身を、彼自身が経験したよりもずっと大きい圧力のもとに置くことができた。その結果、本の結びで、一種の素人説教、大胆な推測をブリトリングに代わってする権利を得た。

ブリトリング氏の息子のヒューは、ブリトリングの秘書のテディーに倣い、入隊できる齢になるやいなや、志願して軍隊に入った。そして、西部戦線での戦闘の生々しい様子を家に書き送った。（すでにその頃には、その本の一部の材料にするくらいには、それに関する印刷物が大量にあった。）すると、ヒューが戦死した。ブリトリングがその知らせを受け、暗い庭に出て行く件《くだり》は（「不意にその少年が彼の周りのどこにでもいて、遊んだり、ヒマラヤ杉に登ったり、自転車に乗って芝生の上をなんとも見事にくねくね走ったり、自分の将来について大真面目に話したり、芝に横になったりしていた……」）、国中の家庭で毎日実際に起こっていた状況に想像で感情移入をしたものだった。そして彼は、それを十分に描いたと感じた。ブリトリング氏が絶望から立ち直る過程は、挑戦と言ってよかった。彼はそれを二段階で表わした。テディーもやはり戦死したと報じられ、ブリトリングは悲嘆に暮れる寡婦のレティーを慰めねばならない。レティーはドイツ人と神に対するニヒリスティックな怒りに満たされる。「世界は残酷」と彼女は言う。「本当に残酷。神について言えば——神はいないか、白痴かのどっちか。蠅の羽根を毟って喜んでいるのは白痴……ヒューが死んだのに、どうしてあなたは神が信じられるのです？　わたしのテディーを殺し、あなたのヒューを殺した神を——そして、何百万の人を」。ブリトリングは信じていると言う――ただし、神学者の言う神をではない。「彼らは馬鹿げた絶対的な考えを持っている――神は全能だという。しかし人間は常識上、そうではないことを知っている……結局、キリスト教徒にとっての本当の神はキリストであって、全能の神ではない。木製の十字架に釘で留められた、哀れな、嘲けられた、傷を負った神だ……いつの日か、彼は勝利を収めるだろう……しかし今、彼がすべての物の原因だと言うのはフェアではない。神は絶対ではない……神は不完全だ。われわれが脆弱で愚かなやり方で苦闘しているように、広く包括的なやり方で苦闘している不完全な神。――そうとも！　もし、戦闘と死者と、この戦争の生み出した一切の荒廃と恐怖を、その気になれば防ぐことができるのに、ただ見下ろしている全能の神がいるなら、僕はその虚ろな顔に唾を吐きかけるだろう。神は自然と必然の中にいる。必然とは最も遠く離れたものだが、神は最も内部にいる」。「わたしは神をそんな風には考えませんでしたわ」とレティーは言う。「僕もそうだった」とブリトリングは言う。「しかし、今はそう思う」。この時点でブリトリングは、造物主に代わって話す。ウェルズはそれまで自覚していなかった神秘的な雄弁を駆使していることに、われながら驚いた。その雄弁は、自分の創造した登場人物を、ほとんど耐え難いほどの苦しい状況に置いたことによって生まれたのだ。

レティーの話は、思いがけずテディーが負傷しながらも生きて帰ってきたことで、ハッピーエンドで終わるが、この本の主人公は、そう簡単には悲しみから救われない。息子の戦死によって受けた心の傷は、以前のドイツ人家庭教師ヘル・ハインリッヒも、ロシアの捕虜収容所で死んだということを聞き、彼がハインリッヒの両親に、急いで発ったためにハインリッヒが置いていったヴァイオリンを送ろうと決心し、事情を説明した手紙を書いた時に癒される。それは初めは短い手紙のつもりだったが、すぐに長い手紙になった。彼はその中で、自分の気持ちを相手と共有することによって、救われたように感じた。「もしこれらの二人の少年が共にある高貴な共通の大義のために死んだのではなく、王朝と国境と通商路と圧政的な支配権の闘争において互いに戦って死んだのだとあなた方が考えるなら、あなた方はわたし同様、この戦争はこれまでに人類に起こった最も悲劇的で恐ろしいものだとお感じになっているのに違いありません」。ブリトリングは何度も下書きをし、破棄し、正直に書き、偽りの感情と偽りの修辞（彼はそれを自分の「安手の文体」と軽蔑して呼んだ）を避けようと苦労し、夜書き始めて翌日の明け方に及んだ。手紙はどんどん長くなるにつれ、私信というよりは予言的な公的発言に似てきた。「自分が弱くて愚かで無学で軽率な作家であるのが、ブリトリング氏にこれほど明白になったことはなかった。また、〝神の精神〟が自分の中にあり、それが、地上の新しい生活秩序を確立するうえで何かの役割を果たすように自分に命じているという確固たる確信を、彼は今ほど強く抱いたことはなかった」。手紙の最後のパラグラフは次のように始まる。「わたしたちは全身全霊で、民主主義の制度を完全なものにし、人類を裏切って、この憎悪と血の泥沼（その泥沼の中で、わたしたちの息子は姿を消し、わたしたちは依然としてあがいているのです）に引きずり込んだ王、皇帝、聖職者、一団の投機家、悪徳商人、資本家、買占め屋をなくしましょう……」。しかし彼は反省した。「なんとこの甲高い声の訓戒は弱々しいことか！」そして、手紙を書くのをそこでやめた。彼は添え状なしにヴァイオリンをハインリッヒの両親に送り返そうかと思った。だが、「『駄目だ。わたしは両親に簡明に書かねばならない。自分が見つけた通りの神について。神がわたしを見つけたことについて』」。この本は、疲労困憊したブリトリング氏が、日が昇ってくる時に、書斎の窓辺に立っているところで終わる。「暖かさと光の波が、夜明け前に、マッチングズ・イージーの世界に、次から次に寄せてきた。まるで、世界には朝と日の出しかないかのように。教会のほうから、朝早く労働者が大鎌を研いでいる音が聞こえてきた」。大鎌のイメージは彼を喜ばせた。いくつかの連想が曖昧に混ざり合っているからだ——死神、犂刀《りとう》、死のあとの再生を促す四季の巡り。

彼はその小説の題を『ブリトリング氏、乗り切る』とすることにした時、それが出版される頃には戦争は終わっているだろう、あるいはほとんど終わっているだろうと信じていた。しかし七月、その小説が印刷に回されていた時、ソンムの戦いが始まり、出版された九月にも、戦いは依然として続いていた。十一月になって、ソンムの戦いが事実上終わった時には、敵味方の百万人が死傷し、戦争の終結によって得られたものは何もなかった。

こうした状況において、彼はその題が不適切なくらい楽天的で、小説の売行きにマイナスになるのではないかと怖れた。それは、彼の財政状態が健全ではなかったので、深刻な問題だった。戦争のごく最初に、「僕は金持ちなんですよ」とレベッカの姉のレティーに言ったのは、振り返ってみると傲慢に思えた。この二年ほどのすべての支出——

イーストン・グリーブの建て増しと修繕、そこでの豪勢な饗応、レベッカの家庭の維持費、ロンドンのフラットの借り賃、グラディスの購入、現在アウンドルの寄宿学校にいる息子たちの学費その他――が貯金をびっくりするほどに減らしてしまった。彼は銀行口座に五千ポンドしか残っていないだろうと計算した。『崇高な探求』は一九一五年に出版されたが、特によくは売れなかった。それも驚くことではなかった。というのも、それはほかのすべての「生真面目」小説の繰り返しだったからだ。舞台はもっとエキゾティックだったが。彼はジャーナリズムに盛んに書きまくることで支払い能力を維持していた。したがって、ベストセラーをなんとしてでも書かねばならなかった。

『ブリトリング氏』がまさにベストセラーになったので、彼は大いに安堵し、感謝した。それは、西部戦線からのニュースがどんどん悪いものになったので、大衆の気分を完璧に捉えたのだ――それは、若者の命が無駄に失われることに対する人々の悲しみ、自分たちの政治と軍の指導者の無能に対する怒り、戦争の途方もない悪と、子供の時から叩き込まれた義務と愛国と信仰心との折り合いをつけようという、人々の苦心を反映し、はっきりと表現していたからである。いくつもの書評で絶賛され、ハンフリー・ウォード夫人も含め、昔の敵の多くから賞讃され、教会での説教で共感を込めて取り上げられた。感謝した読者から、とりわけ、夫や息子が戦死した読者から大量の夥しい数の手紙が届いた。その多くは彼も成人の息子を失ったと思い込み、お悔やみを述べていた。それほど彼は、ブリトリング氏の息子との死別を生々しく描写したのだ。本はクリスマス前に十三刷りになり、同じ頃、彼はアメリカで二万ポンドの印税を稼いだ。彼の財政上の心配はなくなった。少なくとも当分。

――だからあんたは、ソンムの大惨事で儲けたとも言える――実のところ、陰惨な戦争全体から。

――それなら、ホメロスはトロイ戦争で儲けたとも言える。それは、悲劇を扱うすべての作品の抱えるパラドックスだ。作家は否定的経験を肯定的な何かに変えるんだ。もし成功すれば、われわれは褒められ、報酬も貰えるが、『ブリトリング氏』でわたしは戦争利得者と同じ者になったとは言えない。

――けれどもあんたは、本の最後の宗教的な事柄を本当に信じていたのかね？　それとも、英国の大衆に取り入るための巧みな策略だったのかね？

――本を書いているあいだは信じていた――それでなければ、うまくいかなかったろう。ああしたものは、でっちあげることはできない。『ブリトリング氏』を書くのは、わたしにとっては一種の宗教的経験だった――ウィリアム・ジェイムズが『宗教的経験の諸相』で「回心」と呼んでいるものだ。ブリトリングは「弱くて愚かで無学で軽率な作家」だと自分を決めつけるが、それは彼とわたしの「自己の過失の是認《メア・クルパ》」なのだ。わたしは戦争の初期の段階で書いた、戦争についての誇大で、威張り腐った文章のいくつかは恥ずかしかった、そして、それを告白したかった。ブリトリングがレティーを慰めようとする場面を書いた時、ああしたすべての宗教的な言葉が湧いてきた――わたしの思うに、自分の子供時代から、そして、若い時には反撥した、母の信心深さから。しかしいまや、それは正しい言葉に思えた。わたしは自分の世俗的なユートピア的理想をキリスト教の言葉で表現し、それを大衆にもっとわかりやすくする手立てがわかり始めた。一年後に出版した『神、目に見えぬ王』の中でわたしは、ブリトリングの考えを、自分自身の声で論証的に発展させた。

――あんたの自由思想家の友人たちは、あんたはあの本で正気を失ったと思った。

――でも、大衆には大いに受けた。レベッカに一種の讃美歌を送ったのを覚えている。

神学の本は売れている
飛ぶように売れている、
そしてわたしの母国の乳房は
「神の言葉のミルク」で張っている。
わたしはと言えば、リベラルな聖職者と昼食をとり
主教とディナーをとる。
ランベス宮がわたしの足盥（旧約聖書、詩篇第六〇篇の「モアブはわが足盥なり」のもじり。「イングランド教会を屈服させた」の意）

――なら、それはまさしくシニカルなものだったんだな？

――全然違う。わたしはのちに自分の回心を否定したが、当時は大真面目だった。わたしは自分が革新的なキリスト教神学者として急に人気を博したことに滑稽な面があるのはわかっていたが、わたしは大真面目だった。そして、あんたが何を言おうと、『ブリトリング氏、乗り切る』は良い小説だった。ブリトリングは生きている。

――事実、あんたが書いた最後のよい小説だ。誰もが二

度読みたくなる最後のものだ。

——おそらくそうだろう。

——それなのにあんたは、さらに二十二冊の小説を書き続けた。今ではどれも完全に死んでいる。古本屋の店先でぞっき本として一冊一ペニーの箱に積まれている。

——その通りだ。でも、当時は知らなかった。


一九一六年九月、彼には気をよくする理由がいくつかあった。『ブーン』は忘れられた。『ブリトリング氏』はヒットした。ウィンストン・チャーチルは彼に手紙を書き、「貴殿の陸上戦艦の構想が実行に移され成功したこと」を祝った（英国の戦車マーク1はソンムの戦いでごく限定的な成功しか収めなかったが、ウェルズは自分の陸上装甲艦を認めてくれたことに感謝した）。そして同月、健康で五十歳を迎えた。彼の性生活さえ向上した。八月に彼はレベッカ宛の手紙で、リビドーに対する不満をついに口にした。「僕ら恋人同士を子供部屋から引き離すような生活ができればいいのだが。昼も夜も君と愛の営みをし、恋人として君と一緒にいて、今よりももっと陽気に一緒に愉しみたい……道理上、あと十年か十二年くらいしか、愛とか裸とかそういったすべての楽しいことを享受する時間はない。目下、夜、わずかなあいだだけ一緒にいて、晩はあの二人の忌まわしいほど退屈なウィルマとグーグーと過ごす暮らしになっているのは残念だ」。（「グーグー」というのはアントニーが乳母に付けた名前だ。）彼は二人が一緒に外出できるよう、さらには外国にも行けるよう、アントニーを姉たちに押しつける手立てを考えるように彼女に頼んだ。彼女はそれはできなかったが、愛の巣としてチェルシーに寝室・居間兼用の貸室を借りるという案には賛成した。「ロンドンの貸室で、完全に舐め合う準備をしてほしい」と彼は、淫らな返事をした。チェルシーでは適当な貸室は見つからなかったが、彼が昔馴染んでいたピムリコのクラヴァートン街に部屋を見つけた。それはしばらくのあいだ、密会のかなりいかがわしい場所として二人の役に立った。秘密とプライバシーを守るということが、愛の営みの喜びを強めはしたが、その関係に潜む緊張感は解決されなかった。

一九一七年春、レベッカはアントニーと一緒にエセックスの沿岸のリー＝オン＝シーに移った。ツェッペリンがロンドンを空襲するおそれがあったからだ。家は魅力的だったが、その場所を選んだのは間違いだった。そこは、ドイツの新しい双発のゴータ爆撃機が好んだルートにあることがわかったからだ。爆撃機の飛行士はロンドンまで飛ぶのにテムズ川を目印にした。時には、首都の郊外と間違えて、リーのような河口の町に爆弾を投下した。「ゴータが屋根に巣を作ろうとし、まるでトリニティー運送会社の者がピアノを下手に動かしているような騒音が空を満たしている時に、坐って食事をするのは不愉快です」と彼女は相互の友人に書いたが、その暢気な調子は、まったくの嘘だった。彼は空襲のあいだ彼女と一緒にいた際に、そのことを発見したのだが。爆弾が遠くで破裂する音がすると、彼女はアントニーを幼児用寝台からさっと持ち上げ、食堂のテーブルの下に隠し、爆撃機のエンジンの響きが大きくなるにつれ、「ああ、神様！　ああ、神様！」と呻き、「わたしたちは死ぬ！　死にたくない！」と、爆撃機が頭上を通過すると叫んだ。彼も恐怖を感じたが、恐怖に対する彼の対応の仕方は、わざとバルコニーに出て、落ち着いているふりをしながら空を眺めることだった。レベッカの恥も外聞もないヒステリー症状は、彼の心を乱した。

彼は家に戻ってから、彼女の振る舞いについて長い苦情の手紙を書いて送ったが、それは、二人の生来の性格の不一致についての考察になっていった。「こうした些細な事柄は僕の心を解放し、これまでは見るのを拒否してきた一群の事実を僕に見させたようだ。僕は考えた、『自分はこの女を果たして愛しているのだろうか？』。僕は考えた、『自分は彼女について、ある話を作り上げた、そして、それは本当の話ではない』」。本当の話とは何か？　何が事実なのか？　彼は本質的に積極的な物の見方をしたが、彼女は何事にも消極的な態度をとっているように見えた。例えば彼女は、彼を憎んでいる姉たちと母と親密な関係を続けていて、陰気な女の召使と話し相手で自分を取り巻かせ、それが二人の関係を親密なものにするのを妨げていた。「僕らの記憶の中で恋の冒険だったかもしれない過去四年のすべてを、君の特異な天分が、まったく不愉快な物語にしてしまった――それが、なんであれ将来起こることがまったく絶望的に思われる基盤になってしまった。自分の世界を暗くし、あらゆる思い出を黒くするのが君の性格だ。僕が君を愛する限り、君は僕の世界を暗くする」。彼がその手紙を書き送ったのは、二人の関係を終わらせようと意図したからというよりも、鬱憤を晴らす必要があったからと、彼女に自分の欲望をもっと素直に受け入れさせようと願っていたからだった。そして、彼女がすぐさま怒りの返事を寄越し、自分はこの一年彼を愛していなかった、また、もし十分な扶養料が貰えれば、そして、理不尽な要求で自分の気持ちを乱すのをやめてくれれば、自分とアントニーで十分やっていけると書いてきたので、彼はやや動揺した。彼は穏やかな返事をした。「もし僕が君の恋人でなくなるなら、僕は君の愛する兄になるつもりだ。僕らはお互いに、いくつかのかなり驚くべき真実を語り合った。僕らは何かを変える前に、しばらくのあいだ、ともかく少しのあいだ、世間体を繕おう」。月末までには喧嘩は収まり、クラヴァートン街のベッドの上では停戦が成立し、その後の何年かのパターンが出来上がった。

一方、もっと大きな戦場では停戦の兆しはなく、両軍はセコンドがタオルを投げ入れるのを拒否した、疲れ果て、血まみれになったボクサーのように、互いに強打し合った。しかし、一九一七年にアメリカが連合国側に立って参戦したからには、いかに長い時間がかかろうと、ドイツが敗北するのは彼には自明のことだった。一年後彼は、戦争の最後の幕で有益な役を演ずる機会を得たように思えた。面目を失墜したアスキスに代わり、いまや首相になったロイド・ジョージは、二人の新聞王を内閣に入れ――ロザミーアを航空相に、ビーヴァブルックを情報相にした――ビーヴァブルックはもう一人の新聞王ノースクリフを対敵プロパガンダ局長に任命した。新聞人は政治家や官吏よりもウェルズの価値を正しく評価していて、ノースクリフが新たに結成された「敵国におけるプロパガンダのための政策委員会」の委員長として、クルー・ハウス（同委員会のあった建物）のチームに加わらないかと彼を誘うと、彼は快諾した。連合国は勝利を収めても報復はしない、また、戦争の終結は全世界の恒久的平和を達成する機会だということを明確にして、ドイツ国民が敗北を受け入れる心づもりをさせることがきわめて重要だと彼は信じていた。彼はその頃、一九一五年にレナード・ウルフとその他の者によってまず提案された、国際連盟という構想を推進する委員会に関係するようになっていた。国際連盟は、戦後の平和条約を監督し、恒久的基盤にもとづいて国際的安全を保証するというものだった。彼はプロパガンダ委員会の委員長の地位を利用し、こうした積極的なメッセージが、クルー・ハウスで作成されたリーフレットに取り入れられ、様々な手段を用いてドイツとオーストリア＝ハンガリーの兵士と市民に確実に配られるための計画を立てた。間もなく彼は、自分の委員会から外務省に宛て力強い覚書を送り、建設的な和議のための論旨を述べた。それには国際連盟のための、妥当と思われる規約の草稿が含まれていた。彼はそれに対する返事として、政治情報部の部長から、慇懃無礼に説教された。それにもかかわらずクルー・ハウスのチームは、自分たちの出版物の中で国際連盟の構想を推進することに固執し、政府から微温的なお墨付きを貰った。もちろん、英国の大衆の考えも同じ方向に教育されねばならなかったが、それは彼の委員会の仕事の範囲外だった。しかし、ノースクリフとその仲間の新聞王たちは、自分たち自身の新聞でその構想を推進するうえで何も協力しなかった。大衆紙は痛烈な反ドイツの記事と社説を盛んに書き立て続けた。とりわけノースクリフの『デイリー・メイル』とロンドン『イヴニング・ニュース』は。彼がノースクリフにその矛盾を指摘した手紙を書くと、ノースクリフはそのことについて何かするのをきっぱりと断り、短く答えた。「わたしはわが新聞がとっている方針に全面的に賛成です。それについて誰かと論議するつもりはありません」。建設的で寛大な和議を約束している、クルー・ハウスで作られているプロパガンダは実はドイツ人だけが読むことを狙ったもので、政府はドイツを敗北させると同時に罰するつもりなのを、ウェルズは遅まきながら悟った。彼は利用され裏切られたように感じ、委員長になってからわずか数ヶ月で辞任した。

ついに十一月に勝利が訪れた。それは、祝賀のどんちゃん騒ぎの機会になった。本来は戦死者を悼む一週間の国家的服喪期間があるべきだったのに。少なくともある形で国民としての良心を真面目に検証すべきだったのに。しかし、そうではなかった。おれたちはドイツ皇帝を縛り首にするんだ、ドイツ人に償いをさせるんだ、というわけだった。英国は英雄たちにふさわしい国になることになった——運よく生き延びた者のために。そして、国王万歳。国王は女王と一緒に馬車に乗って、旗を振って歓呼している愛国者たちが群がっている通りを通って、セント・ポール大聖堂に向かった。それは結局、神は一人のイギリス人であることを示してくれたことに対して、神に感謝するためだった。その日、彼とジェインはたまたまロンドンのフラットを出て、イーストン・グリーブに行くことになっていた。二人の乗った辻馬車は群衆のせいで進めなくなり、やむなく二人は降り、リヴァプール駅まで旅行鞄を引きずって行った。彼は、鋪道に溢れている、いずれも幸せで自己満足した表情を浮かべている顔を眺めながら思った。「これが大衆の実態だ。この興奮に沸き返っている、無定見で、お人好しで、無批判な大量の頭脳こそ、マルクス爺さんが、プロレタリア独裁をやってくれると信じた連中なのだ」。そして、大声で笑った。すると、旅行鞄と帽子箱を相手に悪戦苦闘していたジェインは振り向き、怪訝そうに彼を見詰めた。

しかし、彼を幻滅させたこうした出来事は、建設的な結果も生んだ。国際連盟の計画に関連した委員会での経験で、彼は自分を含め、教養があり善意のメンバーでさえ、自国以外のほかのどの国の歴史についても嘆かわしいほど知識が足りないのを痛感した。一方、英国の大衆の大部分は、ほとんど何も知らなかった。もしこの無知が矯正されなければ、国際連盟などという構想が「受ける」望みはないのは明らかだ。そして彼は「世界史概略」の構想を得た。それは、一冊の本の中で、全人類の現在に至るまでの物語を語ろうとするものだった。一九一八年の終わりまでには、彼はギルバート・マリーやアーネスト・バーカーのような何人かの権威のある専門家に助言者になってもらい、草稿の誤りを調べてもらい、ジェインとそのほかの者たちには調査を手伝ってもらうことにしたが、基本的には全部を一人で書くつもりだった。彼はもちろん、新事実の発見を目指してはいなかったが——彼の必要とした事実は、すでに百科事典やほかの参考書にあるものだった——これまで誰も考えつかなかったようなやり方で、そのすべてを一つにまとめることを目指していた。そのことについて彼は、国際連盟ユニオンの雑誌に載せた一文で語っている。

> これまで誰も、人間としての人類の歴史を、わたしたちの子供に教えてこなかった。人間の初期の苦闘と勝利、それぞれの部族と国家の形成、自然の征服、芸術の創造、科学の開発……もしわたしたちが世界の諸国民に真実であること、すなわち、人間はすべて共通の仕事に従事しているということ、また、人間は共通の起源から生まれているということ、すべての人間は、共通の目的に対し、ある特殊の奉仕をしているということを教えるとするならば、厖大な量の仕事をしなければならない。

当初彼は、その本を年嵩の子供向けに書こうと思っていたが、構想が発展するにつれ、大人の読者も想定するようになった。それは途方もない企てで、アーノルド・ベネットに語ったように、彼は「狂気じみた骨折り仕事」の二年間を費やした。それは七十五万語に及んだが、大部分は彼自身の言葉だった。だが、その労は十分に報われた。分冊で出版された『世界史概観』は非常によく売れ、書き足した本の形のものは英米で、また数多くの翻訳で、次の数年間に二百万部以上売れた。彼の財政上の不安は当分解消された。彼は掛け値なく金持ちになった。

――あんたは有名人にもなった。たぶん、『世界史概観』のおかげで、二十世紀初頭の世界一有名な作家に。あんたは一九二〇年以降、若者に対する影響力を失ったと言ったオーウェルは、確かに間違っていたんだね？

――わたしはその後もしばらくは有名だった、ほとんどどこの市井の人間もわたしの名前を知っているという意味では。新聞に寄稿した文は世界中にシンジケートを通して伝わり、わたしの本は廉価版で流通し、若者を含め、人々に影響を与え、人々を教育し続けた。しかしわたしは、流行の思想や傾向に遅れたくないなら必読の最新作を書く者では、もはやなくなった。そのことは、時が経つにつれ、次第に明らかになった。一九三〇年代の初め、わたしは二冊の厖大な編纂物『生命の科学』と『人間の仕事と富と幸福』を出した。それは『世界史概観』と一緒に三部作になるもので、人間についての現代の知識――歴史的、生物学的、社会学的な――を要約したものだが、あまり成功しなかった。のちにわたしは、あらゆる知識を含む百科事典を作る企てに、いくつかの出版社の関心を惹こうとしたが、版権の問題があまりに多かった。わたしはそれは無料であるべきだと考え、実証できる人類の知識のあらゆるものをマイクロフィルムに収めて絶えず最新のものにし、誰もが利用できるようにする、国際百科事典機関の設立を構想した――世界規模の情報網さ。わたしはそれについて『世界の頭脳』という本を書いたが、人気を博さなかった。わたしのことを「あすを発明した男」と呼んだジャーナリストがいたが、人は、わたしの話す「あす」にもはや関心を抱いていなかった。わたしは啓蒙の子、現代の百科事典派、ディドロの後継者だったが、第一次世界大戦の恐怖が「理性」に対する信頼の念を揺るがしたのだ。知識人たちは、ファシズム、ソヴィエト流の共産主義、あるいはローマ・カトリックかアングロ・カトリックに救いを求めた。わたしはそのすべてに反対した。二つの大戦のあいだに、わたしは思想家として、荒野に叫ぶ孤独な声になっていった。

――小説家としては？

――小説家としては、時代遅れだった。前衛的な実験的作家が二〇年代をリードしていた――ジェイムズ・ジョイス、D・H・ロレンス、ヴァージニア・ウルフ。すべて意識の流れ、シンボリズム、神話で、物語は多くなく、思想も多くなかった、わたしが思想と呼ぶものは。ドロシー・リチャードソンでさえ、ひたすら内向的な果てしない叙事詩的小説『尖った屋根』で人々に感銘を与え始めた。それは、ヘンリー・ジェイムズの小説理論をさらに推し進め、フィクションは抒情詩の状態に近づこうとするとしたものだった。そして新しい作家は、自分たちはアーノルド・ベネットとわたしのような旧弊な者とは対立すると考えたがった。例えば、ヴァージニア・ウルフは「現代の小説」というエッセイで、わたしたちを「物質主義者」だと非難し、「イギリスの小説が彼らに背を向けるのが早ければ早いほど……イギリスの小説の魂にとってよい」と言った。有名な話だが、ロレンスは、わたしたちのグループの一人によく数えられたゴールズワージーを攻撃し、『現代文学のカレンダー』の中で、二〇年代のわたしの最も野心的な小説『ウィリアム・クリソルドの世界』を酷評した。それは一から十まで「鼠の巣のように、噛み潰した新聞紙と噛み潰した科学的報告書」だとロレンスは言った。

——そうしてやがて、レベッカがあんたをやっつけた。彼女はあんたの小説のラヴ・シーンを嘲った——「その一節で彼の文章は不意に堅固さを失い、ブラマンジュのように震え始める」。彼女はあんたたちを「叔父さんたち」と呼んだ——あんたとベネットとゴールズワージーとショーを。「わたしたちの若いあいだ、彼らはわたしたちの精神の家の中を、叔父さんのようにうろついていた……」

——それは一九二六年のことだった。わたしたちはそれまでには別れていた。わたしを「叔父さん」と呼んだのは、二人の関係が終わったという暗号だった。

彼は二人が何度別れる瀬戸際まで行ってから引き返し、縒りを戻そうと何度したことか、数え切れなかった。そうした類いの最も深刻な危機の一つのあとで、彼は一九二〇年の秋にロシアを訪れた。

彼はまえまえから、一九一七年の三月と十月の革命に強い関心を抱いていて、翌年三月、新しいボリシェヴィキ政府がドイツとオーストリア＝ハンガリーと平和条約を結んだことを歓迎する旨の手紙を、旧友のマクシム・ゴーリキーに送り、それは「屠場から脱出する道を世界に示す」ことになると言った。一方、ゴーリキーは『ブリトリング氏』の大の愛読者だった——「それは、この呪わしい戦争のあいだにヨーロッパで書かれた最上の、最も大胆で、最も正しく人間的な本であるのは疑いない！」と書き、ロシアで翻訳され出版されるよう手配した。どうやら、その翻訳は賞讃されたらしかった。ウェルズはロシアが戦後の政治の世界で非常に重要な存在になると信じたので、アウンドルの進歩的な校長サンダソンを説き伏せ、ジップと、その他のロシア語に関心のある数名の生徒にロシア語を教えるよう手配した。イギリスの学校でロシア語が教えられたのは、どうやらそれが最初のようである。一九二〇年には、ロシア訪問はジップにとってためになるように彼には思えたし、彼自身も革命下での生活はどういうものか、非常に知りたかった。ロンドンにいたロシアの貿易派遣団のカーメネフという人物が、公式にロシアを訪問したらどうかと、すでに彼に接触していた。ビーヴァブルックはロシア訪問について『エクスプレス』に彼に書いてもらいたがっていた。それは、彼の費用を十分に補うものだったし、ロシア旅行についての本が出せるかもしれなかった。したがって彼はゴーリキーに電報を打ち、息子と一緒に「ロシアを見に行く」と言った。ゴーリキーは親切にも、サンクトペテルブルクの自宅に二人を泊めようと申し出た。その家はたくさんの部屋がある、大きな編集事務所兼アパートだということがわかった。そこは、みすぼらしい服装の詩人、小説家、知識人、女性助手の溜まり場になっていて、ロシアの現状を知るのには、通常、外国からの訪問客を泊める大きなホテルより、遥かに本物で、あまり厳しく監視されていない、有利な場所だった。

ゴーリキーはボリシェヴィキのロシアでは高い地位にある人物だった。帝政ロシア皇帝のもと、下層階級の窮状についての、国際的に賞讃されている彼の短篇小説と戯曲と、当時の個人的苦悩についての記録は、彼を革命の文学上の表看板にしていた。彼にとっては創造的仕事の損失になるのだが、自分の立場を利用し、あらゆる種類の作家や芸術家を援助し保護した。また、健康が優れなかったにもかかわらず——若い頃、自殺未遂をしたせいで、肺が一つしかなかった——編集と出版や、放って置けば革命後のロシアの混乱した生活状態では死んでしまっただろう多くの者のために、仕事と避難所を準備し見つけることに多くの時間を使った。ゴーリキーの助手の一人は、クロンヴェルスキー大通りのアパートに住んでいた、ムーラ・ブドベルクという若い女だった。

彼は到着した日に彼女に会ったが、それは忘れ難かった。彼女は、至る所に本と書類が山積みになっている、ゴーリキーの取り散らかした事務所に、印刷所から持ってきた校正刷りを持って入ってきた。彼女は背が高く、黒っぽい目をし、黒髪が波打っていた。みすぼらしい黒い服の上に英軍のレインコートを羽織っていたが、それは彼女の際立った容貌を引き立てていて、彼女を革命の女の化身のように見せた——窮乏に立ち向かう希望。「こちらは、ムーラ」とゴーリキーは彼に言った。「ムーラ——H・G・ウェルズ」。ゴーリキーはその若い女にロシア語で何か付け加えた。彼女も同じ言語で答え、彼と握手した。「以前、お会いしましたわ」と彼女が言ったので、彼は驚いた。「本当に?」と彼は言った。「ええ、あなたがモーリス・ベアリングと一緒に一九一四年にロシアにいらっしゃった時に」。彼女の話す英語には強い訛りがあったが、流暢で自信に満ちていた。「いやあ、覚えていないと言うのは、ばつが悪い」と彼は言って、彼女の顔を以前見たことを思い出そうとした。「でも、僕はあの旅で非常に多くの人に会った」。彼女はにこりとした。「驚くことはありませんわ。わたしはあの時、長い絹のガウンを羽織っていて、たくさんの宝石を身につけていましたから。あれは、父のイグナーチ・ザクレフスキーの家で開かれた大掛かりなパーティーでしたが、わたしはあなたに、マリー・フォン・ベンケンドルフとして紹介されたんです。夫のベンケンドルフ伯爵は外交官だったんです。わたしたちは休暇でベルリン大使館からペテルブルクに来ていたんです」。「そう言われると、かすかに記憶が蘇るようだ」と彼は礼儀上言った。その名前は、彼にはなんの意味もなかったが。

ゴーリキーはそのやりとりをにこやかに見ていたが、箒のような濃いひげを生やした彼は、理解できなかった。彼は何かをロシア語で言った。

「わたしはあなたの滞在中、公式の通訳兼案内人になるようにと、ゴーリキーが言っています」とムーラは言った。

「嬉しいですな」と彼は答えた。「どうもありがとう」

「どういたしまして」と彼女は言った。

一日二日、彼はゴーリキーと長い会話をしたが、通訳を介する必要があったので、かなり飽きてきた。また、正直なところ、会話の内容にも飽きてきた。というのも、ゴーリキーはボリシェヴィキ国家の明るい面を訪問者の彼に見せたがり、彼が出会うであろう不完全な面について前もって言いわけをしたがったからだ。そのため二人の会話は相互の対話ではなく、招待主のゴーリキーの説教になった。ムーラを案内人にしてアパートから出て、自分の印象を形作るのは救いだった。時にはジップも一緒だったが、自分一人のほうが多かった。なぜなら、ゴーリキーの取り巻きの若者たちが息子の面倒を見てくれたからだ。そのほうが、息子がロシア語を磨くのにためになった。彼女は彼と一緒に科学館と文学・芸術館、マリインスキー劇場、ネフスキー大通りに行き、ネヴァ川の堤に沿って聖イサーク大聖堂に案内した。その大聖堂は無神論博物館に変えられているところだった。また彼女は、残念ながらなおざりになっていた「夏の庭園」にも彼を連れて行った。そこでは、草の生い茂った自然遊歩道に枯葉がすでに落ちていた。彼女が一緒にいなければ、彼は気が滅入り、ホームシックになっていただろう。

ペトログラード（当時はそう呼ばれていた）は、彼が覚えている一九一四年のサンクトペテルブルクの、戦争で疲弊した影だった。ほとんどどんな店も開いていなかった。なぜなら、紅茶、煙草、マッチと、少々哀切な話だが切花以外、買売できるものは何もなかったからだ。通りはイギリスの地方都市の日曜日のようにいつもがらんとして、シャッターの下りたような雰囲気だった。食料は政府によって配給制になっていたが、国民は手に入るものでは飢餓レベルを少し越えた暮らししかできなかった。生産、金融機関、商業の全経済組織は活動を中止していて、どんなありふれた什器も日用品も買い替えることは不可能だった。新しい服は買えなかった。ゴーリキーはスーツを一着しか持っていず、着た切り雀だった。道路は漏斗孔に似た深い空洞だらけで、溝《どぶ》は崩れ、多くの通りの木製の鋪道は薪《たきぎ》用に剝がされていた。市街電車は無料だったが超満員で、車体の外側にしがみついていた乗客が落ちるという事故が多発した。おそらく飢えで衰弱していたのだろう。街の人々は陰気な顔をしていた。冬が近づいていたからか、栄養不足だったからだろうが、国が破滅状態にあり、復興するのは難しいと思っていたからと考えるほうが当たっていた。彼がそのことをムーラに言うと、彼女は目を伏せた。「帰国なさったら、そう英国人に話すおつもり?」と彼女は尋ねた。

彼が会ったボリシェヴィキの役人と異なり、ムーラは革命の熱心なプロパガンディストではなかった。そして事実、いかなる種類の政治的発言も滅多にしなかった。しかし彼は、自分が帰国して、ロシアについて非常に悪意的な報告をすれば（最近、バートランド・ラッセルがそうして、彼を招待した者はひどく不快な思いをしたが）、彼女はいささか咎められるかもしれなかった。「僕が英国民に話すのはこういうことだ」と彼は言った。「第一に、ここで僕の周囲に廃墟が見られるのは、多くのイギリスの政治家や新聞に聞かされているのとは違って、ボリシェヴィキ政府が悪いからじゃないということさ——それは、腐敗した、資本主義的帝国主義者の皇帝の体制が、戦争の影響で完全に崩壊したことによるんだ。そして第二に、僕は英国民に、ボリシェヴィキ政府はこれまでのところ、国家が完全な無政府状態に陥るのを食い止めたということ、当面はロシアにとって唯一の考えうる政府であるということを話すつもりだ」。ムーラはその通りだという風に頷き、満足したようだった。

彼は誠実に話しはしたが、ボリシェヴィキたちはマルクスとマルクス主義に教義上忠誠を誓っているので、国家再建という記念碑的な仕事ではひどく不利だ、と指摘して、彼女の心を乱すようなことはしなかった。マルクスが予言した革命は、西欧の工業化した国々で始まるべきだったのだ。そこには、相応に批判的な大衆のうちの、教育を受けた都市労働者階級が存在した。ところが革命は、実際にはロシアで起こった。ロシア国民の大部分は、農業に従事し、迷信的なほどに信心深い農民で、プロレタリア独裁を実行する能力も意思もなかった。ボリシェヴィキの指導者たちは、この変則的事態と、自分たちがヨーロッパの政治地図において孤立した、危うい立場にあることを意識して不安を覚え、彼に英国ではいつ革命が始まるのかと必ず尋ねた。彼が英国で革命が起こる兆しはほんの少しもないと請け合うと、彼らは信じないか、がっかりするかだった。

ロシア訪問の最初の頃、ムーラは彼に付き添って、ペトログラード・ソヴィエト（労働者、農民、兵士の代表者による評議会）に行った。そこで演説をするよう頼まれたのだ。「君が僕のスピーチを通訳するのかい？」と彼は、その一日前に彼女に訊いた。「いいえ、公式の通訳がいるんです」と彼女は言った。「僕の言葉が正確に訳されるのを、どうやって確かめたらいいんだい？」と彼は、バートランド・ラッセルがかつて同じ集会でスピーチをした際、それがロシアの現状にずっとおもねったものに翻訳で変えられ、新聞にそのまま載ったことに苦情を言ったのを思い出したのだ。「一番いいのは、あなたがスピーチを書いて、それをわたしが翻訳し、通訳に渡して読ませること」と彼女は言った。彼女はその通りにし、通訳は仰天した。彼女は彼の言葉が歪曲されないよう、彼と暗黙のうちに共謀したのだ。それは、彼女の立場を考えれば相当の勇気が要ることだった。そのことがあってから、彼はいっそう彼女に惹かれるようになった。二人が方々歩き回っているうちに、彼は彼女の過去のいくつかを知った。それは、悲しいと同時に劇的だった。彼女の夫は死んでいた――革命後、恨みを持つある農民に、エストニアにある二人の屋敷で殺害されたのだと彼女は言った――彼女の結婚指環は、ほかの宝石と一緒に、食べ物を買うためにとっくの昔に売られた。貴族だった彼女の一家は富と財産をすべて失い、死ぬか離散するか、あるいは彼女のように、生き残るために革命と運命を共にするかだった。彼は知ったのだが、彼女にはエストニアで面倒を見てもらっている二人の子供がいて、また会いたいと思っていた。しかしロシアを離れるのは不可能で、一度試みて、しばらく投獄された。その後、ゴーリキーに保護されるようになるまで、かなり危険な状況に置かれた。

彼は主にレーニンに会うため、ジップと一緒にモスクワまで短い旅をした。レーニンは英国において革命が切迫しているかどうかについてお決まりの質問を彼にしたが、彼の答えに驚いたり失望したり風を見せるには、あまりに犀利で、教養があった。レーニンは見事な英語を話し、レーニンの名前で出ているパンフレットやスピーチの記録から彼が予期したより、会話においては遥かにリラックスし、教条的ではなかった。それにもかかわらず、インタヴューは不満足なものだった。心と心の通い合いはなかった。レーニンはソヴィエト連邦の電化のことだけを話したがった。それは、ソヴィエト・ロシアを、その宏大な全領土に電線網を広げ、鉄塔を建てて近代化するという壮大な計画だが、当面は国の生産能力を超えた荒唐無稽な企てだった。そしてレーニンは、ウェルズの信ずる、人類をその目標に向かって進化の道を歩ませる、地球規模の集産主義と大規模な教育計画には関心を示さなかった。

彼はイギリスに帰る予定の数日前にペトログラードに戻るのが嬉しかった――ペトログラードと、とりわけムーラのところに。彼はムーラがそばにいないのでひどく淋しかった。彼女の謎めいた微笑、スラブ系の高い頬骨の上の光沢のある黒っぽい瞳、そして、薄い黒い服がぴったりと貼りついているような、体の柔らかい曲線が、彼の欲望を掻き立てた。彼女も同様なのを、彼は直観的に感じた。彼はこの蠱惑的な女と愛を営まずに別れると考えると、また九分九厘、再び会うことはないと考えると、苦しかった。これまで彼女と愛を営もうとしなかったのは、彼女はゴーリキーの愛人かもしれないと思ったからだった。しかし、二人が一緒の時の振る舞いに、なんらそんな気振りが見られなかった。そしてゴーリキーの内縁の妻、女優のマリア・フョードロヴナ・アンドレーエヴァ（彼女が一緒にいたことで、アメリカで大騒ぎになったのだが）は、ペトログラードのアパートをひっそりと管理していた。彼はそんな遠慮は根拠のない、不必要なものだと考えた。

彼のロシア滞在の最後の晩、数本のワインとウオツカが、ゴーリキーの胡散《うさん》臭い手蔓で手に入った、五缶のサーディンと、三つの壺に入った、詰め物をしたピーマンから成る送別の御馳走に出た。そのあと、食べ、かつ飲んだことで生まれた寛いだ雰囲気の中で、ゴーリキーと「アンドレーエヴナ」がいなくなり、ジップが彼と一緒の部屋に寝に行ってしまうと、彼は広い居間の隅のソファーで、ムーラに慎重にいちゃつき始めた。そして、彼女の反応振りに気をよくし、さほど慎重ではなくなった。その時の状況は好都合だった。電気は停まっていて――ペトログラードではよくあることだった――部屋は蠟燭と暖炉の火明かりでロマンティックに照明されていた。まだ起きていたほかの者はウオツカで酔い、暖炉を丸く囲んで坐り、ロシア語で喋ったり、時には歌ったりしていた。「君はマクシムと寝るのかい、ムーラ？」と彼は訊いた。「もちろん、寝ないわよ、エイジー」と彼女は小声で言った。「あの人はアンドレーエヴナと寝るの、わたしは〝分子〟の部屋のオットマンで寝るの」。〝分子〟というのは、ゴーリキーが庇護している若い女の医学生の綽名だった。「でも〝分子〟は今夜はここにいない」と彼は言った。「ええ、画家の友達のタトリンのところに行ったの」とムーラは言った。「なら君は、今夜はちゃんとしたベッドに寝られる」と彼は言った。「ええ」と彼女は言った。「君は一人だ」。「ええ」と彼女は言った。彼女は彼の目を覗き込み、にんまりと笑った。二人は互いに了解したのだ。

彼は数時間後、ベッドの中で自分の隣にいるジップを含めて、アパートの誰もが眠っているとほぼ確信できると、自分の部屋を出、裸足のまま手探りで暗い廊下を通ってムーラの部屋に行った。誰かに問われたら、洗面所を探していて迷ってしまったと言うつもりだったが、それにしても心臓が早鐘を打った。というのも、そんなことを言ってもほとんど信じてもらえないだろうし、その結果はひどくばつの悪いものになるだろうから。しかし、彼が冒していた危険は、無事にムーラの部屋に入ってから与えられた恍惚感を、いっそう高めた。彼女は彼がこれまで知った女の中で一番柔らかな肌をしていた。彼女はクライマックスに達すると、意味のわからないロシア語の単語と句を興奮しながら小声で口にした。彼は賢明にもイギリスから持ってきたコンドームの中に、三週間禁欲して溜まっていた精液を射出した。

彼はレベッカを裏切ったことに疚しさを感じなかった。イギリスに戻る彼の心と記憶の中では、暗い、廃墟になったペトログラードの真ん中で、ムーラの暗い寝室でした愛の行為は（裸の彼女がどんなか、ぼんやりとしか見なかった）、普通の姦通のお馴染みの世界、ホテルの寝室や、ピンクのランプの笠とフラシ天の室内装飾品のある、高級レストランの別室《カビネー・パルテイキユリエ》の世界に属するのではなく、家庭との繋がりや家庭に対する忠誠心の拘束は一時棚上げになる、エキゾティックで、冒険的で、ほとんど想像の領域に属していた。おそらくそのために、彼が帰国してから間もなく、レベッカが戦後に移ったケンジントンのクイーンズ・ゲイトのフラットでレベッカに会い、旅行の話をした際、ムーラが自分の通訳兼案内人として果たした役割を、軽率にも、隠しも、過小視もせず、逆に、彼女の才能を激賞し、彼女の驚くべき人生について詳しく語ったので、レベッカは疑いの念を抱き、唐突に言った。「その女《ひと》と寝たの？」彼は衝動的に馬鹿正直に答えた。「うん」。彼女の顔がショックと怒りで白くなり、次に赤くなるのを見て、彼は言った。「一度だけ」。そして、愚かにも付け加えた。「最後の夜に」するとレベッカはとめどもなく涙を流し、二人は凄まじい口喧嘩をし、とうとう彼女は、すぐにもハンサムな若い恋人を作るつもりだと宣言した。「見つけるのになんの苦労もしないでしょうよ」。「それを言わないでくれよ、パンサー」と彼は言った。「耐えられない」。「なんでわたしはいけないの？　おあいこじゃない」。「男にとってのほうが、ずっと辛いんだ」と彼は言った。「あらまあ」と彼女は天井に向かって大きな声で言った。「それは二重基準の偉大な批判者が言うことかしら？」そして、激しい憎しみを込めて、彼を見て言った。「あなたの不感症の奥さんのところに帰って、ムーラのことを話したらいいわ。奥さんは気にしないでしょうよ」。レベッカは自分の寝室に行き、ドアに鍵を掛け、彼がフラットから出るに任せた。

彼は家に帰ってすぐに手紙を書き、その脅迫は実行に移さないように懇願した。「僕は君を愛している、なんとしても君を繋ぎ止めたい。しかし君の不貞にはどうにも我慢できない。僕は今、君を失うのをひどく怖れている。それは、僕ら二人にとって悲惨なことになるだろう。それは、僕の人生から心臓を切り取ってしまうようなものだ。君の人生にも、あまり多くは残らないだろう」。彼女がすぐに返事をしなかったので、彼はさらに何通かの手紙を書き、傷心のジャガーが、赦そうとしないパンサーのそむけた背を悲しそうに見つめている素描を添えた。「僕はほとんど耐えられないくらい淋しく、惨めだ」と彼は書いた。「僕はたくさんの仕事をしてきた、それも良い仕事を。『世界史概観』は歴史を変えようとしている。でも、僕の哀れさに関する限り、それはなんの意味もない。ひとりよがりは幸福ではない。ロシアは僕を興奮させ、活動的にした。今は参っている。孤独だ。疲れている。乳房と、優しい肉体が欲しい。愛が欲しい。手で触れ、感じられる愛が欲しい。そして、僕は愛される資格がない。君にがみがみ言い、君をいじめた。僕は誠実ではなかった。君はたぶん、本当に僕に愛をくれ、僕が愛を返すようにしてくれる唯一の人物だろう。僕は次の四月までに君に会えるとは思わない。もし会えなければ、死に会いたい」。この最後の気持ちは大袈裟だが、彼は新年にアメリカに長期講演旅行に行くことになっていて、レベッカはカプリ島の友人を訪ねるところだった。したがって彼は、二人の長い別れが始まる前に、必死で和解しようとしていた。結局レベッカは彼の手紙攻勢に負け、二人は仲直りし、いつものやり方で縒りを戻した。

レベッカはアントニーを寄宿学校に預け、十一月にカプリ島に旅立ったが、ウェルズは病気になり、アメリカの講演旅行は中止にせざるを得なかった。すると、カプリ島のレベッカの友人も病気になり、レベッカは友人の看病をするために、数週間の予定が数ヵ月滞在しなければならなくなった——あるいは、そうレベッカは手紙で書いた。彼の浮気に報復すると彼女が脅したことで彼は嫉妬心を抱き、自分に親切だったと彼女が言った、カプリ島在住の若い小説家コンプトン・マッケンジーが、島の魅力の一つではないかと思った。そこで彼は、一月末にイタリアに行き、彼女と一緒になろうともちかけた。それは彼の健康にもよいし、二人は温暖な冬の太陽のもとで自分たちの作品が書き続けられる、というわけだった。二人はアマルフィで会い、ホテル・カップチーニの隣り合わせの部屋に泊まった。「ミス・ウェスト」は秘書兼伴侶ということにした。万事つつがなかったが、やがて泊まり客の中の、あるイギリス人の退役陸軍少佐が彼の正体に気づき、ある晩、酔って不愉快な騒ぎを起こした。その男は、「姦通をしている男女」がホテルの道徳的空気を汚染していると文句を言ったのだ。その後間もなく、イギリス人の知人がホテルに現われ、すぐにどの泊り客も二人の正体を知るようになった。彼らの好色な好奇心の対象になっていると感じた彼は苛立ち、自分でも醜態を演ずるようになった。それに対し、レベッカは強く文句を言った。「人がわたしたちに親切にしている時でさえ、あなたは素っ気ないんで、わたしはとても嫌な気がする」と彼女は、パエストゥムまで二人が遠出をした際に一緒についてきた、クロイドンから来た悪意のない兄妹に対して彼がひどい態度をとったあとで言った。二人は一ヵ月後にアマルフィを発ち、ローマとフィレンツェに行ったが、愛の営みのあいだにも言い争いをした。そして、いつものように執筆中の作品を見せ合った際、互いにあら捜しをした。

レベッカは処女作『兵士の帰還』で、一九一八年、当然ながら成功を博した。それは、ある兵士についての短い、精妙に書かれた話だ。兵士は戦傷で記憶を失い、やがて初恋の幸福な思い出は蘇るが、腹を立てた妻が介入してきた結果、記憶を取り戻し前線に送り返される。おそらく戦死することになるのだが。それは時宜を得た本で、大いに賞讃され、売行きもよかった。しかしレベッカは、二作目の小説で悪戦苦闘していた。それは『判事』という暗く複雑な小説だった。一方、彼は『心の秘密の場所』という、危ういほど告白的な小説を書いていた。主人公のサー・リッチモンド・ハーディーは燃料の世界的権威で、過労のためと、世界の石炭と石油の資源を国際的に管理しようという努力が挫折したためとで神経衰弱に罹り、精神科医の助けを求める。精神科医はイングランドの西部地方を自動車で回る旅に同行しながら、治療を施すことに同意する。ハーディーの性の歴史は、彼自身のそれに似ていなくもない。行きずりの性関係と、完璧な相手を求める満たされぬ願望との混ざったものだ。ハーディーには目下、苛立たしいことに、その理想にわずかに届かぬ、マーティン・リーズという愛人がいる。ハーディーは自動車旅行中、魅力的な若いアメリカ人の女と恋に落ち、人生の意味と、燃料を賢明に管理することによって世界を救おうという使命について、彼女と深刻な話をする。小説の最後の部分で、二人は肉体関係を持ちたいという誘惑に駆られるが、崇高な動機のために諦める。そしてハーディーはほどなく死ぬが、小説の終わり近くで現われるマーティンは、彼の生前に、彼の長所を十分に理解しなかったことを悔やむ。

アメリカ人の若い女の場合は、自伝的な要素があった。それは、アメリカにおける産児制限運動の、物議を醸した指導者マーガレット・サンガーだった。彼はずっと以前、避妊に関する情報を流布した廉で、アメリカの法律のもとで彼女が起訴されたことに抗議する陳情書に署名し、その後、彼女と文通し、一九二〇年の夏、彼女がイギリスを訪問した際に、ついに会った。彼女は際立って魅力的だと彼は思い、容易に肉体関係が結べるだろうと感じたけれども、良心と、時間と状況に束縛され、直観にもとづいて行動することはしなかった。レベッカはマーガレット・サンガーに会ったことはなかったが、彼の提案で、女性の最新の避妊法に関する助言を得るため彼女と文通していた。そして彼が、マーガレットを賞讃しているのに気づいていた。彼はレベッカが、彼の見せた小説の部分に、その個人的経験を読み取るのは知っていた。そして彼は、彼女はマーガレットとの友情はまったく純潔なものだと推測し、信じるだろうと期待していた。しかし彼女は、その小説における自分の役割に満足しなかった。大方、舞台裏だったからだ。「マーティン・リーズ」というのは、小説の歴史において、女性の登場人物の名前としては最もあり得ない名前だと彼女は断言し、彼が冗談を書いた覚えのない章を読みながら、不用意にも大声で笑ってしまった。彼は『判事』の構成を批判して復讐した。その小説は見事な劇的状況で始まり――ある判事が娼婦を拾うが、その判事は十年前、彼女の夫に死刑判決を下したのだ、そして彼女はその報復として、彼を殺害しようとする――そのあと、どんどん過去に遡り始める。「文章はみな実に見事だ、パンサー――生き生きした地方色がふんだんにある――しかし君は、僕らが冒頭の場面に戻って、次に何が起こるのか知ろうとするほど、僕らを待たせる。一体、何が起こるんだい？」「まだ決めてないのよ」とレベッカは不機嫌そうに言った。「君は過去に遡ってばかりいるからさ」と彼は言った。

二人がイギリスに戻ったあと彼は、自分がごく気安い旅の連れではなかったことを意識し、「ほとんど中断することのなかった幸福な二ヵ月半」に感謝する旨の手紙を彼女に書いた。それに対して彼女は、感謝の気持ちをその時表わしてくれたらよかった、なぜなら、彼の振る舞いからは、そのことがはっきりしなかったから、と辛辣な返事を書いた。

――そこに一つのパターンがあったんじゃないかね？ あんたはいつも彼女に、家庭と家族のしがらみから抜け出し、二人だけでどこかに行こうと説得するが、彼女が実際にそうすると、いつでもあんたは嘆かわしい振る舞いをした。一年後にも同じことが起こった――ただ、いつもよりひどかった。あんたはワシントン平和会議について報告するためにアメリカに行き、マーガレット・サンガーと浮気をし、名士扱いされてアメリカ中を回り、スペインで休日を過ごすために船で戻ってジブラルタルでレベッカに会った。ところがあんたは、その休日を彼女にとってまったくひどいものにしてしまった。アルヘンシラスでホテル、マリア・クリスティーナに移るやいなや威張り始め、彼女はひどく困惑した。

——わたしは具合がよくなかった。旅で疲労困憊し、喉が痛かった。

——あんたはホテルの支配人に、喉の治療のため海軍の軍医を寄越すよう、ジブラルタル港にいた海軍元帥に電話しろと命じた。「病気のH・G・ウェルズですと言うだけでいい」とあんたは言った。「彼はすぐに誰かを送って寄越すだろう」

——あれはちょっとつけあがっていたのは認める。しかし、彼らがアルヘンシラスの奥の山麓から探し出してきた、引退したイギリスの医者は、どうしようもない藪医者だった——痛む喉に嗽薬《うがい》を処方しただけだ。

——たぶん、嗽薬で十分だったのだろう。あんたはセビリアに移った時、レベッカを人前でなんともぞんざいに扱ったので、そこのイギリス人牧師が彼女を脇に呼び、彼女の両親に彼女を連れ戻しに来るよう電報を打とうかと申し出た。グラナダでは、マヌエル・デ・ファリャがあんたに敬意を表して開いた、ダンサーと詩人が一緒のパーティーの途中で帰ってしまった。あんたは帰国する途中パリに着いた時、アナトール・フランスを訪れるのに、レベッカを同伴するのを断った、あんたが言うには、彼女はあんまり美人ではないという理由で。

——それは彼女が言ったことだ。彼女はあまりスマートじゃないとは、わたしは言ったかもしれない。わたしたちはパリに着いたところだった——彼女の服は皺だらけで、髪は美容師のところに行く必要があった。

——それでも、やはり無礼だった。

——彼女もずけずけ言うことがあった。わたしは太鼓腹になっていると言った。

——その通りじゃないか！　あんたはあの旅で忌まわしい振る舞いをしたのを否定はできない。

——わたしはあの何年か、奇妙な精神状態だった。一種の長期の神経衰弱に罹ってたんだ。サー・リッチモンド・ハーディーのように。わたしは外面的には成功者だったが——「世界一有名な作家」——内面的には不満だった。わたしの得た賞讃は、わたしが望んだ類いのものでも、賞讃してもらいたいと思っていた人たちからのものでもなかった。それはわたしを傲岸にし、苛立たせた——わたしはそれに気づいていたが、時折、自分を抑えることができなかった。

——一体、なんでレベッカはあんたに我慢できたんだろう？　あんたたちは何度となく大喧嘩をし、何度となく彼女はもううんざりだと言い、何度となくあんたは甘言を弄して彼女に取り入り、彼女のベッドに入った。

——わたしはスペインにいたあの時のようには、いつも気難しいわけではなかった。あの時でさえ、幸福な合間があった、二人が一緒に非常にうまくやって、愉しんだ日々があった。わたしたちは二人とも特別な人間で、そのことを自覚していた。同じ事柄に関心を抱き、エロティックな面でばかりではなく、知的にも創造的にも、互いに刺激し合った——恋人同士になるのは運命のように思えた。しかし、そう、振り返ってみると、わたしたちが随分長く一緒にいたのには驚く。なぜなら、二人は気質的に一致していなかったからだ。レベッカの感性は生来、悲劇的だった。ジェインの言ったことは正しかった——彼女が自分の仮名をイプセンからとったのは偶然じゃなかった。彼女は生涯、悲劇的ヒロインの役を演じたがった、涙を流し、ヒステリーを起こし、芝居がかった身振りをして……わたしは彼女がそんな風な時、彼女を憎んだ。わたしの気質は、生来、喜劇的だ——わたしは人生が楽しいものであるのを望んでいるのだ。お祭り騒ぎやハッピーエンドが好きなんだ、セックスとゲームが好きなんだ、そして、人生において事がひどく悪い方向に向かうと——痛む喉のようなことではなく、本当の災難——そのことを人に見せないようにするんだ。

——だから二人の関係は、あれほど長く続いたのかね？

——基本的には、わたしがジェインと離婚し、自分と結婚することをレベッカが期待し続けたからだ。だから彼女はわたしのむら気に耐え、二人が喧嘩したあと仲直りしたんだ。それは一方通行じゃなかった。一度ならずわたしは彼女に手紙を書き、自分たちは互いの正気を保つために別れるべきじゃないかと言ったが、彼女ははっきりと「ええ、同感、別れましょう」という返事は決して寄越さなかった。

——それはおそらく、あんたの手紙がはっきりしたものではなかったからだろう。あんたの手紙は、二人が一緒にいて楽しかった時の懐かしい、ノスタルジックな思い出、彼女に対して犯した罪を認める言葉、彼女に対する変わることのない賞讃の念を書き連ねたものだった。それらは情事の終わりの手紙というより恋文だった。あんたが別れようと言った時、それを真に受けるのを彼女が躊躇したのも不思議ではない。

——彼女が躊躇したのは、わたしと結婚したいと、まだ思っていたからだ。わたしがジェインと離婚しないとは、彼女は本当には思っていなかった。わたしの考えでは、二人の関係が始まった時、それは完璧なものになりうる関係だった。ジェインがわたしの肉体的安楽の面倒を見、作家生活の世話をし、二人が共に愉しんだ来客の饗応の際の完璧な女主人になる。レベッカはわたしの恋人、仲間の芸術家、心の友になる。しかし彼女は、その役割だけでは満足しなかった——彼女はその両方を欲しがった、そして、アントニーがその両方に対する一種の権利を自分に与えてくれると考えた。アントニーは、わたしに対して彼女が当然持っている権利の化身だった。そしてアントニーは、わたしたちが別れたあとでさえ、二人のあいだの絶えざる不和の種だった。彼の教育にわたしはいくら出すべきか、わたしは彼を自分の養子にすることができるか、そして——彼女がそれを妨げた時——わたしはどんな風に彼に会えるか。残念ながら、彼はかなり厄介な子供時代を過ごしたと思う、アントニーは。彼はごく幼い頃、母は叔母で、わたしは叔父だと思っていた、そして、レベッカが自分はおまえの母だと言っても、依然として「叔母さん」と呼んだ。何年かあとに、叔父さんは実は父親だとレベッカは彼に話した。

——それはフロイト的な悪夢のようだな。あんたとレベッカは、後年、彼を神経症的にするのに、それ以上のことは、まずできなかったろうな。

——彼がのちに優柔不断な人間になったことに、いささか責任があるのは認める。しかし、彼は滅多にわたしを責めなかった。いつもわたしを偶像化し、自分の育てられ方について母を責めた。それは彼女にはフェアじゃなかった。そのため、彼女は長いあいだ、わたしに対して恨みを抱いた。あの三角関係、聖ならざる家族は、まったく滅茶苦茶だった。もしアントニーが、わたしが最初思っていたように、親としてよく面倒を見てくれる、責任感のある立派な夫婦の養子になっていたら、彼にとって、もっとよかっただろう。あるいは、レベッカとわたしがもっと早く別れていれば。

そして、別れ自体も綺麗さっぱりというわけにはいかなかった。「これがそうだった。これが別れる意思の決定的言葉だった」と言えるような特定の手紙を指したり、特定の会話を思い出したりするのは不可能だった。ヘートヴィヒ・フェレーナ・ガッターニックとの情事でさえ、別れた原因とは言えなかった。

このオーストリアの年増の女は——三十代初めで、戦後の縮小したオーストリア海軍のドナウ川哨戒艇の将校と結婚していた——彼がちょっと知っている彼女の母の紹介状を持って、一九二二年の秋にロンドンにやってきて、当時、彼のロンドンの足場だった、ホワイトホール・コートのフラットに訪ねてきた。彼の一冊ないしそれ以上の本をドイツ語に翻訳したいというのが用件だった。その時、ジェインは彼と一緒にいて、二人はフラウ・ガッターニックにお茶を出した。彼女は可愛らしく、睫《まつげ》の長い茶色の目をし、髪は光沢があり、優雅な体をしていた——しかし、片方の手は萎えていて、一抹の哀れを誘った。そのため彼は、彼女の要求に同情的になった。彼女の話す英語は見事だった。君は教育に関心があるのだから、『偉大な教師』を訳したらどうかと言った。それは、彼がアウンドルのサンダソンについて書いていた本だった。サンダソンはその年の早く、彼自身が司会をしていた公開講演会で、突然、そして劇的にも心臓麻痺で死んだ。彼はジェインがすでにタイプした章のカーボンコピーを彼女に渡した。彼女は数日後戻ってきて、本文に関するいくつかの質問をした。次に彼女が来た時（今度は約束なしに）、ジェインはイーストンに戻っていて、ヘートヴィヒ・フェレーナは、彼からドイツ語の翻訳権以上のものを欲しがっているのが、ごくはっきりしていた。「わたしはあなたが欲しいの」と彼女は、『アン・ヴェロニカ』を熟読したことを示して言った。

女から面と向かってあけすけに言い寄られて断るのは、彼の性質ではなかった。赤の他人から時折郵便で来るセックスの誘いはまったく別で、近頃では彼は、それに応ずることは稀だった。ごく最近、オデッテ・ケーンという作家からの誘いを断った。彼は、彼女の著書『レーニンのもとで——ボリシェヴィキ・ロシアでの私の冒険』を、それがフランス語から訳されイギリスで出版された際に好意的に書評した。彼女はその書評に盛んに礼を言い、自分は彼の献身的な崇拝者で、以前書いた本の一冊を、無断で彼に捧げたとも言った。そして、今はこれといった目的もなく漫然と過ごしているので、パリに来ないかと彼を誘った。そして、二、三日くれれば、彼を幸せにすると言った。その申し出は興味のあるものだったが、いくつかの理由をつけて彼は用心深く断った。自分には裏切ることのできない恋人がすでにいると返事をすると、彼女は諦め、その高潔ぶった言い訳を受け入れた。生身で彼に迫ってきたフラウ・ガッターニックの場合は、違った申し出だった。彼は、もし彼女の誘いを断れば、彼女はそれを、自分の萎えた手に嫌悪感を覚えたせいにするのに決まっていると思い、ひどく傷つけられると考えたので、騎士的精神を発揮して誘いに応じた。実のところ、彼女が彼の寝室で裸になると、彼女の不具が、新しい、やや歪んだ魅力になり、彼はとりわけ張り切った。彼女は情熱的で、盛んに感謝した。そして、もし彼女に二度と会わなかったなら、彼はその時の楽しい思い出しか残らず、それを善行とさえ考えたかもしれない。

残念ながら彼女は、何通もの恋文と、ぜひまた会いたいという要求で彼を悩まし始めた。彼は心弱くも、何度かそれに応じた。ある時彼女は、イーストン近くの彼の作品の大の愛読者の夫婦の家に泊まっているが、その夫婦は彼に会えば感激するだろうと言って彼を騙し、密会に成功した。彼はその罠に掛かり、その家に車で行くと、ヘートヴィヒ・フェレーナが玄関のドアを開けた。彼女は薄くて透けて見える茶会服のほか、ほとんど何も身につけていず、すぐに彼を二階の寝室に導いた。そして、友人であるこの家の夫婦は出掛けていて、自分が留守を頼まれたと説明した。彼はその情事（それを情事と呼べるならだが）を続けることに次第に不安を覚えるようになったが、うまく終わらせることができなかった。やがて彼女はオーストリアに戻ったので、彼はほっとした。

彼は翌年の六月のひどく暑い日に、ホワイトホール・コートに一人でいた時、彼女から電話がかかってきたので、驚くと同時に不愉快になった。「戻ってきたわ、H・G」と彼女は言った。「いつ会えるかしら？」「会えないよ、ヘートヴィヒ」と彼は言った。「済まないが、ひどく忙しいんだ、当分」。彼女はその後間もなく、それにもめげずにフラットにやってきた。呼び鈴に応えて出た女中に、約束してあると嘘を言い、書斎に通された。彼女が彼を抱擁しようとすると、彼はあとじさりし、片手を挙げた。「駄目だよ、ヘートヴィヒ」。「でも、わたしはあなたを愛してる！」と彼女は叫んだ。「僕は君を愛しちゃいない。愛したこともないし、愛してると言ったこともない。僕らは去年浮気《パッサード》を愉しんだが、それだけのことだった」。それを聞くと彼女は、坐れと言われないのに坐り、不機嫌そうに言った。「あなたはとっても残酷、H・G。あなたはとっても冷たい。それはレベッカ・ウェストのせいなのね?」「なんでレベッカ・ウェストのことを知ってるんだい?」と彼は怒って言った。「ロンドンの誰もが知ってるのは、あなたがあの女の恋人《ひと》だってこと」と彼女は言って、意地悪そうににやりとした。彼女の萎えた手は、いまや不吉な、魔女的外観を彼女に与えているように見えた。彼女は付け加えた。「あなたは去年、わたしの恋人だったって、彼女に言うわ」。「君は僕を脅迫してるのか?」「いいえ、違うわよ、そんなことはしない、あなたを冗談してるのよ」と彼女は、珍しく慣用句の間違いを犯した。「でも、彼女に会って、彼女に本といろんな考えについて話したい。彼女にインタヴューできるかもしれない。紹介状を頂戴。わたしたちがあなたの言うパッサードをしていたということは言わないって約束する」

結局、彼女を追い払う方法はそれしかないように思えたので、彼はレベッカへの短い紹介状を走り書きし、ヘートヴィヒをクイーンズ・ゲイトにやり、女中には彼女が戻ってきても家に入れないように指示した。彼はのちに、レベッカがその訪問者に会った際、ひどく戸惑ったということを知った。また、彼女の女中が、来客の姿と態度に非常に不安を覚え、巡査を呼ぶ必要のある場合にそなえ、巡査が角の持ち場にいるかどうか確めに通りに出たことをも知った。ヘートヴィヒは異様な調子で喋りまくり、レベッカの作品をやたらに褒め上げ、ウィーンにある自分のフラットを借りないかと言い、ウィーンでイギリスの外交官との情事が不幸な結末を迎えた顚末を詳しく話した。そして、大袈裟に身振り手振りをしたので、縫い物箱を床に飛ばし、壊してしまった。しかし彼女は、彼と親密であるのを明かさないという約束は守った。レベッカは彼女に熱烈に抱擁されるのを我慢したあと、なんとかやっと彼女をフラットから出した。

その晩彼は、インド担当相のモンタギュー卿と夕食をとることになっていたので、着替えのために更衣室にいた。そして、この蒸し暑い晩に、糊の利いたワイシャツとディナー・ジャケットを着てどうやって我慢したらいいのかと考えていると、誰かが書斎に通される音を耳にした。それはヘートヴィヒだった。生憎女中は、彼の指示を代わりの者に伝えずに、非番になって行ってしまい、ヘートヴィヒは言葉巧みにフラットに入ったのだ。彼が書斎に入ると、彼女は防水レインコートを着て、部屋の中央に、ドアに向かって立っていた。こんな暑い日にそんなものを着るとは妙だと彼が思った瞬間、彼女はレインコートの前をさっと開けると、下は裸で、靴下とサスペンダー・ベルトとハイヒールの靴しか身につけていなかった。「わたしを愛して！」と彼女は叫んだ。「さもなければ自殺する。毒薬を持ってるの。剃刀を持ってるの」。彼は助けを至急呼ぶだけではなく、彼女の気違いじみた振る舞いの目撃者も必要なのに即座に気づいた。そこでドアのところに行き、廊下の奥に向かって大声で女中に、この建物の荷物運び係《ホール・ポーター》を呼ぶように言ったが、振り向くと、ヘートヴィヒはすでにレインコートを脱ぎ捨て、手首と腋の下を、刃が剝き出しの剃刀でさっと切っていた。

幸い彼女は動脈を切断してはいなかったが、夥しく血を流していた。彼は剃刀を取り上げ、彼女を肘掛椅子に坐らせ、ポケットに毒薬の小瓶がないかどうか確めてからレインコートを彼女にかぶせた。「死なせて、死なせて」と彼女は大声で言ったが、ほかの者が到着すると、「あの人を愛してる、あの人を愛してる」と大声で言った。元陸軍曹長のホール・ポーターは、落ち着いてきぱきと警察と救急車を呼んだ。そして、ヘートヴィヒはウェストミンスター病院に急送された。やがて病院から電話があり、彼女は危険な状態にはないと告げられた。それを聞いて、彼は心《しん》からほっとした。もし彼女が自殺に成功していれば、彼はお仕舞いだったろう。検屍が行われただろうし、その結果、世間に広まるスキャンダルの凄まじさは、アンバー・リーヴズ事件を些細なものにしてしまっただろう。それにしても彼は、新聞がその気になれば、この事件を自分にとって非常に不利なものに仕立てられるのを十分承知していた。彼が電話で連絡した、彼の事務弁護士ヘイズも同意した。「新聞経営者協会のあなたの友人に、できるだけ記事にしないように頼んでみましょう」とヘイズは言った。「しかし、あす新聞に何か載るでしょうね、残念ながら」

そして実際、その通りだった。警察と救急車の隊員は同情的で口が堅いようだったが、大衆向け夕刊紙『スター』の記者が翌朝、おそらく病院で事件のことを知ったらしく、ヘートヴィヒ・フェレーナの宿の女主人から、彼女がその前にレベッカ・ウェストを訪ねたことを教えてもらい、カメラマンを連れてクイーンズ・ゲイトに行き、彼女にコメントを求め、彼女とアントニーの写真を撮らせてくれと言った。彼女は二人を中に入れずにドアをばたんと閉め、パニック状態で彼に電話し、何が起こったのかを尋ねた。彼が事情を説明すると、彼女は言った。「あらまあ！わたしはあの人たちになんて言ったらいいの？」「何も言うな——僕のところに回せ」と彼は、記者たちは何か記事にすることを手にするまで満足しないのを知っていたので、そう言った。そして、記者たちがやってくると、短い、重々しいコメントをした。「ある若い女が招かれもせずにわたしのフラットに入ってきて、自殺をすると脅し、わたしが助けを求めているあいだに、そうしようと試みたのは事実です。幸い彼女は失敗し、病院で軽い傷の手当を受けているところです。このことが話題になるのは好みませんし、噂をいっそう大きくしたくもありません」

彼はレベッカに電話し、その日の午後、ケンジントン・ガーデンズで会って、今の事態について話し合うことにした。彼女は彼がフラウ・ガッターニックを彼女のところにやったことについて、彼が怖れたほど怒らなかった——だが彼女は、彼が以前にその女とどんな関係にあったのか、まったく知らなかったのだ。彼女の知る限り、ヘートヴィヒが彼のフラットに押しかけ、気違いじみた振る舞いをしたのは、まったく予想外のことだったのだ。「君をこんなことに引きずり込んで済まない、パンサー」と彼は言った。「今日の夕方、『スター』にある種の記事が載るだろう。ヘイズが言うには、僕らにできる最上のことは、人目に立つように食事をして、劇場に行き、深刻なことは何も起こらず、僕らは全然気にしていないように振る舞うことだ」。二人はその晩、アイヴィーで食事をし、そのあとウィンダム劇場に行き、その演技をした——彼が思うには、かなりうまく。その間《かん》、外の通りでは夕刊紙『スター』の遅い版に、「女、H・G・ウェルズのフラットで自殺未遂」という見出しで、事件を詳細に、かなり正確に伝える記事が載るのを二人は知っていた。その人物は「ケンジントンの有名な女流小説家の家を訪れ、奇妙な行動をした」と同紙に書いてあった。

翌朝、ほかの数紙はその事件を繰り返して記事にしていたが、さらに細かいことは書いてなかった。幸い、その後新聞は、その事件を扱わなかった。彼はビーヴァブルックとロザミーアとよい関係にあるのをありがたく思った。彼が二人に助けを求めた時、二人とも手を貸すことを約束し、編集長たちに、「H・G・ウェルズは次の二週間、ニュースにしないこと」と指示した。ヘートヴィヒは自殺未遂で起訴されるかもしれないと忠告され、大急ぎでオーストリアに帰った。ビーヴァブルックとロザミーアの親切な「記事差し止め」の期間が終わる前に、その事件はジャーナリズム用語を使えば、「死んで」いた。

——あんたは非常に運がよかった。

――その通り。いいかね、ヘートヴィヒは本当に自殺するつもりじゃなかった。彼女は深刻なダメージを受けずに自分を傷つける練習をしてたんだ。あとになってわかったのだが、彼女はオーストリアである恋人に捨てられた時、同じトリックを使ったんだ。

――あんたの自伝『後記』の中で、その事件のレベッカの役割に関する記述は、非常に誤解を招く。あんたはレベッカにケンジントン・ガーデンズで会った時、ヘートヴィヒが「レベッカの作品の賞讃者かつ、たぶんインタヴューアとして前日レベッカを訪ねた」ことを発見し、「ヘートヴィヒは三角関係の状況を作ろうという考えを持っていたと思う」と書いている。まるであんたは、自分はそのことになんの関係もないかのように。

――関係があるとは感じなかったんだ。

――大いに関係があるとも！　レベッカが巻き込まれたことで、その事件は非常にセンセーショナルなものになるおそれがあった。それは単に、有名な作家と気が変になったファンの問題じゃなかった、あんたが言うような。それは三角関係になった。有名な作家と愛人と、愛人の嫉妬に狂ったライバル。それはすべて、あんたのせいだ。

――そう、その通りだ。

――一体全体、あんたはなんで、あの女をクイーンズ・ゲイトにやったんだね？　何が起こるかわからなかった。あの女はレベッカを襲ったかもしれない。

――正直なところ、わからない。わたしはなんとしても、あの女を追い払いたかった。そして、ロンドンではあの日、恐ろしいほど暑かった――華氏九十二度だった。あの暑さで、わたしはヘートヴィヒくらい気が変になったと、時々考える。もちろん、彼女がいかに危険か、わたしはまだ知らなかったが、彼女をレベッカのところにやったのは、確かに道理に合わないことだった。その事件についてすっかり書く段になると、実際、説明ができなかった、そこで、省いてしまった。

言い換えると、あんたはあの包み隠しのない告白だとされるものにおいてさえ、自分の愚行を認めるにはあまりにばつが悪かったんだね？

――そうだと思う、うん。

――レベッカはのちに、あんたは完全に利己的で、実際には自分を愛してはいず、あんたと別れるべきだと、ついに確信したのは、あのヘートヴィヒ事件だと人に言った。

――それは本当じゃない、実際――あるいは半分しか本当じゃない。わたしは利己的だが、彼女を愛していた。それにとにかく、彼女はすぐにわたしと別れはしなかった。

——その通り、彼女は友人とマリエンバートに保養に行った。あんたはそこまで彼女のあとについて行き、例によって、うるさがられた。

——その通りだ。わたしたちを繋いでいたロープはほつれていたが、すっかり切れてはいなかった。あのあと、わたしたちはアントニーを連れてスウォニッジに行った。彼のために。数日は一緒にいて大変楽しかったが、彼女はわたしがジェインと別れるという話を蒸し返した。わたしは断った。そこで二人は、わたしが彼女を扶養する条件について、また言い争った。彼女は年に三千ポンド貰いたいと言った。わたしはその代わり多額の金を一括払いし、アントニーの学費の面倒は見ると言った。彼女はアントニーとアメリカで暮らすことを考えていた。彼女はアメリカのジャーナリズムとよい繋がりがあった。そして、そこに暮らせるかどうか調べようと、二三年の秋にアメリカに長い講演旅行に行った。彼女は翌年の春まで滞在し、結局、移住はしないことにした。しかし、彼女からの手紙が少ないことと、文面の調子から、彼女がわたしのところに戻っては来ないのがはっきりした。それなのに……

——それなのに？

——わたしたちのどちらも、自分たちの物語に、終わりと書くのは容易ではなかった。世の中は、彼女がわたしに対してと同じようには話せない男で一杯だったし、わたしが束の間、利用するだけの女で一杯だった。わたしはゴールズワージー夫妻が冬を過ごしているリスボンに行った。そして、わたし同様に慰めを大いに必要としている、非常に感じのいい、赤毛の若い寡婦と仲良くなったが、それは浮気《パッサード》に過ぎなかった。あとで知ったのだけれど、レベッカはアメリカで似たような経験をしたが、そのどれも束の間のもので、そのいくつかはひどく不安な、心を乱すようなものだった。わたしたちは春にロンドンに帰ってくると、二人ともお互いの存在を非常に強く意識した。そして、時折会い——一度は偶然劇場で、二度ほどは連絡して——実際にはまた愛の営みをしたが、前とは違っていた。もはや、昔のパンサー＝ジャガーの親密さは取り戻せなかった。わたしたちはお互いにあまりに傷つけ合ったのだ。九月にレベッカはアントニーと数人の友人と一緒にオーストリアに行った。わたしは世界中を旅行することにした。何度もその計画を立てたが、実行はできずにいたのだ。しかしまず、わたしは国際連盟総会で演説するため、ジュネーヴに行かねばならなかった。

――そこにオデッテ・ケーンが現われた。

――彼女はレベッカとわたしが別れたということを、どうやってか聞き、わたしのジュネーヴ行きを新聞で読んだ。そこで彼女は、当時住んでいたグラースから急いでジュネーヴに行き、わたしに電話をかけてきて、その晩、彼女のホテルで会おうとわたしを誘った。

――そして、ホテルのフロントに、あんたを彼女の部屋に行かせるように指示していた。彼女は部屋の明かりを全部消し、ドアの後ろで待っていた。ジャスミンの香水を振りかけ、ネグリジェだけしか着ていず、まるで盲人の手を引くようにして、あんたをベッドに真っ直ぐ連れて行った。

――彼女は頭がよかった。なぜなら、翌朝わかったのだが、顔は標準的な可愛らしいものではなく、鷲鼻で、顎がかなり長かったからだ。しかし、体はしなやかで、恋人しては盛りのついた猿のようだった。彼女は少女の頃にカトリックに改宗し、尼僧になる準備をするためベルギーの修道院で三年過ごしたが、司祭を誘惑してキスをさせたとして修道院を追われ、その後、マルセイユとパリの、かなりいかがわしい数人の人物と性的経験をして、失った時間を埋め合わせた。彼女はフランス人ではなく、オランダ人の父とイタリア人の母の娘で、コンスタンティノープルで育ったことを、わたしは知った。彼女は混ざり合った遺伝子と文化の泡立つカクテルだったが、言語明晰で、わたしが書いた本のほとんどすべてを読んでいた。

――そういうわけで、あんたを敬愛し、自分の全人生を、なんであれあんたの決めた条件で、あんたに捧げたいと彼女が言った時、あんたは負け、国際連盟でスピーチをしたあと、彼女と一緒にプロヴァンスに行き、グラース郊外の丘にあるルー・バスティドンという別荘《マース》を借りた。それは、地中海に面して果樹園とオリーヴの林を見下ろしていて、あんたはそこの場所と気候が大いに気に入ったので、それからの九年間、フランスとイギリスの両方に住んだ。もっぱら、自分で設計して建てた、ルー・ピドゥーというマースで過ごした。その家の暖炉の上には、「二人の恋人がこの家を建てた」と書いた飾り額があった。

――それはオデッテが思いついたもので、わたしは好きなようにさせたが、二人は激しい喧嘩を何度もしたので、わたしは絶えず石工を呼んで、それを外してもらい、二人が仲直りすると、また付けてもらったので、石工はうんざりし、やがて付け直すのを拒否した。しかし、わたしは正直、オデッテのことは話したくない。

──なぜだね？

──わたしがよく知っていた──聖書的な意味で「知って」いた──すべての女の中で、彼女はなんの愛情も覚えずに思い出す唯一の女だ。彼女の途方もない振る舞いを思い出して時には面白がるが、しばしば苦い気持ちを抱く。しかし、愛情は覚えない。不幸な別れ方をしたものの、あとになってまた友人になった女はいた──例えばイザベル、レベッカ、リトル・E。ヘートヴィヒでさえ、そうだ。彼女は狂気から回復すると、素敵な詫びの手紙を寄越した。わたしは何年かのち、彼女の夫と一緒に彼女に会い、小説を出版することを勧めた。しかしオデッテは、むら気と嫉妬と気の触れた振る舞いで、わたしの精神を危うく狂わせるところだった。それは、時が経つにつれ、だんだんひどくなった。わたしは二人が関係を持ち始めた時、彼女とこういう取り決めをした。彼女はフランスではわたしの伴侶だが、イギリスではわたしの生活に侵入してこないこと、わたしが彼女と一緒にいない時は、彼女は自由に好きなことをしてよい。彼女が独立した暮らしができるよう、わたしは定期的に一定の額の金とルー・ピドゥーの使用権を与えた。彼女は数年はその取り決めを守り、自分はわたしの健康と福利全般の面倒を見ているから安心してほしいという、媚びへつらった手紙をジェインに何度も寄越した。ジェインはその取り決めにすっかり満足した、というのもそれは、いまやウィンター・スポーツと山歩きがあまりにきつくなったわたしが南仏にいるあいだ、休日にスイスに行けることを意味したからだ。そして、オデッテはレベッカより自分の立場に対して遥かに脅威ではないとジェインは考えた。オデッテはネヴィンソンが描いたルー・ピドゥーの素敵な絵を、わたしたちに贈ってきさえした。しかし、二七年にジェインが死ぬと、オデッテは不満を抱くようになった。フランスだけではなくイギリスでも、わたしの伴侶だと公然と認めてもらいたがった。

──彼女はおそらく、あんたが自分と結婚することを期待していたのだろう。

──ひょっとしたら、わたしはそうしていたかもしれない──神よ、助け給え──もし彼女がうまく立ち回って、わたしが悲しんでいる時に優しくしてくれたなら。しかし彼女は、自己中心癖、競争心、短気を抑えることができなかった。わたしを悩ませ、からかい、わたしの友人たちをルー・ピドゥーに招くと、彼らの前で目立とうとし、わたしに教えてもらったと嘘を言って、四文字語を使い、ばつの悪いことに、わたしたち二人のセックスの習慣を仄めかして彼らにショックを与えるのを愉しんだ。彼女はわたしと離れている時間があまりに多く、自分はグラースで淋しく暮している時間があまりに多く、自分はグラースで淋しく暮していると不平を言ったので、わたしはパリにフラットを手に入れてやった。そこでわたしは、短期間、彼女にもっと簡単に会うことができた。それでも彼女は満足せず、わたしのあとを追いかけてイギリスまでやってきて、取り決めを破った。わたしは彼女と別れると脅したが、彼女はわたしがルー・ピドゥーを犠牲にするとは信じず、執拗にねばった。結局、わたしはルー・ピドゥーの共同所有権を放棄した――そこを愛していたので非常に残念だったが――というのも、彼女との関係にもはや我慢できなかったからだ。まるで、猿がわたしの背中に登り、年中、爪を立てているかのようだった。わたしは彼女から自由にならねばならなかった。しかし、相変わらず彼女はわたしを苦しめた――彼女はロンドンに住みつき、わたしと、また関係を持つようになったムーラについて、悪意のある噂を広めた。彼女はある日、アンバー・リーヴズの家に行き、わたしにひどい仕打ちをされた二人の女として、わたしのフラットに行って、わたしを射殺して復讐しようと持ちかけた。彼女は実際、小さなリボルバーを持っていた。アンバーはそれを取り上げ、のちにハムステッドヒースで見つけたと嘘を言って、ハムステッドの警察署に届けた。オデッテは『わたしはイギリス人を発見した』という本を出版したが、その中で、イギリス人は想像力に欠けた恋人で、性行為を冷めたスエットプディングのようにすると書いた。わたしたち二人の関係に詳しい読者が、その言葉はわたしのことを言っているととるのを知っていたのだ。そして、わたしが彼女に送ったエロティックな手紙を売ると、わたしを脅した。わたしはその脅迫に対し、できるならやってみろと言った。そうした手紙を恥じてはいなかったし、突飛な性行為が冷めたスエットプディングどころではなく、エトルリアの花瓶画家を赤面させるようなものなのを、決定的に示しただろうから。

――そして彼女は、「H・G・ウェルズ――競技者」という題で『自伝の試み』の書評を書いて、『タイム・アンド・タイド』に三回に分けて発表した。

――その通り。

――あんたはそれを『後記』の中で、「ごく馬鹿げた小文」だと一蹴している。しかし、馬鹿げては全然なかった。

――あれは確かに、通常の意味での書評ではなかった。八千語の人身攻撃、悪意に満ちた復讐だった――そして、オデッテの復讐だけではなかった。『タイム・アンド・タイド』の当時の文芸担当編集長はシオドラ・ボザンケットだったのだ。

――ヘンリー・ジェイムズのあんた宛の、怒りに満ちた最後の手紙をタイプした、献身的秘書。

――まさにその通り。彼女は『ブーン』の件でわたしを罰しようと、二十年近く待ってたんだ。そして、チャンス到来だと思った――わたしが捨てた愛人を雇って、元恋人の本を書評させる。それは、編集者の権力の恥ずべき乱用だ。レベッカはそれを読んだ時、呆れ、わたしに同情的な手紙をくれた。彼女はその週刊誌の重役の一人だったんだが、すでに手遅れだった。

――あんたはその書評がいくつかの点で当たっているのを認めるべきだ。もう一度見てみようか？

――あまり見たくないね。

――なら、わたしが読もう。彼女はあんたの初期の作品に敬意を表することから始めている。「彼が解放していた、あの数世代以外の誰かが、われわれの解放感の素晴らしさと幸せを理解することは、まったく不可能である。わたしは思春期に、あの高貴な作品『最初と最後のもの』を読んだ時、それがもたらした恍惚感、ほとんど耐えられないような全身の解放感で啜り泣いた」。彼女はオーウェルがあんたについて言ったことを先取りしていた。「彼の名前を九〇年代と戦争のあいだの二十五年に付けるのは、まさに正しい。なぜなら、その年月の思潮を作ったのは、もっぱら彼だったからである」。しかし彼女はあんたを、人生の初めに、あらゆる意味で――物質的にも、精神的にも、文化的にも、性的にも――貧しい環境に囚われていた天才と述べ、また、あんたがそこからなんとか抜け出すことができた時、その後ずっと、あんたを無名の存在にしかけ、若くして死なせかけた世界に復讐しようとしていたと言っている。「彼の動機はまず第一に、力強い、憤慨したエゴの反抗だった」

――へっ！　憤慨したエゴとは、よく言うねえ！

――「彼は心身において苦しんだ――もし子供時代に適切に栄養を与えられていれば、男盛りに今より数インチ背が高かったろうと、彼が露わな怒りを込めて言うのをわたしは何度か聞いた」

――そうだったろう。

――「常に充足をしきりに求める、彼の絶えずうち震えている肉体的、性的虚栄心も、青少年時代に虐げられた肉体の結果である」

――くだらん！

――あんたの女遊びには何か衝動的なものがあったということは認めないのかね――まるで、自分の男っぽさを証明するあらゆる機会を捉えようとするかのように？

――わたしはたまたまセックスを愉しむだけさ。そして、自分と同じ欲望を持っている女を見つけたら、その女と愉しんだ。わたしは自分の人生において、女を力尽くでどうこうしたことはないし、わたしを振った女と長いあいだ友人だった。

――しかし、セックスに関するあんたの考えには矛盾がある。あんたはセックスは単なる愉しみ、ゴルフのような一種の健康的レクリエーションだと言うかと思うと、愛するパートナー相手のセックスは、達成しうる最も崇高な肉体的、情緒的、精神的経験で、理想的な「自分の影としての恋人」への入口だと言う。

――その通りだ。わたしはセックスに対するその二つの態度のあいだを、調和させることなく揺れ動いた――しかし、それが人間だ。われわれは相容れないいくつもの部分の束で、われわれはその事実を隠すために自分自身についての話をでっち上げる。個人の精神的統一などというのは作り事だ。人間機械の中には、ただ単に肉体を制御し、単一の自我という共通幻想を分有する、緩やかに結び付けられた多数の行動体系があるだけだ。わたしはそのことをすべて、一九四三年にロンドン大学に提出して幸い通った博士論文、「高等後生動物《ハイアー・メタゾア》における個体生命の連続における幻想の質について、特にホモ・サピエンスに関連して」の中ですべて説明した。

――論文審査委員はあんたの齢と名声を考えれば、その論文を落とすわけにはいかなかったろうが、彼らはその論旨にいささか面食らったはずだ。

――そう、たぶん、その時期がまだ来てないのかもしれない。

――あんたの人生は、あんたの可能性を圧殺しかかった社会制度を崩壊させたいという願望によって形作られた、というオデッテの説には、いくらかの真実があるのではないかね？

――わたしは将来の世代を圧殺されることから救いたかった。

――しかし、あんたは常に本質的に「競技者」であって「指導者」ではない、つまり、建設するよりは勝つことにもっと興味のある者、一つのゲームから別のゲームに絶えず移る者と彼女は言っている。そして、こう続けている。

「どこの国においても、彼が作らなかったのは、流派、追随者、しっかりとまとまった弟子たちである――それらがなければ、いかなる理念も永続化しない……彼はパラドックスだった。個人的には、内面的規律が守れず、世界的秩序を他人に押しつけようとした組織的チームワークに屈従したり、それを尊重できない無政府主義者だった」

――済んだのかね？

――まだすっかり済んではいない。最後の一節を聴くんだ。「彼はいまや競技の終わり近くに立っているが、出来事の流れが自分の考えから違った方向に向かうのを見る。彼の考えの敵が国の指導者になり、彼のユートピアを打ち砕いた。彼はもはや、人の精神を形作ったり、忠誠心を煽ったりすることはできない。彼は頭脳を持っていた、ヴィジョンを持っていた、能力を持っていた。しかし普通の人間を、ある目的のために耐えさせる、あの物、ある目的のために気高い人間を死なせる、あの物、教義の一貫性、理想主義の無私性である、あの物、最終的に、それのみが人生における永遠の力と影響となる、あの究極的な真正さ――彼はそれらを、どんな形であれ、どんな程度であれ、まったく持っていなかった。彼の公的活動はゲームに過ぎなかったのだ。彼は競技者に過ぎなかったのだ」。

――その判断が個人的な悪意と恨みにもとづいているのは疑いない。しかし、オデッテの言うことが正しいのではないかという恐怖に、あんたは取り憑かれているのではないかね？

――いや。わたしが弟子を持たなかったのは、弟子が欲しくなかったからだ。弟子は解放を専制に変える。イエスは弟子を持つまではよかった。わたしは世界を変えるのに失敗したかもしれないが、一九三四年に書いた彼女の言葉によれば、「教義の一貫性と理想主義の無私性」によって世界を変えることに成功した国の、あの支配者たちに比べれば、わたしはほとんどなんの害もしなかった。世界を変えることに誰が成功したと彼女は言っていたのだろう？　ヒトラーとムッソリーニ？　スターリン？　日本の支配者たち？　彼らが世界に対してしたことを見てみたまえ。もうわたしに構わないでくれ。

第五部

一九四五年春、ハノーヴァー・テラスの正面《ファサード》は一年前とほぼ同じように見える——どちらかと言えば、やや薄汚くなり、緊急に修理の必要があるが。ほとんどの窓にはまだ板が張られている。V1とV2が三月中、ロンドンに相変わらず落下しているからだ。それは、東から西へ容赦なく前進して行く連合国軍に対するドイツの最後の発作的な反撃だ。ヨーロッパにおける戦争がどう終わるかについての懸念はもはやない——あるのは、いつ終わるのか、ベルリンに最初に到達するのはロシア軍か英軍か米軍か、ヒトラーは生きて捕らえられるか、ということにだ。人は、新聞の第一面に載る、白と黒で陰をつけられ、斜交平行線で陰影をつけられていてる太い曲がった矢が、様々な軍の動きを示している地図をじっくりと眺める。いずれの矢も同一の標的を指している。それは毎日少しずつ標的に迫る。人は最新のニュースを聴こうと、手近のラジオに耳をそばだてる。辺りには、疲労と緊張の奇妙な混淆がある。深く息を吸い込み、吐き出すのを待っているかのようだ。連合軍が新たに前進したというニュースが放送されるたびに、また、ドイツ人捕虜の新しい数が発表されるたびに歓喜や勝利の気持ちを表わすのは時期尚早だろう。V兵器は依然としてロンドンに闇雲に落ちてきて、ヨーロッパと極東の軍に勤務している愛する者たちは、まだまだ危険に晒されているのだ。

H・Gは日刊紙にさっと目を通しながら、そのような感情を現わすことはない。そして疲れ、新聞を床に落とす。最終的な勝利の見込みは彼を興奮させない。そうしたニュースは、彼にはむしろ敗北の知らせのように思える——人類の未来に対する彼自身のユートピア的夢の敗北。爆撃されたドイツの諸都市、とりわけドレスデンの写真は、彼を慄然とさせる。舞台のセットのように単なるファサードと化し、屋根と内部がすべて焼け落ちて骸骨になった建物が、街区から街区へと続く写真。そして、彼が小説でそうした破壊を予言した事実は、慰めにならない。三十年か四十年前、『宇宙戦争』、『空の戦争』、『解放された世界』のような小説で、彼は大都市の大量破壊、道路を塞ぐパニックになった群衆、市民秩序の崩壊と、野蛮状態への下降。それが今日のヨーロッパの姿なのだ。多くの面で彼の想像力は、それらの小説において第一次世界大戦を飛び越え、第二次世界大戦を予言した。彼はいつも、それらの小説の最後を、灰から温和な新しい世界が生まれるというような希望的な調子で結んだが、今ではそんな楽天主義は持っていない。彼は目下出版社に原稿を渡してある『行き詰まった精神』に、こう書く。「かつては世俗の生活の秩序正しい発展の限界は、はっきりと固定されていたので、来るべき物事のパターンの概略を述べるのは可能だった。しかし、われわれはその限界に達し、これまでは信じ難かった混沌へと進んで行った。彼はわれわれの周囲の現実を凝視すればするほど、〝来るべき物事のパターン〟の概略を述べることは難しくなった」

もちろん、連合国軍が戦争に勝つのはよいことなのだ——狭い個人的な意味でも。なぜなら、彼の名前もレベッカの名前も、一九四〇年にドイツがイギリス侵攻に成功した場合、直ちにゲシュタポによって逮捕される二千余人のリストに載っているのがわかっていたからだ。しかし、もっと普遍的な倫理上の理由からもよいことなのだ。解放されたベルゼンの強制収容所の最初の写真が四月半ばに公表され、ナチのイデオロギーの恐怖のすべてが暴露される。それは骸骨と化した建物の写真ではなく、骸骨同然になった人間の写真だ。げっそりと痩せて辛うじて生きていてカメラを見つめる者、死んでガラクタのように積み重ねられている者。そして、前進してきたロシア軍によって発見された殲滅収容所の詳細が明るみに出ると（ガス室、焼却炉、人間の灰の山）、連合国側の戦争の大義が反駁の余地なく裏付けられる。それにもかかわらず、ともかく戦争が起こったということ、また、第一次世界大戦のわずか二十年後に戦争が必要だったということは文明の敗北であり、彼が自分の責任のように感じる敗北なのだ。なぜなら彼は、二つの世界大戦のあいだの多くの歳月を、平和のために活動して費やしたからだ。一九三九年九月、彼がちょうどストックホルムの国際ペンクラブ大会で、「人間の精神の名誉と威厳」という題で講演する準備をしていた時、ドイツの戦車がポーランドに侵攻し、スツーカがワルシャワを急降下爆撃したので、彼は講演をキャンセルし、ほかの代表同様、不安定ながら安全な故国に慌てて帰らざるを得なかったのは、象徴的なことに思えた。いまや人間の精神は行き詰まっている。少なくとも彼の精神は。

ヒトラーによるユダヤ人の大虐殺が、大衆の意識の中でナチの邪悪な行為の中心的事実に次第になるにつれ、自分の小説とノンフィクションにおけるユダヤ人の扱い方のある面が、過去においてユダヤ人の読者を怒らせたこと、また、将来、広く非難されそうなのを悟り、彼は落ち着かなくなる。とりわけ、一九三六年に出版された『欲求不満の分析』という本の数節が問題だ。彼はその中で、ナチによるユダヤ人迫害を非常に強い言葉で非難する一方、「このことで非ユダヤ人作家が、不愉快なことだが、いまだにユダヤ的伝統に存在する数多くの、狭い、反動的要素を最も率直に、最も厳しく批判するのを妨げてはならない」と断言し、ユダヤ人が長いあいだ迫害された歴史は、そうした要素が内在的に挑発的なものではないのかどうか考えてみるように促し、ナチのイデオロギーは「逆にしたユダヤ主義で、ユダヤ主義は旧約聖書の形態を保持しつつ、それを裏返したもの」ではないかと言った。こうした意見あるいは類似の意見は、ウィリアム・バロウズ・スティールという架空の人物の言ったことになっていた。そしてウェルズ自身がスティールの未完の百科事典的傑作を要約したことになっていたが、それは彼にとって言い訳にならないだろう。

彼は二年前、ハイム・ヴァイツマンと文通を始めた。ヴァイツマンはシオニスト運動の指導者だったが、非常に尊敬されていた一流の化学者でもあった。彼はその中で詫びた。「すぐに苛々し機転の利かないわたしの性格のせいで、正気の平等な世界秩序を作りたいという願望において、本質的にはわたしと同じ気持ちのユダヤ人の怒りを掻き立ててしまいました。何世紀ものあいだユダヤ人社会は、その旧約聖書的伝統がなんであれ、国家的意識を持つすべての社会の中で攻撃的なところが最も少ない社会でした。我が過失なり《メア・クルパ》」。彼は二人の手紙を公表しないかとヴァイツマンに持ちかけたが、彼の知る限り、ヴァイツマンはその意図を悟らなかった。また、仮に公表されたとしても、後世の者から赦してもらえることにはならないだろうと思った。もし人が、彼が一生のあいだに書いたくらい書けば、それも急いで書けば、時には判断の過ちを犯す。例えば彼は、スターリンの警察国家がロシア革命の理念をいかに完全に裏切ったかを認識するのに長い時間がかかった。しかし少なくとも彼は、ムッソリーニとヒトラーには騙されなかった。多くの英国の評論家や政治家は騙されたが。

ヒトラーが四月三十日に自殺し、ドイツが五月七日に無条件降伏をしたことで、戦争はついに終わる。五月八日はヨーロッパ戦勝記念日になり、国中で祝賀会が催されるたびにＢＢＣの国内向け放送によってその様子が報じられる。トラファルガー広場のネルソン記念碑の周りと、バッキンガム宮殿の前のザ・マルには群衆が溢れる。そして、バッキンガム宮殿の中央バルコニーに、ウィンストン・チャーチルに伴われて国王と女王が二人の娘と一緒に現われ、臣民の歓呼に応えて手を振る。地方の通りでは子供のためのパーティーが開かれ、村の草原《くさはら》では国土防衛軍とボーイスカウトと空襲警報監視員がパレードをする。夜の帷が降りると、大篝火《かがりび》が空襲被災地域を照らし、家々のカーテンのない窓から明かりが煌々と差してくる。一ヵ月後、ホワイトホールの通りで連合国軍戦勝パレードが行われる。英連邦のすべてから来た兵士、水兵、飛行士、婦人補助部隊の縦列が、国王と、その隣に立っている女王に敬礼し、答礼を受ける。こうした祝賀の気分は、彼が覚えている一九一八年十一月の時よりヒステリックではない。それは一つには、日本との戦争がまだ終わっていないせいだが、こうしたものには、常に道徳的に忌まわしい何かがある。「戦争に勝った者は、戦死者と戦傷者だ」と彼は、夜間勤務看護婦に言う。彼女はホワイトホールのパレードを見に行き、勤務にやってくると、それについて熱心に話す。「戦死者はパレードができないし、戦傷者は大抵、パレードに加わりたいと思わないし、加われない」。「ええ、それには幾分かの真実がありますわね」と看護婦は言うが、冷たくあしらわれたかのように感じた顔をする。

ほかの者が喜べば喜ぶほど、彼は人間嫌いになる。五月下旬に、バートランド・ラッセルに宛てて書く。「平和と呼ばれる混沌への、この大規模な回帰、同胞の大群衆の無限の卑劣さ、組織化された宗教の邪悪さは、目覚めることのない眠りへの憧れをわたしに与える」。この最後の文句には、トマス・ハックスリー（一八九五年没。英国の生物学者）の妻が、夫の墓石のために書いた数行の文句の影響が見られる。彼はその文句を、母の死後、母の裁縫箱で見つけた。それは粗末な便箋に書いてあった。

そしてもし、墓場の向こうで会うことがなくとも、
もし、すべてが闇、静寂《しじま》であっても、それは休息。
汝ら、泣いて待つ心よ、怖れるな、
なぜなら、それでも神は、神の愛する者に眠りを与え
給うのだから
そしてもし、終わりのない眠りが神の御意《みこころ》なら、それが一番。

敬虔な母は人生の終わりに近づいた時に、どうやら個人の不滅性に疑念を抱いたらしいが、それに過度に心を乱されなかったのを彼は知り、驚くと同時に、少々嬉しくなった。そして、その文句を母の墓石に刻みたかったが、教区牧師が反対した。その文句が最近、彼の頭に浮かんできた。というのも、『コーンヒル』のための小文に引用するために調べたからだ。それは、ウィルフレッド・B・ベタレイヴという偏見の塊のような伝記作者に仮託して書かれた、「終わりよければすべてよし——悪名高き文学的ペテン師の正体完全暴露」と題した、皮肉な自画像のためだった。「この男の境遇と性格はなんとも汚いものなのである」とベタレイヴは書いた。「いまや彼は過失をのちの立派な生活によってすっかり償ったので、それをすべて白日のもとに曝すのに彼が同意するとは、わたしはほとんど思わなかった。わたしはそのことを、できるだけうまく持ち出してみた。それに対し、彼は応えた。『いやあ！——君はまさに適任の人物だ。大いにやりたまえ。君は白紙委任状を手にしている。泥が撥ねるようにするんだ、君。泥の買い手は実に大勢いる。その泥の幾分かがくっつくようにするんだ。くっつかなくちゃいけないんだ。わたしは自分では、そう誇りにしちゃいないが』」

七月初旬に総選挙が行われ、数年にわたった連立政権は終わりを告げ、政党政治が復活する。戦後の英国には、労働党支持者に希望を抱かせた、変革への願望が広がっている。また、チャーチルが勝利を収めた戦時の首相として成功したということは、保守党の勝利を確実にすると一般に思われている。ウェルズ自身の労働党に対する共鳴は、何年かのあいだに薄れ、一貫性もなく揺れ動いた。彼はフェビアン協会員だった時、協会は組合に支配されている労働党と運命を共にすべきかどうか、一度ならず考えを変えた末、ついにそれに反対することにしたものの、ロンドン大学を地盤とする議席を争う選挙に二度労働党候補として立ち、二度とも最下位に終わった。その結果、自分の「公然たる陰謀」を推進するために労働党を去った。それは、一人のメンバー、すなわち彼自身しかいない政治運動で、彼のその題名の本として以外には存在しなかった。現代の労働党は、ほとんどフェビアン協会が作ったものと言ってよい——労働党の指導的人物や将来の大臣の大方は活動的なフェビアン協会員で、ベヴァリッジ卿（彼が一九四二年に発表した社会福祉《ソーシャル・サービス》に関する報告書は、労働党の政策の青写真である）が、二十五年前にシドニー・ウェッブとビアトリスが『救貧法に関する少数派の報告書』を作成した際に協力した、若い公務員だったという事実は、系譜をはっきりと物語っている。来るべき選挙で労働党に投票するのは、社会主義の目的を達成する方法についてフェビアン協会は以前から正しく、彼は誤っていたのを認めることになろう――しかし、ほかの誰に投票できるか？　力を失った古い自由党は駄目だ。ある日、彼は「共産党に投票しようと思う」と言い、ジップとマージョリーを驚かせた。「でも、共産党は嫌ってたじゃない、H・G」とジップは言う。「ローマ・カトリック教会はわたしの黒い獣《ベート・ノワール》（嫌いなもの）で、共産党は赤い獣《ベート・ルージュ》である」とマージョリーは、誰かの言葉を引用しているように言う。「誰がそう言ったんだね？」と彼は尋ねる。「あなたよ、四二年から四四年にかけて」と彼女は、彼女がタイプした、戦時中に彼が時折書いたものを集めた本を指して言う。「そう、党としては好かないが、何人かのまともな人間がいる。この選挙区で誰が共産党候補なのか調べてくれないか」と彼は言う。しかし、メリルボーンの選挙区には共産党候補はいないので、彼はやむなく労働党候補を支持することにする。それは結局、飲み込むのにさほど苦い丸薬ではなかった。なぜならその候補者は、二年前に死んだ旧友の短篇作家W・W・ジェイコブズの孫娘、エリザベス・ジェイコブズだとわかるからだ。彼女は労働党の極左に近い。マージョリーは彼を車で投票所まで連れて行くが、彼は弱っていて歩いて中に入れないので、選挙管理官が投票用紙と投票箱を車のところまで持ってくる。「こういうことは許されてるのかね？」と彼は半ば冗談に訊く。「たぶん許されてないでしょうな、ウェルズさん」と選挙管理官は言う。「でも、あなたのためなら規則を枉げる用意があります」

翌日、誰もが驚いたことに、労働党が地滑り的勝利を収め、ウィンストン・チャーチルの代わりにクレメント・アトリーが首相になることがはっきりする。グレート・ブリテンは社会主義国家を作る正式な権限を付託された政府を初めて持つ。それは一九二〇年代の、ラムジー・マクドナルドの二つの骨抜きの妥協的な少数与党政権とは違う。それは遠大な計画を持っている。基幹産業の国有化、再配分的課税、大学レベルまでの授業料無料化、国民健康保険、母親に支給される、子供全員に対する家族手当、国民全部の国家年金。それは、彼がそうした政策を提唱していた四十年前だったら、彼を興奮させたであろう計画だった。しかし今では、そうしたことを期待する、どんな熱意も湧いてこなかった。それは彼が、そうした政策がもとづいている価値観に疑問を抱いているからではない——それらが未来のより公正な社会を約束しているのは明らかだ。それは、もはや彼が未来を信じていないからだ——つまり、進歩に対する確固とした基盤を提供する、永続的な現実を。彼には今では、普通の理性的な人間が認識し理解する現実は、プラトンの言う洞窟の壁に映っている空虚なイメージのように見える——あるいは、もっと新しい類比を使えば、映画館のスクリーン上のチラチラする形と影のように。その類比を、彼は『行き詰まった精神』の中で使った。

「これがすべてなのか?」という問いは、幾時代を通して無数の精神を悩ませてきた。そして、われわれが行き詰まっているように思える今、その問いはここにある。それはいまだに人を戸惑わせるが、執拗だ。そうした挫折した精神にとっては、われわれの日常の現実世界は、映画館のスクリーン上に投げかけられた、面白い、あるいは悲惨な物語以上でも以下でもない。物語はまとまっている。それは人を非常に感動させるが、しかし人は、それはインチキだと感じる。見る者の大多数は物語の仕来りを受け入れ、物語の一部になり切り、その中で、そして、それと一緒に生き、悩み、喜び、死ぬ。しかし、懐疑的な精神は勇敢にも言う、「これは幻覚だ」……これまでは、繰り返しということが生命の第一の法則だったようだ。夜は日に継ぎ、日は夜に継ぐ。しかし、われわれの宇宙が入って行く存在の新しい奇妙なこの局面においては、事象はもはや繰り返さないのは明らかになっている。事象は不可解な神秘に向かってどんどん進行し、声のない、限界のない闇に入って行く。それに対して、われわれの不満足な精神のこの執拗な衝迫は抗うが、すっかり圧倒されるまで抗うのみである。

八月六日、この荒涼としたヴィジョンをさらに強めるような事件が起こる。米空軍は広島に一発の原子爆弾を投下する。高高度で飛ぶ一機の飛行機から落とされた、たった一個の爆弾で、何万人の人々が瞬時に殺され、数平方マイルに及ぶ建物が平らになる。彼の小説『空の戦争』の一節が心に浮かぶ。それは、ドイツの飛行船団によってニューヨークが破壊される場面だ。「世界史上、最も冷酷な殺戮が行われた。その際、興奮もせず、ほとんどどんな危険にも晒されていない男たちが、下の家々と群衆に死と破壊を注《そそ》いだ」。それらのドイツの飛行船は、もちろん、通常の爆弾を使っていた。核分裂の発見が原子爆弾の開発に至ると彼が予見したのは、あとの小説『解放された世界』においてである。彼は原子爆弾の恐るべき破壊力を想像した。すでに多くの場合、戦時の戦闘員と一般市民の違いが無視されていたが、ついにその違いをまったくなくしたのは、原子爆弾である。

世界政府が樹立されることによって戦争がなくならなければ、そしてなくなるまで、科学とテクノロジーの進歩を兵器に応用することは避け難い重大な結果になると警告するために、彼はそれらの本を書いた。その数週間前、その方向に向かう有望な一歩のように見えた別の事件が起こった。五十ヵ国の代表によって国際連合憲章が調印されたのである。その大義のために、彼は生涯尽力し、国際連合憲章に組み入れられた、サンキー権利章典を起草するのに指導的な役割を果たした。しかし彼は、国際連合が国際連盟より結局は有効になるとは信じていなかった。安全保障理事会の手続き上の規則は、五つの常任理事国、すなわちいわゆる列強の全員一致を必要とした。それは、五ヵ国のどの国も、自国の不利益と思われる提案に拒否権を行使することができるのを意味した。そして列強は、戦後の世界の政治的処理を巡って、早くも仲違いをしている兆候があった。ソヴィエト・ロシアは英国、アメリカ、フランスと意見を異にしていた。その仲違いは、戦闘員が新しい恐ろしい兵器が使える、もう一つの戦争に簡単になり得ただろう。

しかし、原子爆弾が広島に投下され、その三日後に長崎に投下されると、その影響はすぐに現われ、第二次世界大戦は速やかに終結した。そうした人間の大量の無差別殺戮の倫理を疑問視する声は、議会と新聞でほんのわずか上がっただけだった。連合国の一般的な反応は歓喜と安堵の気持ちで、それは彼も理解でき、おおむね共有した。神とされる天皇のもとで日本を支配した、帝国主義的、軍国主義的独裁国家が、人命がいかに犠牲になろうとも、連合国軍の本土侵攻に最後の最後まで抵抗する決意であるのは、よく知られていた。その決意は、連合国艦隊に対する神風攻撃で、千数百人の若者を死に追いやった、苛烈な沖縄戦ですでに示された決意だった。彼が『空の戦争』の中で日本の戦闘機を描いた際、こうした狂信的に勇猛な操縦士を予想していたのを考えると、興味深いと同時に暗澹とする。それは蝶の羽根のようにしなやかでカーブを描いている翼を持った飛行機械で、操縦士は騎手のように機体にまたがり、一方の手にライフル銃、もう一方の手に両刃の剣を持って、巨大な飛行船に突進する。何千人、おそらく何万人もの、主にアメリカ人の連合国軍の兵士が、日本が征服される前に、日本侵攻で殺害されただろう。頑迷な日本の指導者でさえ、自分たちには抗し得ないということがわかったであろう力を見せるつけることによって、そうした命を救ったからといってアメリカを非難することができようか？　死の気配が自分たちから取り除かれたことに安堵し、日本の市民を大量殺戮したことに対する良心の呵責を抑えつけたとして、誰が連合国軍の兵士と、故郷にいるその家族と友人を非難できようか。

彼は日本との戦いの終結に個人的関心を抱いていた。というのも、彼とアンバーの娘、アンナ・ジェインの夫エリック・デイヴィスが、まだ確認されてはいないものの、その死傷者の一人だからだ。エリックはシンガポールからの脱出に成功した。彼はそこで、一九四二年二月に英国守備隊が降伏する直前までラジオ局を取り仕切っていた。そして、自分のスタッフのグループを引き連れてジャワに辛うじて逃れ、日本軍がそこも占領するまで放送を続けたが、その後、杳として行方が知れなくなった。アンナ・ジェインはインドで働き続けた。そこで、夫の運命がどうなったのかわからないという、恐ろしいほどの不安を抱えながら、政府の仕事をしている。ウェルズは彼女にひとしお同情している。というのも、彼はエリック・デイヴィスに初めて会った時、エリックについて重大な判断の誤りを犯したからだ。一九三〇年、彼女がロンドンスクール・オヴ・エコノミックスの学生で、エリック・デイヴィスと一緒に人生を送るという意図を表明した際、彼は長く、そして――振り返ってみると――かなり尊大な手紙を書いて、それを思いとどまらせようとした。彼女は彼が自分の父であるのをしばらく前から知っていて、そのことで心を乱された様子はなかったが、彼はその時初めて、公然と父権を行使して助言を与えた。だがアンナ・ジェインは、さすが母の娘で――毅然とし、怖れを知らず、独立心が旺盛だった――その助言を受け入れるのを、丁寧にではあるがきっぱりと断った。エリックはその後、人の役に立つ職業に就くことによって、また戦時中、人に感銘を与えるような勇気と臨機応変の才を示すことによって、彼女の選択が正しかったことを証明した。その勇気と臨機応変の才はシンガポール陥落の余波において示されただけではなく、それ以前、一九四〇年に定期船ベナレス号がドイツのUボートによって大西洋で沈められ、カナダに疎開する途中の八十人の子供たちを含む多数の命が失われた際の行動によっても示された。彼は乗客を救命ボートに誘導し、自分で救命ボートに乗るのは何度か断り、筏に摑まって長い、暗い夜を過ごした。それはウェルズに、自分と息子たちが単に誕生日の偶然で兵役を免れ、二つの世界大戦のどちらでも、そうした危険によって試されることがなかったことを痛感させた。彼はアンナ・ジェインと文通した際、エリックが戦争捕虜になっていると思うようにと励ました。しかし、なんの知らせもなく歳月が経つにつれ、その可能性は次第に少なくなった。アンナ・ジェインは最近の手紙で、エリックが行方不明になったものと諦めているが、『ブリトリング氏、乗り切る』のテディーの帰還のように、ハッピーエンドで終わる夢を密かに見ないとしたら驚くだろうと書いてきた。たぶん、エリックの身に何が起こったのか、やがては信頼できる情報がもたらされ、いずれ彼女の気持ちは落ち着くだろう。

　世界は永遠に存在し続けると相変わらず信じ込んでいる普通の人間の身になれば、彼は原子爆弾投下を強く非難することはできない。しかし、科学哲学者としての彼にとっては、原子爆弾自体の発明——かつては、それ以上は小さくならない物質の単位と思われていたものを分裂させることによって、あのような恐るべきエネルギーを放出させる発明——は恐怖のみを掻き立て、広島上空のキノコ雲は、単に世界の終わりの不吉な黙示録的兆候であるばかりではなく、宇宙の終わりの不吉な黙示録的兆候でもある。

> われわれの宇宙は、われわれの精神の究極的限界である。それは、独立する閉じられた体系である。それは、閉じられた時空の連続体で、いまやそれが引き起こした未知の力が、ついにそれに刃向かうので、始まった際と同じ、存在しようという衝迫と共に終わる。「力」と筆者は書いた、なぜなら、いわば、われわれに断固敵対するこの未知なるものを表現するのは難しいからだ。しかしわれわれは、この闇の脅威を否定することはできない。「力」という言葉では不十分である。われわれは「宇宙」のまったく外側にある何かを表現する必要がある……しかし、もしギリシャ悲劇の構造に拠って、人生を主人公《プルタゴニスト》として考えるなら……われわれは必要に適う何かを得る。そして、あの限定的な意味での「敵対者《アンタゴニスト》」とは、われわれの考えでは、非常に長いあいだ生命を支えてきていたが、いまやそれに刃向かい、それを一掃しようとする未知の容

赦ない力を表わすのに筆者が使う言葉である。

ハノーヴァー・テラスのマージョリーの小さな事務室に坐って、『行き詰まった精神』の校正刷りを読んでいたジップは、次第に当惑し、彼女に向かってその一節を声に出して読む。「H・Gは一体どうしちゃったんだろう？　これは擬似神秘的な戯言《たわごと》だ、ある種の宇宙的な、マニ教的二元論《マニキイズム》みたいな」と彼は言う。「マニ……なんとかって、なんなの？」と彼女は訊く。「この本の出版がとめられたらいいんだがな」と彼は、彼女の質問を無視して言う。「H・Gの評判を傷つけるだけだよ。彼がこれまでやってきたすべてのことの評判を」。「あなたはとめられないわよ」と彼女は言う。「あの人はそう感じているんだから。あなたが好こうと好くまいと、それがあの人が今信じていることよ」。「けど、彼は病人だ」とジップは言う。「自分が死にかけているのを知ってるんだ――気が滅入ってるのも不思議じゃない。『解放された世界』のカレーニンを覚えているかい？」「覚えているとは言えないわ」とマージョリーは言う。

問題のシーンについてのジップ自身の記憶もやや曖昧なので、H・Gの書斎に行く。著者自身はベッドにいて、たぶん寝ているのだろう。ジップは『解放された世界』を見つけ、関連する頁をめくり、読み終わると、マージョリーに教えようと、その本を持って行く。

「世界が原子爆弾戦争によって荒廃したあと、各国は道理がわかるようになり、和解する。世界政府が樹立され、素晴らしい新しい文明が、古い文明の廃墟から現われ始める」

「ありきたりに聞こえる」とマージョリーは言うが、ジップはそのかすかに批判的なコメントを無視し、要約を続ける。

「新秩序の最も人を鼓舞する指導者の一人は、マルクス・カレーニンというロシアの知識人で、世界教育委員会の重要メンバーだ。彼は際立った精神を持つ、先天的不具者だ。物語の終わりのほうで、彼は重病になり、ヒマラヤのサナトリウムにいる。そこで彼は、延命できるかもしれないし、そうでないかもしれない手術を受けることになる。そして様々な登場人物が、彼の知恵に満ちた言葉が聞けるうちに聞こうと、彼のもとを訪れる。彼は秘書のガードナーに、自分は外科医のメスのもとで死ぬことを望むと話す。そして、こう言う。『彼がわたしを殺すことを願うよ、ガードナー……わたしが最も恐れているのは、生命の、あの最後の切れ端だ。わたしは、ただ生き続けるかもしれない――痛んだ織物の傷ついた織り端として。それから――自分がこれまで隠し、抑えつけ、軽んじ、あるいはあとで直したもののすべてが、わたしを打ち負かすかもしれない。わたしは気難しくなるかもしれない。自分の自己中心癖を抑える力を失うかもしれない。大した力じゃなかったが……わたしにはわからない、なぜ人生が生命力の最後の残滓によって判断されるのか……覚えておいてくれ、ガードナー、もしすぐにもわたしの心臓が止まり、わたしが絶望したら、また、もし終わりを迎える前に、苦痛のわずかな段階に入ったら、また恩知らずなことを口走ったり、暗い忘却に襲われたりしたら……わたしがいまわのきわに言うかもしれないことを信じてはいけない……生地さえよければ、織り端などどうでもいい』」

　ジップは頁から目を上げる。「わかるかい、マージョリー？」と彼は誇らしげに言う。「まるでH・Gは自分の最後の病気を予見していて、僕らに警告を残したみたいだ。『わたしがいまわのきわに言うかもしれないことを信じてはいけない』。この絶望の叫びは――」。ジップは片手で『行き詰まった精神』の校正刷りをぴしゃりと叩く。「――H・G・ウェルズの本当の声じゃない」

　アントニーはH・Gの陰鬱な気分について違った考えを持っている。彼は近頃、父にあまり頻繁に会っていない。今は庭の端の塀の向こうのマンフォード氏の家に住んでいず、キティーと子供たちと一緒に住んでいるからだ。彼は数ヵ月前に彼女と和解し、日本との戦争がクライマックスに達したので、BBCのワールド・サーヴィスの極東部門の仕事で非常に忙しい。しかし、それでも時折はハノーヴァー・テラスを訪れ、父と喋り、ジップとマージョリーがたまたまいると、二人とH・Gの精神と体の具合について意見を交換する。ジップが『行き詰まった精神』の原稿を彼に見せ、それが極度に悲観主義的で、H・Gの進歩的ヒューマニズムの原則を放棄したものなのは、彼の肉体的衰弱の影響で、したがって無視すべきものだという、マージョリーにした話を繰り返し、その裏付けとしてカレーニンの言葉を引用すると、アントニーは首を横に振る。

「違うね」と彼は言う。「もちろん僕はその本にざっと目を通しただけだけど、それは非常にリアルな、非常に個人的な絶望を表わしていると思うね」

「何についての？」とマージョリーが言う。

「彼の名声が衰え、読者の数が減ったことについての」

「まさか！」とジップは抗議する。

「君は七月の『コーンヒル』の『ベタレイヴ文書《ペイパーズ》』を読んだかい？」とアントニーは尋ねる。

「もちろん、読んだとも」とジップは言う。「しかし、あれは完全に皮肉だ。ベタレイヴはH・Gが自分の敵を戯画化したものだよ。彼は、僕らの父が一生のあいだに受けたあらゆる侮辱と中傷を自分の受けたものとして誇張し、その結果、それを滑稽に見せる偏狭な反動主義者さ。皮肉というのは、自分の真意と反対のことを言うことさ」

「真意を間接的に伝える方法でもありうるさ。あの一文の終わりのほうで、彼自身の本に対する批判がある。それは、皮肉と解するにはあまりに正確だ。例えば、『ウィリアム・クリソルド』について……ここに『コーンヒル』があるかい？」

事務室には著者に献呈した数冊があった。マージョリーはその一冊をアントニーに手渡す。

「これを聴きたまえ」と彼は、小文の終わりのほうをめくりながら言う。「『《ウィリアム・クリソルドの世界》は厖大な三部作で、三巻本で続けて出された、とりとめのない長話だ。それは、読者と本屋の忍耐心を共に挫いた』。これは皮肉とは言えない――正真正銘の真実だ。この一節のあとのほうも、そうだ。『それは、徒《いたずら》に高くなった彼の名声の失墜の兆候だ。そのあとでは、ウェルズ氏は好きなことを書き、最善を尽くすだろう。彼の著書を読むことは、もはや流行ではない。書評子は彼を賞讃し、数が減りつつある一団の騙されやすい人々は彼の本を買うかもしれない。彼の本は書店のショーウインドーから、教養人のテーブルから姿を消した……』。それから彼は自分の後期の著書の恐るべき、人に反感を覚えさせる題を列挙する、《パラム氏の独裁》とか《ブラップのバルピントン》のような。そうして、こう続ける。『彼がかつて騙した人々は、たぶん、彼を英文学において、いくらかの重要性を持った人物として言及するだろうが、もはや彼の著作を読まず、彼について言うべきことは何もない人々の決まった答えは、衰退を嗅ぎとる人々の渋面でしかなかった。〝ああ、ウェルズ！〟と彼らは言って、そこでやめるだろう。そのためウェルズは生きながら衰え、すでに忘れ去られた者として埋葬されるだろう』。それはベタレイヴが言っているんじゃなくて、H・Gが言ってるんだ」

「全部がそんな風じゃない」とジップは言う。

「そう、その通り」とアントニーは言う。「皮肉と呼べる、ドタバタ喜劇風の実に面白いところが、前のほうにある。

しかし、一番深い印象を残すのは、結びだ」

「でも、彼は忘れ去られた者として埋葬はされない——あるいは荼毘に付されはしないだろうね」とジップは言う。

「もちろん、そうさ。いくつもの死亡記事や讃辞が書かれるだろう。そして彼の何冊かの本は残るだろう。『タイム・マシン』、『モロー博士の島』、『宇宙戦争』、『ポリー氏』、ひょっとしたら『トーノ・バンゲイ』……しかし、それらはみな、初期の作品だ。『ポリー氏』は最初に出版されて以降、絶版になることのなかった、彼の最後の小説じゃないかな。それは一九一〇年のことだった——間違っていたら訂正してくれないか」

「きみは、たぶん正しい」とジップは言う。「しかし君は、『ベタレイヴ・ペイパーズ』を深読みしていると思うね。あれは、ただの埋め草さ。僕には『行き詰まった精神』のほうが、ずっと心配すべき作品に思えるね、ペシミズムがあまりに極端だから」

「でも、H・Gの最良の作品は本質的に、まさしくペシミスティックだよ」とアントニーは言う。「それはエントロピーとか、進化のランダム性とか、人類の生来の愚かさと虚栄とか、世界の終わり方、人間の文明の消滅の仕方のようなことに関する考察から生まれたんだ。彼の本当の使命は、そうした傾向のインスピレーションを働かせ、永続的で、古典になるような小説を生み出すことだったが、政治に関わって逸れてしまい、使命感が変化し、〝進歩〟を信じ始め、それを達成する様々な方法を詳説する本を書き始めた。自分は小説で永続的な芸術を創造することには関心がなく、ジャーナリストのように、緊急の社会的、政治的関心事に応えることに関心があると主張した。彼はそのことでヘンリー・ジェイムズと喧嘩をし、何年かのちに、『自伝の試み』の中で、その意見の相違をまた持ち出した。当時、彼は悔いていなかった。しかし最近——『行き詰まった精神』が示しているように——彼は〝進歩〟に対する信頼の念を失った、あるいは、同じことだが、人間の向上ということに。彼は半世紀近く、世界政府樹立という運動をしてきた。その際、それを達成し、運営することのできる唯一の人間は、自明のことだが、啓蒙され、無私になり、道理を弁《わきま》えるだろうという前提に立っていた。しかし最近の歴史は、彼らが無慈悲な独裁者になるおそれのほうがずっと高く、いっそう悪いことに、啓蒙され、無私で、道理を弁えた人間が無慈悲な独裁者になることを証明した」

「独裁者を倒すことはできる」とジップは反対する。「僕らはヒトラーを倒した」

「うん、しかし、なんという犠牲を払って……」とアントニーは言う。「最後には、H・Gにはすべてたまらないものになったんだと思う。この世の悪の力の証拠が、〝進歩〟に対する彼の信念を愚弄したんだ。無駄骨に終わった運動のためにプロパガンダ活動をして、作家としてのエネルギーと才能を無駄に使ってしまったと彼が感じたとしても、驚くには当たらないだろう。もし彼がヘンリー・ジェイムズの言うことに、もっと注意深く耳を傾けていれば、今日、自分の作品の受け入れられ方に、それほどがっかりしていないかもしれない」

「ヘンリー・ジェイムズも今じゃあH・Gと同じくらい時代遅れじゃないの?」とマージョリーは言う。

「おそらく、そうだろうな」とアントニーは言う。「しかし、彼は知識階級の中に、いまだに信奉者を持っている。母の話では、アメリカの大学では彼を偉大な作家として教えてるそうだ」

ジップは馬鹿にしたように鼻を鳴らす。「ヘンリー・ジェイムズが一語も書かなかったとしても、世界はまったく同じだろうね。H・Gについては、そうは言えない」

「レベッカはどうなの?」とマージョリーは、話題を変える頃合いだと思って、アントニーに訊く。

「大層忙しい」とアントニーは言う。「近頃じゃ、『ニューヨーカー』に盛んに書いている。編集長は心底《しんそこ》、彼女の書くものに惚れてるんだ」

「それは結構ね」とマージョリーは言う。

「ああ。そっちのほうで僕のためにいくらか動いてくれるといいんだがね」とアントニーは物欲しそうに言う。「『ニューヨーカー』の稿料は途方もなくいいんだ」

九月にレベッカは、売国奴ウィリアム・ジョイス、通称「ホー＝ホー卿」の裁判に関する報告を『ニューヨーカー』に載せる。そして、その雑誌が発売されると、一冊を彼に送る。「わたしは裁判が終わった日の翌日、原稿を送らなくてはなりませんでした」と彼女は添え状に書く。「ハロルド・ロスがわたしに言いました。『それほど短時間に、それほど徹底していて、ジャーナリスティックに優れた話が書ける作家は五人か六人しか知らない、そして、文学的優秀さでそれに匹敵するものが書けたであろう者は、ほかに誰も知らない』」。悪名高いほどに要求が厳しい編集長からの讃辞の正しさは、彼女の報告記事によって証明されている。彼女はドラマの主な演者一人一人の性格と外貌を生き生きと、しかも簡潔に伝えていて――中央刑事裁判所で開かれる売国奴裁判は必然的にドラマだからだ――彼らすべてに、ある程度感情移入をしている。中心人物、すなわち、戦争のあいだずっと、ベルリンからプロパガンダ放送をして英国の聴取者を嘲った男にさえ。多くの人々は――彼自身は違っていたが――その放送に恐ろしいほど中毒になる何かを感じていた。それは通常、ジョイスの奇妙な鼻声の物憂げな話し方と、不愉快なウィットのせいにされていた。ジョイスはパントマイムの悪漢に似ていた。人が愛する悪役に。ジョイスは戦争の初めにナチの勝利をにんまりしながら祝うことで、英国民を怯えさせることなどまったくなく、英国民の抵抗の決意を強めた。しかし、いまや彼は被告席に立っているので、今度は英国民がにんまりする番だった。だがレベッカは、報告記事の中でそれを巧みに避けた。彼女はジョイスの幼い頃の複雑怪奇な運命と育ちを明るみに出し、いかにそれが、まず彼をファシストにし、次に売国奴にしたのかを示した。彼女は、アイルランド人の両親のもとにアメリカで生まれた人間を、英国の売国奴と見なせるかどうかという、複雑な法的議論を手際よく要約した。裁判長は見なしうると決定したが、ジョイスは控訴する許可を与えられた。彼女の報告記事はそこで終わっている。彼は彼女を祝う手紙を書き、その記事を楽しく読んだが、彼女に会えばもっと楽しいだろうと言う。彼女は目下、控訴の成り行きを追っているうえに、『ニューヨーカー』のために、もう一つの反逆罪裁判の報告をする準備をしているので、あまりにも忙しいと詫びの返事をする。「ロスが電報を打ってきました。『エイメリー裁判（ジョン・エイメリーは一九四一年、ナチに誘われベルリンからヒトラー讃美の放送をし、のちイタリアからムッソリーニ讃美の放送をし、戦後絞首刑に処された）ニツイテ、アナタガ書キタイモノヲ書イテモライタイ』」と彼女は勝ち誇ったように書いている。明らかに彼女は、作家として成功を博し、自信を得たことを愉しんでいる。彼はそのことを彼女のために喜んだ。

レベッカは忙し過ぎて彼を訪問できないが、幸い、ムーラはそうではない。彼女は戦争が終わるとロンドンに移り、ケンジントンのフラットに入り、頻繁に彼を訪ねてきて、彼のベッドの脇に坐るか――彼が起きていれば――小さな居間かサンルームで彼と一緒になるかし、彼の退屈を紛らせ、マージョリーの秘書としての義務を軽減してやる。フランス語かロシア語で手紙を書く必要がある場合は、彼女は適切な外国語で彼の言うことを書き取ることができる。彼女は自分の子供たち、ポールとターニャと、ターニャの家族の近況を彼に伝え、アンナ・ジェインの夫、エリックについての悲しい知らせに哀悼の意を示す。エリックが、一九四二年にジャワから脱出するために乗った船が沈められた際に死亡したことがわかったのだ。彼女は彼に、ロンドンでパーティーやレセプションで会い、自分のフラットでシェリーを飲むのに誘う知人のエピソードを話して彼を楽しませる。彼女には、ロシア人の亡命者、英国の政府の役人、外国人外交官、作家、芸術家、俳優、映画製作者を含む、驚くほど広く雑多な知り合いがいるのだ。彼女は、彼の関心を惹くと思われる新聞雑誌からの切抜きを持ってきて、声に出して読む。時折二人は、満ち足りた気持ちで数分間黙って、ただ坐っている。セックスは思い出になり、伴侶であることだけが残っている老夫婦さながらに――二人の場合は、まさしくそれだ。二人は結婚しなかったということを除いて。二人は過去のことをあまり話さない。過去という領域には、あまりに多くの地雷が埋まっているからだ。そこには、今になって掘り起こすのは愚かな、埋められた危機や喧嘩や不貞や未解決の謎がある。しかし、彼女が彼の手を握り締め、屈《かが》んで別れのキスをしたあと、彼の心はしばしば時間を遡り、二人が一緒に経験した、くさぐさの事柄を思い出す。

二十五年間にわたってムーラは、彼の人生の生地に織り込められてきた。最初は輝かしい糸で、長い間隔を置いて現われては消えたが、のちに、次第に顕著なモチーフになった。二人はペトログラードのゴーリキーのアパートで記憶すべき夜を過ごしたあと、彼がレベッカとオデッテに関わっていたあいだ、ほんの時たま文通した。そしてその間《かん》ムーラは、ソレントでゴーリキーの秘書兼伴侶だった。ゴーリキーはスターリンの許可を得て、保養のためにそこに行ったのだ。ウェルズとムーラは一九二九年まで再会しなかった。その年の春、ウェルズは帝国議事堂《ライヒスターク》（振り返ってみると、不吉な場所だった）で「世界平和の常識」という題で講演するためベルリンに行った。その時は彼は、ムーラがゴーリキーの著作権代理人としてベルリンでなんとか生計を立てているのを知らなかった。ゴーリキーはその前の年、スターリンに説得されてロシアに戻った。彼の講演会に行くという彼女からのメモが彼のホテルにあった。彼は講演しながら聴衆の中に彼女の姿を見つけることはできなかったが、彼女はそのあと、ホールの後ろのほうで待っていた。背が高く、美しく、みすぼらしい着古した服を着ていたにもかかわらず、相変わらず魅力的だった。「エイジー」と彼女は、彼が彼女を抱くために両腕を大きく広げて近づいてくると、にっこりしながら言った。そして、彼女の発音する彼の名前は、静脈にじかに注射された媚薬のような働きをした。次の二日間、彼がルー・ピドゥーとオデッテのところに帰るまで、二人はまた恋人になった。

その時、ジェインが死んでから一年半経っていたが、彼は情緒的に不安定な状態にあった。オデッテは彼の人生の空席をしきりに占めたがっていたが、彼は次第に、彼女の気紛れと不機嫌にうんざりしてきた。彼女は妻の権利がないのに、一種の小うるさい妻になったのだ。しかし彼はオデッテと手を切り、ムーラと付き合うという理に適ったことをする代わりに、オデッテと再会したので、数年間、姦通めいた隠れた関係を続け、ヨーロッパ大陸の様々な場所で密会した。振り返ってみると、彼は当時の自分の行動を己に対して本当には説明することができなかった。ルー・ピドゥーを失うことなしにオデッテから自由になるのは難しいということを予見した以外。だが一九三三年にその犠牲を払うと、ムーラこそ一生の恋人で、余生を一緒に過ごしたい女だということが、言うも愚かなほどはっきりしているように思えた。そこで、彼は彼女を口説いた。ムーラは彼の公認の愛人であることには完全に満足していたが、自分の独立は維持することに固執した。そして、彼と同棲することを拒否した。彼女は常に動き回っていて、一人で外国旅行に出掛けた。彼は彼女が不貞を働いているとは疑わなかった。彼女は乱交はしなかったからだ。一度彼女は、彼以外には五人の男と寝ただけだと語った――エンゲルハルト（彼女は彼と結婚し、ベンケンドルフと結婚する前に離婚したと言ったが、彼女の恋人ではなかったのかと、ウェルズは疑った）、彼女の夫たちのベンケンドルフ、ブドベルク、ブルース・ロカート、彼女は名前を言わなかったが、ソレントのイタリア人。彼女の話では、そのすべては死んだか、もはや彼女と関係がないかだったが、彼は彼女の言うことを信じた――一九三四年に彼女がモスクワに行ったことについて、彼を騙したのを知るまで。

彼はその年の七月、スターリンにインタヴューをするために、モスクワに行く手筈を整えた。やはり新聞のために、最近、アメリカでルーズヴェルトにインタヴューをしたばかりだった。いまや全世界に及んでいる経済不況に鑑みて、二つの大国、一つは資本主義国、もう一つは共産主義国の指導者に、その二つのイデオロギーは互いに学びうるかどうか確めるのは興味深いだろうと、彼は思った。そして彼の名前は、その両者から即座に応諾の返事を貰うほどに、まだ影響力があった。一九二〇年にペトログラードに行った時、ムーラが通訳として、案内人としていかに役に立ったかを思い出した彼は、モスクワに一緒に行ってくれないかと彼女に頼んだ。すると困ったことに、彼女は断った。もしロシアに戻ると逮捕されるおそれがあるという理由で。そして彼が、必要な入国許可証を取ってやると言っても、自分の子供たちに会いにエストニアに行かねばならないと言った。子供たちは忠実なアイルランド人の家庭教師、ミッキーに面倒を見てもらっていて、まだそこで暮らしているということだった。彼女はいかにも彼女らしく、ただ、「ねばならない」という以外の理由は挙げず、彼が出発する一週間ほど前に行ってしまった。しかし、彼は帰る途中、彼女のカントリー・ハウスで一緒にしばらく過ごすということになった。そして、クロイドン空港からタリンに向かう彼女を見送って気持ちが大いに鎮まった。ムーラはモスクワにいる彼に手紙を出すと約束した。

　彼はムーラの代わりにジップをモスクワへの旅に連れて行った。そして、ジップが一緒だというのは心強かったが、息子のロシア語は限られていたので、信頼できない案内人と通訳にすっかり頼らざるを得ないと感じた。また、自分がプロパガンダ目的のために、インツーリストによって操られているのに気づいたものの、それについて何もできなかった。スターリンとのインタヴューは、何年も前のレーニンとのインタヴュー同様、苛立たしいものだった。そのソヴィエトの指導者は、自由主義的な資本主義民主主義の諸国となんらかの親交関係を結ぶことに一切関心を示さなかった。そのあと彼は、スターリンとスターリンのロシアについて、自分が実際に感じたよりも遥かによいことを、新聞用の草稿に書いた。英国の右翼のロシア関係の評論家たちを勇気づけたくなかったからだ。実際には、彼は至る所で聞いた意見が画一的なのに気が滅入った。ゴーリキーでさえ、彼がモスクワの外の田舎にある宏壮な別荘《ダーチャ》にゴーリキーを訪れた際、公表政策路線に沿ったことを喋りまくった——党の方針に従うのが、ゴーリキーが享受している特権の代価だったのは疑いない。二人は言論の自由について不毛な議論をした。それはロシアがまだできない贅沢だと、ゴーリキーは言った。その晩、彼は通訳のウマンスキーに、イギリスに帰る途中エストニアに寄り、友人のブドベルク男爵夫人の家に泊まるつもりだと何気なく言うと、ウマンスキーは言った。「彼女はちょうど一週間前、ここに滞在してましたよ」

彼は驚愕とショックとでしばらく言葉を失った。「でも、そんなことはあり得ない」と、やがて言った。インツーリストのアンドレイチンがウマンスキーにロシア語で何か言った。ウマンスキーは当惑したような顔をし、「おそらく、わたしが間違っていたんでしょう」と言って、そのことについての質問を一切封じてしまった。ウマンスキーのいなかった夕食の席で、彼はアンドレイチンを介して、「僕はこの前の通訳がいなくて淋しいよ、ゴーリキー」と言った。夕食の招待主は不意を突かれ、「誰のことだい?」と言った。「ムーラ」。ゴーリキーとアンドレイチンはロシア語で慌しく会話を交わし、そのあとアンドレイチンが言った。「ゴーリキーが言うには、彼女は去年、ここに三回来ました」。さらに訊くと、彼女が最初に来たのはクリスマスの時だった。彼女はエストニアの自分の家族と一緒だったと言ったのだが——「わたしはいつもクリスマスをエストニアで過ごすの」と彼女は言ったのだ。そして二回目は、ルーズヴェルトにインタヴューをするために彼がアメリカに行った時だった。三回目は先週だった。「ゴーリキーが言うには、あなたは彼女のこうした訪問について、エストニアやイギリスでは言わないように、彼女が困るといけないので」とアンドレイチンは彼に言った。「当然ですよ」と彼は言った。その時、彼にとって当然至極だったのは、ムーラが自分を騙したということだったが。

ムーラがゴーリキーの愛人だという噂は前からあった。今になると彼は、彼女が身を任せた男たちの「精選リスト」にある氏名不詳のイタリアの恋人はゴーリキーに違いないことに気づいた。彼はその二人の関係が終わっていれば、彼女がその事実を隠したことは気にしなかったろう。すべての者との関係が終わっているのは間違いないと、彼女が言っているので。しかし、ゴーリキーとの関係が終わっていないのは明らかだ。ゴーリキーに会いにロシアにそれほど頻繁に彼女が戻ってくる理由は、ほかにあろうか? もう一つ考えられる理由がある、とジップは、二人がそのことについて密かに話していた時に言った——彼女は、当局の協力なしには、厳重に警護されているロシア国境を、それほど頻繁に越えることはとてもできなかったろう。彼女がロシアのスパイで、彼自身を含め、西欧の指導者たちの意見をソヴィエト情報機関に渡しているということはあり得ないだろうか? それはもっともらしい説だったが、彼はそれを受け入れる気になれなかった。もしそれが本当なら、と彼はジップに言った、彼女はビザを取得しやすくするために「情報」を利用したに過ぎない。彼自身に関する限り、内務人民委員部《エヌカーヴーデー》がそうするのは勝手だった。しかしゴーリキーは、彼女がロシアに入国するのを容易にする強い影響力を持っていた。

その後間もなく、ジップはイギリスに戻らねばならなかった。そして彼は、そのあとモスクワ滞在中嫉妬に苦しめられ、ホテルの部屋で一人で泣き、怒り狂い、眠れず、あらゆる種類の罰と復讐の計画を練った。そして実際に遺言からムーラを外す遺言補助書を書き、英国大使館で連署してもらった。そして、彼女に対するほかの制裁を考えるためイギリスに直接帰れるよう、旅程を変更した。しかし結局、彼女と対決するのを待つことができず、再び旅行の手配をし直し、タリンに着く時間を葉書で彼女に教え、彼女が最近モスクワにいたという馬鹿げた噂を耳にしたと書き添えた。そうすれば、彼女は何が自分を待ち構えているのだろうと不安になるからだ。

もちろん、それは気持ちを鎮め、言い訳を用意する時間を彼女に与えたが、それでもやはり彼は、彼女がタリンの空港で彼を出迎え、彼に優しくキスをした時、彼女が落ち着き払っているのを見て驚いた。市内に向かうタクシーの中で彼は言った。「君がモスクワにいたなんて変な話だ」。「ええ——その話、どこで聞いたの?」「覚えてない——立ち聞きしただけさ」。「どこからその話が出たのか、想像できないわ……」。そんな風に二人はしばらく探り合っていたが、とうとう彼は言った。「ムーラ、君は嘘つきで詐欺師だ。なんで僕にそんなことをしたんだい?」もちろん、彼女は話を用意していた。「わたしがエストニアに着いたあとで、すぐにあの旅行が手配されたの」と彼女は言った。「だから、あなたには言わなかったの」。「なら、なんでエストニアから僕のいるモスクワに手紙を出すようにし、その中で、それについては何も言わなかったんだい?」ムーラは動じなかった。「タリンで昼食をとりましょうよ、その時説明する」。彼は笑わずにはいられなかった。「君は『イリュストラーシオン・フランセーズ』の妻を思い起こさせるよ。後ろのほうでズボンを穿いている近衛兵と一緒の現場を見つけられた妻が夫に言うんだ、『時間をくれれば何もかも説明できる』」。ムーラは上機嫌でにこりとして言った。「素敵な庭のある、とってもいいレストランを知ってるのよ」

二人は大きな帆のような日除けの下に坐り、美味のさっぱりした白ワインと一緒に、焙ったザリガニの素晴らしい昼食を食べた。快適な環境でリラックスし、生気を取り戻した二人は、まるで何事もなかったかのように親しげに喋り始めた。やがて、これではまずいと思った彼は、話を元に戻した。「ところでムーラ、君の説明を聞こう」

彼女の話では、モスクワに行く機会は不意に、思いがけず訪れた。ゴーリキーがロシア外務省から許可を得たのだ。彼女は長いあいだ国外生活をしていたので母国が見たかったのだが、そのことを彼に話しもしなかったし、彼とモスクワで会う手筈を整えもしなかった、なぜなら、二人が一緒のところを見られると、人に疑われたかもしれないからだ。

「母国をどう思った、ずっと離れていたあとで――何年間だい？」

「十年間。わたしは失望した、正直に言うと」

「ムーラ」と彼は言った。「なんで嘘をつき続けるんだい？　君はこの十二ヵ月のあいだに三回ロシアに行った」

「いいえ」と彼女は言った。「誰がそんなことを言ったの？」

「ゴーリキーさ」と彼は言って、事情を説明した。「いいえ」と彼女は、首を横に振って言った。「通訳が間違えたに違いないわ」。彼女の厚かましさは見上げたもので、一種の賞讃の念さえ起こさせた。「とにかく」と彼女は言った。「なんでそんなに動揺してるの、エイジー？　ゴーリキーとわたしが恋人同士だと思ってるんじゃないでしょうね？」

「もちろん、思ってるとも！」

「馬鹿らしい！　ゴーリキーはここ何年もインポなのよ」と彼女は言った。「誰でも知ってるわ」

「僕は知らないね」と彼は、やや驚いて言った。「でも、なんで僕が君の言うことを信じなくちゃいけないんだ、君が今年三回ロシアに行ったことについて嘘をついたからには」

「それは通訳の間違いよ」と彼女は繰り返した。

「ムーラ、君がそれを議論の余地なく証明することができるなら――例えば、ゴーリキーに僕宛に手紙を書かせて――君を信じるよ。あるいは、アンドレイチンに電話に出てもらい、僕ら二人が彼に話せるなら。今晩、君は彼に電話をするんだ」

「そうするわ」と彼女は落ち着いて言った。

しかし予想通り、なんの証拠も現われなかった。その晩、電話の繋がり具合が悪かったし、ゴーリキーからの手紙も来なかった。そして、しばらく経つと、彼は自分の尋問役に飽き、いささかばつが悪くなった。エストニアの暖かい夏の夜に、ムーラのベッドの誘惑に抗うのは不可能だった。そして二人はイギリスに帰ると、次第に昔の関係に戻ったが、彼にとってはまったく同じというわけではなかった。疑念と不信の要素が常に二人の関係の汚点になり、しばらくのあいだ、彼はその経験でひどく気が滅入り、自信が揺らいだ――自分がほかの人間と結んだ最も親密な関係においてそれほどに盲目でありうることを発見したうえに、幻滅したことに対する自分の反応の激しさを知ったからだ。彼は人生でわずか二度目だが、自殺という考えに強く惹かれたが、『自伝の試み』を書くことによってのみ、その気分を払いのけることができた。彼はその中で、自分の人生と性格を正直に分析しようと試みた。

彼はムーラがゴーリキーとの関係について、また、一九三四年のロシアへの旅行について本当のことを自分に話したかどうか確信はなかったが、彼女が何についてであれ真実を話しているのかがわからないことに、次第に甘んじるようになった。彼女は現実というものを、子供が粘土をこねて、その時の必要に応じてあらゆる種類の面白い、魅力的な形を作り出すように、軽く叩き、つつき、捻じ曲げられるものと見なしていた。そして、もし自分の言ったことの正確さを問われると、彼女はただ微笑して黙り込むか話題を変えるかした。そのようにして暴かれた嘘ゆえのばつの悪さは、ともかくも、彼女のではなく自分のばつの悪さになった。それは、とりわけロシア的な特徴ではないのかと、彼は思った。彼女は網で捕らえ馴らすことのできない自由の精神の持ち主で、自分と結婚させることによって、彼女をはっきりと、決定的に縛ってしまおうという試みは常に失敗した。一九三五年に、彼はその試みを儀式的な形で世間に示そうとした。その年のある日、彼は彼女に言った。「少なくとも婚約はしようじゃないか、ムーラ。ごく親しい友人を招いて大掛かりな午餐会を開いて、僕らの婚約を発表するんだ」。すると彼女は同意したので、彼は驚き、喜んだ。そこで、ソーホーのクオ・ヴァディスの個室を予約し、友人たちを婚約パーティーに招待したが、来客が着席する寸前に、彼女は彼に言った。「もちろん、エイジー、わたしは本気じゃないのよ」。「本気じゃない？」と彼は唖然として言った。「ええ、これは冗談で、素敵なパーティーをする口実だったって、わたしがみんなの前で言うわ」。そして、彼女はそうした。彼は大勢の者の前で屈辱的な思いをしないよう、にこやかに笑って、自分もこの冗談に初めから関わっていたというふりをしなければならなかった。彼はこれが彼女の最初からの意図なのか、レストランに入った瞬間に、婚約を破棄しなければならないと決心したのか、知ることはなかった。
その後彼は、彼女と結婚したいという望みは一切捨て、彼女が受け入れる唯一のものである、曖昧な関係で我慢することにした。彼女は彼の伴侶であり恋人だったが、彼と同棲しようとはせず、気の向くままに自由に彼のところにやってきては、去った。時折起こったことだが、彼が浮気をし、彼女がそれに気づくと、彼女は彼を責めたりはせず、からかっただけだった。大事なのは、彼女らしい不可解なやり方で、彼女が彼を愛しているということだ。そして彼女が、インポになって耄碌した彼を依然として訪れ、親切にしてくれるだけでも、たぶん、彼がかつての愛人たちから期待しうる最大のことだろう。彼はその点で彼女に感謝している。

『行き詰まった精神』は十一月についに出版されたが、ほとんどの新聞雑誌に黙殺された。いくつかの短評は、ウェルズ氏が文明と人類と宇宙自体に対する希望を捨てたようなのは残念であると書いているが、一つの短評には、かつては傑出した思想家だった者による支離滅裂なまとまりのない話は、彼の崇拝者を戸惑わせ、批判者を勇気づけるだろう、と書いてある。ジップは前もって、そういう類いがその本に対する反応だと彼に警告し、出版を思いとどまるように説得しようとしたので、彼は驚きもせず、がっかりもしなかった。例によって、本を出すということは、それを書こうという動機になった直観、不安、強迫観念の一種の除去、排出だ。そして彼は、『行き詰まった精神』に表わされている宇宙的絶望感に、もはや押しひしがれてはいない。といって、人類の未来に以前より期待するようになっているわけではないが、それはあまり彼を煩わせなくなっている。彼は自分の意見をすでに述べた——人類に、それを好きなように解釈させればよい。彼には、もはや言うべきことはない。

しかし彼は説得され、世間が関心を持つ事柄に介入するために、ほかの者に協力することが今でもある。同月、ニュルンベルクでナチの戦争犯罪人の裁判が始まる。ゲーリング、ヘス、リッベントロップ、その他の悪人たち。何人かの口うるさい法律家は、この前例のない法廷の正当性を疑うが、当の犯罪も前例がなく、それを罰せよという抗い難い意志がすべての戦勝国にある。裁判にかけられているのは、本質的にナチズムなのである。
「われわれが糾弾しようとしている悪行は、きわめて計算されたもの、きわめて悪質なもの、きわめて破壊的なものなので、文明はそれが見過ごされるのを許すことはできない」と、裁判が開始された日に、アメリカの主任検事は宣言する。そしてすべての証拠は、「被告たちが、完璧さに対するチュートン的情熱をもって作った帳簿と記録」にもとづいている。裁判は蝸牛《かたつむり》が這うようなペースで進み新年に入るが、四つの連合国の四つのそれぞれ違う法律家チームによって進行が妨げられる。二月に入ると、一九二〇年代と三〇年代に遡る独露関係に関するいくつかの文書を、ロシアが隠蔽しようとしているという噂が流れる。BBCの番組「ブレインズ・トラスト」のジョウド教授と小説家アーサー・ケストラーを含む、英米の著名な人々によって請願書が作成され、「ナチ党、トロツキー、モスクワ裁判で有罪になったその他の旧ボリシェヴィキたちとのあいだの、いわゆる共謀を立証する、あるいは否定するあらゆる文書を公開する」ことをニュルンベルク法廷に求める。そして彼は署名するように求められ、喜んでそうする。なぜなら、言論の自由の抑圧、売国奴と称される人々の、明らかに仕組まれた、世論操作のための裁判が、スターリン下のソヴィエト体制に彼がつねづね反対する最も深刻な理由だからだ。

彼の考えは、ロシア革命とその後の歴史に対する、ジョージ・オーウェルの犀利な諷刺『動物農場』を読んで再び強まった。それは、この何年か彼の本を出している、進取の気象に富んだフレデリック・ウォーバーグが一九四五年八月に出版したものだ。フェイバーに勤めていたT・S・エリオットが、その出版を断ったあとで。ウォーバーグによると、その本の売行きは最初はゆっくりだったが、その後の数ヵ月でポーランドを含め（同国の独立を守るために英国は戦争に入ったのだが）、東欧諸国がソヴィエトに支配された共産主義体制に次第に乗っ取られ、連合国が宣伝する慈悲深い「ジョー叔父さん」が邪悪な様相を呈するにつれ、次第に伸びた。『動物農場』はいまやベストセラーで、エリオットはいい気味である。エリオットもオーウェルもスターリンを批判したが、二人のうち相手に勝ったのがオーウェルだったことを、彼は喜んだだろう（ウェルズはオーウェルのほうに共感していた）。

ムーラは彼から借りた『動物農場』を楽しんだが、彼が自分も署名したニュルンベルク法廷に対する請願書を見せると、不快な顔をしたので彼は驚く。「こんなことにかかずらうべきじゃないわ、エイジー」と彼女は言う。「あなたはそれについて何も知らない。それにともかく、そういう文書はナチが戦時中にしたこととどんな関係があるの？

それはどれも昔の話――なんで今頃暴き立てるの？」彼女はいつになく、そのあといつもより早く帰るまで、ずっと不機嫌だった。彼女らしくないその振る舞いについて、彼がその日、あとでハノーヴァー・テラスに立ち寄ったアントニーに話すと、アントニーはわかっているようににやりと笑って言う。「たぶんムーラは、自分の名前がそうした文書に出てくるかもしれないのを心配してるんだろうな」

「なぜだい？」

「当時、ドイツについてロシアのためにスパイしていたのかもしれない。あるいは、ドイツのためにロシアについてスパイしていた」

「冗談にせよ、そんなことを言ってはいけない」と彼は言う。

「冗談を言ってるんじゃないんだ、H・G」とアントニーは言う。「ムーラがスパイだと考えている者は、僕だけじゃない」

「スパイだ、か、スパイだった？」

「両方。全然疑わなかったっていう意味？」

彼はその質問には答えない。もちろん、一九三四年にモスクワでちょっとした事件があり、ジップがそれを解釈した。

「彼女が古典的な意味でスパイだと言ってるんじゃない」とアントニーは続ける。「秘密兵器の青写真を盗むとかいったことをするスパイじゃない。カクテルパーティー巡りや、彼女の例のちょっとした夜会《ソワレ》で注意深く見聞し、ロシアの秘密諜報機関に役立つかもしれない情報を渡すというほうがありうる」

「それがおまえでさえ知ってるほど知られてるなら、なんで彼女は逮捕されなかったんだね？」

「たぶん、逮捕されただろうね、そうして、MI5は転向させたんだろうな」

「転向？」

「ひょっとしたら、彼女は二重スパイかもしれない」

彼はアントニーの顔をまじまじと見るが、息子は瞬きもせず、「ただの冗談だよ」と言うように、にやりともしない。「馬鹿な！」と彼は、とうとう大声で言う。「信じないね。みんな戯言《たわごと》だ」

「好きなように考えていいさ、H・G」とアントニーは言う。「心配させるつもりはなかったんだ。僕よりあんたのほうがいつもずっと知ってるって思ってたのさ。そうして、僕はムーラが大好きだってことを、あんたは知ってる。僕は彼女を大いに尊敬してるんだ」

「ムーラの家族は革命で殺された。彼女は共産主義を心の底から信じてはいなかった、ロシアにいるあいだは、そのふりをしなければならなかったにせよ。無事に出国できるようになるや否や出国した。そんな彼女がなんでソヴィエトのスパイになるのかね？」

アントニーは肩をすくめた。「誰にもわからないよ。彼女は一九一八年にひどく厄介なことになっていた、そうじゃないかい？――ロカートの陰謀事件で。おそらく、それで内務民委員部《エヌカーヴェーデー》は彼女の弱みを握ったのかもしれない」

「連中は当時、内務人民委員部とは呼ばれていなかった」と彼は衒学的に言う。「非常委員会《チエカ》と呼ばれていた」

アントニーが去ったあと、彼は肘掛け椅子に坐ったままで、膝掛け毛布を両脚にもっと強く巻きつけるようにし、弱々しくくすぶっている暖炉の火――埃っぽい粉炭で覆われた数個の石炭の塊――を見つめ、さっきの会話について熟考する。考えれば考えるほど、アントニーが口にしたシナリオが怖ろしいほど真実のように思えてくる。ムーラは確かに、恋人のロカートがレーニン暗殺未遂の陰謀に荷担したという廉で一九一八年に逮捕された時、危険な立場に置かれた。戦争に再び参加するようにボリシェヴィキを促せという指令を受け、外交官としてモスクワに送られた英国のスパイだったロカートは、回想録の中で、自分はレーニン暗殺計画にはなんの関係もなく、ロシアのスパイと交換で、やがてイギリスに戻されたと主張した。ムーラは彼と一緒に逮捕され、短期間投獄された。彼女は運よく釈放された。当時は、ロシアでは人はごく些細なことで即座に銃殺された。しかし、おそらく彼女は、自由の代償としてチェカのために働くことに同意したのだろう。そう考えると、彼女が一九二〇年にペテルスブルクで通訳兼案内人に任命されたという驚くべき事実の説明がつく。彼は当時、それは思いがけない幸運だと思っていたが。彼女が影響力のある英国の訪問者である彼と親しくなり、彼の活動と考え方をクレムリンに報告するよう指示されていたということはありうる。彼女は彼の信用を得るために、二人が以前、一九一四年に会ったというふりをしたのだろうか？　彼女は確実に信用されるよう、彼と愛の営みをしたのだろうか？　その考えは短剣のように彼の心臓を刺す。彼はそれに耐えられない。信じたくない――二人が再会すると考えるなんの理由もないのに、そんな計算づくの動機から、なぜ自分に身を任せるのか？　しかし、ソヴィエト秘密情報機関に協力していたと考えれば、彼女が一九三四年に三回ロシアを訪問したことの説明がつくが、おそらく彼女は、何年か一人でほかの旅をしたことはありうる。彼女が自分と結婚すること、同棲することを断った本当の理由は、それだったのだろうか――自分に知られずにロシアとイギリスのあいだを自由に行き来することができるように。彼女は一九三四年、ゴーリキーと一緒に自分を欺いていたのを知ったが、あるいは知ったと思っていたが、いまや、その下にある別の、さらに深い欺瞞の、めくるめくような深淵の中を、ぞっとして、震えながら、眩暈《めまい》を覚えながら覗き込む――二人の長期にわたる恋愛は、彼女が生き残るための便宜によって、最初から導かれ、決定されていたという可能性。ある意味でそれは、彼が潜在意識で常に気づいていた可能性だった。しかし彼は、手に入るすべての鍵を一つにまとめることを拒否して、それを否定し、抑えつけた。なぜなら、政治の鴨であるより、嫉妬深い恋人でありたかったからだ。

「あらまあ、どうしたの、H・G?」

マージョリーは部屋にいて、ひどく心配そうに彼の上に屈《かが》んでいる。

「なんで泣いてるの?」と彼女は言う。彼女は彼が胸ポケットに入れているハンカチを取り出し、目を拭うように彼に渡す。

「なんでもない、なんでもない」と彼は呟くように言う。「疲れた。ベッドに行きたい」

彼は真夜中に不意に目を覚まし、アントニーと交わした会話と、それがきっかけでムーラの過去の行動の新しい解釈を即座に思い出す。彼はそれを何度も何度も反芻し、新たに思い出した事実に照らして調整し、訂正し、改訂し、拡大する。もしそれが事実なら、彼女は自分を完全に馬鹿にしたのだ。事実かどうか知らねばならない。今度ムーラが来た時に、もう一度彼女と対決し、真実を話すよう求めねばならない。彼は夜勤の看護婦をベルを鳴らして呼び、催眠薬を持ってこさせる。それを嚥《の》まなければ、また眠れないのがわかっているので。

看護婦が彼の寝室のカーテンを開け、湿った三月の朝の灰色の光を入れると、彼はまた目を覚ます。看護婦は彼がスリッパを履き、ガウンを羽織るのを手伝い、手を引いて部屋を横切り、浴室に入って小便をさせる。そして、彼に義歯を嵌める。それから彼はベッドに戻り、紅茶とトーストと茹で卵の載った朝食用トレイを彼の膝に置く。そして、畳んだ『タイムズ』をベッドの脇の椅子の上に置く。彼は食べ物をゆっくりと口に運びながら、思考は夜のあいだと同じような経路を辿るが、違った、もっと同情的なものになる。考えてみれば、ムーラは妥協し騙す以外、人生で出合ったすべての危険と危機をどうやって生き延びることができたろう？　しかし、もし自分がムーラの人生のその新しい「解釈」を突きつけ、彼女がそれは事実だと認めれば、二人の関係は終わるだろう。自分は本当にそれを望むだろうか？　いや、望まない。彼女と一緒にいることを自分は大切にしているし、彼女の訪問を楽しみにしている。それは、自分の退屈な人生を我慢しうるものにしている、数少ないものだ。自分の人生は、まったく道理に反して、また予想に反して、だらだら続くように思われる。訪問客が、とりわけムーラがもたらしてくれる、人との接触から生まれる関心と温かさの火花以外、まったく同じ昼と夜の連続のうちに、至極緩慢に死ぬのが、また、忘却に向かってほんの少しずつ沈んで行くのが、どうやら自分の運命のようだ。自分はムーラを失いたくない。自分は自尊心を抑え、真実を知る満足を犠牲にしよう――今になってそれがなんの役に立とう？　自分は不確かな状態のまま生き続け、死ぬことを受け容れよう。

彼はその日の午前も大分経った頃、ムーラが早咲きラッパズイセンの一束を持って戻ってくるので驚く。そんなに早く会えるとは思っていなかったからだ。ラッパズイセンは松明《たいまつ》のように部屋を明るくする。彼は彼女がさっと部屋に入ってくると、ベッドの中だ。午後になるまでは滅多に起き上がらないからだ。「ハロー、エイジー！　わたしが来るとは思っていなかったのは知ってるけど、きのうは、わたしはご機嫌斜めだったの。いつもより早く帰ってしまったので、その償いをしに来たわけ。これは春が近づいてきた、素敵な兆し」。彼女は屈《かが》んで彼の頬にキスをする。

「ありがとう、ムーラ、君はとても親切だ」と彼は言い、彼女を見つめる。ゆったりした不恰好なワンピースを着た彼女はずんぐりしているが、それでもまだ優美に部屋を歩き回る。そして花瓶を見つけ、浴室でそれに水を入れ、花を活け始める。

「今日の気分はどう、エイジー？」

「いつもと同じさ」と彼は言う。そして、自分でも驚いたことに、われ知らず、こう言っている自分の声を聞く。「君はスパイなのかい、ムーラ？」真実を知りたいという、抑えつけていた願望が彼の声帯を捉え、訊くまいと思っていた質問を発しさせた。

ムーラはすぐには返事をしない。ラッパズイセンを活け続け、長いあいだ黙っているので、彼はその質問が聞こえなかったと思ったのか、自分がその質問をしたと想像したに過ぎないかだと考える。しかし、彼女は話す。

「エイジー……それは馬鹿げた質問よ。なぜか言いましょうか？　もし人がその質問を誰かにし、彼女がスパイでなければ、〝ノー〟って言う。でも、もしスパイであっても、やはり〝ノー〟って言う。だから、その質問をするのは無意味」

「そうさ、もちろん、そうだよ」と彼は言う。「僕が訊いたことを忘れてくれないか」

「もう忘れたわ」と彼女は言って、にこりと笑い、ベッドの脇の椅子から新聞をどけて、そこに坐る。「『タイムズ』から何か読んでもらいたい？」

「うん、頼む」と彼は言う。「死亡記事を読んでくれないか」


八月六日、レベッカ・ウェストはニュルンベルクからイギリスに戻る。ニュルンベルクでは『ニューヨーカー』に記事を書くために、ナチの戦争犯罪人の裁判を傍聴していたのだ。彼女は英国の民間航空の飛行機に乗って、ベルリンからクロイドンに飛んでいる。彼女はベルリンの出発ロビーで新聞にざっと目を通し、今日が広島に原子爆弾が投下された一周年記念日なのを思い出した。しかし彼女は、ダコタの翼の下でケント州の海岸線が滑るようにゆっくりと去るのを飛行機の窓から眺めながら、そのことを考えてはいない。この二週間、まったく予期しなかった、非常に情熱的な恋愛をしたことを考えている。自分と同じ仕事をするジャーナリストのグループと一緒に英国空軍の飛行機に乗って反対方向に飛んだのは、たった二週間前だったのか？　そんな短期間に、そんなに充実した経験を詰め込むことができたとは考えられないように思える。

裁判自体は充実していたわけではない。裁判は九ヵ月続いていて、あと数ヵ月経たなければ終わりそうもない。非常に多くの被告人と四つのチームの検事がいて、どのチームにも独自の法律の伝統があり、実施規定がある。そして、法廷は被告人に対してフェアであろうと細心に気を使っているので（この裁判全体は世論操作のための裁判で、結論はすでに決まっていると考えているロシアのチームは別だが）、裁判の進行はひどく遅い。毎日の裁判のやり方が退屈なので、捜査さるべき一連の悪は、情緒的衝撃力を持たなくなった。最初から裁判に関わっていた者は「残虐行為疲労」に悩まされていたのは明白で、裁判が終わることをひたすら願っていた――被告人以外。被告人の関心は、裁判ができる限り引き延ばされることにあった。

その大方は、裁判が終われば絞首刑になるだろうからだ。奇妙な話だが、被告人たちは裁判を御していて、検事たちに退屈という罰を与えた。法廷は退屈の砦だった。もちろん、彼女にとってはそうではなかった。彼女には何もかも新しく、魅惑的だったが、いざ記事を書く段になると、ドラマの欠如を補うために、自分の文学的技巧のすべてを必要とするのだった。

法廷の外では、まったく違った雰囲気だった。法律家、兵士、ジャーナリスト、役人、民間人秘書たちは、退屈を最も当然の方法、性愛という形で紛らわした——とりわけ、連合国社会のうちで人数も資力も支配的な存在だったアメリカ人は。彼らの中には、数千マイル先の妻や恋人から別れていない者、戦争と異境にあることにうんざりしていない者、どんな女であれ手に入る女の腕に慰めと解放感を求めない者は、ほとんどいなかった。レベッカは到着するや否や、辺りの雰囲気に、頭がくらくらするようなエロティックな刺激を嗅ぎ取ることができた。そして間もなく、彼女自身、それに圧倒された。

フランシス・ビドルはアメリカの検事の一人だった。彼は精悍な六十歳の男で、痩せていて、頭頂が禿げていたにもかかわらずハンサムで、知的で、教養があり、精力と機知に富んでいた。彼女は二つの戦争のあいだに、ワシントンとフィラデルフィアで、彼とその妻のキャサリンと知り合い、彼が大好きになった——妻はあまり好きではなかったが。キャサリンはニュルンベルクでしばらくのあいだ彼と一緒になったが、子供たちの面倒を見るためにアメリカに戻った。彼はそのことを、二人が会うとすぐ彼女に話した。それは、彼女の最初の仕事日だった。「レベッカ！」と彼は、法廷の建物の前の群衆の中に彼女を見つけて叫び、近づいてきて彼女の頰にキスをした。「君に会えて素晴らしい。君は相変わらず美しい」。「いいえ、もうそうじゃない。わたしは野暮ったい女」と、彼女は本心から言った。彼は笑った。「僕らはそれを直すことができる」

そして、彼はそうした。彼はPXに入れる貴重なカードを彼女に渡した。PXとは爆弾で破壊されたニュルンベルクに奇蹟のように出現した、アメリカの百貨店の、まずまずのイミテーションだ。ソーダ水売り場まであった。PXで彼女は髪をセットしてもらうことができ、たとえクーポンを持っていてもイギリスでは手に入らないナイロンの靴下やランジェリーやその他の衣類を買うことができた。髪をセットしてもらい、マニキュアを施してもらい、ニュールックの夏のフロックを着た彼女は、耐乏生活を送るイギリスのわびしい環境で「なりふりを構わない」女だったが、いまや成熟した美しさを取り戻したと彼がしきりに言うのを、ほとんど信じることができた。彼は彼女を、ほかの女性ジャーナリストたちと一緒に宿泊していた寄宿舎風の宿泊施設から救い出し、庭園の中にある堂々たるイタリア風の邸宅、ヴィラ・コンラーディに連れて行った。そこには彼と、ほかのアメリカの上級の法律家が快適に住んでいた。彼は広くて天井が高い寝室に彼女を連れて行った。部屋にはヴィーナスとマルスのきわめてエロティックな絵がベッドに面して懸かっていて、それは、彼の望みと意図を絵で表わしていた。彼はすぐに、彼女の最初の仕事日に、偶然彼女に会ったのではないことを告白した――彼は彼女の名前をリストで見て、二人が再会するのを首を長くして待っていたのだ。彼は遠くから彼女の本、とりわけ『黒い仔羊と灰色の隼』を通して彼女の人生を追っていた。彼が言うには、彼とキャサリンがそれを非常に好いたので、互いに声に出して読み合った――いつか自分たちが彼女に会えるのを期待して。「僕はかねがね君を渇望していたんだ、レベッカ、でも、それを実行に移すチャンスはなかった、今日まで」と彼は言って、彼は彼女に二回目のキスをした。今度は口に。彼女が彼の妻のことを持ち出すと、彼は手を振って、彼女のためらいを一掃した。「キャサリンはいい相棒で、とても素晴らしい母親だが、この頃じゃあ、僕らの結婚はそれだけのことさ。とにかく、キャサリンはセックスをあんまり好まなかった。二番目の子が生まれてから、一年半しようとしなかった」

彼女は相当長いあいだ恋人がいず、これから先死ぬまでセックスとは無縁だと諦めていたが、非常にチャーミングで魅力的な男と最後の素敵な情事を楽しむ機会は、無視するにはあまりに誘惑的だった。そういうわけで、彼女は夜毎その情事に身を委ね、それを愉しみ、女神に感謝を捧げた。その女神の絵の下でそれを愉しんだのだが。しかし今、それはすっかり終わってしまった。「でも、そうだろうか?」と彼女は、イギリスの野畑の緑と茶色のキルトと、小さな玩具の車が這うように走っている、曲がりくねった道路を見下ろしながら考える。その日の朝、フランシスは二人の別れ際に、たぶん秋のいつかに行われる判決を聞きにニュルンベルクに戻ってくるように彼女に言った。そして、その間《かん》、手紙を書く、ひょっとしたら自分がイギリスにちょっと行くかもしれないと言う。判決を聞きにニュルンベルクに行くというのはジャーナリストとして当然だ。彼女はロスが二度目の記事を自分に委嘱することに自信を持っていた。結局、と彼女は機長が乗客にシートベルトを締めるよう指示し、飛行機が降下し始めると考える、この関係は束の間燃え上がった情念ではなく、まだ少し続くだろう。それが自分の寿命を延ばしたのは確かだ。ヘンリーは空港に出迎えに来ているだろう。彼は自分の顔に、満たされし欲望の表情（ウィリアム・ブレイクの詩句）を認めるだろうか？

彼女はクロイドンで快い驚きを覚える。ヘンリーだけではなく、アントニーとキティーと、彼女の二人の孫も彼女を迎えに来ている。最近諍《いさか》いをしたあとで、みんなが仲良く一緒になっているのを見るのはよいことだ。キャロラインは、「お祖母様《グラニー》、お帰りなさい」と書いた手製のプラカードを掲げている――それは、彼女が帰還兵士の家に飾られているのを見た、数多くのそうした掲示を真似たのは疑いない。グラニーがドイツで何をしていたのかを、みんなが知ったらどうだろう！　誰もが、彼女がとても元気そうだと言う。「素敵な食べ物のおかげよ」と彼女は言う。「ニュルンベルクではヤンキーには配給制度はないの」。ヘンリーは一瞬怪訝そうに眉を顰《ひそ》めてから言う。「新しい髪型だね、ラック」

「ええ、気に入った？」

「とってもいい」。彼は彼女の頰にキスをする。「面白かったかい？」

「とってもよかった」

「そいつはいい、そのことを全部、僕に話さなきゃいけない」

彼女は、彼が一同を車に乗せて家に向かう時に裁判のことを話してから、戦前の旧友で、アメリカの主任検察官の一人、フランシス・ビドルに会ったことを言う。

「それはいい《ナイス》じゃないか」

「ええ、とってもいい《ナイス》わ」と彼女は言う。彼女はイギリスに戻っているのだ。いい《ナイス》＝国《ランド》。ヘンリー＝ランド。

彼女はイプストーン・ハウスに戻ってからすぐ、マージョリーに電話してH・Gの健康状態を訊ねる。「なんの変化もないわ、本当に」とマージョリーは言う。「あの人は数時間ほどベッドから出て階下《した》に来るけど、大抵は寝室にいるの。ほんの少しずつ弱ってきてると思う、でも、よくはわからない。ある日、あの人は言ったわ、『僕は三途の川の岸で、あの渡し守の奴が来るのを待ってるんだ。急いで来るといいがね』」。「あらまあ、なんて悲しいこと」

とレベッカは言う。「なんとかあの人に会いに行くわ。あの人が見たそうなニュルンベルクの開廷中の法廷の写真を何枚か撮ったの」。「あの人は気に入るでしょうね」とマージョリーは言う。「たぶん、再来週」とレベッカは言う。「記憶が新鮮なうちに『ニューヨーカー』にこの記事を書かなくちゃいけないの」

次の六日間、彼女は懸命に記事を書く。彼女は法廷の一番高い判事席に坐ったフランシスの態度を記述する。「高度に知的な白鳥のように、時折屈《かが》んで小さな水鳥と話し合う」。そして、彼がそれを読んでいるところを想像し、一人でにやりと笑う。彼はエロティックな恋文を彼女に送る。彼女は悪戯っぽくたしなめる。彼は再び手紙を寄越し、キャサリンに見せられる手紙を書いてくれと彼女に頼む――彼は家に出した手紙に彼女のことに何度も言及したので、キャサリンが怪しみ始めたのではないかと怖れているのだ。彼女はその手紙を読んで少し興醒めがし、返事を出さない。

彼女はドイツから戻ってきたあとの七日目、名状し難い怖れと不安を覚えて目を覚ます。そして午前中ずっと、印刷するに値するものは何も書けずに、机の前に坐っている。紙屑籠は丸めて捨てたフールスキャップ判の紙で一杯になる。午後に彼女は、三マイル先の渓谷の一番上まで車で連れて行ってくれとヘンリーに頼む。下り坂を歩いて家に帰れるようにだ。晴れていて暖かいが、不快になるほどは暑くはなく、白い千切れ雲が、澄んだ青空で草を食んでいる羊のように、ゆっくりと流れて行く。午前中の彼女の嫌な気分は消え始める。おそらくその気分は、キャサリンに見せることのできる手紙をくれという、フランシスのかなり卑しい手紙のせいだったろう。その手紙で彼に対する尊敬の念は減り、自分とH・Gとジェインの、昔の三角関係を思い出させられて嫌な気分になる。わたしたちはなんと自分たちの生殖器の奴隷なのだろう、と彼女は考える。なんと多くの時間と精力と精神が、自分の生殖器を別の者の生殖器にどうにか接合させようとし、そのあとで、そのことを隠すことに無駄に使われることか。わたしはもうフランシスと手を切るべきだが、あまりに心弱いので、彼が自分の結婚をこれ以上危険に晒すまいと決心するまで、情事はしばらくのあいだ、だらだら続くだろう。男女の仲は、これまでずっと、これからもずっと、そんな具合に続いて行くのだ。

彼女が家に近づくと、ヘンリーが顔に厳粛な表情を浮かべて家から出てきて彼女を迎える。「マージョリーから電

き取った」

話があった」と彼は言う。「H・Gが今日の午後、息を引

レベッカがその日の晩にマージョリーに電話すると、マージョリーはH・Gの死について非常に詳しく話す。「まったく突然で、思いがけなかったの。あの人は先週あたりからずっと寝室に籠もり切りだったんだけど、食事の時は起き上がってテーブルの前に坐り、新聞を読み、いつものように『タイムズ』のクロスワードを素早く解いたの。今朝、日中の勤務の看護婦が二時間ほどいなかったので、わたしが何度かあの人の様子を見に行ったの、そうするとあの人は、いつもとまったく同じに見えた。たぶん、いつもよりちょっと疲れていたようだったけど――そうして、いつもより優しく思えたけど。あの人は時々、とっても苛々した。でも、わたしがあの人のためにちょっとしたことをしてあげると、あの人は『ありがとう、ウェルズ夫人』と言って、わたしに微笑みかけた。看護婦が勤務に戻ってきたので、わたしはあの人のことですっかり気持ちが晴れやかになり、昼食時に家に帰ったの。すると四時頃、看護婦が電話してきて、あの人が死んだって言った……」。マージョリーは涙をこらえているらしく、間《ま》があ

る。「ごめんなさい」と彼女は言い、話を続ける。「あの人は看護婦を呼ぼうとベルを鳴らし、ベッドの端に腰を下ろし、パジャマの上着を脱ぐのを手伝ってくれと看護婦に言ったの、まるで服を着ようとするかのように。ところが、またパジャマの上着を着てベッドに戻った。そして看護婦に言ったの、『行っていい、わたしは大丈夫だ』、それから横になり、目を閉じた。十分後、看護婦が寝室を覗くと、あの人は死んでいた」

「なら、あの人は一人で死んだのね」とレベッカは言う。

「それがあの人の願いだったんでしょうね」とマージョリーは言う。「あの人は、病気になって憐れまれるのを、いつも嫌っていたから。あの人は、誰も見ていない時に、すっと息を引き取ったのよ。表情は、ごく穏やかだった」

「ええ、あなたの言う通りだと思う」とレベッカは言う。「終わりが平穏で苦痛がなかったっていうのは、あの人のために、わたしは喜ぶ」

それにもかかわらず、彼女は受話器を受け台に置きながら、H・Gの逝き方には詩がないのは哀切だと思う。物語の中で非常に多くの横死や頓死、個人の死、群衆の虐殺、軍隊と艦隊の潰滅、巨大津波による全人類の溺死、地球自体の死を想像した作家が、この世をいとも静かに、平凡に

去ったというのは、なぜか竜頭蛇尾に思える。しかし、たぶんそれは不相応ではないのだろう。彼の一生は流星、あるいはむしろ彗星の一生に似ていていた――彼は一度、その二つの違いを彼女に説明したが、彼女は、彼の声、生まれながらの教師の声を、今、聞くことができる。「その二つは共に、時折太陽系に侵入してくる星気体で、太陽系宇宙空間のどことも知れぬところから来る岩と氷の塊だ。しかし流星は大気圏に突入すると燃え尽き、僕らが流れ星と呼ぶ白い尾を夜空に残す、あるいは、時折地球に当たる、もっと大きな岩の塊だ――隕石。彗星はそれ自体の偏心軌道に乗って、われわれの太陽系に入ってくる。彗星はほとんど氷と塵で成っていて、太陽の近くを通過する時に蒸発し、数百万マイルの長さの輝く尾を作り出す。それは地球から肉眼で見えるが、再び現われるまで、数百年、時には数千年姿を消す」。それはレベッカには、H・Gの人生のよい類比のように思える。そして、作家として彼女は、物事に意味と定義を与えるのに、隠喩と直喩に頼る。

H・Gは彗星のようだった。彼は十九世紀の終わりに無名の境遇から突如姿を現わし、文学の蒼穹で数十年、燦然と輝き、驚異と畏怖と恐怖の念を人に与えた。地球を滅ぼすおそれがあったが、実際には、ガス状の尾の有益な効果で、地球を変貌させた『彗星の日々に』の彗星のように。H・Gはまた、変貌した世界を遺したかった。そして彼は、そのことに成功しなかったにせよ（誰が成功できたであろうか?）、非常に多くの人々に対して解放的な、啓蒙的な影響を与えた。時が経つにつれ、彼の想像力と知力の輝かしさは減り、人々が彼を見上げて、驚嘆しながら見つめるということは次第になくなり、いまや彼は視界から消え去った。しかし、文学史には偏心軌道がある。たぶん、ある日、彼は再び蒼穹で光を放つであろう。

謝辞

この小説の主要な拠り所は、本文に言及されているH・G・ウェルズの数多くのフィクションとノンフィクションであった。その中できわめて重要なのは彼の『自伝の試み』（全二巻、一九三四）と、その『後記』である。『後記』は彼の性生活について書いたもので、彼はそれを、自分と、その本に言及されている女たちが死んだあとで出版するつもりで書いた。それは彼の息子G・P・ウェルズの編集で、『恋するH・G・ウェルズ』という題で一九八四年に出版された。さらに、デイヴィッド・C・スミス編『H・G・ウェルズ書簡集』（全四巻、一九九八）、レオン・イーデルおよびゴードン・N・レイ編『ヘンリー・ジェイムズとH・G・ウェルズ——二人の友情、小説の技法に関する二人の議論および二人の諍いの記録』（一九五八）に集められた手紙、およびハリス・ウィルソン編『アーノルド・ベネットとH・G・ウェルズ——個人的および文学上の友情』（一九六〇）と、こうした書簡集には収められていず、以下に記してあるウェルズおよびほかの作家の伝記に引用されている手紙にも拠った。

H・G・ウェルズの伝記の中で、ノーマンおよびジーン・マッケンジー著『時の旅人——H・G・ウェルズの生涯』（一九七三、改訂一九八七）（邦題『時の旅人』〔一九七八〕、訳者・村松仙太郎）、アントニー・ウェスト著『H・G・ウェルズの諸相』（一九八四）が、とりわけ役に立った。さらに補足的に次の諸作も役に立った。マイケル・コーレン著『透明人間——H・G・ウェルズの生涯と自由奔放な振る舞い』（一九九三）、ラヴァット・ディクソン著『H・G・ウェルズ――波瀾万丈の人生と時代』（一九六九）、J・R・ハモンド編『H・G・ウェルズ――インタヴューと回想』（一九八〇）、アンドレア・リン著『影の恋人たち――H・G・ウェルズの最後の情事』（二〇〇一）、ゴードン・N・レイ著『H・G・ウェルズとレベッカ・ウェスト』（一九七四）、デイヴィッド・スミス著『H・G・ウェルズ――必死の人生』（一九八六）、アントナイナ・ヴァレンティン著『H・G・ウェルズ――現代の予言者』（一九五〇）、フランク・ウェルズ著『H・G・ウェルズ――写真による伝記』（一九七七）、ジェフリー・ウェスト著『H・G・ウェルズ――ポートレートのためのスケッチ』（一九三〇）。最も新しい伝記、マイケル・シャーボーン著『H・G・ウェルズ――別種の人生』（二〇一〇）は、私が『絶倫の人』を書き終える頃に出版されたが、彼の綿密な研究の成果を利用するには遅過ぎることはなかった。同書には、これまでの伝記からは得られなかった多くの事実が含まれていて、おかげで私の小説の細部に数多くの修正を加え、補足をすることができた。ウェルズの生涯と作品に関する参考書の中で、私はジョン・ハモンド著『H・G・ウェルズ必携』（一九七九）および『H・G・ウェルズ年表』（一九九九）、ジェフリー・H・ウェルズ著『H・G・ウェルズの作品一八八七～一九二五』（一九二六）に負う。得るところの多かったH・G・ウェルズの批評的研究には次のものがある。バーナード・バーゴンジ著『初期のH・G・ウェルズ』（一九六一）、ジョン・バチェラー著『H・G・ウェルズ』、ピーター・ケンプ著『H・G・ウェルズと進化の頂点に達した猿としての人間』（一九八二）、パトリック・パリンダー編『H・G・ウェルズ――批評の遺産《クリティカル・ヘリテージ》』。

　ウェルズを様々な程度の親密さで知っていた人々についての伝記、およびそれらの人々による自伝と書簡集は、貴重な情報源であった。それには以下のものが含まれている。ターニャ・アレグザンダー著『これらすべてのものの少し』（一九八七）、イーニッド・バグノルド著『イーニッド・バグノルド自伝』（一九六九）、バーバラ・ベルフォード著『ヴァイオレット――奔放なヴァイオレット・ハントとその仲間』（一九九〇）、ニーナ・ベルベローヴァ著、マリアン・シュヴァルツ、リチャード・D・シルヴェスター訳『ムーラ――ブドベルク男爵夫人の危険な人生』（二〇〇五）、ジュリア・ブリッグズ著『情熱の女――E・ネズビットの生涯』（一九八七）、バーナード・クリック著『ジョージ・オーウェル――一つの人生』（一九八〇）（邦題『ジョージ・オーウェル――ひとつの生き方』〔一九八三〕、訳者・河合秀和）、マーガレット・ドラブル著『アーノルド・ベネット』（一九七四）、グローリア・G・フロム著『ドロシー・リチャードソン――一つの伝記』（一九七七）およびフロム編『モダニズムを見る窓――ドロシー・リチャードソン書簡選』（一九九五）、ルース・フライ著『モードとアンバー――一人のニュージーランドの母と娘と女性の大義、一八六五年から一九八一年』（一九九二）、ヴィクトリア・グレンディニング著『レベッカ・ウェスト――ある生涯』（一九八七）、J・R・ハモンド著『H・G・ウェルズとレベッカ・ウェスト』（一九九一）、マイケル・ホルロイド著『バーナード・ショー』（全三巻、一九八八～九一）、R・H・ブルース・ロカート著『ある諜報部員の回想録』（一九三二）、ルーシー・マスタマン著『C・F・G・マスタマン』（一九三九）、M・M・マイヤー著『H・G・ウェルズとその家族』（一九五六）、ドリス・ラングリー・ムーア著『E・ネズビット』（改訂版、一九六七）、バータ・ラック著『ストーリー・テラーが真実を語る』（一九三五）、カール・ロリソン著『レベッカ・ウェスト――世紀のサガ』（一九九五）、ジョン・ローゼンバーグ著『ドロシー・リチャードソン――人が忘れた天才』（一九七三）、ボニー・カイム・スコット編『レベッカ・ウェスト書簡選』（二〇〇〇）、キース・シンクレア著『ウィリアム・ペンバー・リーヴズ――ニュージーランドのフェビアン』（一九六五）、カレン・アズボーン著『エリザベス――「エリザベスとそのドイツ風庭園」の著者』（一九八六）、ノーマンおよびジーン・マッケンジー編『ビアトリス・ウェッブの日記、第三巻、一九〇五～一九二四』（一九八四）。ドロシー・リチャードソンの自伝的連作小説『巡礼』、特に『トンネル』(一九一九)、『回転灯』(一九二三)、『夜明けの左手』(一九三一)は、「ハイポ・ウィルソン」という人物に仮託してH・G・ウェルズを描いている。ウェルズ自身認めているように、少なくともその最初の小説において、彼の性格が「驚くほどに正確に」描かれていて、彼女と彼とジェインの関係がどういうものだったかを教えてくれる。『スパイのムーラ——我が諜報部員の叔母——ムーラ・ブドベルク男爵夫人』は、二〇〇八年にBBCのために彼女の甥の息子の息子ディミトリ・コリングリッジによって作られたもので、DVDになっているが、私には非常に興味深いものだった。

本書の執筆に関連して読んだり参考にしたりしたほかの本と小論には、次のものが含まれる。ルース・ブランドン著『新しい女性と古い男性——恋、セックス、女性問題』(一九九〇)、ジョン・ケアリー著『知識人と大衆』(一九九三)、H・G・ウェルズの『アン・ヴェロニカ』のマーガレット・ドラブルの序文(ペンギン・クラシックス版、二〇〇五)と『ガーディアン』(二〇〇五年四月二日付)の「彼女自身の部屋」(アンバー・リーヴズに関して)、サミュエル・ハインズ著『エドワード朝の考え方』(一九六八)、エドワード・R・ピーズ著『フェビアン協会の歴史』(一九一六)、W・ボイド・レイウォードの「H・G・ウェルズの〝世界の頭脳〟という考え——批評的再評価」(『情報科学のためのアメリカ協会のジャーナル』、五〇［一九九九年五月十五日号所収］)、ケイティー・ロイフィー著『異例の取り決め——ロンドンの文学仲間における結婚生活の七つの肖像』(二〇〇七)、ミランダ・シーモア著『陰謀者の一味——ヘンリー・ジェイムズとその文学仲間、一八九五〜一九一五』(一九八八)、フィリップ・ウォーラー著『作家、読者、名声——英国における文学生活、一八七〇〜一九一八』(二〇〇六)。

私は次の方々に深く感謝したい。H・G・ウェルズの作品と手紙から、また、エイミー・キャサリン・ウェルズの手紙から広範囲に引用する許可を頂く際に、H・G・ウェルズ財団の代理としてお世話をして下さったA・P・ウォット。バーナード・ショーからH・G・ウェルズ宛の手紙より引用する許可を頂く際、バーナード・ショー財団の代理としてお世話下さった作家協会。アンバー・リーヴズの三通の手紙からの抜粋を引用する許可を下さったドゥーサ・マクダフ博士。『若いレベッカ』(©レベッカ・ウェスト、一九八二)からの引用と、レベッカ・ウェストの一通の個人的手紙(©レベッカ・ウェスト、一九七四)は、レベッカ・ウェスト財団の代理のピーターズ、フレイザー、ダンロップ(www.pfd.co.uk)の許可を得て載せた。

この種の小説では手紙から引用するというのは非常に有効である。なぜなら、それは登場人物の個性と動機を明かすだけではなく、読者に物語の出来事が実際にあった証拠を提供するからでもある。しかしながら、架空の手紙あるいはその断片を作らざるを得ないと感じた時が何度かあった。元の手紙が手に入らなかったからと、それが一人の人間から別の人間に情報を伝える最もありうる手段に思えたからである。それらはすべて、伝記的根本資料に幾分もとづいている。どれもH・G・ウェルズの手紙ではない。それらは次のものである。ロザマンド・ブランドからH・G宛の手紙で、彼女の母が、彼から来た、二人の関係を暴露してしまう手紙を見つけたと、彼女が彼に話す手紙(二一五〜二一六頁)。ヒューバート・ブランドが、ウェルズを放蕩者だと非難しているのを警告している、シドニー・オリヴィエの彼宛の手紙(二一七頁)。流産したことを知らせる、ドロシー・リチャードソンのウェルズ宛の手紙(二三五頁)。ジェインがH・Gの女遊びを大目に見ていたことを詰《なじ》る、イーディス・ブランドのジェイン・ウェルズ宛の手紙(二四一頁)、一九〇八年の復活祭の休暇にアンバーを預かってもらえまいかと、モード・リーヴズがウェルズ夫妻に頼む手紙（二六一頁）、H・Gがレベッカ・ウェストの家族を訪ねたあと、レベッカが彼に出した手紙（三七一頁）、『結婚』に対するヘンリー・ジェイムズのコメントをH・Gの手紙で知ったことに対するレベッカの返事（三七〇〜三七一頁）。

私の調査に役立った資料を所蔵しているいくつかの図書館のスタッフに感謝する――ロンドン図書館、バーミンガム大学図書館（特別蒐集部門も含め）、英国図書館（そのサウンド・アーカイヴも含め。そこで私は、一九七〇年に録音された、アンバー・リーヴズに対するBBCのラジオ・インタヴューを聞くことができた）、ロンドン・メトロポリタン大学の女性学研究図書館。H・G・ウェルズがかつて住んでいた、サンドゲイトのスペード・ハウス（現在は老人用の居住式介護ホーム）の所有者ポール・バーンズは、親切にも通常の規則を一時棚上げし、建物の外観と庭を見、写真に撮ることを許可して下さった。アンドレア・リンとマイケル・シャーボーンは、本書に引用した資料の版権所有者を突き止める際、非常に貴重な助言を与えて下さった。本書を執筆する様々な段階で本書を読み、有益なコメントをして下さった方々に深く感謝する――バーナード・バーゴンジ、モーリス・クーチュリエ、ジョニー・ゲラー、ジョン・ヒック、ジェフ・マリガン、クレア・トマリン、ポール・スロヴァック、トム・ローゼンタール、マイク・ショー。そして、いつものように、妻メアリーにも感謝する。

D・L

二〇一〇年十月

訳者あとがき

一九三五年にロンドンで生まれた作者デイヴィッド・ロッジは、ジェローム・K・ジェローム、イーヴリン・ウォーの系譜に連なる、現代イギリスのコミック・ノヴェルの第一人者である。出世作は、英米の英文学教師が半年間交換教員として互いに相手の大学に行くが、やがてメンタリティーだけでなく妻をも「交換」することになる抱腹絶倒の『交換教授』（一九七五）である。これは二つの文学賞を受賞し、いまや現代の古典とも言える作品である。その後もロッジは大学を舞台にしたコミック・ノヴェル、『小さな世界』（ブッカー賞最終候補作品）、『素敵な仕事』（サンデー・エクスプレス年間最優秀作品賞受賞）等を次々に発表している。ジョン・サザランドは大著『小説家列伝』（*Lives of the Novelists*, 2011）で、ロッジを「現代最高のコミック・ノヴェリスト」と評している。

そのロッジが、二〇〇四年、伝記小説すなわちバイオ・ノヴェルという、彼にとってはまったく新しい分野に挑戦し、「芸術小説」に生涯を捧げたヘンリー・ジェイムズを主人公にした『作者を出せ！』を発表した。この作品は、節を枉《ま》げずに売れない精緻極まる難解な心理小説をひたすら書き続け、経済的余裕を得ようと戯曲を書くものの大失敗に終わる孤高の作家の生涯と、挿絵画家デュモーリエとの深い、感動的な友情を見事に描き出した作品である。ロッジはそのあと、引退した大学教授を主人公にした、キャンパス・コミック・ノヴェルとも言える、老いと病（難聴）の影が差す『ベイツ教授の受難』を書いた。そして、最新作が伝記小説として二作目の『絶倫の人――小説H・G・ウェルズ』である。

ロッジは二〇一一年三月、『絶倫の人』を書いた経緯について詳説した一文を『ガーディアン』に寄稿した。ロッジは、二〇〇五年にペンギン・クラシックス版のウェルズの『キップス』の序文を書くための参考に彼の『自伝の試み』を読んだが、その際、矛盾の塊とも言うべき人間ウェルズに強く興味を惹かれた。ウェルズは貧しい家に生まれ、少年時代に服地店の徒弟に出されたが、刻苦勉励して世界的大作家になり百冊以上の本を書いた。そして、セックスの快楽を貪婪に追い求め、生涯に少なくとも百人以上の女と性的関係を持ち（そのうちの半ダースが真剣なものだった）、その一方、漸進的社会主義的思想の普及を目的にしたフェビアン協会の微温的態度を改革しようと奮闘するが失敗する。また、戦争を根絶するため世界政府を樹立しようという夢のような理想に燃えたが、第二次世界大戦が始まり、やがて悪魔的な原子爆弾が日本に投下されるという、世界と宇宙の終焉の兆候を目にし、晩年はペシミストに変わった。小説家にとって、こうした振幅の激しい人生を送ったウェルズほど魅力的な存在はないだろう。ロッジは『絶倫の人』において、ウェルズが自分の死後に発表する意図で遺した、華麗な女性遍歴を告白した『「自伝の試み」の後記《ポストスクリプト》』をもとに、ウェルズの性と恋を中心にしてその生涯を描いたのである。

では、伝記ではなく伝記小説を書く意義はなんなのか。ロッジによると、この数十年、実在した人間についての話を小説的手法で語るという伝記小説が、文学的フィクションとして人気を博するようになってきたが、近年、その傾向に対する批判も多くなった。例えば、アントニー・ビーヴァーは二〇一一年一月、王立文学協会で「ファクション（虚構と事実を織り交ぜた小説）の危険」と題した講演で、その傾向を攻撃した。「小説家が主要な歴史上の人物を扱うと、小説家が出来事を再現する際、記録されているどんな事実をもとにしたのか、あるいは、何を作り上げたのか、読者にはまったくわからない」というのが、ファクションの多くの危険の一つであるとビーヴァーは指摘した。それに対してロッジは、次のように言っている。ビーヴァーの懸念は理解できるけれども、事実とフィクションを結び付ける方法は数多くあり、それぞれの可否は、個々に判断されねばならない。例えば、歴史上の人物を、その人物が経験しなかった状況に置いたり、実際には互いに会ったことのない歴史上の人物同士に会話をさせたりしている伝記小説がある。ロッジ自身は、「実在した人物について知られている事実にあくまでもとづいているが、彼らの内的経験を含め、そうした事実のギャップを探るために小説的手法を用いる伝記小説に惹かれる」と述べている。そして、そのような伝記小説の利点について、こう書いている。「十九世紀から二十世紀にかけて発達した小説技法――とりわけ、第三人称の語りを登場人物の内面の声と結び付ける〝自由間接文体〟……――を使うことによって、伝記小説は伝記よりも主人公の送った人生の感覚を生き生きと伝えることができる。伝記では、伝記作者の声が支配し、語りの内容は手に入る証拠のみによって決められてしまう。小説的手法を用いれば、主人公の経験の無数の小さな部分を作り出す――想像する、と私は言いたいが――ことができる。ビーヴァーが指摘しているように、読者は、それがどれなのかを知る術《すべ》がない。しかし、そうした部分が事実の記録と矛盾しない限り、そして、作品が歴史ではなく小説として読まれることを前提にしている限り、何も悪いことはない。それどころか、何か得るところがあるだろう。伝記小説は伝記に取って代わるものではなく、伝記を補い、主人公の人生の別の解釈を提供するものである。想像力を働かせて歴史上の個人の意識の内側に入り込むことによって、小説家は伝記的〝事実〟の理解に貢献するのである」

『絶倫の人』は、批評家に高く評価されている。ブレイク・モリソンは二〇一一年四月九日付の『ガーディアン』で、『絶倫の人』を次のように評している。「HG〔ウェルズ〕が疲れを知らぬげに女遊びをしたように、ロッジも疲れを知らぬげに調査をし、本書の何物も、でまかせに挿入されてはいない。〝謝辞〟は数頁に及んでいるが、彼は参照した数多くの伝記を列記しているだけではなく、この小説のどの手紙が自分の創作かも明記している。ロッジは終始周到で、学究的である。さほど老練な小説家でなかったなら、想像力を制御することができなかっただろうが、ロッジは終始周到で、学究的である。別の主人公であったなら、それは欠点になったかもしれないが、ウェルズの人生は途方もなく並外れたものであるので、余計な粉飾を施す必要はない。……作者と主人公のあいだに類似点があるのも、この作品の助けになっている。例えば、二人は南ロンドンの中流の下の家庭で育ったという事実である。それは、ヘンリー・ジェイムズについてのロッジの伝記小説には欠けていた。しかし、共感は作品の成功を保証するものではない。作品を成功させるには、語りの推進力が必要である。ウェルズの多くの作品とは異なり、ロッジの小説には、それがある。この小説は素晴らしい勢いで弾むように進んで行き、決してだれることはない、ベッドの中においてさえも」

最後に、百冊以上あるウェルズの作品からロッジが選んだ「ウェルズの著書のトップ・テン」を紹介しておく（二〇一一年五月四日付『ガーディアン』）。

1 *The Time Machine*（1895）（橋本槇矩訳『タイム・マシン他九篇』、岩波文庫、一九九一。石川年訳『タイムマシン』角川文庫、二〇〇二他）

2 *The War of the Worlds*（1898）（中村融訳『宇宙戦争』、創元SF文庫、二〇〇五。斎藤伯好訳『宇宙戦争』、

早川書房、二〇〇五他）

3　*Kipps*（1905）

4　*Tono-Bungay*（1909）（中西信太郎訳『トーノ・バンゲイ』、岩波文庫、一九五三）

5　*Ann Veronica*（1909）（土屋倭子訳『アン・ヴェロニカの冒険』、国書刊行会、一九八九）

6　*The History of Mr Polly*（1910）

7　*Mr Britling Sees It Through*（1916）

8　*Russia in the Shadows*（1920）（生松敬三、浜野光輝訳『影のなかのロシア』、みすず書房、一九七八）

9　*A Short History of the World*（1922）（長谷部文雄、阿部知二訳『世界史概観』。下田直春訳『世界文化小史』、講談社学術文庫、二〇一二）

10　*Experiment in Autobiography: Discoveries and Conclusions of a Very Ordinary Brain*（1934）

翻訳に際し、訳者の数多くの質問に懇切に答えて下さった作者デイヴィッド・ロッジ氏、早稲田大学教授・東欧専門家長與進氏、出版に際し色々お世話になった白水社編集部の藤波健氏に心から感謝する。

二〇一三年八月

高儀　進

装丁　片山真佐志

訳者略歴

高儀進

一九三五年生まれ。早稲田大学大学院修士課程修了。翻訳家。日本文藝家協会会員。

訳書に、ロッジ『大英博物館が倒れる』『どこまで行けるか』『小さな世界』『楽園ニュース』『恋愛療法』『胸にこたえる真実』『考える…』『作者を出せ！』『ベイツ教授の受難』『改訳　交換教授』（以上、白水社）ほか多数ある。

絶倫の人

小説H・G・ウェルズ

二〇一三年　九月一〇日　印刷
二〇一三年一〇月　五日　発行

著者　デイヴィッド・ロッジ
訳者　©　高《たか》儀《ぎ》進《すすむ》
発行者　及川直志
印刷所　株式会社　理想社
発行所　株式会社　白水社

東京都千代田区神田小川町三の二四
電話　営業部〇三（三二九一）七八一一
　　　編集部〇三（三二九一）七八二一
振替　〇〇一九〇-五-三三二二八
　　　郵便番号　一〇一-〇〇五二
http://www.hakusuisha.co.jp

乱丁・落丁本は、送料小社負担にてお取り替えいたします。

松岳社　株式会社　青木製本所

ISBN978-4-560-08324-6

Printed in Japan

◎デイヴィッド・ロッジの作品◎

交換教授
——二つのキャンパスの物語（改訳）

大学紛争さなかの1969年、英米二人の大学教師が互いにポストを取り換え、なんと妻をも「交換」してしまう!?　コミック・ノヴェルの最高傑作を、待望の改訳一巻本で贈る。（高儀進訳）　〈白水Uブックス185〉

ベイツ教授の受難

言語学の元教授ベイツは、難聴のため、妻や耳の遠い父親とも話がかみ合わない……。ベイツは女学生から甘い誘惑を受けるが、その顛末は？　ロッジ節が炸裂する、笑いと涙の感動作！（高儀進訳）

作者を出せ！

現代小説の礎を築いた巨匠ヘンリー・ジェイムズは、劇作家としての成功を夢見ていた。喝采か、罵声か、作家を襲う悲運とは？『小説の技巧』の著者の「語り」が冴える、無類の面白さ！（高儀進訳）

恋愛療法

ロレンス・パスモア。58歳。テレビ台本作家。膝の痛みと欝のダブルパンチを食らい、各種セラピーのハシゴをするうち、なんとキルケゴールにのめり込んでゆく。心の癒しというテーマをコミカルに描く。（高儀進訳）

小説の技巧

オースティン、ジョイスからサリンジャー、オースターまで古今の名作を素材に、小説の書き出し方、登場人物の命名法、文章反復の効果等作家の妙技を解明し、小説味読の楽しみを倍加させる。（柴田元幸、斎藤兆史訳）